A-Z GLASGOW

CONTENTS

Key to Map Pages	2-3
Large Scale City Centre	4-7
Map Pages	8-175
Postcode Map	176-177
Road Map Pages (4 Miles to 1 Inch)	178-179
Index to Streets, Towns, Villages, selected Places of Interest and Stations	180-286
Index to Hospitals & Hospices	287-288

REFERENCE

Motorway	**M8**
Under Construction	
Proposed	
A Road	**A77**
Proposed	
B Road	**B812**
Dual Carriageway	
One-way Street Traffic flow on A Roads is also indicated by a heavy line on the driver's left.	
Junction Name	TOWNHEAD INTERCHANGE
Restricted Access	
Pedestrianized Road	
Track/Footpath	
Residential Walkway	
Railway	Level Crossing Station Tunnel
Underground Station	Ⓤ
Local Authority Boundary	— · — · —
Posttown Boundary	
Postcode Boundary within Posttowns	
Built-up Area	MILL ST.
Map Continuation	86 Large Scale City Centre 4
Airport	✈
Car Park Selected	P
Church or Chapel	†
Cycle Route	🚲
Fire Station	■
Hospital	Ⓗ
House Numbers (A and B Roads only)	13 8
Information Centre	ℹ
National Grid Reference	⁶60
Police Station	▲
Post Office	★
Toilet with facilities for the Disabled	▽ ▽
Viewpoint	🌸 🌟
Educational Establishment	
Hospital or Hospice	
Industrial Building	
Leisure or Recreational Facility	
Place of Interest	
Public Building	
Shopping Centre or Market	
Other Selected Buildings	

SCALE

Map Pages 6-165 1:18,103

Map Pages 4-5 1:9051

0	¼	½ Mile
0	250	500	750 Metres

3½ inches (8.89 cm) to 1 mile 5.52 cm to 1 km

0 ⅛ Mile

0 Metres

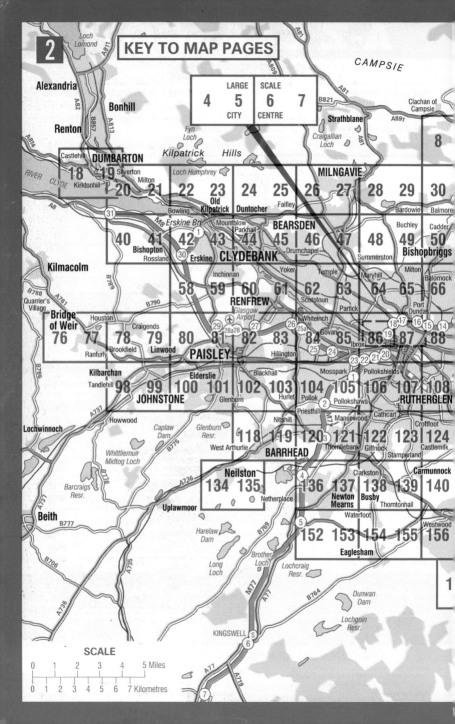

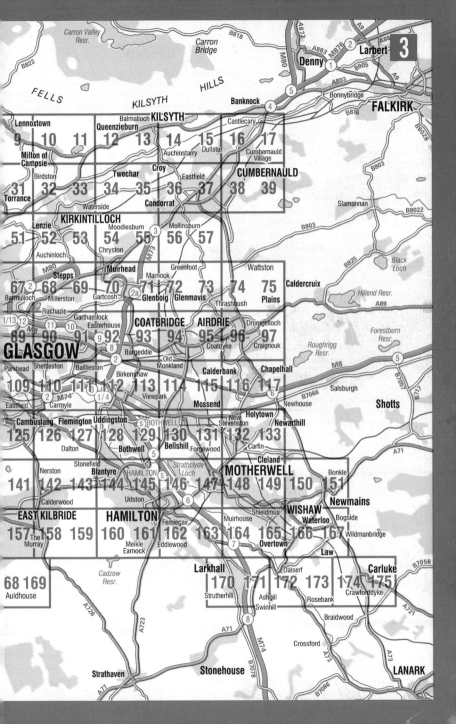

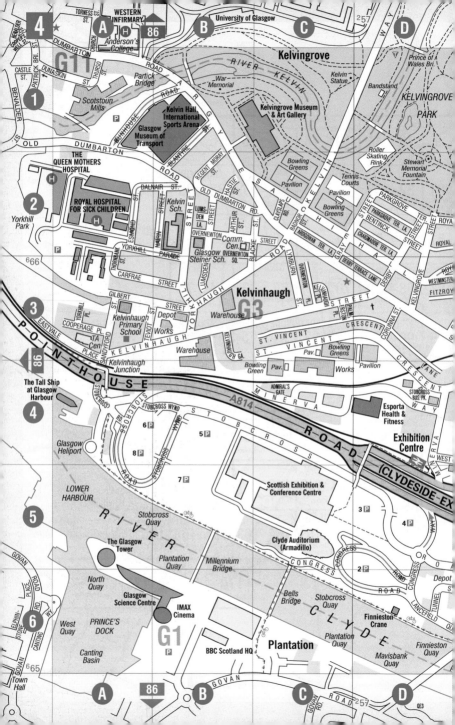

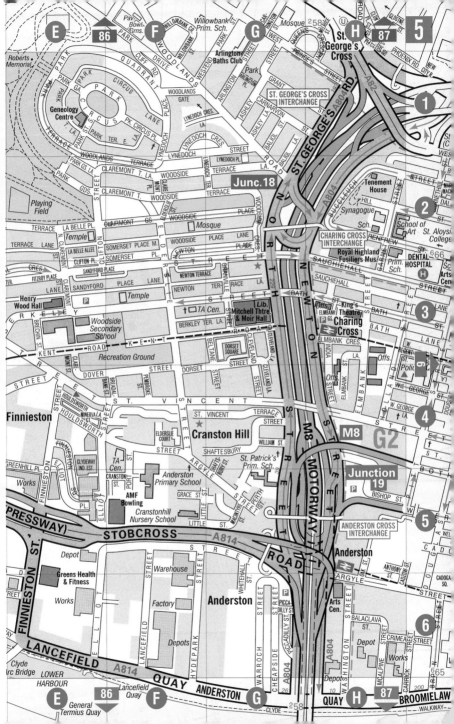

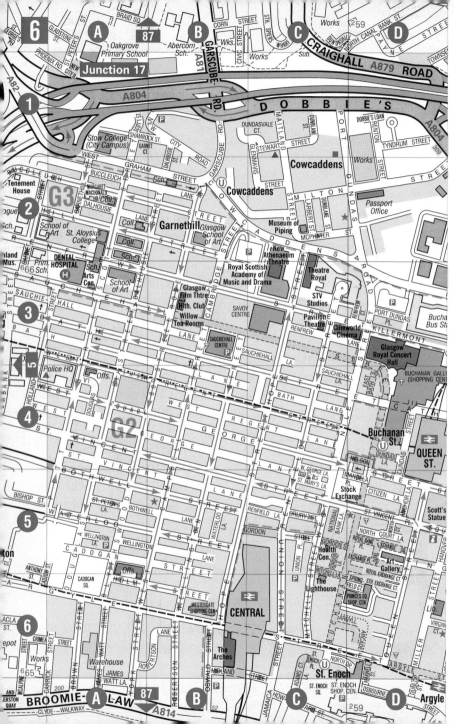

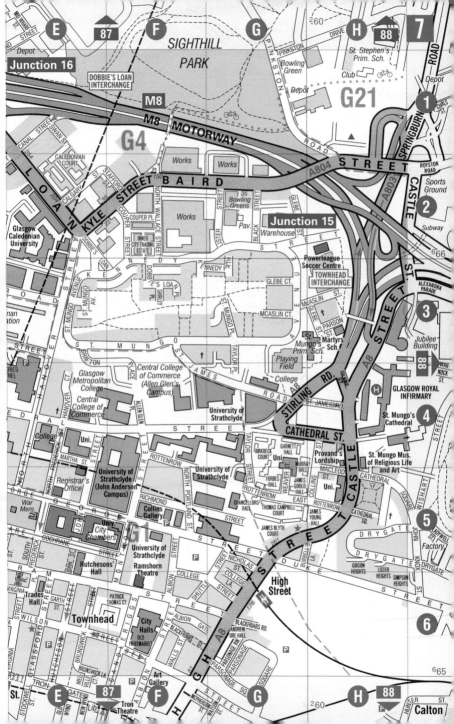

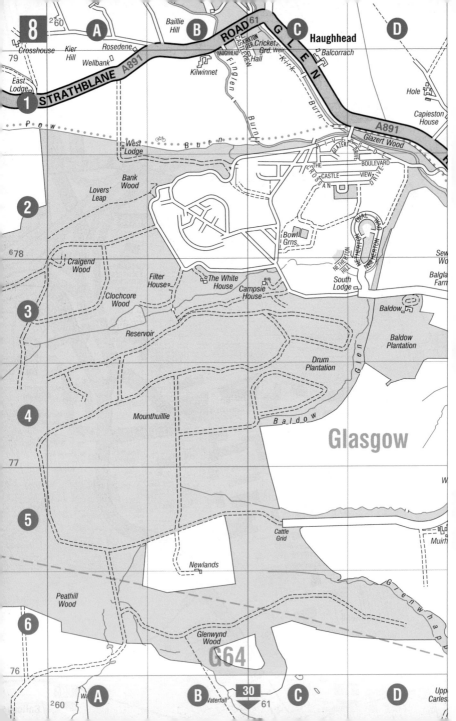

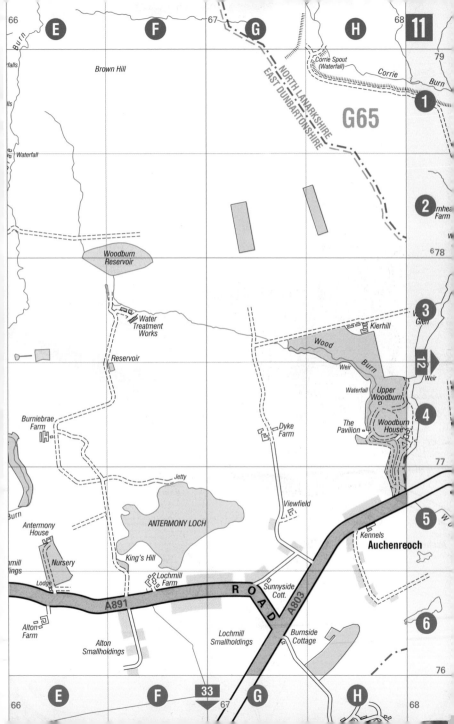

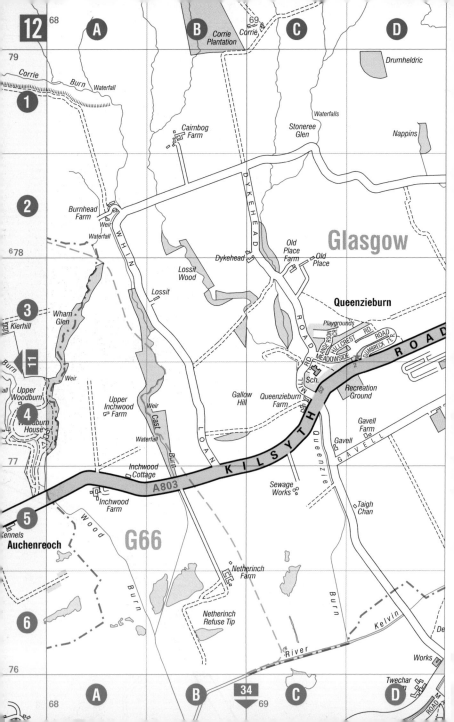

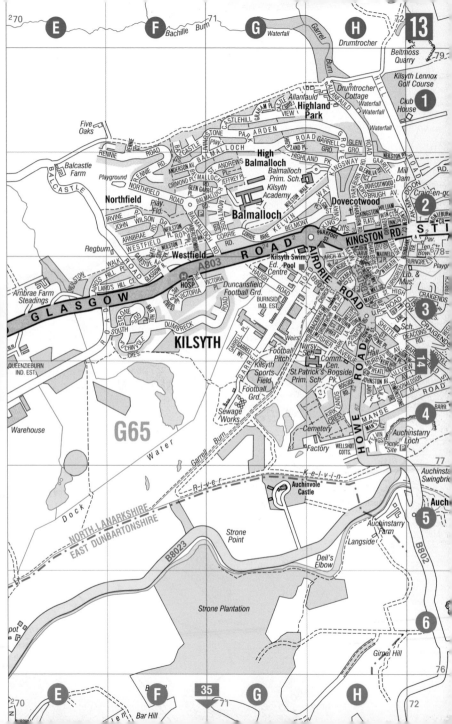

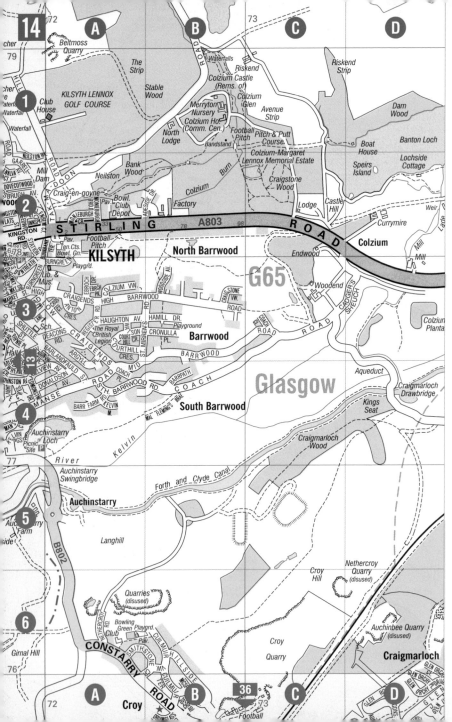

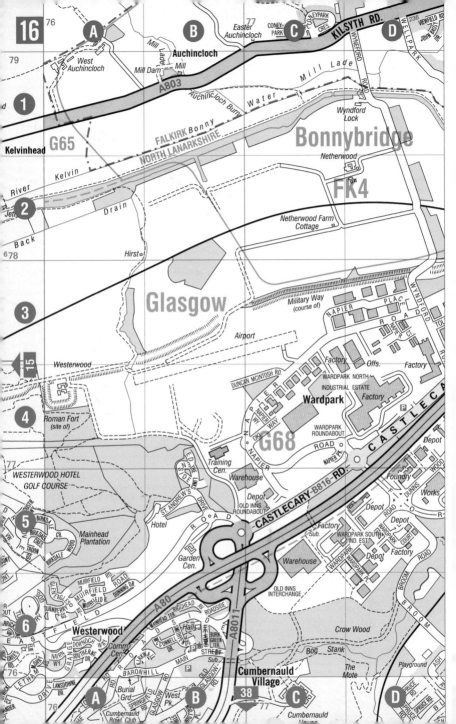

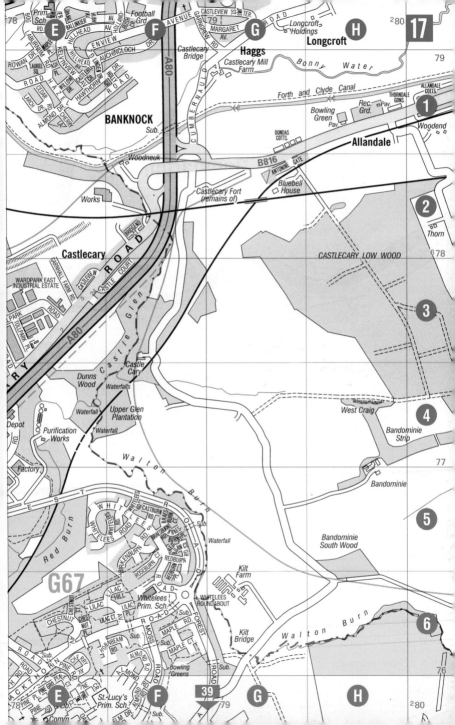

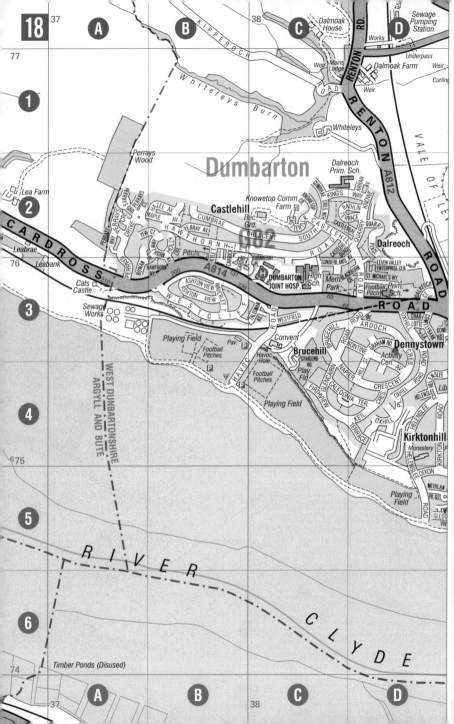

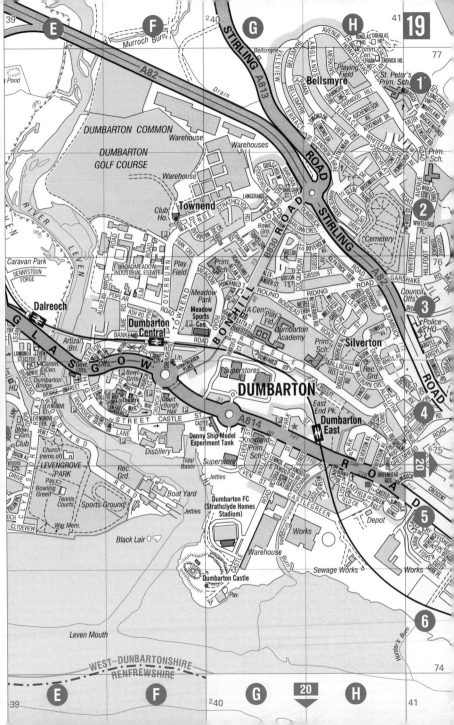

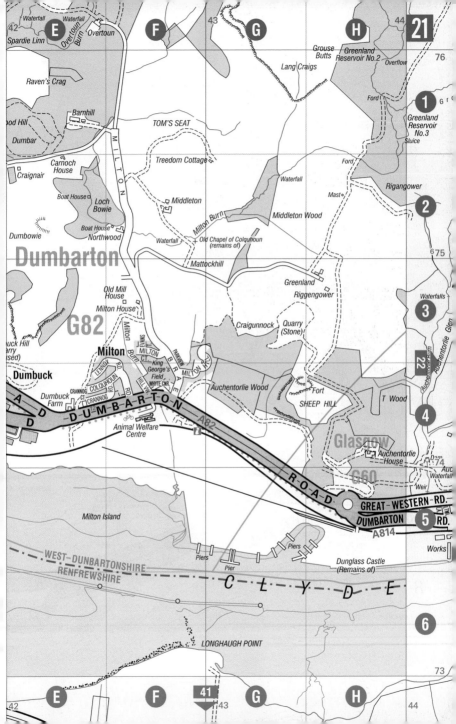

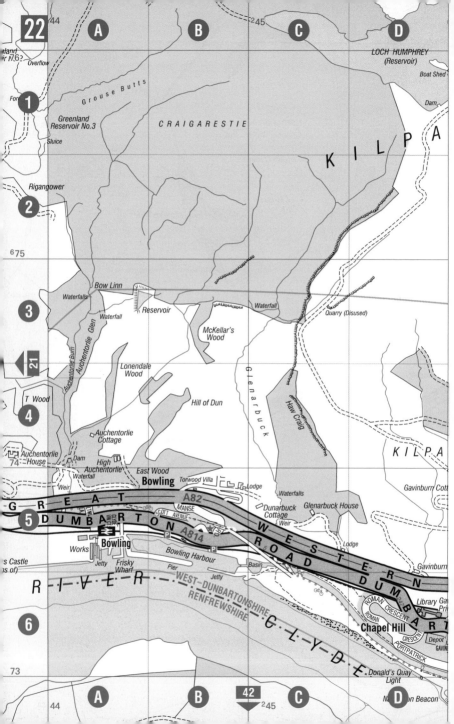

44 245

LOCH HUMPHREY
(Reservoir)

Boat Shed

1 For...
Overflow
...land
...r 762

Grouse Butts

Greenland
Reservoir No.3

CRAIGARESTIE

Dam

K I L P A

Sluice

2 Rigangower

675

Bow Linn

3 Waterfalls
Auchentorlie Glen
Waterfall
Reservoir

Waterfall

Waterfall

Quarry (Disused)

McKellar's
Wood

Auchentorlie Burn

Lonendale
Wood

Glenarbuck

21

4 T Wood

Hill of Dun

Haw Craig

K I L P A

Auchentorlie
Cottage

Auchentorlie
House

Dam

High
Auchentorlie

East Wood

Torwood Villa

Lodge

Waterfalls

Gavinburn Cott

74

Bowling

Glenbuck House

Waterfall
Weir

MANSE

A82

5 G R E A T

D U M B A R T O N

A814

W E S T E R N

R O A D

D U M B A R T

SCOTT
AVENUE

Dunarbuck
Cottage

Weir

Lodge

Gavinburn

Works

Bowling

Bowling Harbour

Basin

Jetty
Frisky
Wharf

Pier

Jetty

ROMAN CRESCENT

Library Ga
Pri

s Castle
s of)

R I V E R

WEST DUNBARTONSHIRE
RENFREWSHIRE

C L Y D E

ROMAN
CRESCENT

Chapel Hill

Depot
GAVIN

6

PORTPATRICK

73

Donald's Quay
Light

M...on Beacon

44

245

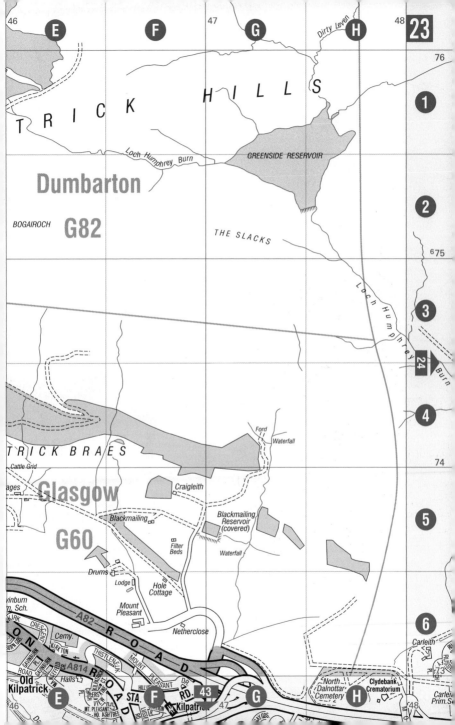

Dirty Leven

76

1

T R I C K   H I L L S

Loch Humphrey Burn

GREENSIDE RESERVOIR

Dumbarton

2

BOGAIROCH   **G82**

THE SLACKS

675

L o c h   H u m p h r e y

3

24

Burn

4

Ford

Waterfall

T R I C K   B R A E S

74

Cattle Grid

Craigleith

Glasgow

ages

Blackmailing

Blackmailing
Reservoir
(covered)

5

*Filter
Beds*

G60

Waterfall

Drums

Lodge

Hole
Cottage

6

Carleith

Mount
Pleasant

Netherclose

vinburn
m. Sch.

CRES

A82

CEMY.

KIRKTON

KIRK

R

O

A

D

THISTLE

MOUNT PLEASANT

73

A814

HILLVIEW

DR.

43

North
Dalnottar
Cemetery

**Clydebank
Crematorium**

Carlei

ROAD

**Old
Kilpatrick**

Halls

MT. PLEASANT

HO. ASHTREE

STA.

RD.

Kilpatrick

E   **F**   **G**   **H**

Carleit
Prim.Sc

46   47   48

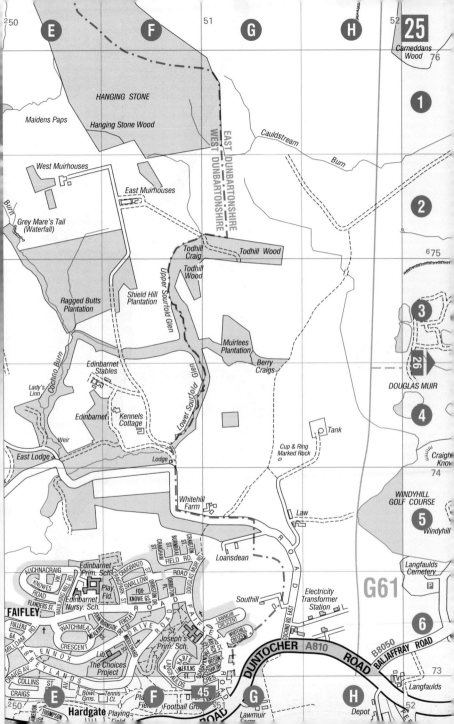

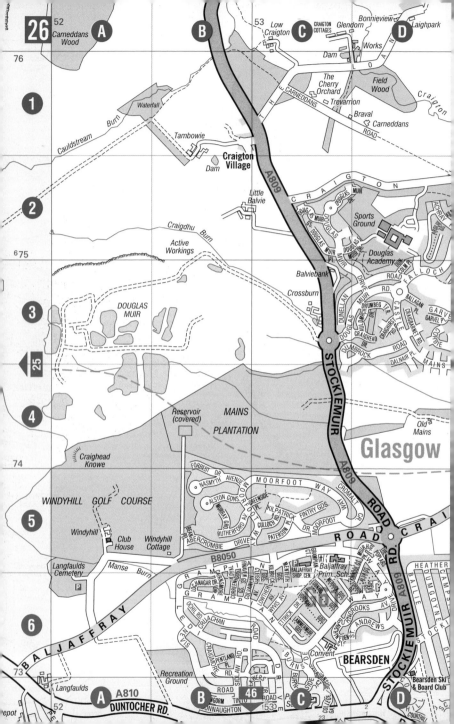

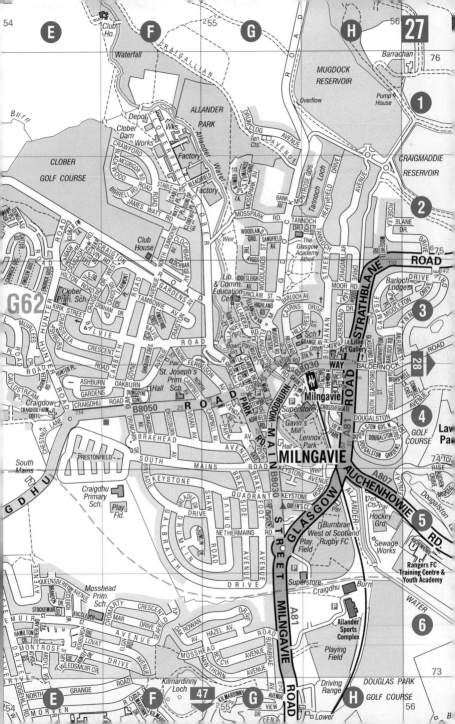

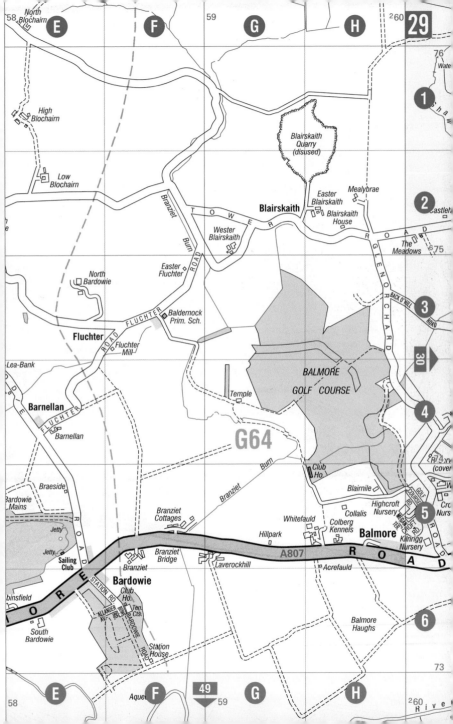

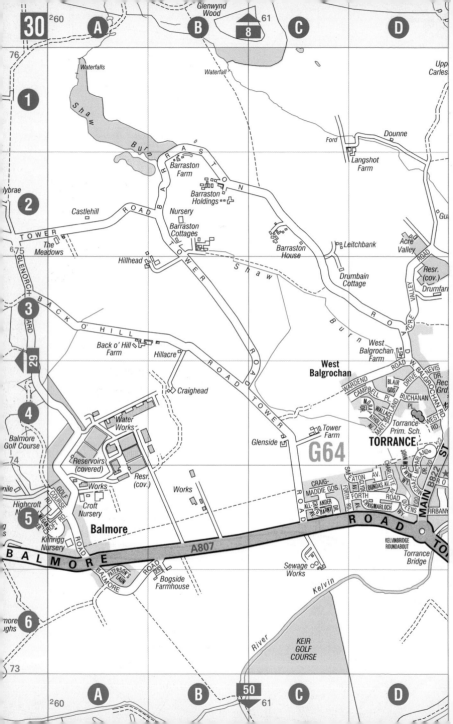

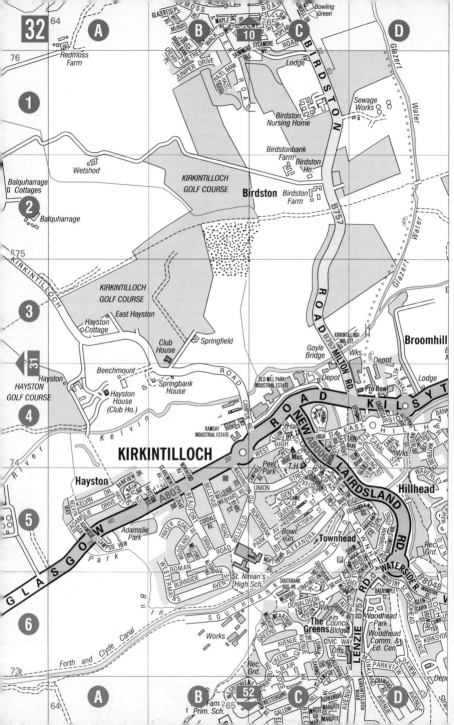

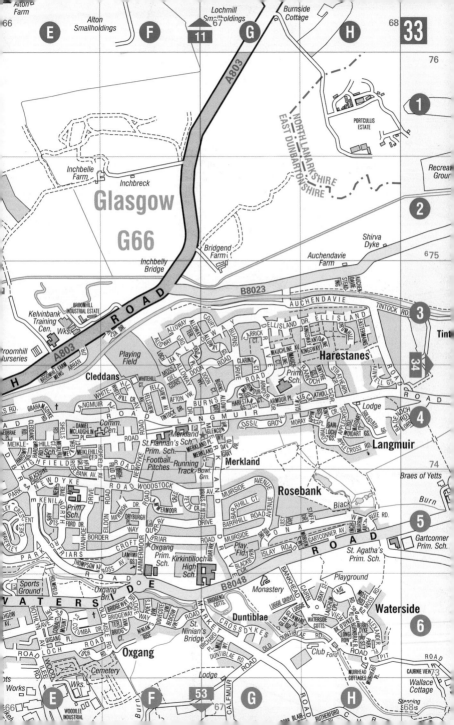

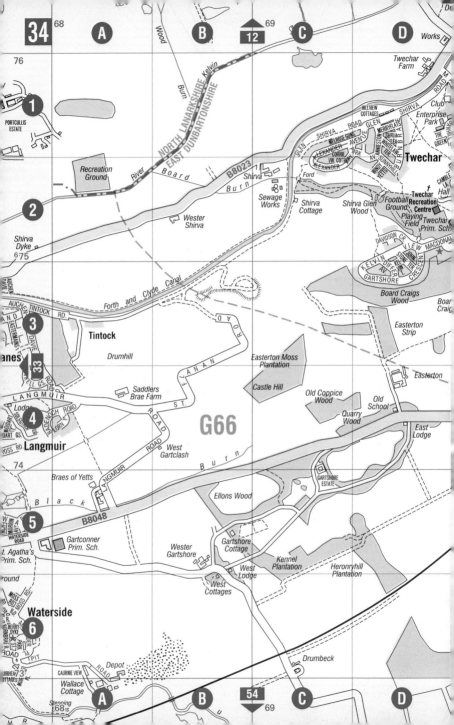

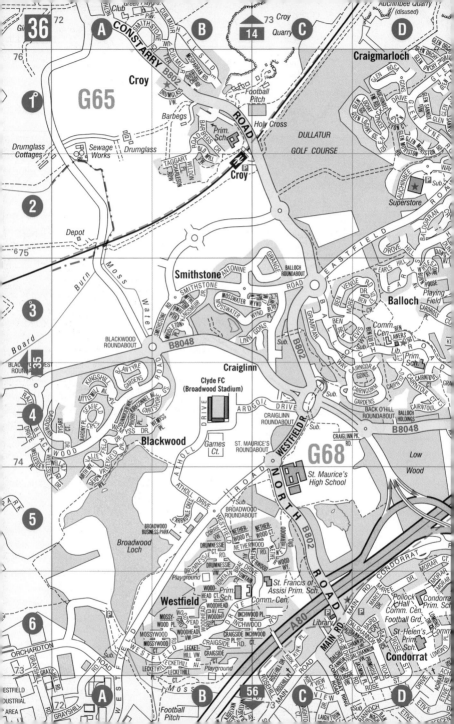

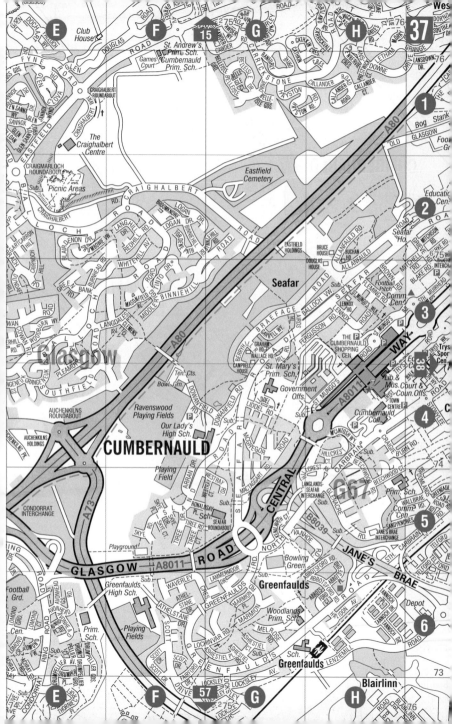

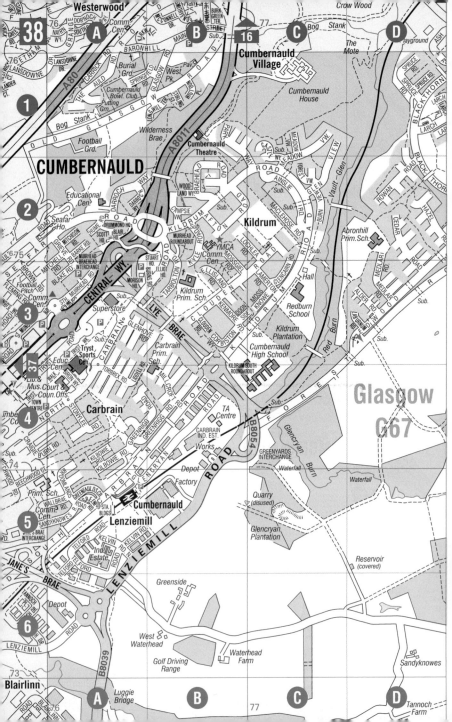

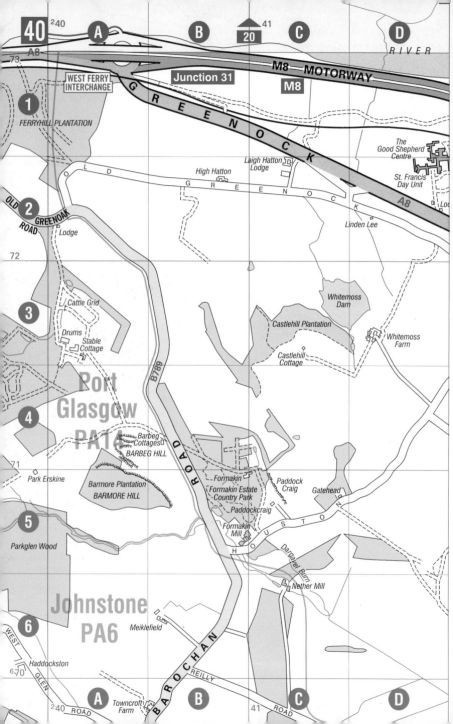

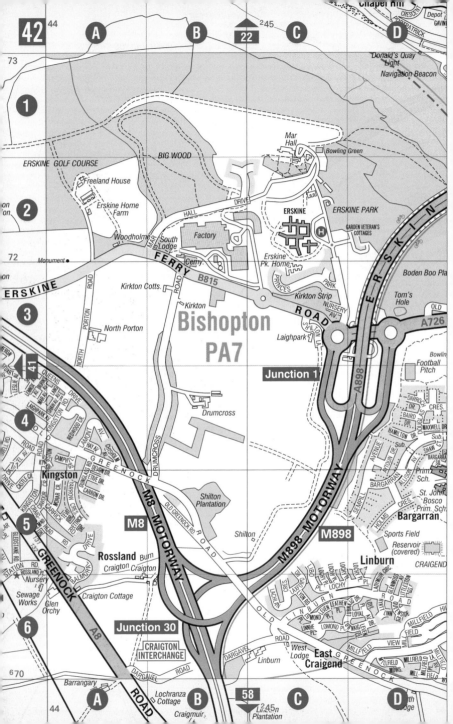

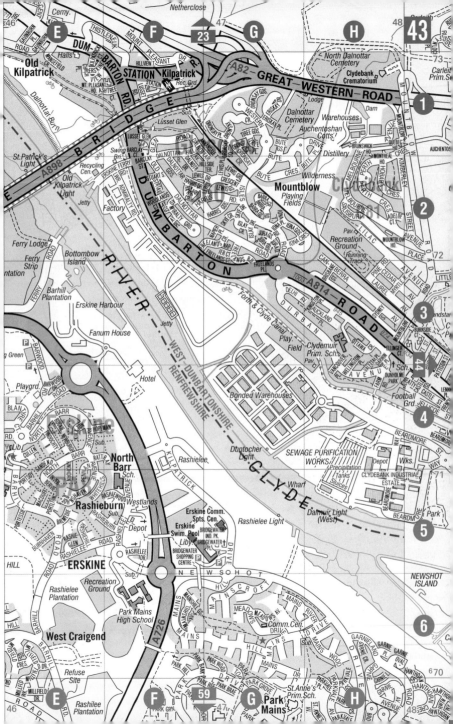

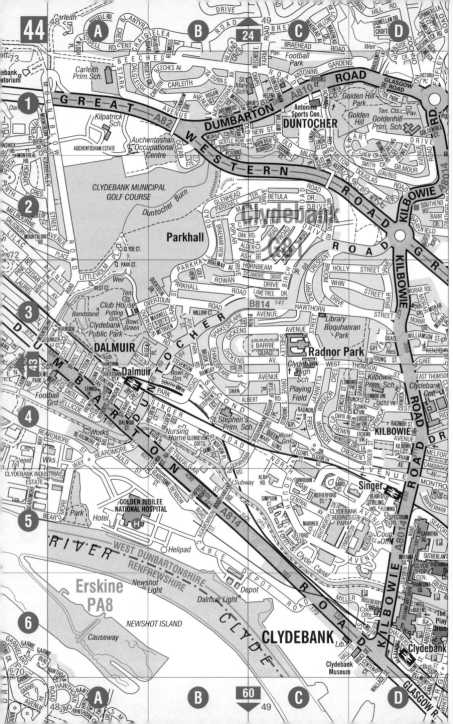

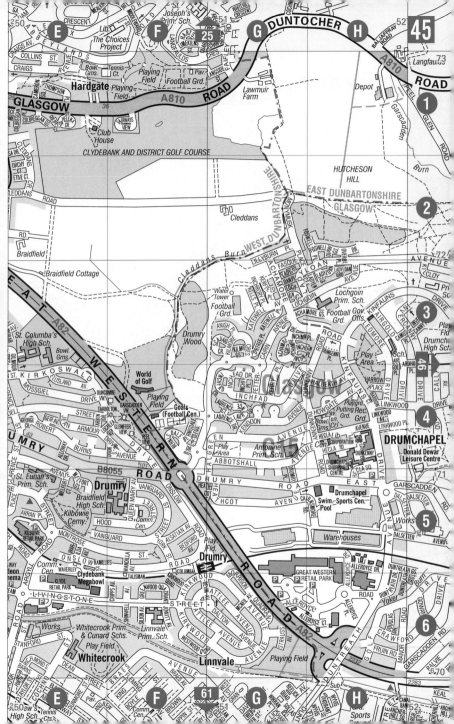

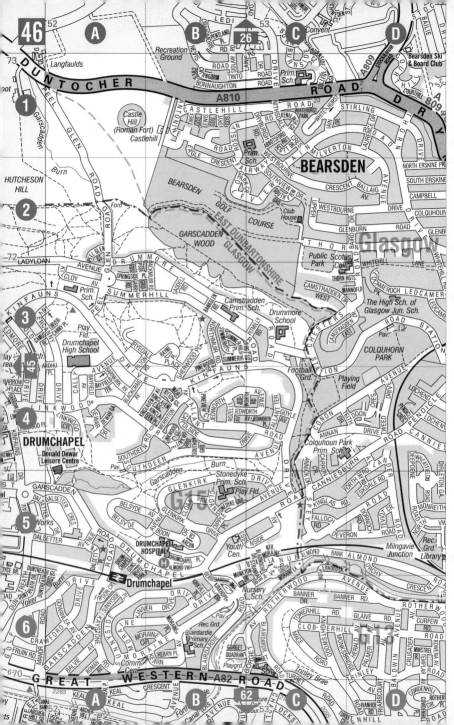

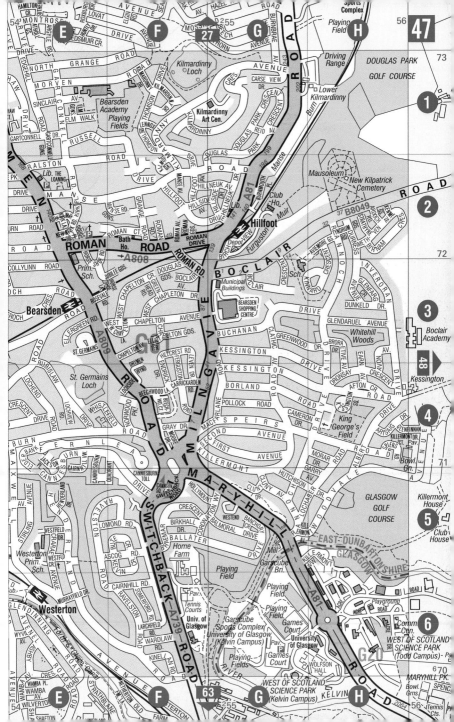

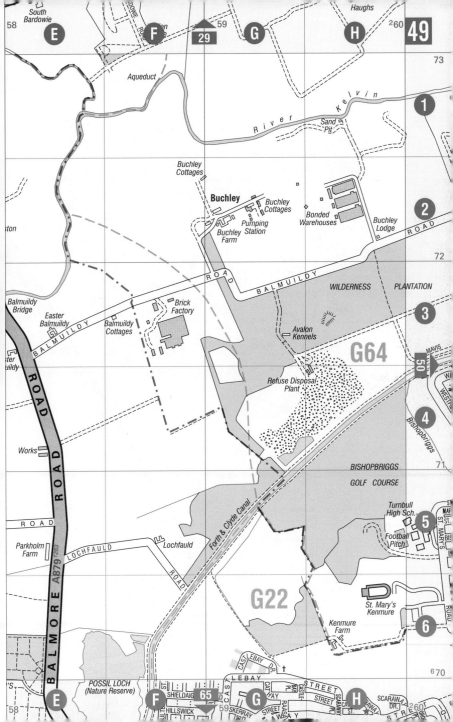

Haughs

1

R i v e r   K e l v i n

Aqueduct

Sand Pit

Buchley Cottages

Buchley

Buchley Cottages

Bonded Warehouses

2

Buchley Lodge

ROAD

72

Buchley Farm

Pumping Station

ston

ROAD

BALMUILDY

WILDERNESS   PLANTATION

3

Balmuildy Bridge

Easter Balmuildy

Brick Factory

Balmuildy Cottages

Avalon Kennels

G64

50

MAVIS

ster uildy

BALMUILDY

4

Bishopbriggs

WEST

Refuse Disposal Plant

71

Works

BISHOPBRIGGS

GOLF   COURSE

ROAD

A879

Turnbull High Sch.

ST.
MA
ST.
ST. MARY'S

5

Football Pitch

ROAD

Parkholm Farm

LOCHFAULD

Lochfauld

Forth & Clyde Canal

G22

St. Mary's Kenmure

RUADH

6

ROAD

Kenmure Farm

E
58
POSSIL LOCH
(Nature Reserve)
F
SHIELDAIG
65
59
HILLSWICK
SKERRAY
CAST.
LEBAY
DR.
CAST
LEBAY
CAT
G
SKERRAY
CATJAY
STREET
RAASAY
CASTLE
BAR
PL.
STREET
H
SCARAW
SCARAWAY
DR.
ST.
STREET
260
SCARAWAY ST.
670

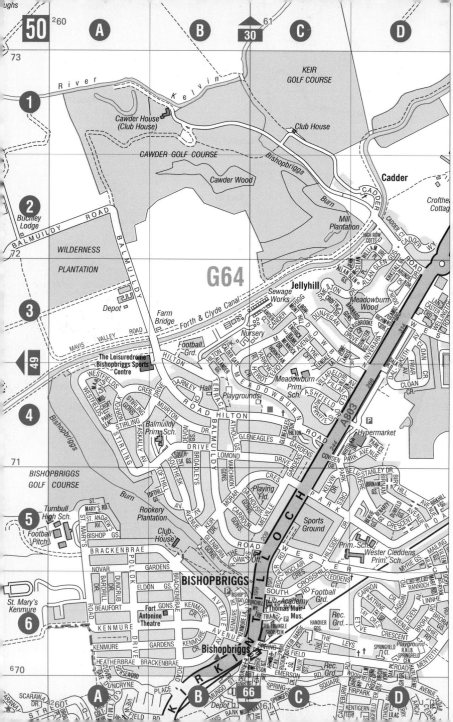

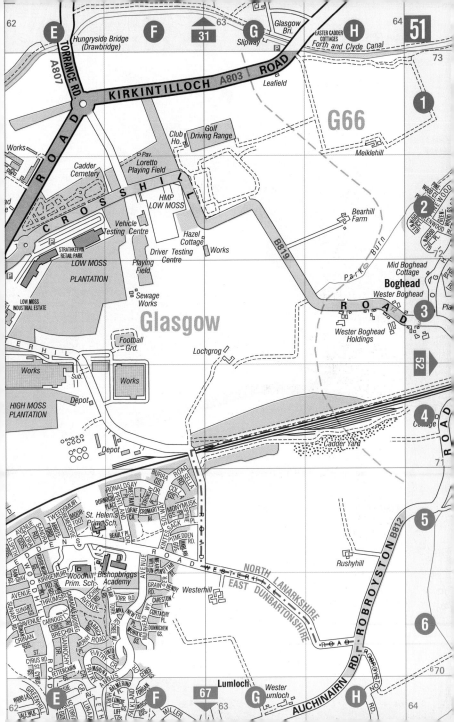

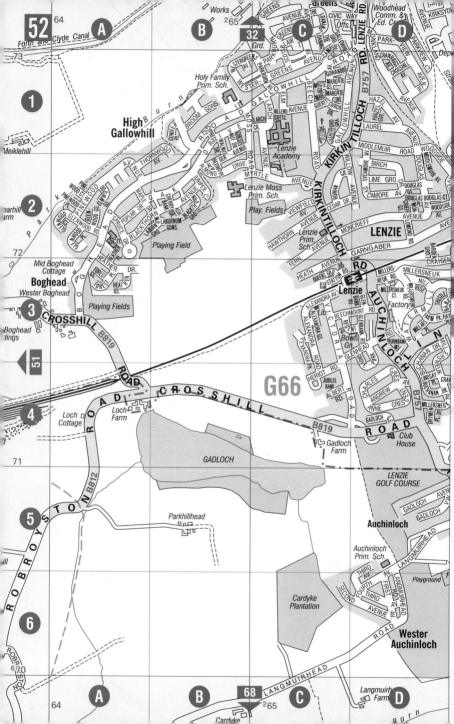

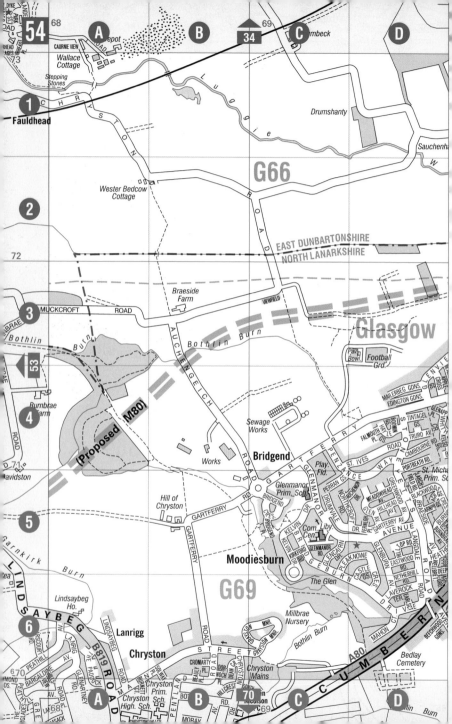

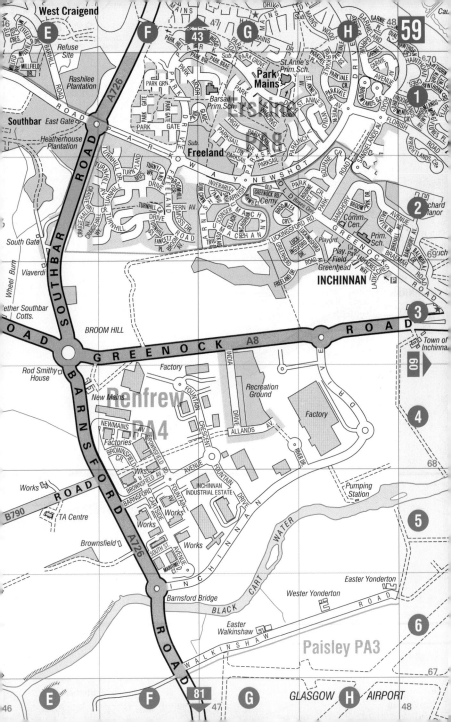

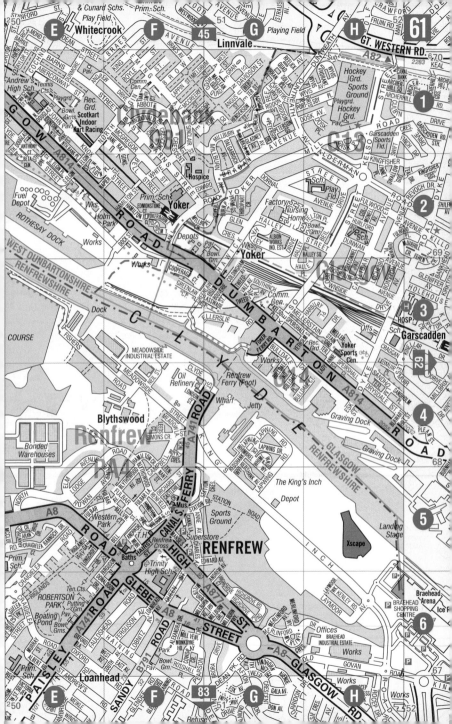

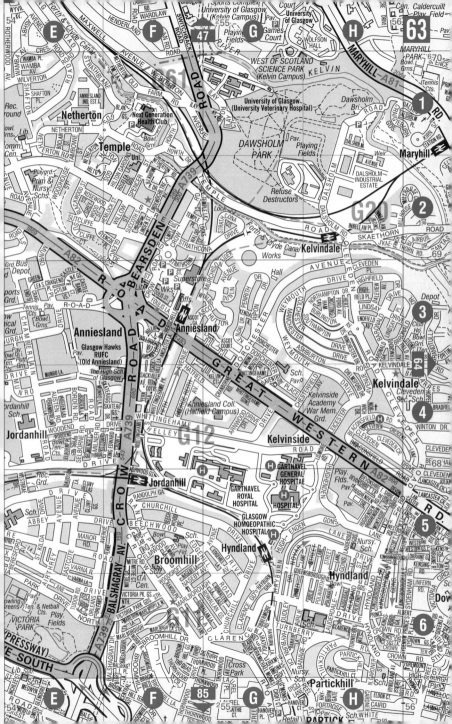

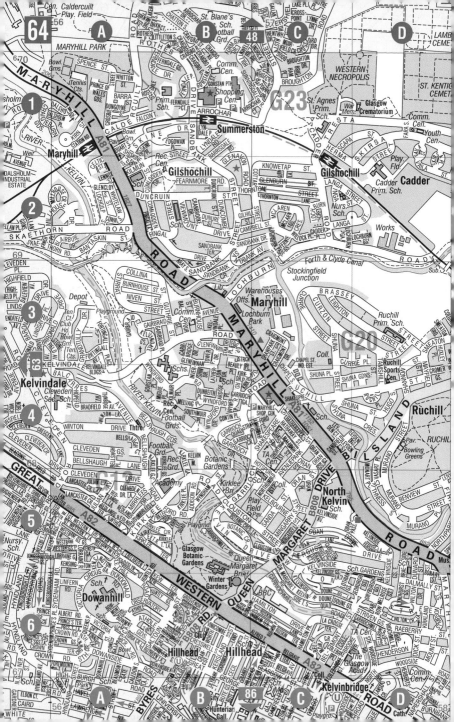

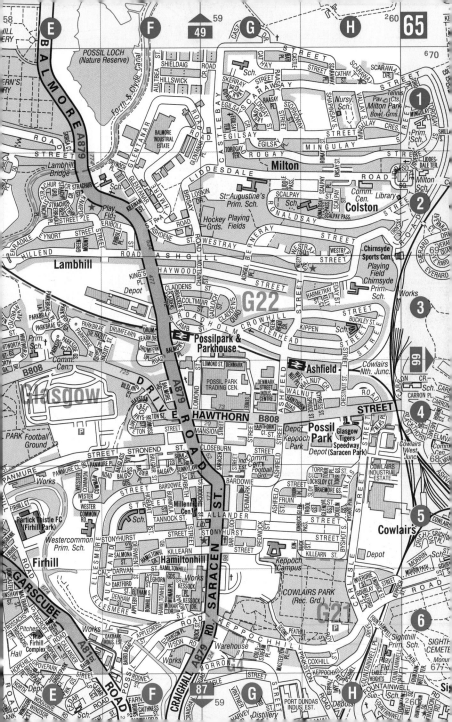

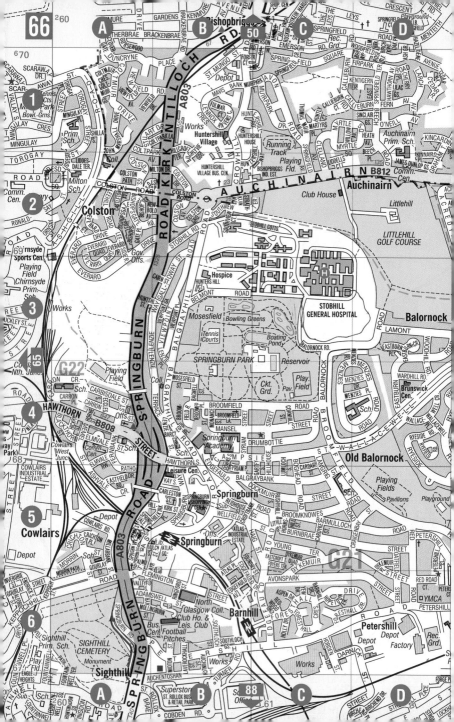

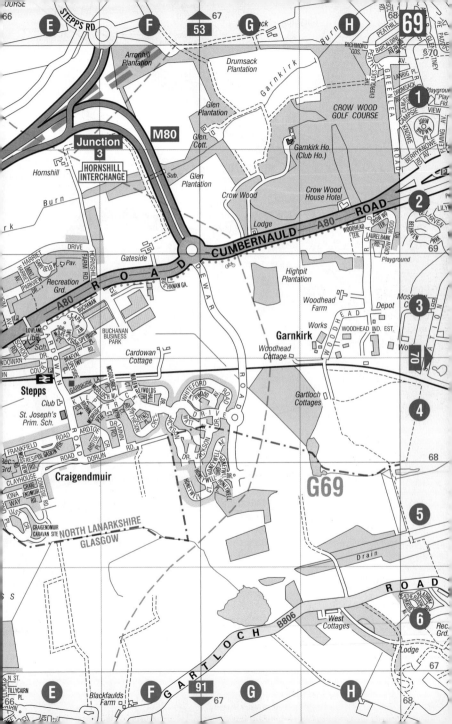

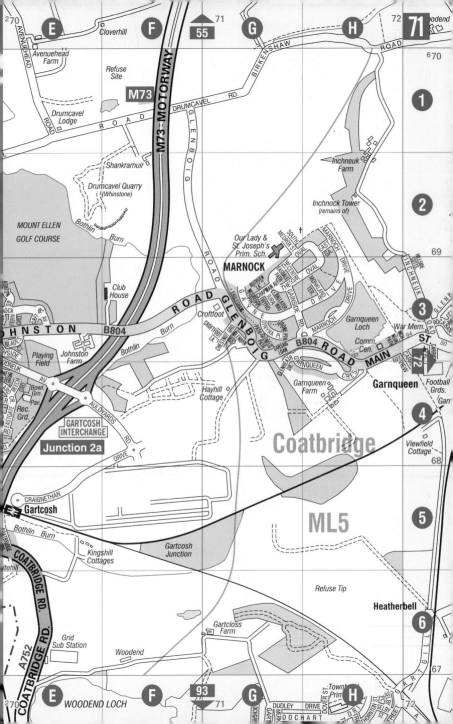

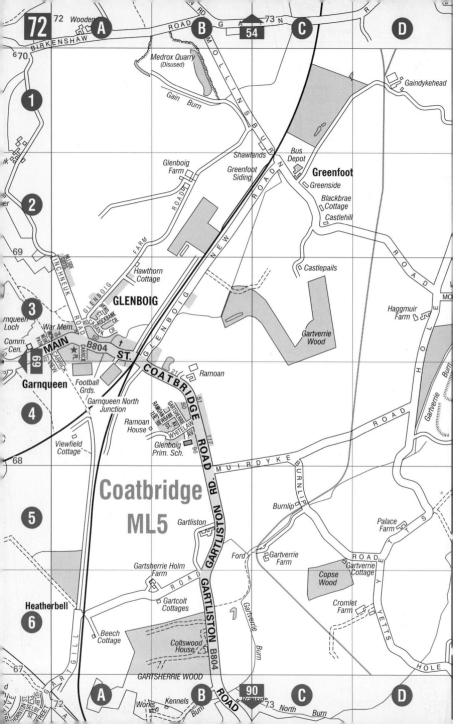

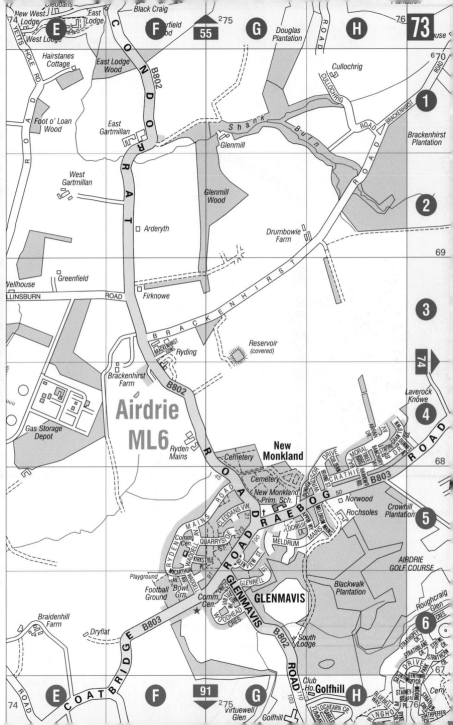

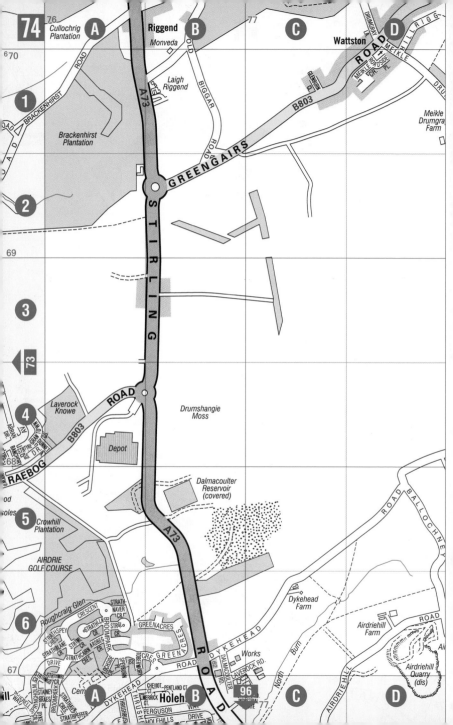

E F 79 G H ²80 ⁶70

1

ROAD Works DARNGAVIL

2

69

Airdrie

3

ML6

ROAD

4

68

5

ARBUCKLE
Road
Ballochney
Farm

HEATHERYFORD
GDS.
ORCHILL DR.
KILLEARN
CROW
GRO.

6

67

Road BALLOCHNEY
MEADOWHEAD
SPR.
drriehill
Meadowhead
House

ARKANG BALLOCHNIE
LIVINGSTON
BALLOCHIE
RD.

PLAINS

Playing Fields

A89 ST.
MAIN

Ford
²80°

E **97** F G H

78

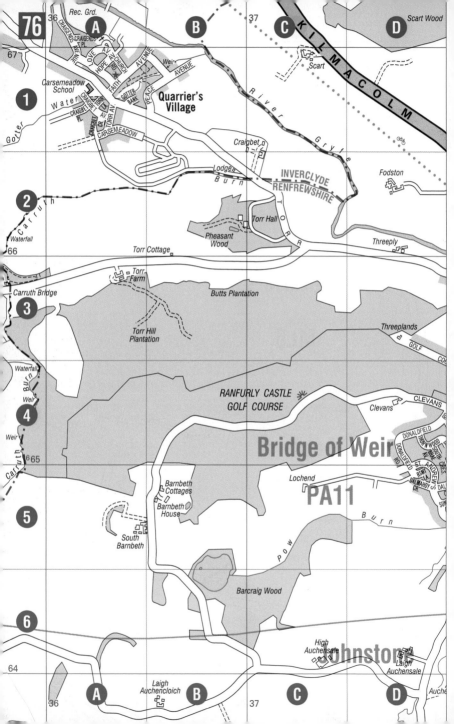

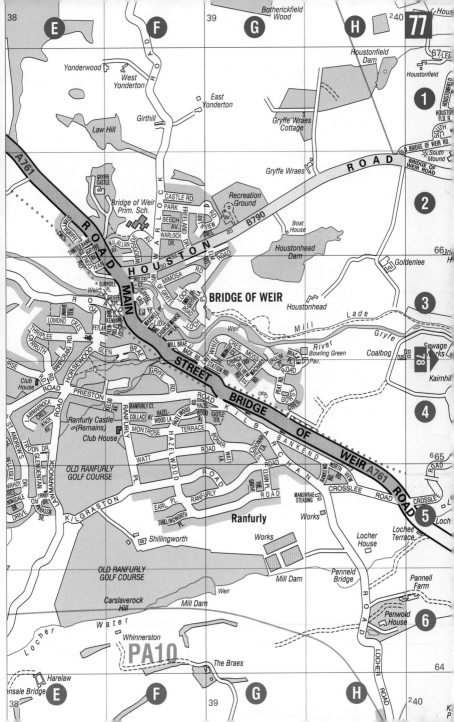

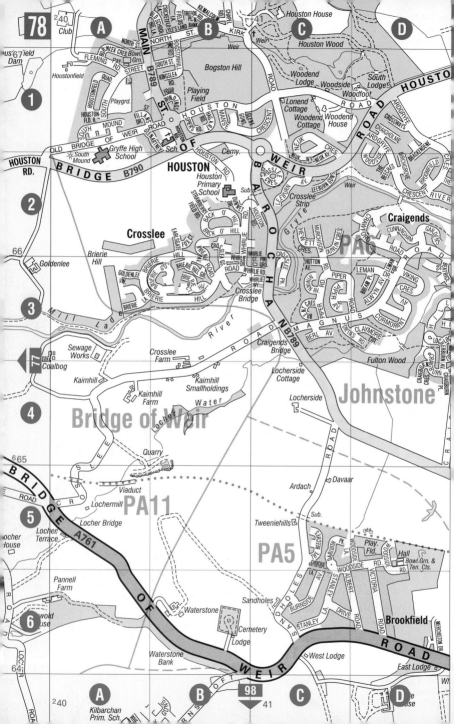

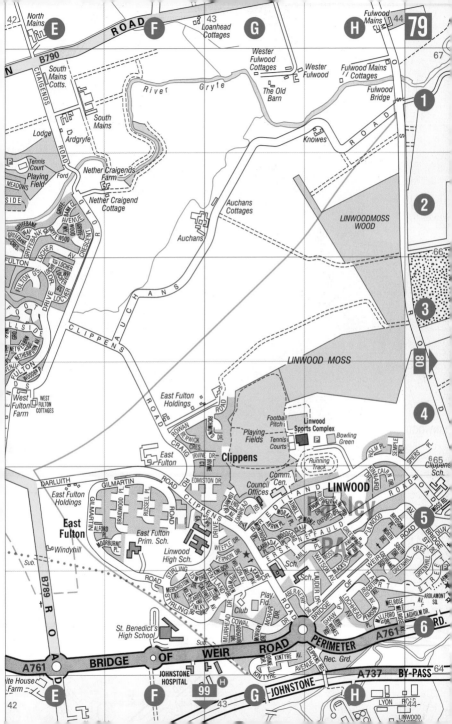

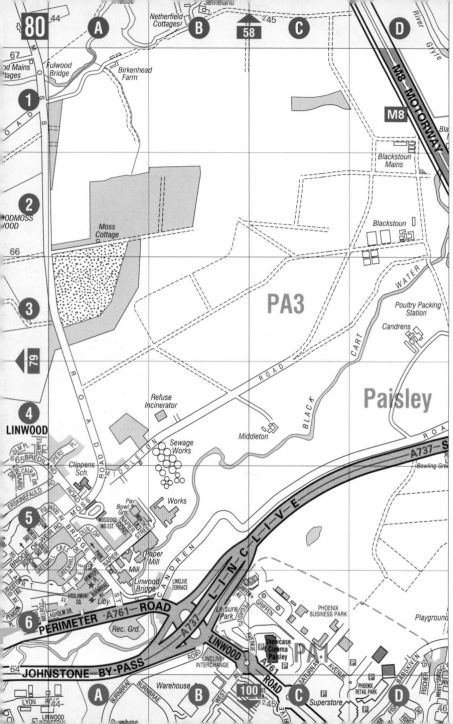

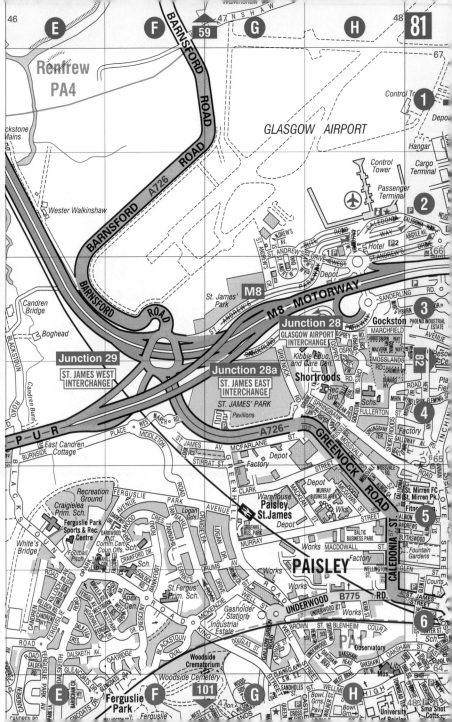

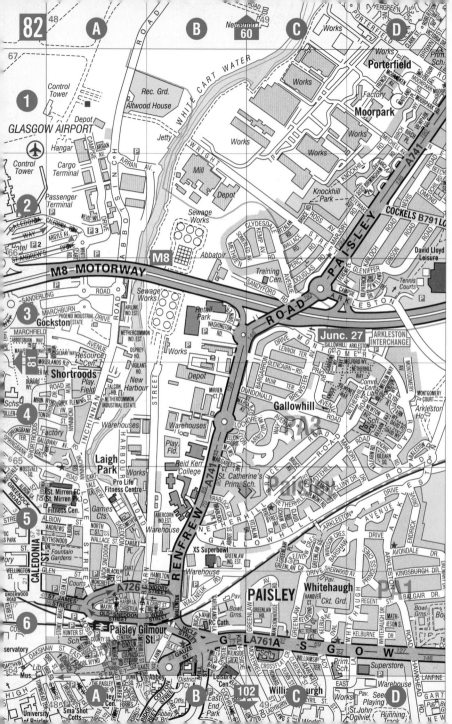

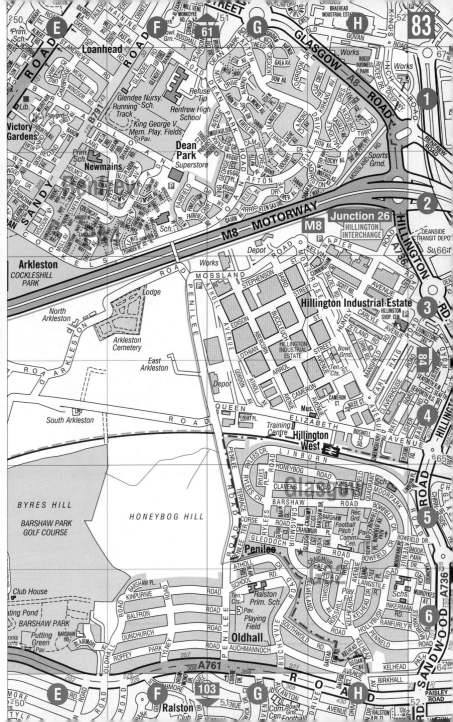

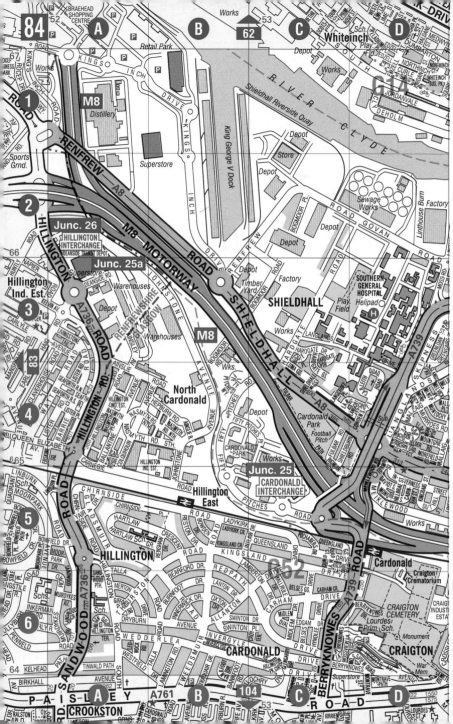

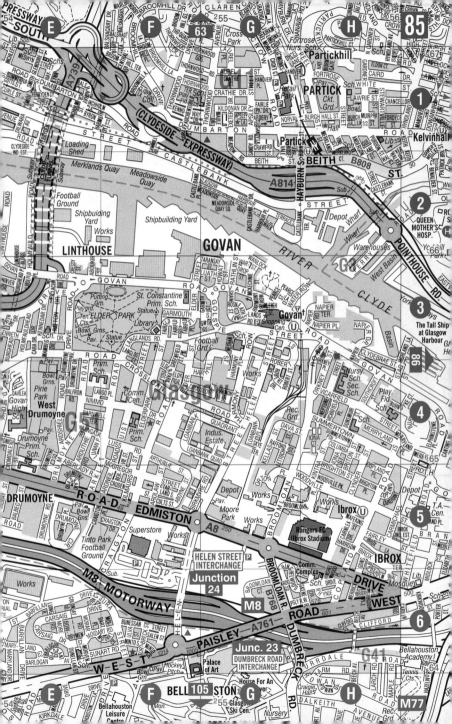

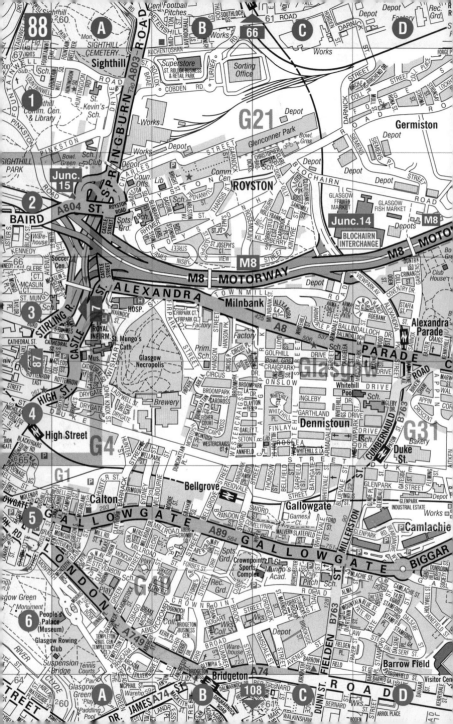

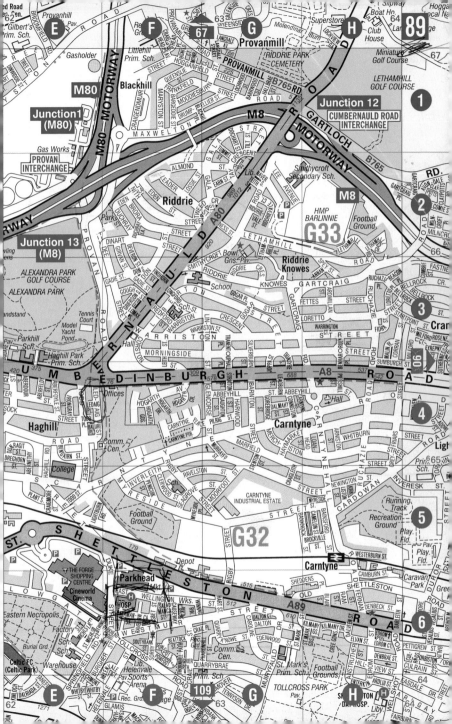

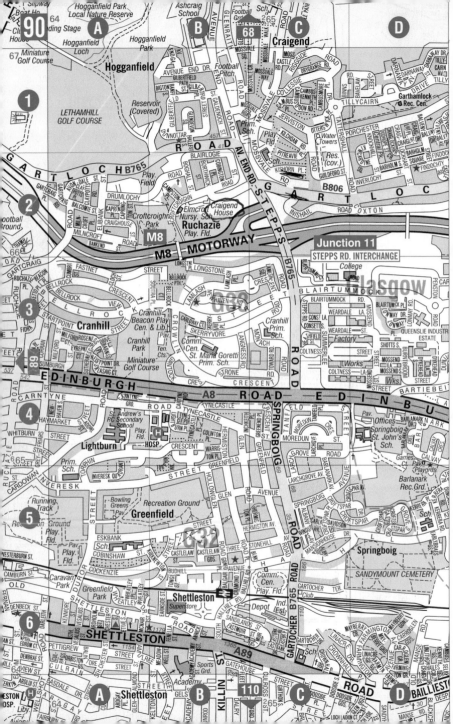

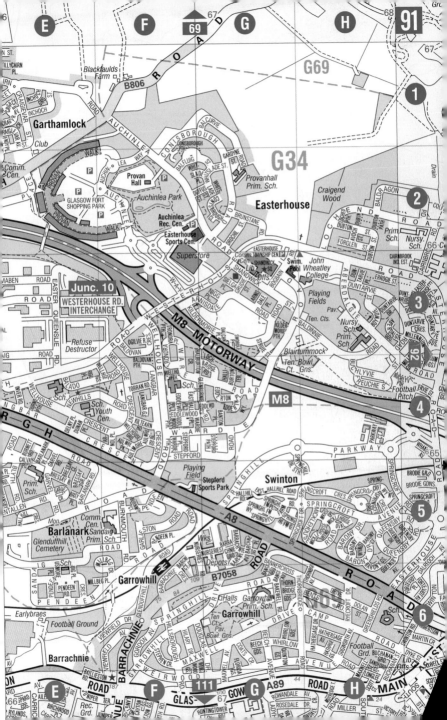

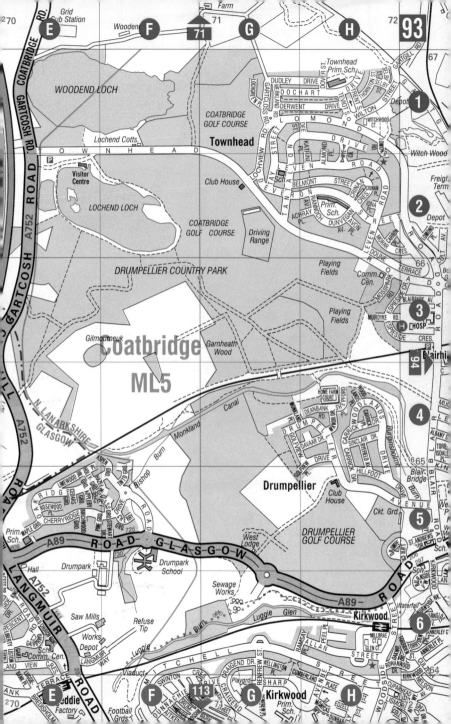

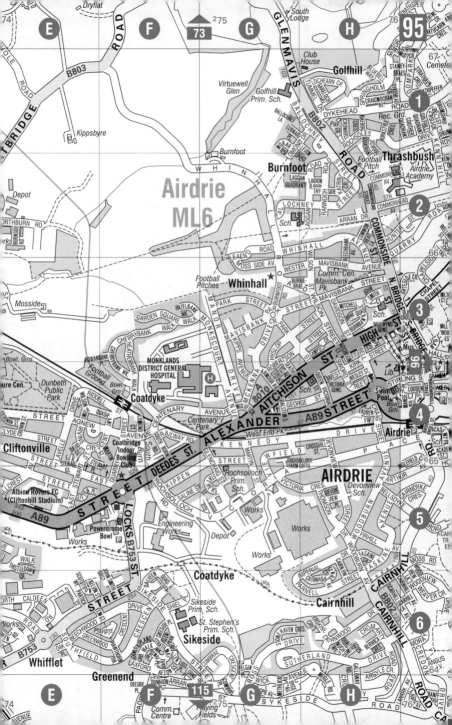

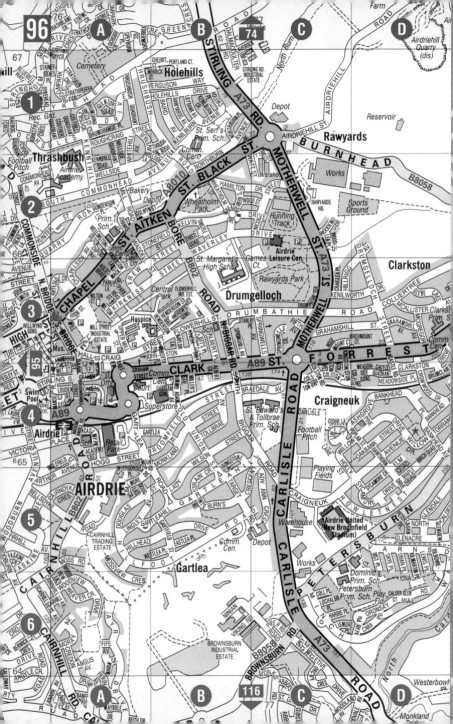

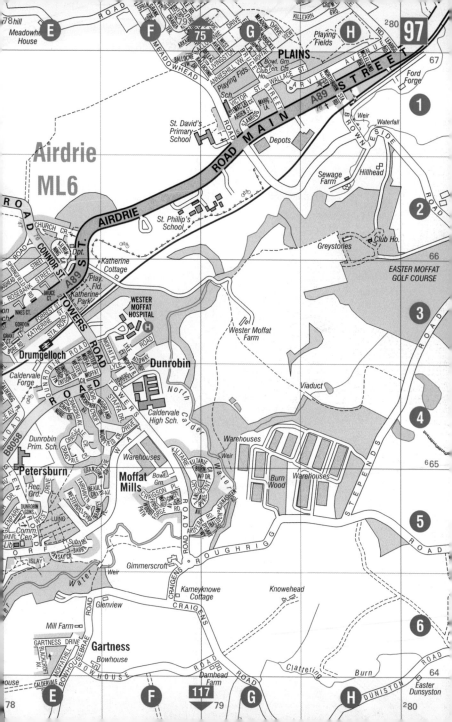

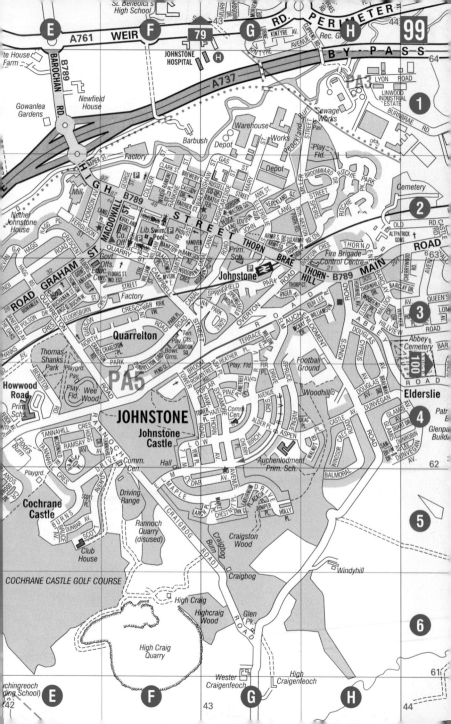

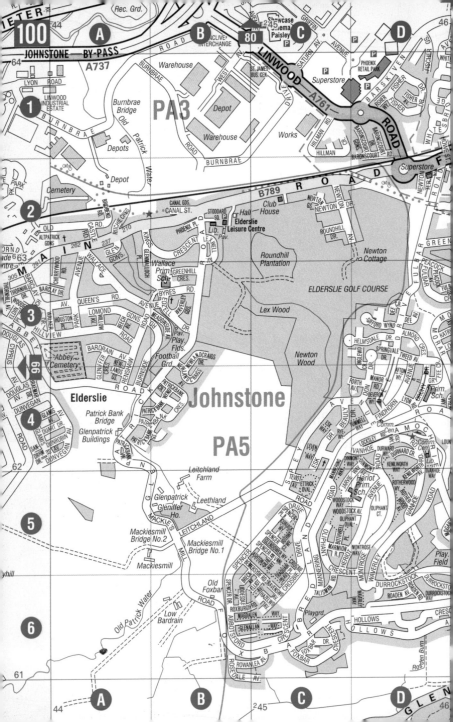

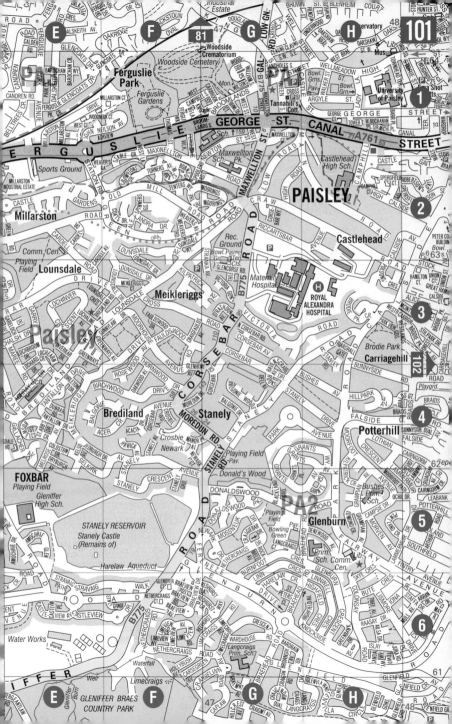

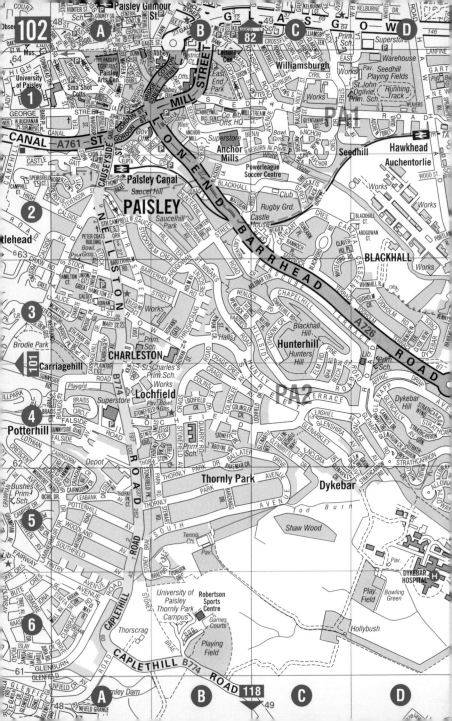

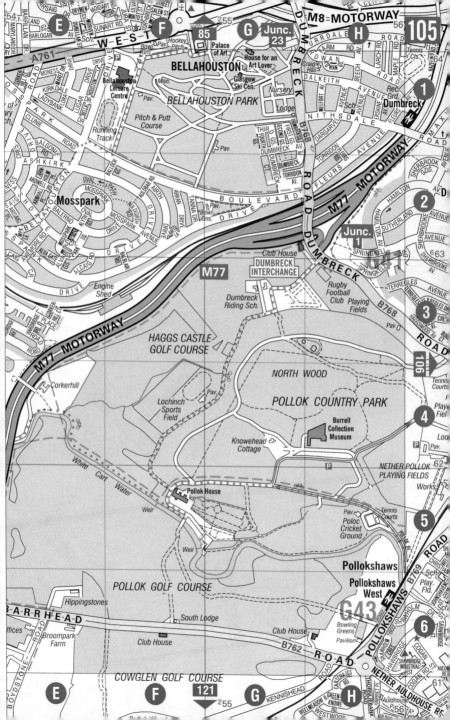

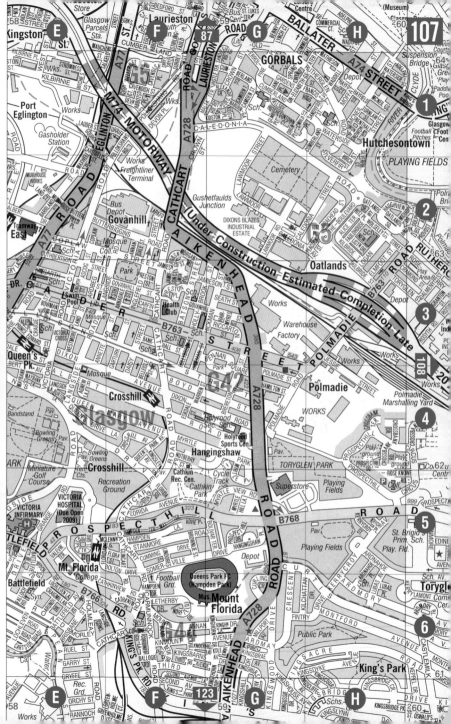

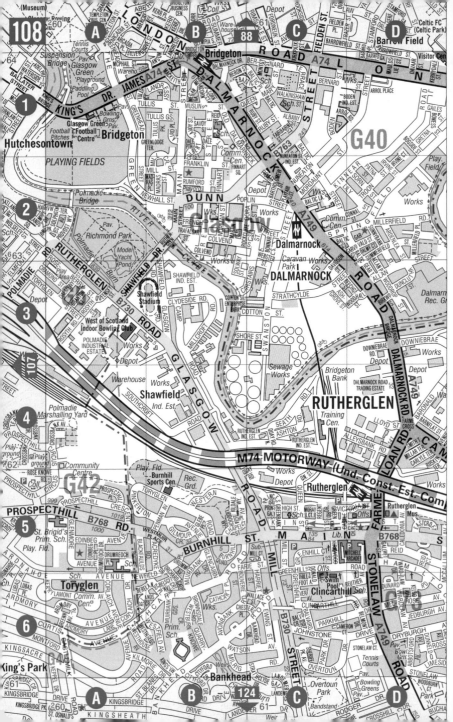

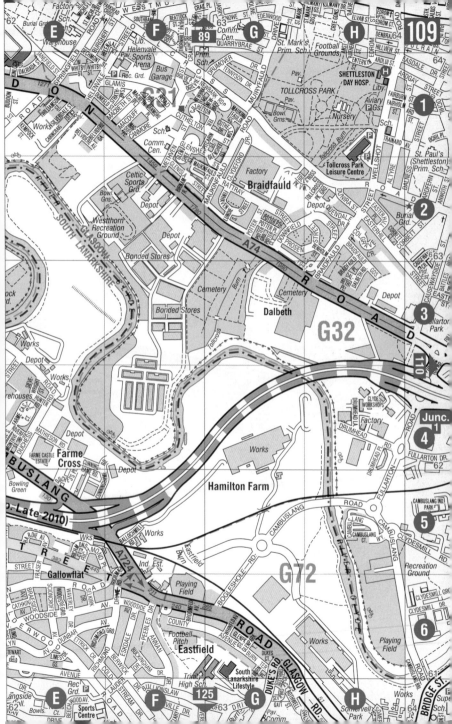

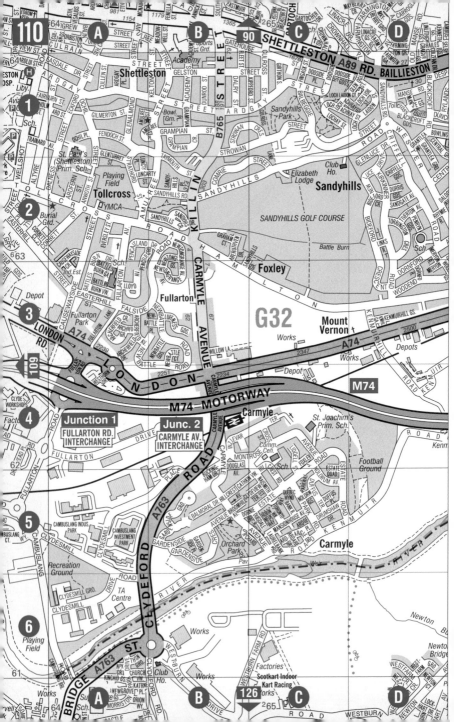

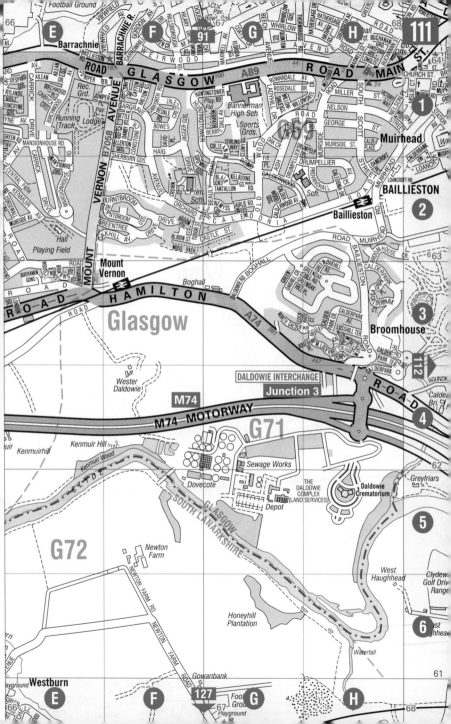

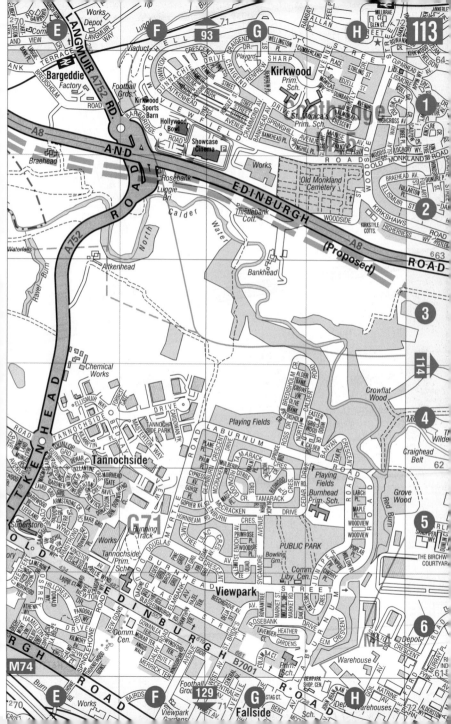

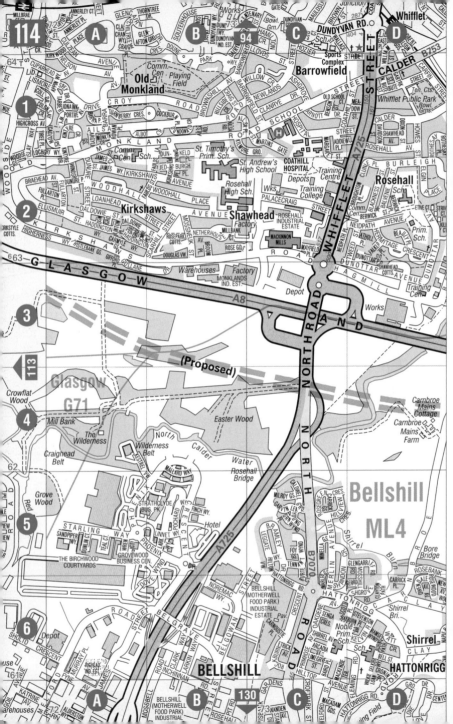

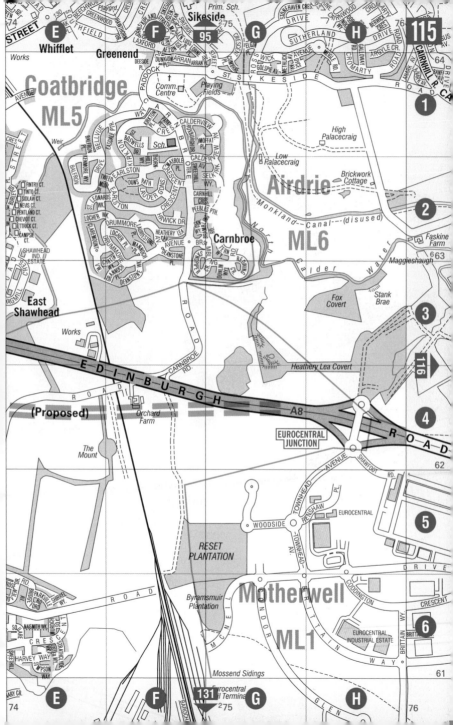

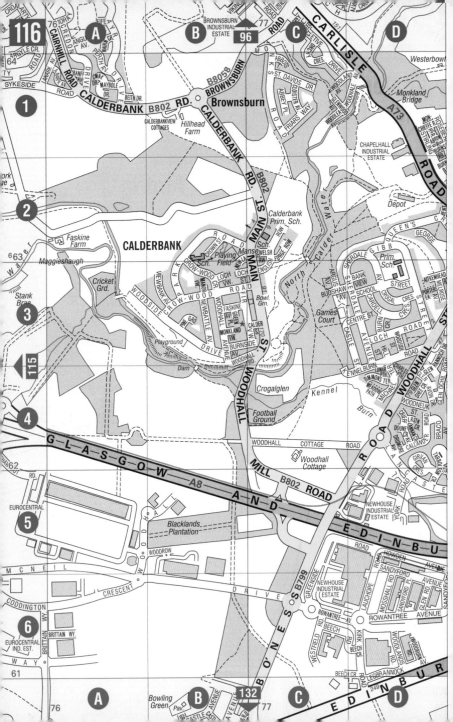

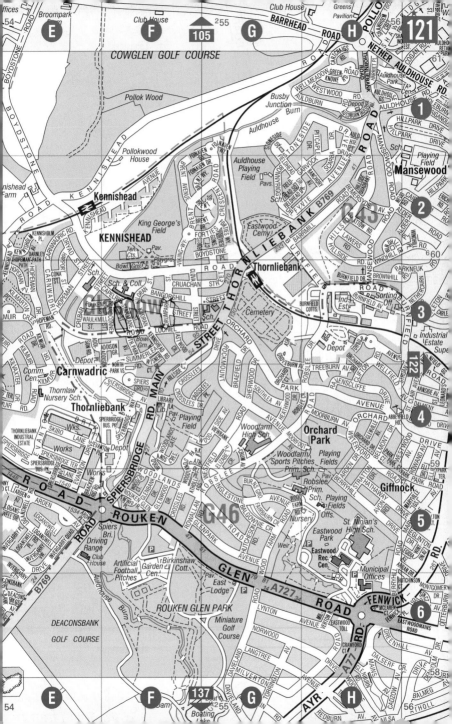

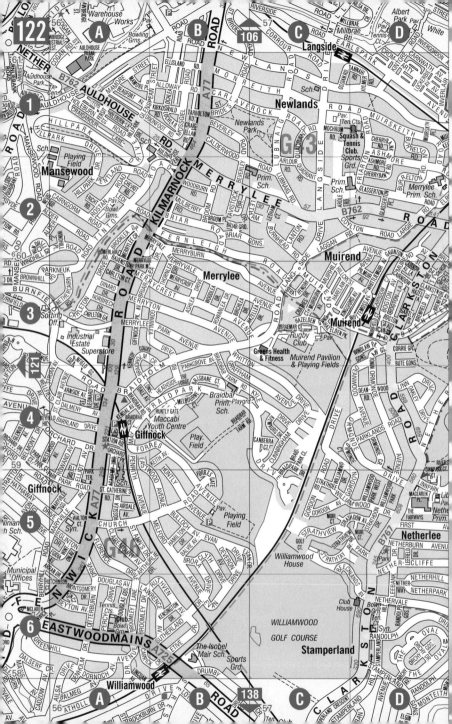

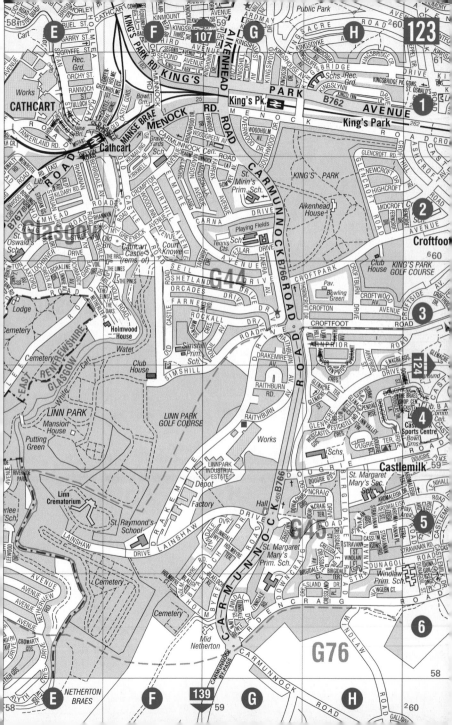

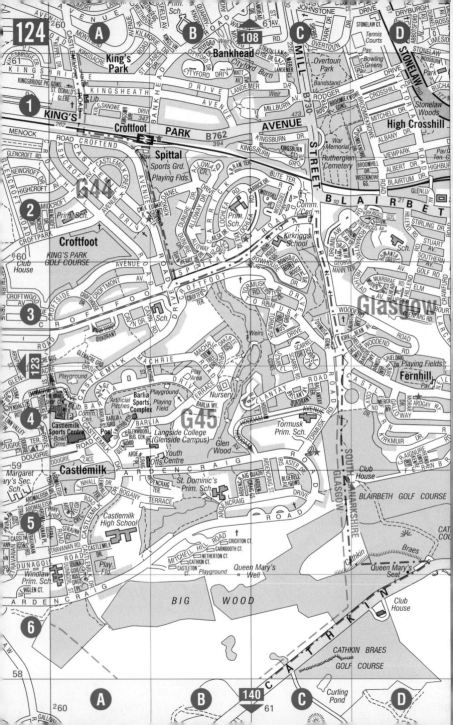

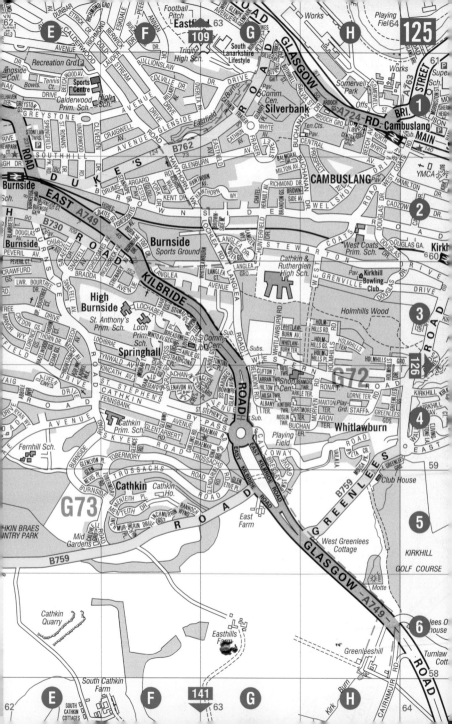

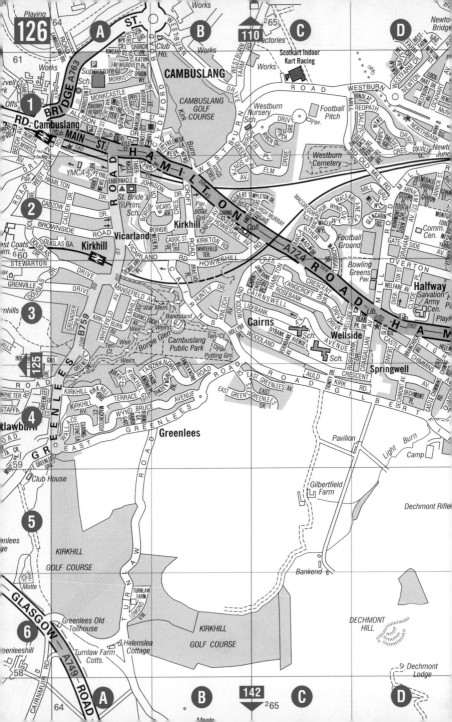

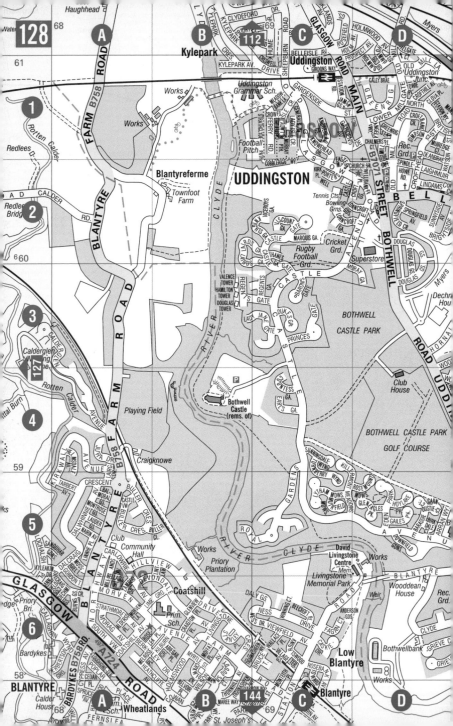

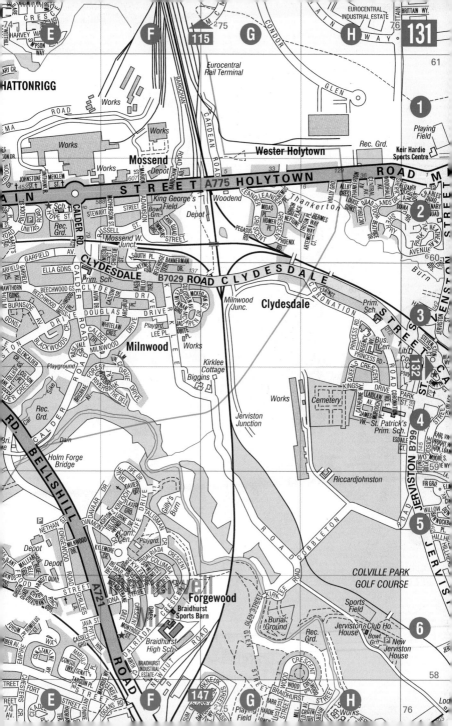

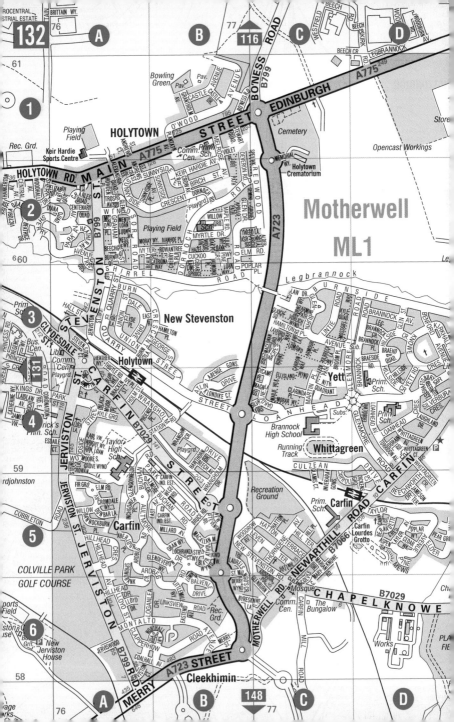

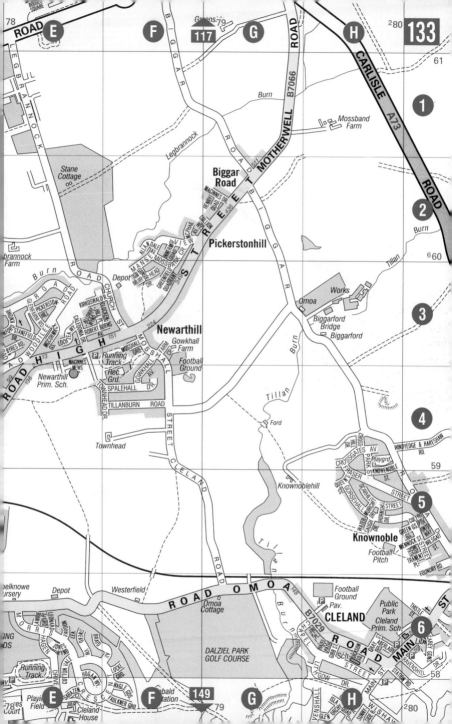

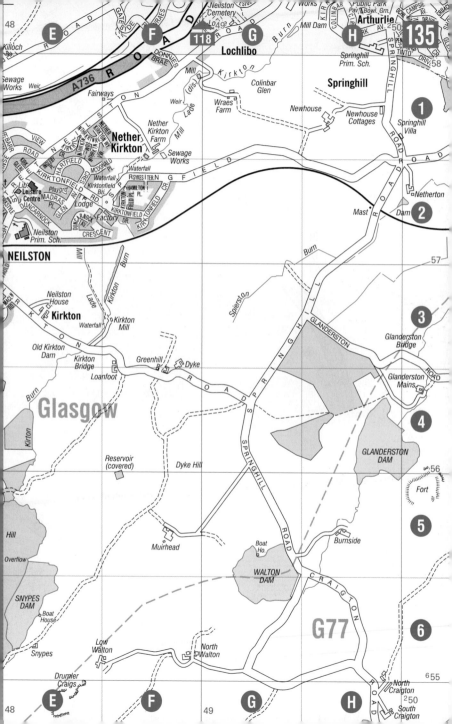

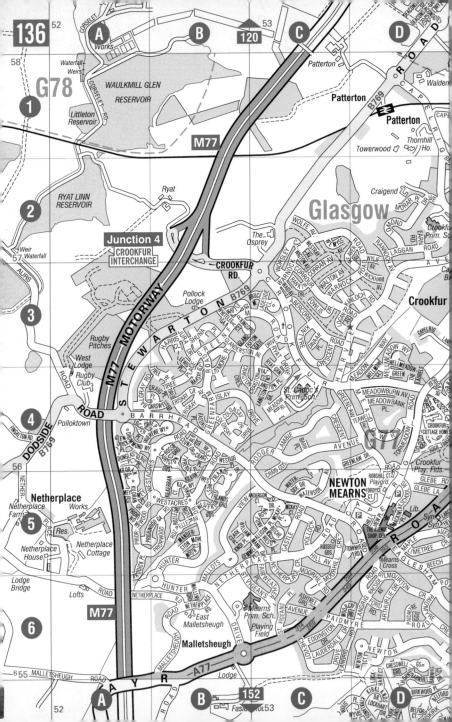

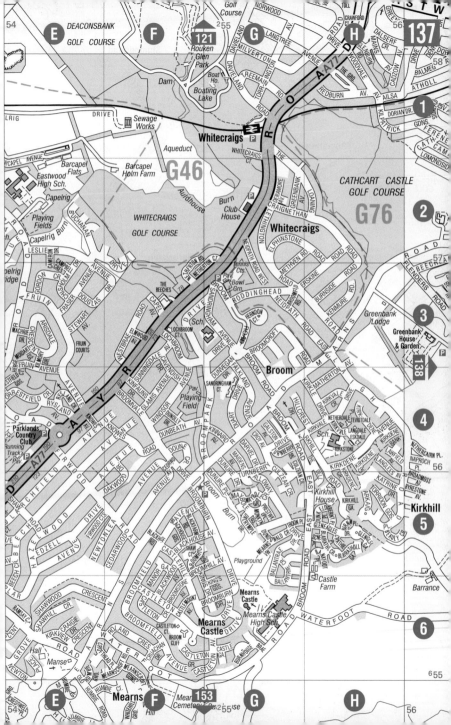

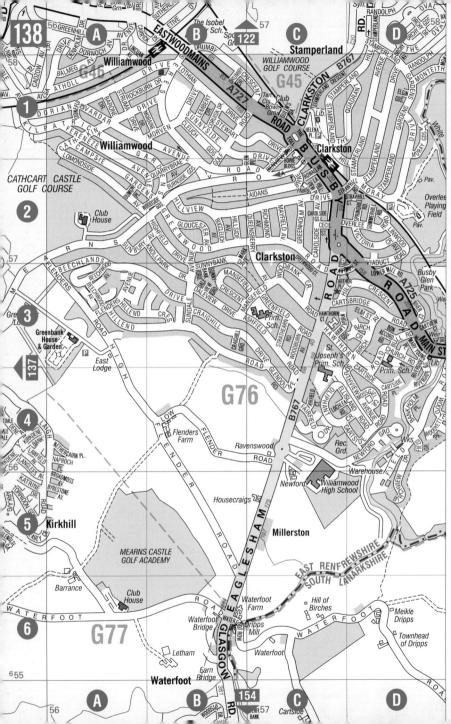

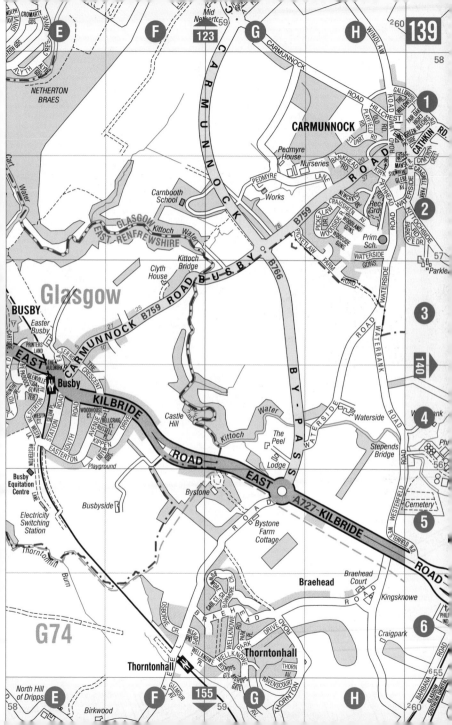

140

A   B   124   C   D

CATHKIN BRAES
GOLF COURSE

G45

ROAD

58

1

GALLOWHILL
WILLOW
HAZEL
RED OAKS
GREEN BEECHES

B759

Muir
Farm

Curling
Pond

CATHKIN
CARMUNNOCK

BUSBY R.

KIRK
SYDENEN
MANSE
GLEBE AV.

CRASNELL PARK

CAN

GLASGOW
SOUTH LANARKSHIRE

2

Prim.
Sch.

T57DE
GDNS.

Parklea

KITTOCHSIDE

Belcraig

PARK E DR.

Highflat
Farm

ROAD

WATERSIDE

3

Braefoot

ROAD

KITTOCHSIDE

G76

139

Rockcrest

4

Waterbank

Wester
Kittochside

Kittochside

CAIRNMUIR

Stepends
Bridge

Philipshill Sewage
Works

Kittochside
Farm

Eastend

Dykehead
Farm

RD.

KITTOCHSIDE

CARMUNNOCK

56

Kittochside

5

WESTERFIELD

Cemetery

Mill
Cottage

National Museum
of Rural Life

MAC

MCEWAN
MCCALLUM

CYM

AVENUE

MCCALL

CRES

MCLE

Supermarket
Comm.Play
Cen. Cen

ROAD GLEN RD.

CASTLEGLEN

MACKENZIE

MACDONALD

ROAD

MCKAY PL

Philipshill

WESTERFIELD

EAST

PHILIPSHILL
GATE
Hotel

SWARTFIELD

MASTER'S
PARK

CASTLEGLEN
DAVIES

Castleglen

OLD

GDNS.

WATERB.

MCNEILL

MACNEILL GS.

MACFIE
PL.

PLACE

PL

WATT

PLACE

JAMES

ROAD

College
Milton

Kingsknowe

KILBRIDE

A725

ROAD

Castle Hill
Rough
Hill

Kittoch

Government
Offices

GLENBURN WY.

GLENBURN

H.BANK

RONNIE

DIXON

SPRINGBURN PL.

ARROTSHOLE

6

park

PHILIPSHILL
IND. EST.

Q-U-E-E-N-S-W-A-Y

A726

Industrial   Estate

WEST GARTH PLACE

GLENBURN

ROAD

ROAD

REDWOOD
PLACE

GLASGOW
SOUTHERN ORBITAL

A726

PEEL PARK
(IND. EST.)

Ind. Est.

156

6.1 MILTON

ROAD

ROAD

West
Mains

260

655

A   B   C   D

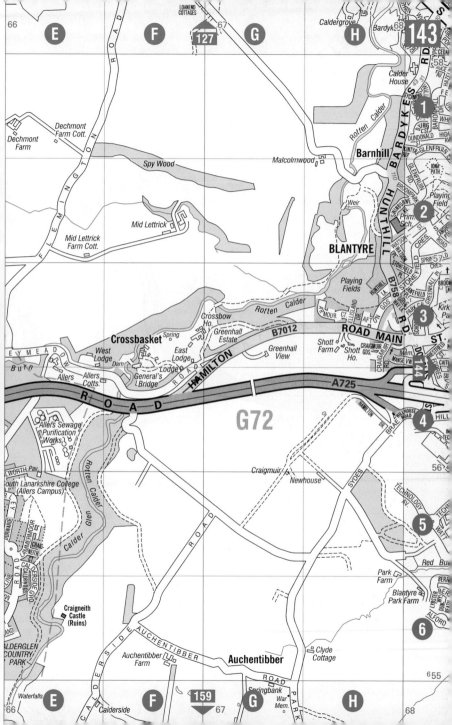

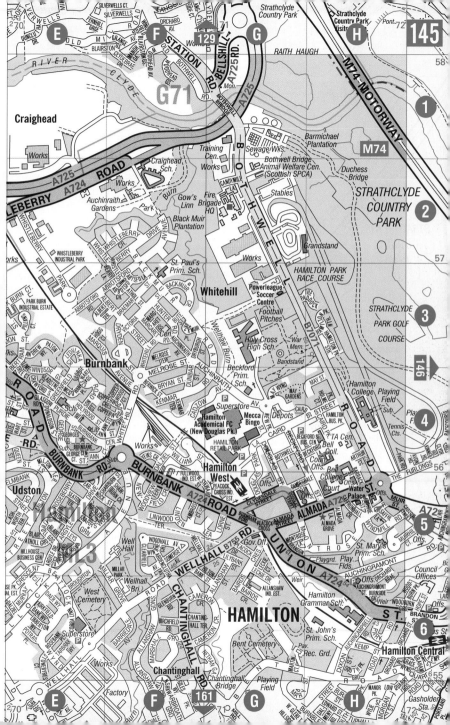

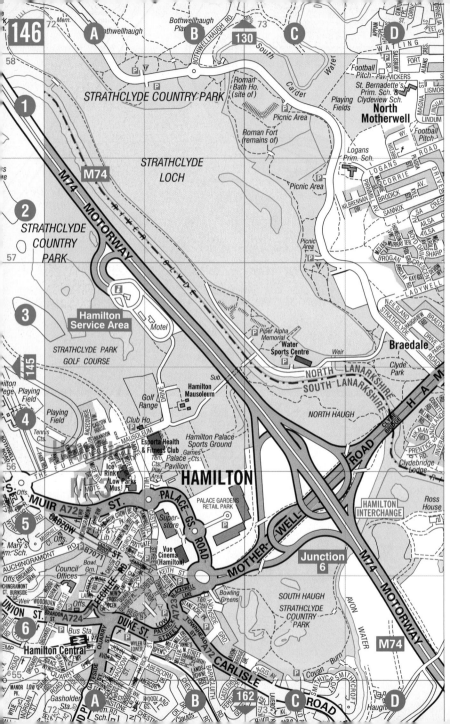

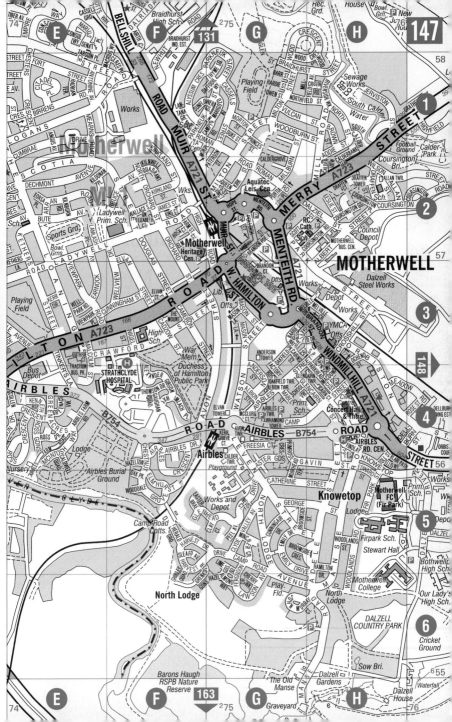

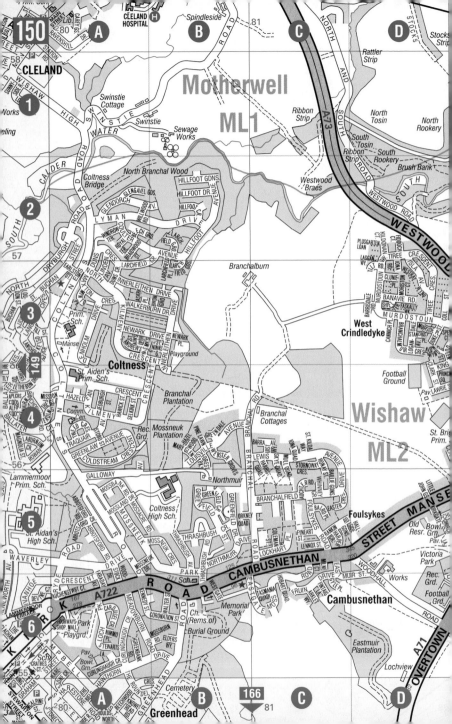

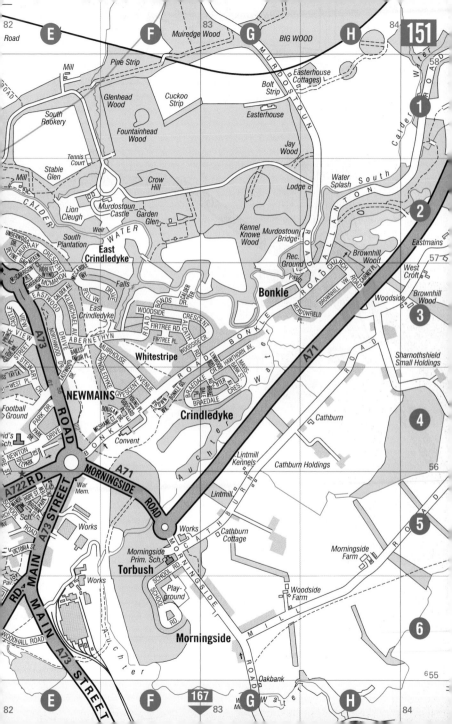

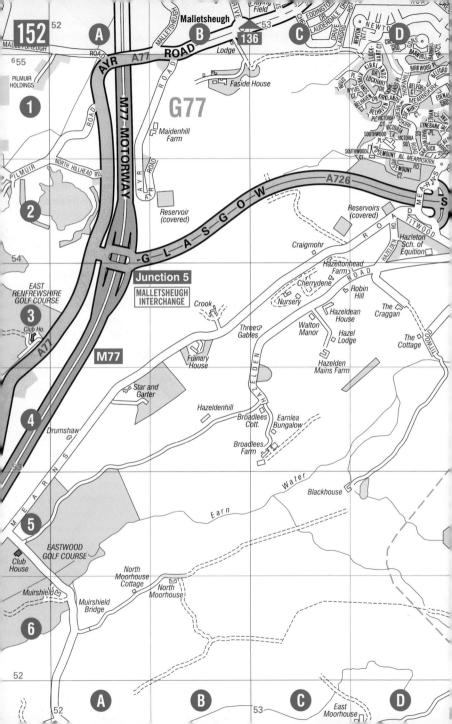

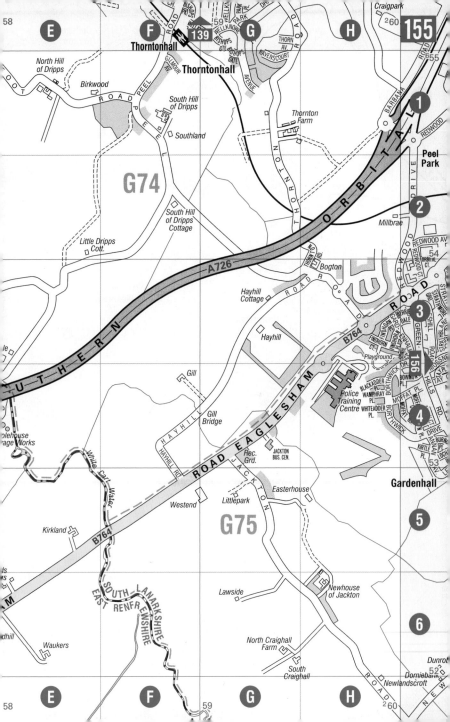

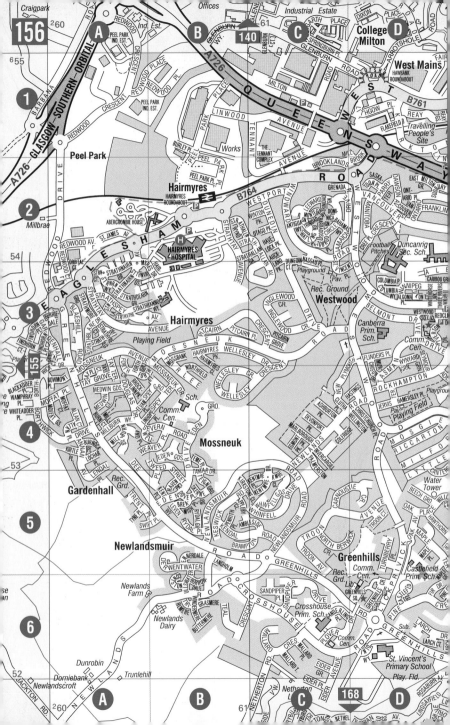

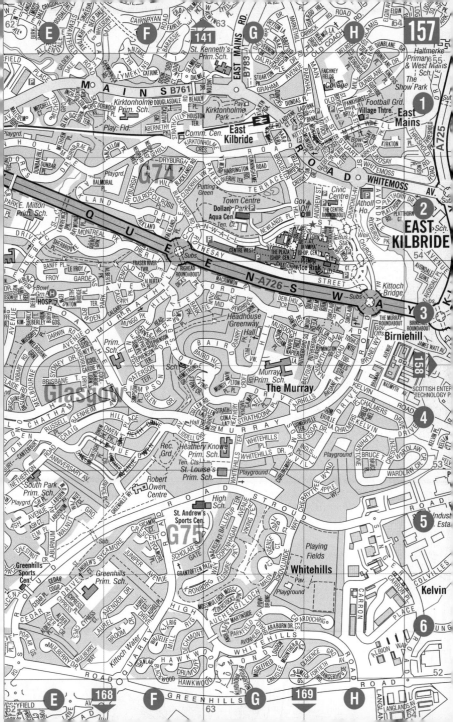

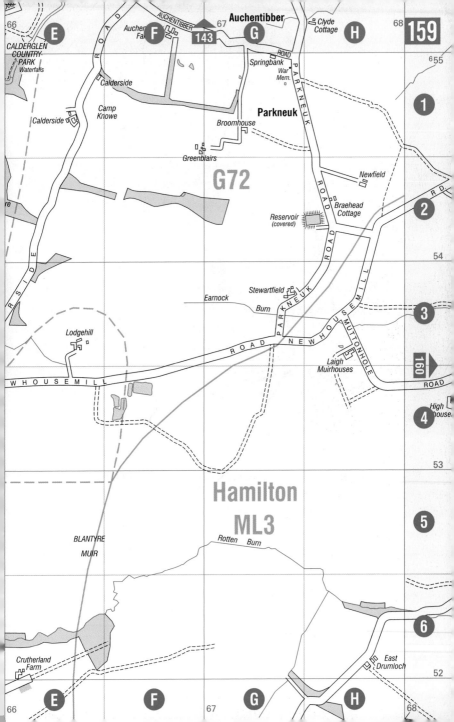

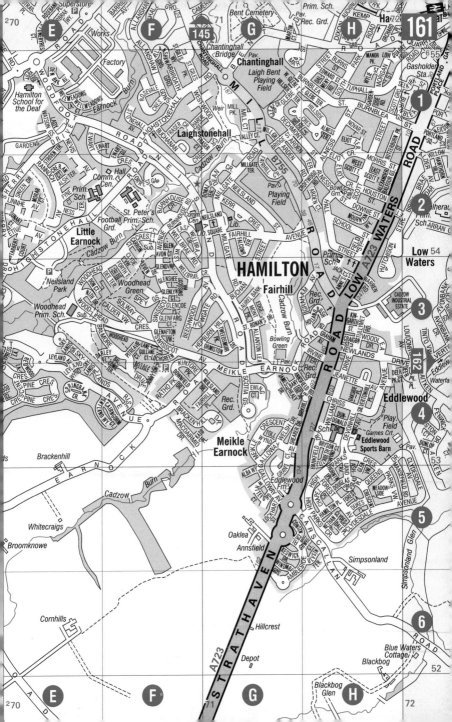

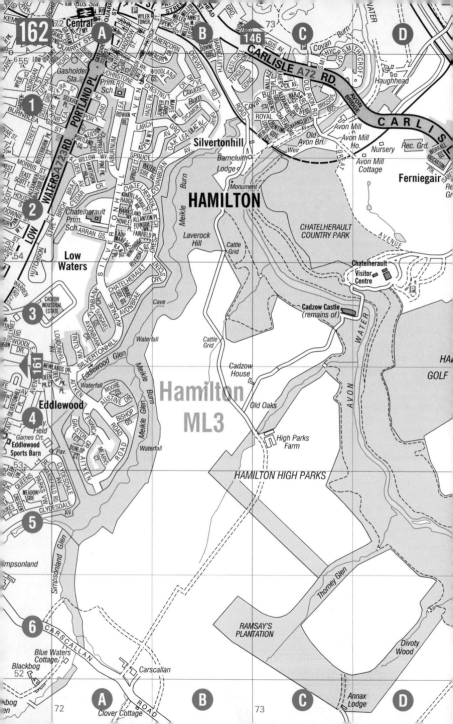

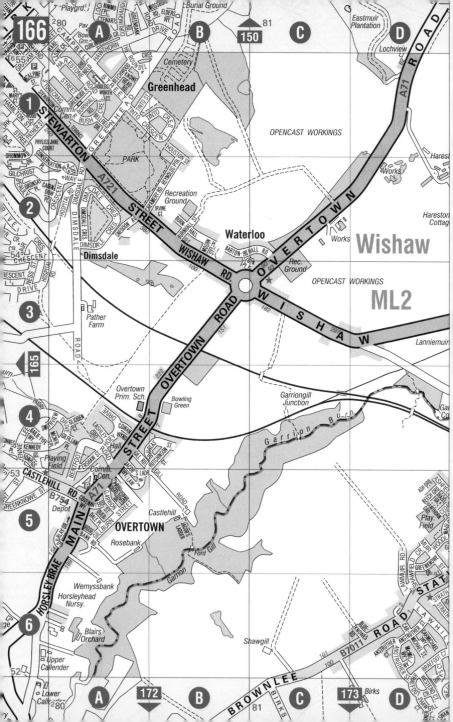

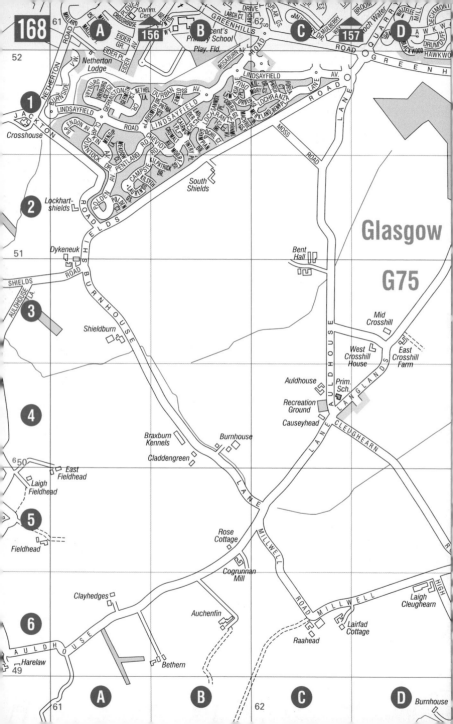

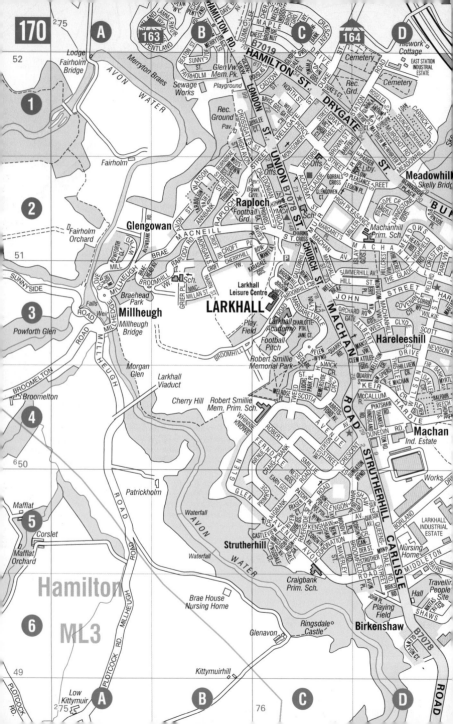

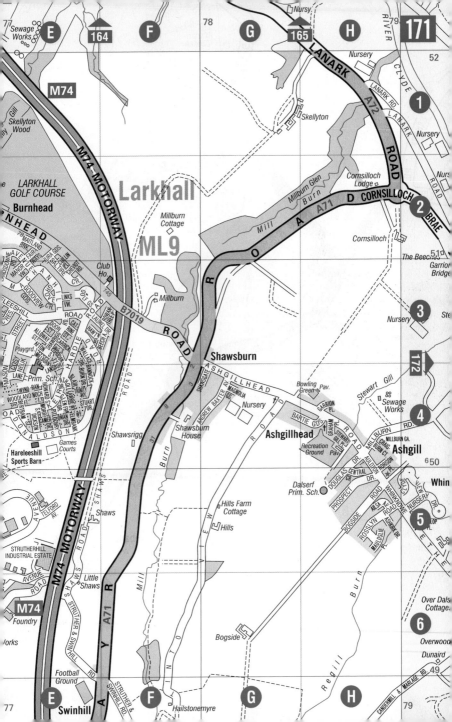

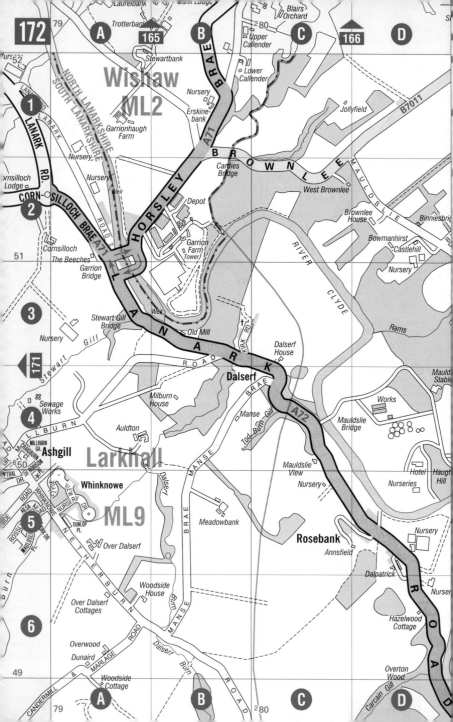

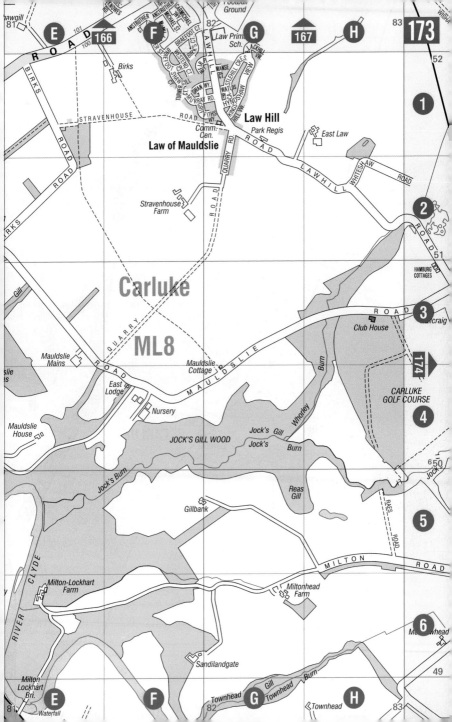

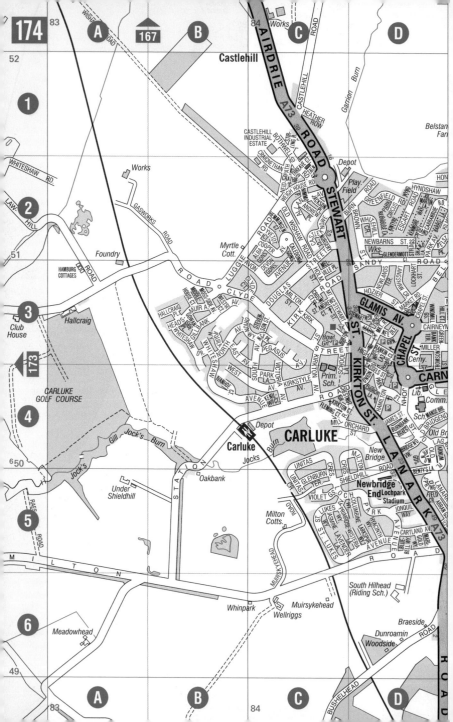

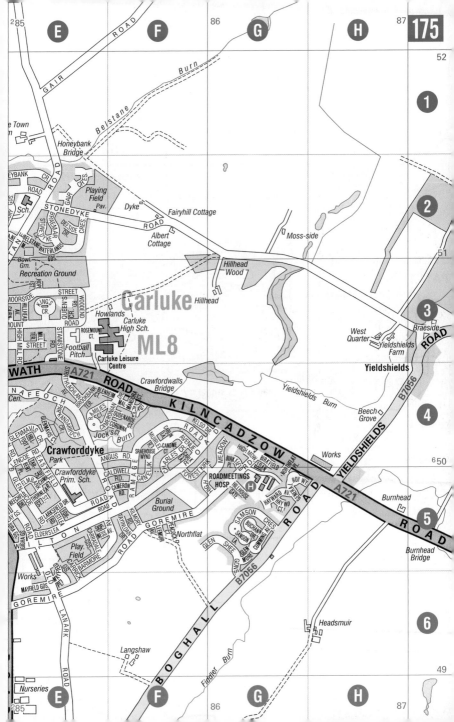

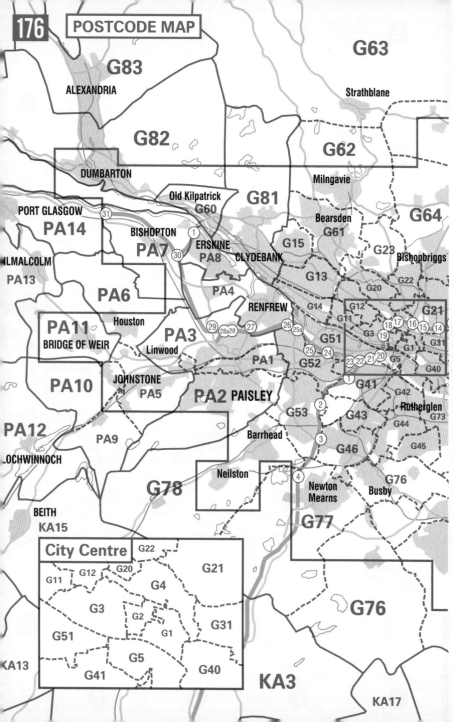

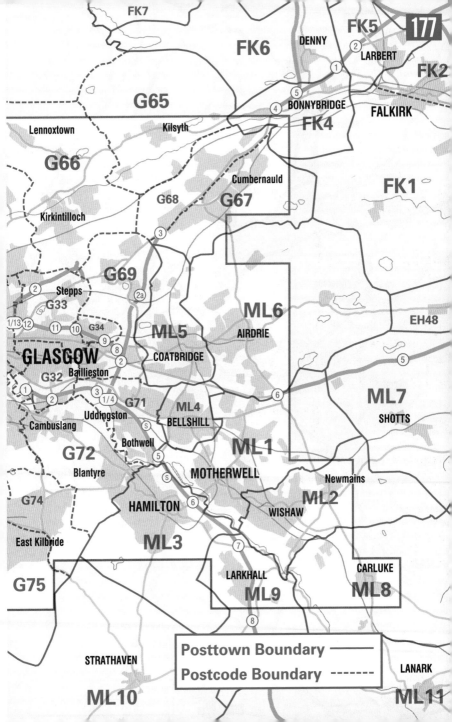

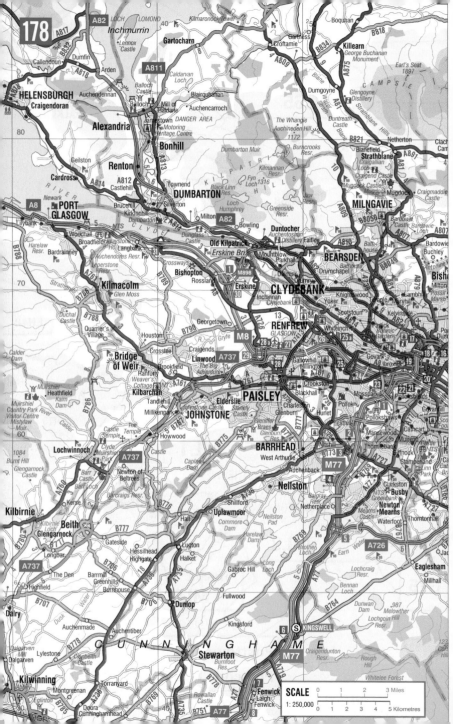

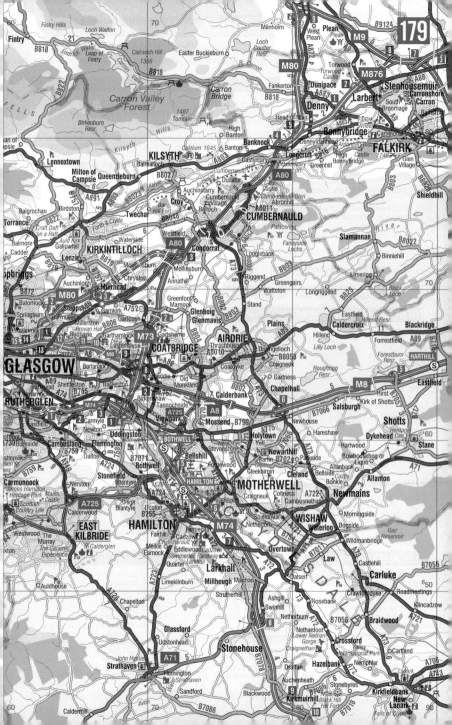

INDEX

Including Streets, Places & Areas, Industrial Estates, Selected Flats & Walkways,
Junction Names & Service Areas, Stations and Selected Places of Interest.

HOW TO USE THIS INDEX

1. Each street name is followed by its Postcode District, then by its Locality abbreviation(s) and then by its map reference; e.g. **Abbeycraig Rd.** G34: Glas . . . .2B **92** is in the G34 Postcode District and the Glasgow Locality and is to be found in square 2B on page **92**. The page number is shown in bold type.

2. A strict alphabetical order is followed in which Av., Rd., St., etc. (though abbreviated) are read in full and as part of the street name; e.g. **Avon Bri.** appears after **Avonbrae Cres.** but before **Avonbridge Dr.**

3. Streets and a selection of flats and walkways too small to be shown on the maps, appear in the index with the thoroughfare to which it is connected shown in brackets; e.g. **Abbey Wlk.** G69: Barg . . . .6D **92** (off Abercrombie Cres.)

4. Addresses that are in more than one part are referred to as not continuous.

5. Places and areas are shown in the index in BLUE TYPE and the map reference is to the actual map square in which the town centre or area is located and not to the place name shown on the map; e.g. **AIRDRIE** 4A **96**

6. An example of a selected place of interest is **Auchinvole Castle** 5G **13**

7. Junction names and Service Areas are shown in the index in CAPITAL LETTERS; e.g. **ARKLESTON INTERCHANGE** 3C **82**

8. An example of a station is **Airbles Station (Rail)** . . . .4G **147**. Included are Rail **(Rail)** and Underground **(Und.)** Stations.

9. Map references for entries that appear on large scale pages **4** to **7** are shown first, with small scale map references shown in brackets; e.g. **Adams Ct. La.** G1: Glas 6C **6** (5F **87**)

GENERAL ABBREVIATIONS

Arc. : Arcade
Av. : Avenue
Bk. : Back
Blvd. : Boulevard
Bri. : Bridge
Bldg. : Building
Bldgs. : Buildings
Bus. : Business
Cvn. : Caravan
C'way. : Causeway
Cen. : Centre
Circ. : Circle
Cir. : Circus
Cl. : Close
Coll. : College
Comn. : Common
Cnr. : Corner
Cott. : Cottage
Cotts. : Cottages
Ct. : Court
Cres. : Crescent
Cft. : Croft
Dpt. : Depot
Dr. : Drive
E. : East
Ent. : Enterprise

Est. : Estate
Fld. : Field
Flds. : Fields
Gdn. : Garden
Gdns. : Gardens
Ga. : Gate
Gt. : Great
Grn. : Green
Gro. : Grove
Hgts. : Heights
Ho. : House
Ind. : Industrial
Info. : Information
Intl. : International
Junc. : Junction
La. : Lane
Lit. : Little
Lwr. : Lower
Mnr. : Manor
Mans. : Mansions
Mkt. : Market
Mdw. : Meadow
Mdws. : Meadows
M. : Mews
Mt. : Mount
Mus. : Museum

Nth. : North
Pde. : Parade
Pk. : Park
Pas. : Passage
Pl. : Place
Quad. : Quadrant
Ri. : Rise
Rd. : Road
Rdbt. : Roundabout
Shop. : Shopping
Sth. : South
Sq. : Square
Sta. : Station
St. : Street
Ter. : Terrace
Twr. : Tower
Trad. : Trading
Up. : Upper
Va. : Vale
Vw. : View
Vs. : Villas
Vis. : Visitors
Wlk. : Walk
W. : West
Yd. : Yard

LOCALITY ABBREVIATIONS

Air : **Airdrie**
Alla : **Allandale**
Anna : **Annathill**
Ashg : **Ashgill**
Auch : **Auchinloch**
Bail : **Baillieston**
Balder : **Baldernock**
Balm : **Balmore**
Bank : **Banknock**
Bant : **Banton**
Bard : **Bardowie**
Barg : **Bargeddie**
Barr : **Barrhead**
Bear : **Bearsden**

Bell : **Bellshill**
Birk : **Birkenshaw**
B'rig : **Bishopbriggs**
B'ton : **Bishopton**
Blan : **Blantyre**
Both : **Bothwell**
Bowl : **Bowling**
Bri W : **Bridge of Weir**
Brkfld : **Brookfield**
Busby : **Busby**
C'bnk : **Calderbank**
Camb : **Cambuslang**
Cam G : **Campsie Glen**
Card : **Cardross**

Carf : **Carfin**
Carl : **Carluke**
Crmck : **Carmunnock**
Carm : **Carmyle**
C'cry : **Castlecary**
Chap : **Chapelhall**
Chry : **Chryston**
Clar : **Clarkston**
Cle : **Cleland**
Clyd : **Clydebank**
Coat : **Coatbridge**
Crsfd : **Crossford**
C'lee : **Crosslee**
Croy : **Croy**

Cumb : **Cumbernauld**
Dals : **Dalserf**
Dull : **Dullatur**
Dumb : **Dumbarton**
Dun : **Duntocher**
Eag : **Eaglesham**
E Kil : **East Kilbride**
Eld : **Elderslie**
Ersk : **Erskine**
Faif : **Faifley**
Fern : **Ferniegair**
Flem : **Flemington**
G'csh : **Gartcosh**
Gart : **Gartness**
Giff : **Giffnock**
Glas : **Glasgow**
Glas A : **Glasgow Airport**
Glenb : **Glenboig**
Glenm : **Glenmavis**
Grng : **Greengairs**
Hag : **Haggs**
Ham : **Hamilton**
Hard : **Hardgate**
Hill : **Hillington Industrial Estate**
Holy : **Holytown**
Hous : **Houston**
How : **Howwood**

Inch : **Inchinnan**
John : **Johnstone**
Kilb : **Kilbarchan**
Kils : **Kilsyth**
Kirk : **Kirkintilloch**
Lang : **Langbank**
Lark : **Larkhall**
Law : **Law**
Len : **Lennoxtown**
Lenz : **Lenzie**
Lin : **Linwood**
Longc : **Longcroft**
Mille : **Millerston**
Miln : **Milngavie**
Milt : **Milton**
Milt C : **Milton of Campsie**
Mollin : **Mollinsburn**
Mood : **Moodiesburn**
Moss : **Mossend**
Moth : **Motherwell**
Muirh : **Muirhead**
Neil : **Neilston**
Ners : **Nerston**
Neth : **Netherlee**
N'hill : **Newarthill**
N'hse : **Newhouse**
Newm : **Newmains**

New S : **New Stevenston**
Newt : **Newton**
Newt M : **Newton Mearns**
Old K : **Old Kilpatrick**
Over : **Overtown**
Pais : **Paisley**
Plain : **Plains**
Q'riers : **Quarriers Village**
Queen : **Queenzieburn**
Renf : **Renfrew**
Rigg : **Riggend**
Roger : **Rogerton**
Rose : **Rosebank**
Ruth : **Rutherglen**
Shaw : **Shawsburn**
Step : **Stepps**
Tann : **Tannochside**
T'bnk : **Thornliebank**
T'hall : **Thorntonhall**
Torr : **Torrance**
Twe : **Twechar**
Udd : **Uddingston**
View : **Viewpark**
Water : **Waterfoot**
Wis : **Wishaw**

A

Abbey Cl. PA1: Pais 1A **102**
Abbeycraig Rd. G34: Glas 2B **92**
Abbeydale Way G73: Ruth 4E **125**
Abbey Dr. G14: Glas 5E **63**
Abbeyfield Ho. G46: Giff 4H **121**
　　ML5: Coat 5A **94**
Abbeygreen St. G34: Glas 2C **92**
Abbeyhill St. G32: Glas 4G **89**
Abbeylands Rd. G81: Faif 6E **25**
Abbeymill Bus. Cen.
　　PA1: Pais 1B **102**
Abbey Pl. ML6: Air 1C **116**
Abbey Rd. PA5: Eld 3H **99**
Abbey Wlk. *G69: Barg* *6D **92***
　　(off Abercrombie Cres.)
　　ML9: Lark *1D **170***
　　(off Duncan Graham St.)
Abbotsburn Way PA3: Pais 3H **81**
Abbots Ct. G68: Dull 4F **15**
Abbotsford G64: B'rig 5E **51**
Abbotsford Av. G73: Ruth 6D **108**
　　ML3: Ham 3F **145**
　　ML9: Lark 4C **170**
Abbotsford Brae G74: E Kil 6G **141**
Abbotsford Ct. G67: Cumb 6H **37**
Abbotsford Cres. ML2: Wis 5A **150**
　　ML3: Ham 3F **145**
　　PA2: Pais 6B **100**
Abbotsford Dr. G66: Kirk 5E **33**
Abbotsford La. ML3: Ham 3F **145**
　　ML4: Bell 1B **130**
Abbotsford Pl. G5: Glas 1F **107**
　　(not continuous)
　　G67: Cumb 6H **37**
　　ML1: Holy *2B **132***
　　(off Ivy Ter.)
Abbotsford Rd. G61: Bear 1C **46**
　　G67: Cumb 6H **37**
　　G81: Clyd 6D **44**
　　ML2: Wis 5A **150**
　　ML3: Ham 3E **145**
　　ML6: Chap 4E **117**
Abbotshall Av. G15: Glas 4G **45**
Abbotsinch Rd PA4: Renf 6B **60**
Abbotsinch Rd. PA3: Glas A 2A **82**
Abbots Ter. ML6: Air 1C **116**

Abbot St. G41: Glas 4C **106**
　　PA3: Pais 5B **82**
Abbott Cres. G81: Clyd 1F **61**
ABC Cinema 3D **122**
Aberconway St. G81: Clyd 1E **61**
Abercorn Av. G52: Hill 3G **83**
Abercorn Cres. ML3: Ham 1B **162**
Abercorn Dr. ML3: Ham 6B **146**
Abercorn Ind. Est.
　　PA3: Pais 5B **82**
Abercorn Pl. G23: Glas 6C **48**
Abercorn Rd. G77: Newt M 3C **136**
Abercorn St. G81: Faif 6G **25**
　　PA3: Pais 6A **82**
Abercrombie Cres.
　　G69: Barg 6D **92**
Abercrombie Dr. G61: Bear 5B **26**
Abercrombie Ho. G75: E Kil 2A **156**
Abercrombie Pl. G65: Kils 2F **13**
Abercromby Cres. G74: E Kil 6B **142**
Abercromby Dr. G40: Glas 5B **88**
Abercromby Pl. G74: E Kil 6B **142**
Abercromby Sq. G40: Glas 5B **88**
Abercromby St. G40: Glas 6A **88**
　　(not continuous)
Aberdalgie Gdns. G34: Glas 3H **91**
Aberdalgie Path *G34: Glas* *3H **91***
　　(off Aberdalgie Rd.)
Aberdalgie Rd. G34: Glas 3H **91**
Aberdeen Rd. ML6: Chap 1D **116**
Aberdour Ct. G72: Blan 1B **160**
Aberdour St. G31: Glas 4E **89**
Aberfeldy Av. G72: Blan 6B **144**
　　ML6: Plain 6F **75**
Aberfeldy St. G31: Glas 4E **89**
Aberfeldy St. G31: Glas 4E **89**
Aberfoyle St. G31: Glas 4E **89**
Aberlady Pl. ML1: Cle 6H **133**
Aberlady St. ML1: Cle 6H **133**
Aberlour Pl. ML1: Carf 5A **132**
Abernethy Av. G72: Blan 6B **144**
Abernethy Dr. PA3: Lin 6G **79**
Abernethy Rd.
　　ML2: Newm 3E **151**
Abernethy Pk. G74: E Kil 1F **157**
Abernethy Pl. G77: Newt M 5H **137**
Abernethy St. G31: Glas 5E **89**
Aberuthven Dr. G32: Glas 2B **110**
Abiegail Pl. G72: Blan 6B **128**

Aboukir St. G51: Glas 3E **85**
Aboyne Dr. PA2: Pais 4B **102**
Aboyne St. G51: Glas 5F **85**
ABRONHILL 1E **39**
Acacia Dr. G78: Barr 2C **118**
　　PA2: Pais 4F **101**
Acacia Pl. PA5: John 5G **99**
Acacia Way
　　G72: Camb, Flem 2E **127**
Academy Ct. ML5: Coat 4C **94**
Academy Pk. G51: Glas 1A **106**
　　ML6: Air 4A **96**
Academy Pl. ML5: Coat 4C **94**
Academy Rd. G46: Giff 5A **122**
Academy St. G32: Glas 1B **110**
　　ML5: Coat 4C **94**
　　ML6: Air 4A **96**
　　ML9: Lark 2C **170**
Academy Ter. ML4: Bell 2D **130**
Acer Cres. PA2: Pais 4F **101**
Acer Gro. ML6: Chap 2E **117**
Achamore Cres. G15: Glas 3G **45**
Achamore Dr. G15: Glas 3G **45**
Achamore Gdns. G15: Glas 3G **45**
Achamore Rd. G15: Glas 3G **45**
Achnasheen Rd. ML6: Air 5G **97**
Achray Dr. PA2: Pais 4E **101**
Achray Pl. G62: Miln 2D **26**
　　ML5: Coat 2G **93**
Achray Rd. G67: Cumb 6D **36**
Acorn Ct. G40: Glas 1B **108**
Acorn St. G40: Glas 1B **108**
Acre Dr. G20: Glas 6H **47**
Acredyke Cres. G21: Glas 2E **67**
Acredyke Pl. G21: Glas 3E **67**
Acredyke Rd. G21: Glas 2D **66**
　　G73: Ruth 5B **108**
Acre Rd. G20: Glas 6H **47**
Acres, The ML9: Lark 3D **170**
Acre Valley Rd. G64: Torr 3D **30**
Adam Av. ML6: Air 4B **96**
Adams Ct. La. G1: Glas 6C **6** (5F **87**)
Adamslie Cres. G66: Kirk 5A **32**
Adamslie Dr. G66: Kirk 5A **32**
Adamson St. ML4: Moss 2F **131**
Adams Pl. G65: Kils 3H **13**
Adamswell St. G21: Glas 6A **66**
Adamswell Ter. G69: Mood 5E **55**

Addie St. ML1: Moth 1H 147
Addiewell Pl. ML5: Coat 1C 114
Addiewell St. G32: Glas 4A 90
Addison Gro. G46: T'bnk 3F 121
Addison Pl. G46: T'bnk 3F 121
Addison Rd. G12: Glas 5B 64
G46: T'bnk 3E 121
Adelaide Ct. G81: Clyd 2H 43
Adelaide Rd. G75: E Kil 4D 156
Adele St. ML1: Moth 5H 147
Adelphi Cen. G5: Glas 6H 87
Adelphi St. G5: Glas 6G 87
(not continuous)
Admirals Ga. G3: Glas 4C 4 (3B 86)
Admiral St. G41: Glas 6C 86
Admiralty Gdns. G60: Old K 2F 43
Admiralty Gro. G60: Old K 2F 43
Admiralty Pl. G60: Old K 2F 43
Advance Pl. PA11: Bri W 3F 77
(off Main St.)
Advie Pl. G42: Glas 5F 107
Affric Av. ML6: Plain 6G 75
Affric Dr. PA2: Pais 4D 102
Afton Cres. G61: Bear 4H 47
Afton Dr. PA4: Renf 6G 61
Afton Gdns. G72: Blan 3H 143
ML5: Coat 6F 95
Afton Rd. G67: Cumb 2B 38
Afton St. G41: Glas 5C 106
ML9: Lark 3E 171
Afton Vw. G66: Kirk 4F 33
Afton Way PA2: Pais 4D 100
Agamemnon St. G81: Clyd 5B 44
Agate Ter. ML4: Bell 3C 130
(off Diamond St.)
Agnew Av. ML5: Coat 4E 95
ML6: Air 4F 95
Agnew Gro. ML4: Bell 2H 129
Agnew La. G42: Glas 4E 107
Aidans Brae G76: Clar 2C 138
Aigas Cotts. G13: Glas 4F 63
(off Fern La.)
Aikenhead Rd. G42: Glas 2F 107
G44: Glas 1G 123
Aikman Pl. G74: E Kil 5B 142
Aikman Rd. ML1: Moth 4D 146
Ailean Dr. G32: Glas 1E 111
Ailean Gdns. G32: Glas 1E 111
Aillort Pl. G74: E Kil 6G 141
Ailort Av. G44: Glas 2E 123
Ailort Loan ML2: Newm 3D 150
(off Tiree Cres.)
Ailsa Av. ML1: Moth 2D 146
ML9: Ashg 5H 171
Ailsa Ct. ML3: Ham 2B 160
Ailsa Cres. ML1: Moth 2D 146
Ailsa Dr. G42: Glas 6D 106
G46: Giff 1H 137
G66: Kirk 3F 33
G71: Both 3E 129
G73: Ruth 2B 124
G81: Hard 1E 45
PA2: Pais 6H 101
Ailsa Pl. ML5: Coat 1B 114
Ailsa Rd. G64: B'rig 5D 50
ML5: Coat 1A 114
PA4: Renf 1E 83
Ailsa Twr. G72: Camb 4G 125
Ainslie Av. G52: Hill 3A 84
Ainslie Rd. G52: Hill 4A 84
(not continuous)
G67: Cumb 2C 38
Airbles Cres. ML1: Moth 4F 147
Airbles Dr. ML1: Moth 4F 147
Airbles Farm Rd.
ML1: Moth 4G 147
Airbles Rd. ML1: Moth 4E 147

Airbles Station (Rail) 4G 147
Airbles St. ML1: Moth 4G 147
Airbles Twr. ML1: Moth 4G 147
Airdale Av. G46: Giff 5A 122
AIRDRIE .4A 96
Airdriehill Rd. ML6: Air 1C 96
Airdriehill St. ML6: Air 1C 96
Airdrie Leisure Cen. 2C 96
Airdrie Rd ML6: Air, Plain 2F 97
Airdrie Rd. G65: Kils 2H 13
G67: Cumb 1D 56
(Condorrat Ring Rd.)
G67: Cumb 6C 36
(Main Rd.)
G67: Mollin 3H 55
ML8: Carl . . . . . .6H 167 & 1C 174
Airdrie Station (Rail) 4A 96
Airdrie United 5C 96
Aird's La. G1: Glas 5G 87
(off Bridgegate)
Airgold Dr. G15: Glas 3H 45
Airgold Pl. G15: Glas 3H 45
Airlie Av. G61: Bear 6E 27
Airlie Dr. ML4: Bell 1C 130
Airlie Gdns. G73: Ruth 3F 125
Airlie La. G12: Glas 6H 63
Airlie Rd. G69: Bail 2G 111
Airlie St. G12: Glas 6G 63
Airlink Ind. Est. PA3: Glas A . . .3A 82
Airth Ct. ML1: Moth 6F 131
Airth Dr. G52: Glas 2F 105
Airth La. G52: Glas 2F 105
Airth Pl. G52: Glas 2F 105
(off Airth La.)
Airthrey Av. G14: Glas 6E 63
(off Mitre Rd.)
Airthrey La. G14: Glas 5E 63
(off Airthrey Av.)
Airth Way G68: Cumb 5A 36
Airyligg Dr. G76: Eag 6C 154
Aitchison Ct. ML6: Air 3H 95
Aitchison St. ML6: Air 4G 95
Aitkenbar Circ. G82: Dumb 2H 19
Aitkenbar Dr. G82: Dumb 1H 19
Aitken Cl. ML2: Newm 2E 151
Aitkenhead Av. ML5: Coat 1F 113
Aitkenhead Rd.
G69: Barg, Tann 5E 113
G71: Barg, Tann 5E 113
ML6: Chap 3D 116
Aitken Rd. ML3: Ham 4A 162
Aitken St. G31: Glas 4D 88
ML6: Air 2A 96
Alasdair Ct. G78: Barr 5E 119
Alba Gdns. ML8: Carl 2C 174
Alba Ho. G81: Clyd 5C 44
Albans Cres. ML1: Moth 1D 146
Albany G74: E Kil 5C 142
Albany Av. G32: Glas 5C 90
Albany Cotts. G13: Glas 4F 63
(off Fern La.)
Albany Dr. G73: Ruth 1D 124
Albany Pl. G71: Both 5F 129
Albany Quad. G32: Glas 5C 90
Albany Rd. ML3: Ham 4G 161
Albany St. G40: Glas 1C 108
ML5: Coat 4A 94
Albany Ter. G72: Camb 4G 125
Albany Way PA3: Pais 3A 82
Albany Wynd ML9: Lark 1D 170
(off Duncan Graham St.)
Alba Way ML3: Ham 5G 161
ML9: Lark 4E 171
(off Keir Hardie Rd.)
Alberta Av. G75: E Kil 3D 156
ML5: Coat 3B 94

Alberta Cres. G75: E Kil 3E 157
Alberta Pk. G75: E Kil 3F 157
Alberta Pl. G75: E Kil 3F 157
Albert Av. G42: Glas 4D 106
Albert Bri. G5: Glas 6G 87
Albert Cres. ML6: Air 4B 96
Albert Cross
G41: Glas 2D 106
Albert Dr. G41: Glas 3A 106
G61: Bear 4H 47
G73: Ruth 2D 124
ML9: Lark 3D 170
Albert Pl. ML6: Air 3B 96
Albert Quad. ML1: Holy 2A 132
Albert Rd. G12: Glas 6H 63
G42: Glas 4E 107
G66: Lenz 4C 52
G81: Clyd 4B 44
PA4: Renf 6E 61
PA5: Brkfld 6C 78
Albert St. ML1: Moth 2H 147
ML3: Ham 3F 145
ML5: Coat 4C 94
(not continuous)
Albert Ter. ML3: Ham 3E 145
Albion Ct. ML5: Coat 5E 95
(off Clifton Pl.)
Albion Ga. G1: Glas 6F 7 (4H 87)
PA3: Pais 5H 81
Albion Rovers FC 5E 95
Albion St. G1: Glas 6F 7 (5H 87)
G69: Bail 2F 111
ML1: Moth 4G 147
ML5: Coat 4D 94
PA3: Pais 5A 82
Albion Twr. ML1: Moth 4G 147
Albion Way G75: E Kil 6H 157
Albion Works Ind. Est.
G13: Glas 2G 61
Alcaig Rd. G52: Glas 3E 105
Alcath Rd. ML2: Newm 3F 151
Alclutha Av. G82: Dumb 4H 19
Alder Av. G66: Lenz 2B 52
ML3: Ham 2A 162
Alder Bank G71: View 4G 113
Alder Ct. G75: E Kil 6E 157
G78: Barr 6E 119
Alder Cres. G75: E Kil 6E 157
Alder Gdns. ML1: Moth 6C 148
Alder Ga. G72: Camb, Flem 2E 127
Alder Gro. ML5: Coat 5D 94
Alder La. ML1: Holy 2C 132
ML1: New S 4A 132
Alderman Pl. G13: Glas 3C 62
Alderman Rd. G13: Glas 2H 61
Alder Pl. G43: Glas 2H 121
G75: E Kil 6E 157
PA5: John 4G 99
Alder Rd. G43: Glas 2H 121
G66: Milt C 6B 10
G67: Cumb 3D 38
G81: Clyd 2B 44
G82: Dumb 3E 19
Alderside Gdns.
G71: Udd 6C 112
Alderside Pl. G71: Both 4F 129
Alderstocks G75: E Kil 6G 157
Alderston Pl. ML4: Bell 3A 130
Alderston Way ML4: Bell 1A 130
Aldersyde Av. ML2: Wis 5D 148
Aldersyde Pl. G72: Blan 6A 128
Alexander Av. G65: Twe 2C 34
G71: View 1G 129
G76: Eag 6C 154
Alexander Balfour Gdns.
ML3: Ham 2H 161
Alexander Cres. G5: Glas 1G 107

Alexander Gdns. ML3: Ham 1C **162**
Alexander Gibson Way
  ML1: Moth 4F **147**
Alexander Path *ML1: Moth* 6B **148**
  (off Muirhouse Rd.)
Alexander Pl. G66: Kirk 6H **33**
Alexander St. G81: Clyd 6D **44**
  G82: Dumb 3G **19**
  ML2: Wis 6F **149**
  ML5: Coat 3D **94**
  ML6: Air 4G **95**
Alexander Ter. G78: Neil 3C **134**
Alexandra Av. G33: Step 3D **68**
  G66: Lenz 3C **52**
Alexandra Ct. G31: Glas 3D **88**
Alexandra Dr. PA2: Pais 2F **101**
  PA4: Renf 6F **61**
Alexandra Gdns. G66: Lenz 3C **52**
Alexandra Ga. G31: Glas 3C **88**
Alexandra Pde.
  G31: Glas 3H **7** (3A **88**)
Alexandra Parade Station (Rail)
  . . . . .3D **88**
Alexandra Pk. G66: Lenz 3C **52**
Alexandra Pk. St. G31: Glas 3D **88**
Alexandra Rd. G66: Lenz 3C **52**
Alexandra St. G66: Kirk 5C **32**
Alexandria Quad. ML1: Holy 2A **132**
Alford Av. G66: Kirk 5B **32**
  G72: Blan, Ham 6A **144**
Alford Pl. PA3: Lin 5E **79**
Alford Quad. ML2: Wis 4H **149**
Alford St. G21: Glas 6H **65**
Alfred La. *G12: Glas* 6C **64**
  (off Cecil St.)
Alfred Ter. G12: Glas 6C **64**
Algie St. G41: Glas 5D **106**
Algoma Pl. G75: E Kil 3D **156**
Alice Av. ML4: Bell 3C **130**
Alice St. PA2: Pais 3A **102**
Alice Ter. G5: Glas 2H **107**
Aline Ct. G78: Barr 3D **118**
Alison Lea G74: E Kil 6B **142**
Allan Av. ML8: Carl 2C **174**
  PA4: Renf 2G **83**
Allan Ct. G75: E Kil 4A **156**
Allan Cres. G82: Dumb 1H **19**
ALLANDALE 1H **17**
Allandale Av. ML1: N'hill 2F **133**
Allandale Cotts. FK4: Alla 1H **17**
Allandale Path *G72: Blan* 2B **144**
  (off Winton Cres.)
Allander Av. G62: Bard 6E **29**
Allander Dr. G64: Torr 5C **30**
Allander Ho. *G67: Cumb* 4H **37**
  (in The Cumbernauld Shop. Cen.)
Allander Rd. G61: Bear 4D **46**
  G62: Miln 3G **27**
Allander Sports Complex 6H **27**
Allander St. G22: Glas 5G **65**
Allander Wlk. *G67: Cumb* 4H **37**
  (in The Cumbernauld Shop. Cen.)
Allands Av. PA4: Inch 4G **59**
Allanfauld Rd. G65: Kils 1H **13**
  G67: Cumb 3H **37**
Allan Glen Gdns.
  G64: B'rig 3C **50**
Allan Gro. ML4: Bell 1D **130**
Allan Pl. G40: Glas 3D **108**
  G75: E Kil 4A **156**
  G82: Dumb 3G **19**
Allanshaw Gdns. ML3: Ham 6F **145**
Allanshaw Gro. ML3: Ham 1F **161**
Allanshaw Ind. Est.
  ML3: Ham 6G **145**
Allanshaw St. ML3: Ham 6G **145**

Allan St. G40: Glas 3D **108**
  ML1: Moth 2H **147**
  ML5: Coat 6H **93**
ALLANTON 2E **163**
Allanton Av. PA1: Pais 1G **103**
Allanton Dr. G52: Glas 6B **84**
Allanton Gro. ML2: Wis 4H **149**
Allanton Lea ML3: Ham 3G **161**
Allanton Pl. ML3: Ham 2A **162**
Allanton Ter. ML3: Fern 2F **163**
Allanton Rd. ML2: Newm 2H **151**
Allan Twr. ML1: Moth 2H **147**
Albany Cres. ML1: Holy 2H **131**
Allendale G74: E Kil 6E **141**
Allen Glen Pl. G1: Glas 4F **7** (3H **87**)
Allen Way PA4: Renf 2F **83**
Allerdyce Ct. G15: Glas 6G **45**
Allerdyce Dr. G15: Glas 6H **45**
Allerdyce Pl. G15: Glas 6H **45**
Allerdyce Rd. G15: Glas 6G **45**
Allershaw Pl. ML2: Wis 3F **165**
Allershaw Rd. ML2: Wis 3F **165**
Allershaw Twr. ML2: Wis 3F **165**
Allerton Gdns. G69: Bail 1F **111**
Alleysbank Rd. G73: Ruth 4D **108**
Allison Av. PA8: Ersk 5D **42**
Allison Dr. G72: Camb 1A **126**
Allison Pl. G42: Glas 3E **107**
  G77: Newt M 5C **136**
Allison St. G42: Glas 3E **107**
Allnach Pl. G34: Glas 3C **92**
Alloway Av. PA2: Pais 5D **102**
Alloway Ct. G66: Kirk 3F **33**
Alloway Cres. G73: Ruth 2B **124**
  PA2: Pais 5D **102**
Alloway Dr. G66: Kirk 3F **33**
  G73: Ruth 2B **124**
  G77: Newt M 5G **137**
  G81: Clyd 4E **45**
  PA2: Pais 5D **102**
Alloway Gdns. G66: Kirk 3G **33**
  ML3: Ham 2B **160**
Alloway Gro. G66: Kirk 3F **33**
  PA2: Pais 4E **103**
Alloway Quad. G66: Kirk 4G **33**
Alloway Rd. G43: Glas 1B **122**
  G74: E Kil 5D **142**
  ML6: Air 3F **97**
Alloway St. ML9: Lark 3E **171**
Alloway Ter. G66: Kirk 3F **33**
Alloway Wynd ML1: N'hill 3E **133**
Almada La. ML3: Ham 5H **145**
Almada La. ML3: Ham 5H **145**
Almada St. ML3: Ham 5G **145**
Alma St. G40: Glas 6C **88**
Almond Av. PA4: Renf 1G **83**
Almond Bank G61: Bear 5C **46**
Almondbank ML6: Plain 6F **75**
Almond Cres. PA2: Pais 3D **100**
Almond Dr. FK4: Bank 1E **17**
  G64: Lenz 2B **52**
  G74: E Kil 2B **158**
  PA7: B'ton 5H **41**
Almond Pl. ML1: Holy 3B **132**
  ML5: Coat 2H **93**
Almond Rd. G33: Step 4C **68**
  G61: Bear 5D **46**
  G67: Cumb 6F **17**
Almond St. G33: Glas 2F **89**
Almond Va. G71: Tann 6E **113**
Almond Vw. G15: Glas 5B **46**
Almond Way ML1: Moth 6G **147**
Alness Cres. G52: Glas 2E **105**
Alness St. ML3: Ham 2H **161**
Alness Ter. ML3: Ham 1H **161**
Alpha Cen. G81: Clyd 1D **60**
Alpine Gro. G71: Tann 6D **112**

Alpine Path G72: Blan 2C **144**
Alpine Wlk. G72: Blan 2C **144**
Alsatian Av. G81: Clyd 5F **45**
Alsh Ter. ML3: Ham 2E **161**
Alston Av. ML5: Coat 3D **94**
Alston Gdns. G61: Bear 5B **26**
Altnacreag Gdns.
  G69: Mood 4E **55**
Alton Ct. *G66: Kirk* 5E **33**
  (off Highfield Rd.)
Alton Rd. PA1: Pais 1E **103**
Altpatrick Gdns. PA5: Eld 2H **99**
Altyre St. G32: Glas 2H **109**
Alva Gdns. G52: Glas 3E **105**
  G61: Bear 6D **26**
Alva Ga. G52: Glas 2E **105**
Alva Pl. G66: Lenz 3E **53**
Alvie Pl. ML6: Air 6D **96**
Alwyn Av. PA6: C'lee 3D **78**
Alwyn Ct. G74: E Kil 6G **141**
Alwyn Dr. G74: E Kil 6F **141**
Alyssum Cres. ML1: Moth 1F **147**
Alyth Cres. G76: Clar 1E **139**
Alyth Gdns. G52: Glas 2E **105**
  G76: Clar 1E **139**
Ambassador Way
  PA4: Renf 2F **83**
Amber Ter. ML4: Bell 3C **130**
Ambleside G75: E Kil 5B **156**
Ambleside Ri. ML3: Ham 6G **161**
Ambrose Ct. ML3: Ham 5F **145**
Amethyst Av. ML4: Bell 3C **130**
AMF Bowling
  Glasgow 5F **5** (4C **86**)
  Kelvinbridge 6C **64**
  (off Bower St.)
Amisfield St. G20: Glas 4C **64**
Amochrie Dr. PA2: Pais 5E **101**
Amochrie Glen PA2: Pais 5E **101**
Amochrie Rd. PA2: Pais 4D **100**
Amochrie Way *PA2: Pais* 4D **100**
  (off Amochrie Rd.)
Amulree Pl. G32: Glas 1A **110**
Amulree St. G32: Glas 2A **110**
Ancaster Dr. G13: Glas 3F **63**
Ancaster La. G13: Glas 3F **63**
Anchor Av. PA1: Pais 1C **102**
Anchor Cres. PA1: Pais 2C **102**
Anchor Dr. PA1: Pais 1C **102**
Anchor La. G2: Glas 5D **6** (4G **87**)
Anchor Mill PA1: Pais 1B **102**
ANCHOR MILLS 1C **102**
Anchor Wynd PA1: Pais 2C **102**
Ancroft St. G20: Glas 6E **65**
Andersen Ct. G75: E Kil 5G **157**
Anderside G75: E Kil 6G **157**
Anderson Av. G65: Kils 2F **13**
Anderson Ct. G77: Newt M 5C **136**
  ML2: Wis 6G **149**
  ML4: Bell 2D **130**
Anderson Cres.
  G65: Queen 3C **12**
Anderson Dr. G77: Newt M 5C **136**
  PA4: Renf 5F **61**
Anderson Gdns. G72: Blan 6C **128**
Anderson La. ML6: Air 3A **96**
Anderson Rd. PA7: B'ton 3G **41**
Anderson St. G11: Glas 1H **85**
  ML1: Moth 4G **147**
  ML3: Ham 4D **144**
  ML6: Air 3A **96**
Anderson Twr. ML1: Moth 3G **147**
ANDERSTON 5H **5** (4D **86**)
ANDERSTON CROSS INTERCHANGE
  . . . . .5H **5**
Anderston Quay
  G3: Glas 6G **5** (5D **86**)

Anderston Station (Rail)
. . . . .5H 5 (4E 87)
Andrew Av. G66: Lenz 4D 52
   PA4: Renf 6G 61
Andrew Baxter Av.
   ML9: Shaw 4G 171
Andrew Dr. G81: Clyd 1E 61
Andrew Paton Way
   ML3: Ham 3E 145
Andrew Pl. ML8: Carl 2C 174
Andrew Sillars Av.
   G72: Camb 2B 126
Andrews St. PA3: Pais 5A 82
Andrew St. G74: E Kil 2H 157
Andrew Ure Hall G1: Glas 6G 7
Anford Gdns. G72: Blan 2C 144
Anford La. G72: Blan 2C 144
Anford Pl. G72: Blan 2C 144
Anford Ter. G72: Blan 3C 144
Angela Way G71: Udd 1D 128
Angle Ga. G14: Glas 5D 62
Angus Av. G52: Glas 2C 104
   G64: B'rig 1E 67
   G74: E Kil 1B 158
   ML1: Moth 1E 147
   ML3: Ham 6C 146
   ML6: Air 6A 96
Angus Gdns. G71: Tann 5D 112
Angus Oval G52: Glas 1B 104
Angus Pl. G52: Glas 1B 104
   G74: E Kil 1B 158
Angus Rd. ML8: Carl 4E 175
Angus St. G21: Glas 5A 66
   G81: Clyd 1G 61
Angus Wlk. G71: View 6F 113
Anish Pl. G15: Glas 3G 45
Annan Av. G75: E Kil 4A 156
Annan Ct. *ML5: Coat* *5B 94*
        (off Kirk St.)
Annan Cres. ML6: Chap 4D 116
Annandale St. G42: Glas 2F 107
Annan Dr. G61: Bear 4C 46
   G73: Ruth 6F 109
Annan Glade ML1: Moth 6A 148
Annan Gro. ML1: Moth 6A 148
Annan Ho. *G67: Cumb* *4H 37*
   (in The Cumbernauld Shop. Cen.)
Annan Pl. PA5: John 5C 98
Annan St. ML1: Moth 6A 148
Annan Way *G67: Cumb* *4H 37*
   (in The Cumbernauld Shop. Cen.)
ANNATHILL 5B 56
Annathill Gdns. ML5: Anna 5B 56
Annbank Pl. G31: Glas 5B 88
Annbank St. G31: Glas 5B 88
   ML9: Lark 2B 170
Ann Ct. ML3: Ham 4E 145
Anne Av. PA4: Renf 5F 61
Anne Cres. G66: Lenz 4D 52
Annerley Ct. ML5: Coat 6A 94
Annerley Pl. ML5: Coat 6A 94
Anne's M. ML3: Ham 6B 146
Annette St. G42: Glas 3E 107
Annfield Gdns. G72: Blan 6H 127
Annfield Pl. G31: Glas 4B 88
Annick Dr. G61: Bear 4C 46
Annick St. G32: Glas 6B 90
   G72: Camb 2D 126
Anniesdale Av. G33: Step 3D 68
Annieshill Vw. ML6: Plain 1G 97
ANNIESLAND 3F 63
Anniesland Cres. G14: Glas 4A 62
Anniesland Ind. Est.
   G13: Glas 1E 63
Anniesland Rd. G13: Glas 3C 62
   G14: Glas 4A 62

Anniesland Station (Rail) 3F 63
Annieston G65: Twe 1D 34
Anniversary Av. G75: E Kil 4E 157
Annsfield Rd. ML3: Ham 4G 161
Ann St. ML3: Ham 4E 145
   PA5: John 2G 99
Ansdell Av. G72: Blan 2A 144
Anson St. G40: Glas 1B 108
Anson Way PA4: Renf 2E 83
Anstruther Ct. ML8: Law 6D 166
Anstruther St. G32: Glas 6H 89
   ML8: Law 6D 166
Antermony Rd. G66: Milt C 5C 10
Anthony Ct. G81: Clyd 1E 61
Anthony St. G2: Glas 5H 5 (4E 87)
Antigua Way G75: E Kil 2C 156
Anton Cres. G65: Kils 3A 14
Antonine G66: Kirk 3H 33
Antonine Av. ML1: Moth 1E 147
Antonine Gdns. G81: Dun 1C 44
Antonine Ga. FK4: Alla 2G 17
Antonine Grange G68: Cumb 3B 36
Antonine Rd. G61: Bear 1B 46
   G68: Dull 5E 15
Antonine Sports Cen. 1C 44
Antrim La. ML9: Lark 1D 170
Anworth St. G32: Glas 2A 110
Apartments, The *G46: Giff* *6H 121*
     (off Milverton Rd.)
Apollo Path ML1: Holy 2B 132
Appian Pl. ML1: Moth 6D 130
Appin Ct. G66: Kirk 4H 33
Appin Cres. G31: Glas 4D 88
Appin Rd. G31: Glas 4D 88
Appin Ter. G73: Ruth 3F 125
   ML3: Ham 5C 144
Appin Way G71: Both 4E 129
   ML5: Coat 1A 114
   ML6: Glenm 5H 73
Appleby Cl. G75: E Kil 5B 156
Appleby Gro. G69: Barg 5E 93
Appleby St. G22: Glas 6F 65
Applecross Gdns. G69: Mood . . .4D 54
Applecross Quad. ML2: Wis 4H 149
Applecross Rd. G66: Kirk 4H 33
Applecross St. G4: Glas 6F 65
Appledore Cres. G71: Both 4E 129
Apple Way G75: E Kil 5H 157
Appleyard Ct. ML4: Bell 4B 130
Apsley La. G11: Glas 1G 85
Apsley St. G11: Glas 1G 85
Aqua Av. ML3: Ham 1C 160
Aqua Ct. ML3: Ham 1C 160
Aquatec Leisure Cen. 2G 147
Aquila Way ML8: Carl 3B 174
Araburn Dr. G75: E Kil 6G 157
Aranthrue Cres. PA4: Renf 5E 61
Aranthrue Dr. PA4: Renf 5E 61
Aray St. G20: Glas 3B 64
Arbroath Av. G52: Glas 1B 104
Arbroath Gro. ML3: Ham 1F 161
Arbuckle Pl. ML6: Plain 6G 75
Arbuckle Rd. ML6: Plain 6H 75
Arcadia Pl. G40: Glas 6A 88
Arcadia St. G40: Glas 6A 88
      (not continuous)
   ML4: Bell 6C 114
Arcan Cres. G15: Glas 5B 46
Archerfield Av. G32: Glas 3A 110
Archerfield Cres. G32: Glas 3A 110
Archerfield Dr. G32: Glas 3A 110
Archerfield Gro. G32: Glas 3A 110
Archerhill Av. G13: Glas 1A 62
Archerhill Cotts. G13: Glas 1A 62
Archerhill Cres. G13: Glas 1B 62
Archerhill Gdns. G13: Glas 1A 62
Archerhill Rd. G13: Glas 1H 61

Archerhill Sq. G13: Glas 1H 61
Archerhill Ter. G13: Glas 1A 62
      (not continuous)
Arches, The 6B 6 (4F 87)
Archibald Ter. G66: Milt C 5B 10
Archiebald Pl. ML4: Bell 3F 131
Arch Way G65: Kils 2H 13
Ardargie Dr. G32: Carm 5C 110
Ardargie Gro. G32: Carm 5C 110
Ardargie Pl. G32: Carm 5C 110
Ardbeg Av. G64: B'rig 6E 51
   G73: Ruth 4G 125
Ardbeg Cres. ML6: Air 6A 74
Ardbeg La. *G42: Glas* *3E 107*
     (off Cuthbertson St.)
Ardbeg Rd.
   ML1: Carf, New S 5A 132
Ardbeg St. G42: Glas 3E 107
Ardconnel St. G46: T'bnk 3F 121
ARDEN 3D 120
Arden Av. G46: T'bnk 5E 121
Ardenclutha Av. ML3: Ham 5F 145
Arden Ct. ML3: Ham 2H 161
     ML6: Air *3F 95*
     (off Monkscourt Av.)
Ardencraig Dr. G45: Glas 5B 124
Ardencraig Gdns. G45: Glas 5C 124
Ardencraig Pl. G45: Glas 4A 124
Ardencraig Quad. G45: Glas 5B 124
Ardencraig Rd. G45: Glas 5A 124
Ardencraig St. G45: Glas 4C 124
Ardencraig Ter. G45: Glas 5B 124
Arden Dr. G46: Giff 5H 121
Arden Gro. G65: Kils 1G 13
Ardenlea G71: Tann 6D 112
Ardenlea St. G40: Glas 2D 108
Arden Pl. G46: T'bnk 5E 121
Arden Rd. ML3: Ham 1G 161
   ML6: Plain 1G 97
Arden Ter. ML3: Ham 1G 161
Ardery St. G11: Glas 1G 85
Ardessie Pl. G20: Glas 4B 64
Ardessie St. G23: Glas 6B 48
Ardfern Rd. ML6: Air 5F 97
Ardfern St. G32: Glas 2A 110
Ardgay Pl. G32: Glas 1A 110
Ardgay St. G32: Glas 1A 110
Ardgay Way G73: Ruth 4D 124
Ardgoil Dr. G68: Cumb 4B 36
Ardgour Ct. G72: Blan 3D 144
Ardgour Dr. PA3: Lin 6G 79
Ardgour Pde. ML1: Carf 5C 132
Ardgowan Av. PA2: Pais 2B 102
Ardgowan Ct. PA2: Pais 2D 102
Ardgowan Dr. G71: Tann 6D 112
Ardgowan St. PA2: Pais 3B 102
Ardgowan Ter. La. G3: Glas 2C 4
Ardgryfe Cres. PA6: Hous 1D 78
Ardholm St. G32: Glas 6A 90
Ardhu Pl. G15: Glas 3A 46
Ardlamont Sq. PA3: Lin 6A 80
Ard La. *ML2: Newm* *3D 150*
     (off Clunie pl.)
Ardlaw St. G51: Glas 5F 85
Ardle Rd. G43: Glas 2C 122
Ard Loan *ML1: Holy* *2A 132*
     (off Howden Pl.)
Ardlui Gdns. G62: Miln 2D 26
Ardlui St. G32: Glas 1H 109
Ardmaleish Cres. G45: Glas 5A 124
Ardmaleish Dr. G45: Glas 5H 123
Ardmaleish Rd. G45: Glas 5H 123
Ardmaleish St. G45: Glas 5H 123
Ardmaleish Ter. G45: Glas 5A 124
Ardmay Cres. G44: Glas 6G 107
Ardmillan St. G33: Glas 3H 89
Ardmory Av. G42: Glas 6H 107

Ardmory La. G42: Glas 6A 108
Ardmory Pl. G42: Glas 6A 108
Ardnahoe Av. G42: Glas 5H 107
Ardnahoe Pl. G42: Glas 5H 107
Ardneil Rd. G51: Glas 5F 85
Ardnish St. G51: Glas 4E 85
Ardoch Cres. G82: Dumb 3D 18
Ardoch Gdns. G72: Camb 1H 125
Ardoch Gro. G72: Camb 1H 125
Ardoch Path *ML2: Newm* *3D 150*
(off Tiree Cres.)
Ardochrig G75: E Kil 6H 157
Ardochrig Rd. G75: E Kil 6F 169
Ardoch Rd. G61: Bear 2H 47
Ardoch St. G22: Glas 5F 65
Ardoch Way G69: Mood 5D 54
Ardo Gdns. G51: Glas 6G 85
Ardrain Av. ML1: Moth 6C 148
Ard Rd. PA4: Renf 5D 60
Ardshiel Rd. G51: Glas 4E 85
Ardsloy La. G14: Glas 5A 62
Ardsloy Pl. G14: Glas 5A 62
Ard St. G32: Glas 1A 110
Ardtoe Cres. G33: Step 4E 69
Ardtoe Pl. G34: Step 4E 69
Arduthie Rd. G51: Glas 4E 85
Ardwell Rd. G52: Glas 2E 105
Argosy Way PA4: Renf 2E 83
Argus Av. ML6: Chap 3C 116
Argyle Av. PA3: Glas A 2A 82
Argyle Cres. ML3: Ham 6D 144
ML6: Air 1H 115
Argyle Dr. ML3: Ham 5E 145
(not continuous)
Argyle Gdns. G66: Len 4G 9
Argyle Rd. G61: Bear 6E 27
Argyle St. G1: Glas 6D 6 (4G 87)
G2: Glas 6H 5 (4E 87)
G3: Glas 1B 4 (2B 86)
(not continuous)
PA1: Pais 1H 101

Argyle Street Station (Rail)
. . . . .6D 6 (5G 87)
Argyll Arc. G1: Glas 6C 6 (4G 87)
Argyll Av. G82: Dumb 1C 20
PA4: Renf 5D 60
Argyll Gdns. ML5: Coat 1A 114
ML9: Lark 2D 170
Argyll Pl. G65: Kils 3A 14
G74: E Kil 6C 142
G82: Dumb 1C 20
ML4: Bell 5B 130
Argyll Rd. G81: Clyd 1D 60
Arisaig Dr. G52: Glas 2D 104
G61: Bear 4H 47
Arisaig Pl. G52: Glas 2E 105
Arisdale Cres. G77: Newt M 3E 137
Arkaig Av. ML6: Plain 6F 75
Arkaig Pl. G77: Newt M 5H 137
Arkaig St. ML2: Wis 2H 165
Ark La. G31: Glas 4B 88
ARKLESTON 3E 83
Arkleston Ct. PA3: Pais 3D 82
Arkleston Cres. PA3: Pais 4D 82
Arkleston Dr. PA1: Pais 5C 82
ARKLESTON INTERCHANGE 3C 82
Arkleston Rd. PA1: Pais 5D 82
PA3: Pais 4E 83
PA4: Pais, Renf 3C 82
Arkle Ter. G72: Camb 4G 125
Arklet Rd. G51: Glas 5E 85
Arklet Way ML2: Wis 6C 150
Arkwrights Way PA1: Pais 2F 101
Arlington Baths Club 1G 5 (1D 86)
Arlington Dr. G12: Glas 1G 5
Arlington St. G3: Glas 1G 5 (2D 86)
Armadale Ct. G31: Glas 3C 88

Armadale Path G31: Glas 3C 88
Armadale Pl. G31: Glas 3C 88
Armadale St. G31: Glas 4C 88
Armine Path ML1: N'hill 3C 132
Armour Av. ML6: Air 4G 95
Armour Ct. G66: Kirk 4G 33
G72: Blan 3H 143
Armour Dr. G66: Kirk 4G 33
Armour Gdns. G66: Kirk 4G 33
Armour Gro. ML1: Moth 5A 148
Armour Pl. G66: Kirk 4G 33
ML1: N'hill 3C 132
PA3: Lin 6A 80
PA5: John 2G 99
Armour Sq. PA5: John 2G 99
Armour St. G31: Glas 5A 88
PA5: John 2G 99
Armstrong Cres. G71: Tann 5E 113
Armstrong Gro. G75: E Kil 4F 157
Arnbrae Rd. G65: Kils 2F 13
Arngask Rd. G51: Glas 4E 85
Arnhall Pl. G52: Glas 2E 105
Arnhem St. G72: Camb 2D 126
Arnholm Pl. G52: Glas 2E 105
Arnisdale Pl. G34: Glas 3G 91
Arnisdale Rd. G34: Glas 3G 91
Arnisdale Way G73: Ruth 3D 124
Arnish PA8: Ersk 2G 59
Arniston St. G32: Glas 4H 89
Arniston Way PA3: Pais 4C 82
Arnol Av. G64: B'rig 6C 50
Arnol Pl. G33: Glas 4F 91
Arnott Dr. ML5: Coat 1C 114
Arnott Quad. ML1: Moth 6E 131
Arnott Way G72: Camb 1A 126
Arnprior Cres. G45: Glas 4H 123
Arnprior Gdns. G69: Mood 5D 54
Arnprior Quad. G45: Glas 3H 123
Arnprior Rd. G45: Glas 3H 123
Arnprior St. G45: Glas 3H 123
Arnside Av. G46: Giff 4A 122
Arnum Gdns. ML8: Carl 4D 174
Arnum Pl. ML8: Carl 4D 174
Arnwood Dr. G12: Glas 4G 63
Arondale Rd. ML6: Plain 6F 75
Aron Ter. G72: Camb 4H 125
Aros Dr. G52: Glas 2D 104
Aros La. G52: Glas 3D 104
Arran Av. G82: Dumb 2D 18
ML5: Coat 1F 115
PA3: Glas A 1A 82
(not continuous)
Arran Dr. G46: Giff 5A 122
G52: Glas 2F 105
G66: Kirk 3E 33
G67: Cumb 5F 37
ML6: Air 2H 95
ML6: Glenm 4H 73
PA2: Pais 6A 102
PA5: John 4D 98
Arran Gdns. ML3: Ham 2A 162
ML8: Carl 5D 174
Arran La. G69: Mood 5E 55
Arran Path *ML9: Lark* *4E 171*
(off Stuart Dr.)
Arran Pl. G81: Clyd 5E 45
ML5: Coat 1F 115
PA3: Lin 5G 79
Arran Rd. ML1: Moth 2E 147
PA4: Renf 1F 83
Arran Ter. G73: Ruth 2B 124
Arran Twr. G72: Camb 4G 125
Arran Vw. G65: Kils 3H 13
Arranview St.
ML6: Chap 4E 117
Arran Way G71: Both 5D 128

Arrochar Ct. G23: Glas 1B 64
Arrochar Dr. G23: Glas 6B 48
Arrochar Path *G23: Glas* *6B 48*
(off Arrochar Rd.)
Arrochar St. G23: Glas 6B 48
Arrol Pl. G40: Glas 1D 108
Arrol Rd. G40: Glas 1C 108
Arrol St. G52: Hill 4G 83
(not continuous)
Arrol Wynd G72: Camb 1D 126
Arrotshole Ct. G74: E Kil 6D 140
Arrotshole Rd. G74: E Kil 1D 156
Arrowsmith Av. G13: Glas 1D 62
Arthur Av. G78: Barr 6D 118
ML6: Air 5H 95
ARTHURLIE 6D 118
Arthurlie Av. G78: Barr 5E 119
Arthurlie Dr. G46: Giff 5A 122
G77: Newt M 6D 136
Arthurlie Gdns. G78: Barr 5E 119
Arthurlie St. G51: Glas 4F 85
G78: Barr 5E 119
Arthur Pl. ML76: Busby 3C 138
Arthur Rd. PA2: Pais 5A 102
Arthur St. G3: Glas 2B 4 (2B 86)
G76: Busby 3C 138
ML3: Ham 4H 145
PA1: Pais 6G 81
Arundel Dr. G42: Glas 6E 107
G64: B'rig 3D 50
Asbury Ct. *PA3: Lin* *6A 80*
(off Melrose Av.)
Ascaig Cres. G52: Glas 3E 105
Ascog Rd. G61: Bear 5F 47
Ascog St. G42: Glas 3E 107
Ascot Av. G12: Glas 3G 63
Ascot Ct. G12: Glas 3G 63
Ascot Ga. G12: Glas 3F 63
Ash Av. G75: E Kil 5E 157
Ashbank Cres. ML6: Chap 2E 117
Ashburn Gdns. G62: Miln 4E 27
Ashburn Loan ML9: Lark 1D 170
Ashburn Rd. G62: Miln 3E 27
Ashburton La. *G12: Glas* *3H 63*
(off Ashburton Rd.)
Ashburton Pk. G75: E Kil 4C 156
Ashburton Rd. G12: Glas 3H 63
Ashby Cres. G13: Glas 6E 47
Ash Ct. G75: E Kil 5E 157
Ashcroft G74: E Kil 4D 142
Ashcroft Av. G66: Len 4G 9
Ashcroft Dr. G44: Glas 1A 124
Ashcroft Wlk. G66: Len 4G 9
Ashdale Dr. G52: Glas 2E 105
Ashdene St. G22: Glas 2F 65
Asher Rd. ML6: Chap 3E 117
Ashfield G64: B'rig 4C 50
Ashfield Rd. G62: Miln 4G 27
G76: Clar 3C 138
ML8: Law 5D 166
Ashfield Station (Rail) 4G 65
Ashfield St. G22: Glas 5G 65
(not continuous)
ASHGILL 5H 171
ASHGILLHEAD 4G 171
Ashgillhead Rd.
ML9: Ashg, Shaw 4G 171
Ashgill Pl. G22: Glas 3G 65
Ashgill Rd. G22: Glas 2F 65
Ash Gro. G64: B'rig 1D 66
G66: Lenz 2B 52
G71: View 5F 113
ML4: Law 5D 166
Ashgrove G69: Mood 6D 54
ML5: Coat 1C 114
ML6: Air 4D 96
Ashgrove Rd. ML4: Bell 6D 114

Ashgrove St. G40: Glas 3C 108
Ashiestiel Ct. G67: Cumb 6G 37
Ashiestiel Pl. G67: Cumb 6G 37
Ashiestiel Rd. G67: Cumb 6G 37
Ashkirk Dr. G52: Glas 2E 105
  ML9: Ashg 5H 171
Ashkirk Pl. ML2: Wis 3A 150
Ashland Av. ML3: Ham 5H 161
Ashlar Av. G68: Cumb 6F 15
Ashlea Dr. G46: Giff 3B 122
Ashlea Gdns. ML6: Plain 6F 75
Ashley Dr. G71: Both 2F 129
Ashley Gro. ML4: Bell 1H 129
Ashley La. G3: Glas 1G 5
Ashley Pk. G71: View 1G 129
Ashley Pl. G72: Blan 1A 144
Ashley St. G3: Glas 1G 5 (2D 86)
Ashmore Rd. G43: Glas 1D 122
  G44: Glas 1D 122
Ash Pl. FK4: Bank 1E 17
  G75: E Kil 5E 157
  PA5: John 4G 99
Ash Rd. G67: Cumb 6D 16
            (not continuous)
  G69: Bail 2G 111
  G81: Clyd 2B 44
  G82: Dumb 3F 19
Ashton Gdns. G69: G'csh 3E 71
Ashton Grn. G74: E Kil 1G 157
Ashton La. G12: Glas 6B 64
            (not continuous)
Ashton La. Nth. G12: Glas 1B 86
Ashton Rd. G12: Glas 1B 86
  G73: Ruth 4C 108
Ashton St. ML1: Moth 5F 131
Ashton Vw. G82: Dumb 3B 18
Ashton Way PA2: Pais 5C 100
Ashtree Ct. G60: Old K 1F 43
Ashtree Gro. G77: Newt M 6C 136
Ashtree Pk. ML2: Wis 6E 149
Ashtree Rd. G43: Glas 5A 106
Ashvale Cres. G21: Glas 5A 66
Ashview PA1: Pais 1F 101
Ash Wlk. G73: Ruth 4E 125
  ML1: Holy 2B 132
Ashwood ML2: Wis 2E 165
Ashwood Gdns. G12: Glas 5F 63
  G13: Glas 5F 63
Ashworth Ter. ML3: Ham 5E 145
Ash Wynd G72: Flem 3E 127
Aspen Dr. G21: Glas 6C 66
Aspen Ga. ML1: Carf 5D 132
Aspen Gro. G69: Barg 4F 93
Aspen Pl. G72: Flem 2E 127
  PA5: John 4G 99
Aspen Way ML3: Ham 1A 162
Asquith Pl. ML4: Bell 2F 131
Aster Dr. G45: Glas 4C 124
Aster Gdns. G53: Glas 4C 120
  ML1: Moth 4G 147
Athelstane Dr. G67: Cumb 6F 37
Athelstane Rd. G13: Glas 2C 62
Athena Way G71: Tann 6E 113
Athole Gdns. G12: Glas 6A 64
Athole La. G12: Glas 6A 64
Atholl Av. G52: Hill 3G 83
            (not continuous)
  G64: Torr 4D 30
Atholl Cl. G66: Kirk 4H 33
  G72: Blan 3D 144
Atholl Cres. PA1: Pais 5G 83
Atholl Dr. G46: Giff 1A 138
  G68: Cumb 5B 36
Atholl Gdns. G46: T'bnk 5F 121
  G61: Bear 6E 27
  G64: B'rig 4B 50
  G73: Ruth 3G 125

Atholl La. G69: Mood 5E 55
Atholl Pl. G46: T'bnk 4F 121
  ML5: Coat 2D 114
  PA3: Lin 5G 79
Atholl St. ML3: Ham 3F 145
Atholl Ter. G46: T'bnk 5F 121
       (off Woodlands Pk.)
  G71: Tann 4D 112
Atlas Ind. Est. G21: Glas 5B 66
Atlas Pl. G21: Glas 5B 66
Atlas Rd. G21: Glas 5A 66
Atlas Sq. G21: Glas 5B 66
Atlas St. G81: Clyd 1D 60
Atlin Dr. ML1: New S 4B 132
Attercliffe Av. ML2: Wis 1C 164
Attlee Av. G81: Clyd 6F 45
Attlee Pl. G81: Clyd 6F 45
         (off Attlee Av.)
Attow Rd. G43: Glas 2H 121
Auburn Dr. G78: Barr 6F 119
Auchans Rd. PA6: Hous 3F 79
AUCHENBACK 6F 119
Auchenbothie Cres.
  G33: Glas 3G 67
Auchenbothie Pl. G33: Glas 4F 67
Auchencrow St. G34: Glas 3B 92
Auchencruive G62: Miln 5A 28
Auchendavie Rd. G66: Kirk 3H 33
Auchendavie Steading
  G66: Kirk 3H 33
Auchengeich Gdns.
  G69: Mood 5D 54
Auchengeich Rd. G69: Mood 3B 54
Auchengilloch G75: E Kil 6G 157
Auchenglen Dr. G69: Mood 5D 54
Auchengreoch Av. PA5: John 5D 98
Auchengreoch Rd. PA5: John 5D 98
Auchenhowie Rd.
  G62: Bard, Miln 5H 27
Auchenkilns Holdings
  G68: Cumb 4E 37
Auchenkilns Pk. G68: Cumb 4E 37
Auchenkilns Rd. G67: Cumb 1F 57
Auchenkilns Rdbt. G68: Cumb . . .4E 37
Auchenlodment Rd.
  PA5: Eld, John 3G 99
AUCHENREOCH 5H 11
Auchenreoch Av. G82: Dumb 1H 19
Auchenstewart Ct. ML2: Wis . . .6A 150
AUCHENTIBBER 6G 143
Auchentibber Rd. G72: Blan 6F 143
AUCHENTORLIE 2D 102
Auchentorlie Quad.
  PA1: Pais 1D 102
Auchentorlie St. G11: Glas 1B 84
Auchentoshan Av. G81: Dun 1B 44
Auchentoshan Est. G81: Clyd . . .1A 44
Auchentoshan Ter. G21: Glas . . .1B 88
AUCHINAIRN 1C 66
Auchinairn Gdns. G64: B'rig 1F 67
Auchinairn Rd. G64: B'rig 1F 67
Auchinbee Farm Rd.
  G68: Cumb 1D 36
Auchinbee Way G68: Cumb 2D 36
Auchincampbell Rd.
  ML3: Ham 6H 145
Auchincloch Dr. FK4: Bank 1F 17
Auchineden Ct. G61: Bear 6C 26
Auchingill Path G34: Glas 2B 92
        (off Auchingill Pl.)
Auchingill Pl. G34: Glas 2B 92
Auchingill Rd. G34: Glas 2A 92
         (not continuous)
Auchingramont Ct. ML3: Ham . . .6H 145
Auchingramont Rd.
  ML3: Ham 5H 145

Auchinlea Recreation Cen. 2F 91
Auchinlea Rd. G34: Glas 1F 91
Auchinlea Way G34: Glas 2F 91
Auchinleck Av. G33: Glas 3G 67
Auchinleck Cres. G33: Glas 3G 67
Auchinleck Dr. G33: Glas 3G 67
Auchinleck Gdns.
  G33: Glas 3G 67
Auchinleck Rd. G33: Glas 2H 67
  G81: Hard 6D 24
Auchinleck Ter. G81: Hard 1D 44
AUCHINLOCH
  FK4 . . . . .1C 16
  G66 . . . . .5D 52
Auchinloch Rd. G66: Lenz 3D 52
Auchinloch St. G21: Glas 6B 66
AUCHINRAITH 3C 144
Auchinraith Av. ML3: Ham 3F 145
Auchinraith Rd. G72: Blan 3B 144
Auchinraith Ter. G72: Blan 3C 144
AUCHINSTARRY 5A 14
Auchintibber Ct. G72: Blan 4C 144
Auchinvole Castle 5G 13
Auchinvole Cres. G65: Kils 3F 13
Auchmannoch Av. PA1: Pais 6G 83
Auchnacraig Rd.
  G81: Faif, Hard 5E 25
Auchter Av. ML2: Newm 4G 151
Auchter Rd. ML2: Wis 5C 150
Auckland Pk. G75: E Kil 3C 156
Auckland Pl. G81: Clyd 3H 43
Auckland St. G22: Glas 6F 65
Auldbar Rd. G52: Glas 2F 105
Auldbar Ter. PA2: Pais 3C 102
Auldburn Pl. G43: Glas 1H 121
Auldburn Rd. G43: Glas 1H 121
Auldearn Rd. G21: Glas 2E 67
Auldgirth Rd. G52: Glas 2F 105
Auldhame St. ML5: Coat 3A 94
Auldhouse Av. G43: Glas 1H 121
Auldhouse Ct. G43: Glas 1H 121
Auldhouse Gdns. G43: Glas 1H 121
Auldhouse La.
  G75: E Kil . . . . . . .3A 168 & 6A 168
Auldhouse Retail Pk.
  G43: Glas 6A 106
Auldhouse Rd. G43: Glas 1H 121
Auldhouse Ter. G43: Glas 1B 122
Auldkirk, The G76: Busby 4E 139
Auld Kirk Mus. 4C 32
Auld Kirk Rd. G72: Camb 4C 126
Auldmurroch Dr. G62: Miln 3D 26
Auld Rd., The G67: Cumb 1A 38
Auld's Brae ML6: Air 3A 96
Auld St. G81: Clyd 4A 44
Auldton Ter. ML9: Ashg 4H 171
Auldyards Rd. G69: G'csh 4E 71
Aultbea St. G22: Glas 1F 65
Aultmore Dr.
  ML1: Carf, New S 5A 132
Aultmore Gdns. G33: Glas 4F 91
Aultmore Pk. G33: Glas 4F 91
Aultmore Rd. G33: Glas 4F 91
Aurelia Ct. ML1: Moth 2G 147
         (off Roman Rd.)
Aursbridge Cres. G78: Barr 5F 119
Aursbridge Dr. G78: Barr 5F 119
Aurs Cres. G78: Barr 5F 119
Aurs Dr. G78: Barr 6F 119
Aurs Glen G78: Barr 6E 119
Aurs Pl. G78: Barr 5G 119
Aurs Rd. G77: Newt M 3A 136
  G78: Barr 4F 119
Austen La. G13: Glas 4E 63
Austen Rd. G13: Glas 4E 63
Austine Dr. ML3: Ham 4A 162
Avenel Rd. G13: Glas 6E 47

Avenue End Dr. G33: Glas 1B 90
Avenue End Ga. G33: Glas 1B 90
Avenue End Rd. G33: Glas 5B 68
Avenuehead Rd.
   G69: G'csh, Mood 6D 54
Avenuepark St. G20: Glas 5C 64
Avenue Shop. Cen., The
   G77: Newt M 5D 136
Avenue St. G40: Glas 6C 88
   G73: Ruth 4D 108
Aviemore Gdns. G61: Bear 2H 47
Aviemore Rd. G52: Glas 3E 105
Avoch St. G34: Glas 2H 91
Avon Av. G61: Bear 4H 47
   ML8: Carl 3C 174
Avonbank Cres. ML3: Ham 3A 162
Avonbank Rd. G73: Ruth 6B 108
   ML9: Lark 2A 170
Avonbrae Cres. ML3: Ham 3A 162
Avon Bri. ML3: Ham 1C 162
Avonbridge Dr. ML3: Ham 6B 146
Avondale Av. G74: E Kil 2H 157
Avondale Dr. PA1: Pais 5D 82
Avondale Gdns. G74: E Kil 3A 158
Avondale Pl. G74: E Kil 3A 158
Avondale St. G33: Glas 2A 90
Avon Dr. ML4: Bell 3E 131
   PA3: Lin 5H 79
Avonhead G75: E Kil 6G 157
Avonhead Av. G67: Cumb 6E 37
Avonhead Gdns. G67: Cumb 6E 37
Avonhead Pl. G67: Cumb 6E 37
Avonhead Rd. G67: Cumb 6E 37
Avon Ho. ML3: Ham 4A 146
Avon Pl. ML5: Coat 2H 93
   ML9: Lark 6D 170
Avon Rd. G46: Giff 5H 121
   G64: B'rig 1C 66
   ML9: Lark 5C 170
Avonside Gro. ML3: Ham 6B 146
Avonspark St. G21: Glas 6C 66
Avon St. ML1: Moth 4F 147
   ML3: Ham 6A 146
   ML9: Lark 2B 170
Avon Twr. ML1: Moth 4G 147
Avon Wlk. G67: Cumb 3H 37
   (in The Cumbernauld Shop. Cen.)
Avon Wynd ML2: Newm 3D 150
Aylmer Rd. G43: Glas 1D 122
Ayr Dr. ML6: Air 6A 96
Ayr Rd. G46: Giff 2G 137
   G77: Newt M 1A 152
   ML9: Lark, Shaw 6F 171
Ayr St. G21: Glas 5B 66
Ayton Pk. Nth. G74: E Kil 6B 142
Ayton Pk. Sth. G74: E Kil 6B 142
Aytoun Dr. PA8: Ersk 4D 42
Aytoun Rd. G41: Glas 1B 106
Azalea Gdns. G72: Flem 2E 127

Babylon Av. ML4: Bell 4C 130
Babylon Dr. ML4: Bell 4C 130
Babylon Pl. ML4: Bell 5C 130
Babylon Rd. ML4: Bell 4C 130
Backbrae St. G65: Kils 3H 13
   (not continuous)
Back C'way. G31: Glas 6F 89
Backmuir Cres. ML3: Ham 3F 145
Backmuir Pl. ML3: Ham 3F 145
Backmuir Rd. G15: Glas 3B 46
   ML3: Ham 3F 145
Back o'Barns ML3: Ham 5A 146
Back o'Dykes Rd.
   G66: Kirk 6H 33

Back o' Hill PA6: C'lee 2B 78
Back o' Hill Rd.
   G64: Balm, Torr 3H 29
Back o'Hill Rdbt. G68: Cumb 4D 36
Back Row ML3: Ham 5A 146
Bk. Sneddon St. PA3: Pais 6A 82
   (not continuous)
Badenheath Pl. G68: Cumb 2H 55
Badenheath Ter. G67: Mollin 3H 55
Badenoch Rd. G66: Kirk 4H 33
Bagnell St. G21: Glas 4B 66
Bahamas Way G75: E Kil 2C 156
Bailie Fyfe Way ML2: Over 4H 165
Baillie Dr. G71: Both 4E 129
   G74: E Kil 5B 142
Baillie Gdns. ML2: Wis 5C 150
Baillie Pl. G74: E Kil 5C 142
Baillies La. ML6: Air 4A 96
Bailliesmuir Pl. ML2: Newm 3E 151
BAILLIESTON 6A 92
Baillieston Rd. G32: Glas 1D 110
   G71: Udd 2H 111
Baillieston Station (Rail) 2H 111
Baillie Wynd G71: Tann 5E 113
Bain St. G40: Glas 5A 88
Baird Av. G52: Hill 3G 83
   ML6: Air 1B 96
   ML9: Lark 5D 170
Baird Brae G4: Glas 6F 65
Baird Ct. G81: Clyd 5C 44
Baird Cres. G67: Cumb 6D 36
   (not continuous)
Baird Dr. G61: Bear 2D 46
   PA8: Ersk 4D 42
Baird Gait G72: Camb 4A 126
Baird Gdns. G72: Blan 3C 144
Baird Hill G75: E Kil 3F 157
Baird Pl. ML2: Wis 5C 150
   ML4: Bell 6C 114
Bairds Av. G71: View 1F 129
Bairds Cres. ML3: Ham 6G 145
Bairdsland Vw. ML4: Bell 2D 130
Baird St. G4: Glas 2F 7 (2H 87)
   G21: Glas 2F 7 (2H 87)
   ML5: Coat 4C 94
Baker St. G41: Glas 4C 106
Bakewell Rd. G69: Bail 6G 91
Balaclava St. G2: Glas 6H 5 (4E 87)
Balado Rd. G33: Glas 4E 91
Balbeggie St. G32: Glas 1C 110
Balbeg St. G51: Glas 5E 85
Balblair Rd. G52: Glas 3F 105
Balcarres Av. G12: Glas 4A 64
Balcary Pl. ML6: Chap 4E 117
Balcastle Rd. G65: Kils 1F 13
Balcastle Rd. G65: Kils 2E 13
Balcomie St. G33: Glas 2A 90
Balcurvie Rd. G34: Glas 1G 91
BALDERNOCK 3D 28
Baldernock Rd.
   G62: Balder, Miln 4H 27
Baldinnie Rd. G34: Glas 3H 91
Baldoran Dr. G66: Milt C 5B 10
Baldorran Cres. G68: Cumb 2D 36
Baldovan Cres. G33: Glas 3F 91
Baldovan Path G33: Glas 4F 91
Baldovie Rd. G52: Glas 1C 104
Baldragon Rd. G34: Glas 2H 91
Baldric Rd. G13: Glas 3C 62
Baldwin Av. G13: Glas 2D 62
Balerno Dr. G52: Glas 2E 105
Balfearn Dr. G76: Eag 6C 154
Balfleurs St. G62: Miln 3H 27
Balfluig St. G34: Glas 2F 91

Balfour St. G20: Glas 3B 64
Balfour Ter. G75: E Kil 4H 157
Balfour Wynd ML9: Lark 4D 170
Balfron Cres. ML3: Ham 6D 144
Balfron Dr. ML5: Coat 2E 115
Balfron Pl. ML5: Coat 1E 115
Balfron Rd. G51: Glas 4E 85
   PA1: Pais 6F 83
Balgair Dr. PA1: Pais 6D 82
Balgair Gdns. G22: Glas 5F 65
Balgair Pl. G22: Glas 5F 65
Balgair St. G22: Glas 4F 65
Balgair Ter. G32: Glas 6B 90
Balglass Gdns. G22: Glas 5F 65
Balglass St. G22: Glas 5F 65
Balgonie Av. PA2: Pais 4E 101
Balgonie Dr. PA2: Pais 4G 101
Balgonie Rd. G52: Glas 1E 105
Balgonie Woods PA2: Pais 4G 101
Balgownie Cres. G46: T'bnk 5G 121
Balgray Av. PA1: Pais 5B 66
Balgray Cres. G78: Barr 5F 119
Balgrayhill Rd.
   G21: B'rig, Glas 3B 66
Balgray Rd. G77: Newt M 4A 136
Baliol La. G3: Glas 2G 5
Baliol St. G3: Glas 1G 5 (2D 86)
Baljaffray Rd. G61: Bear 6H 25
Baljaffray Shop. Cen.
   G61: Bear 5C 26
Ballagan Pl. G62: Miln 3D 26
Ballaig Av. G61: Bear 2D 46
Ballaig Cres. G33: Step 4C 68
Ballantay Quad. G45: Glas 4C 124
Ballantay Rd. G45: Glas 4C 124
Ballantay Ter. G45: Glas 4C 124
Ballantine Av. G52: Hill 4A 84
Ballantrae G74: E Kil 1F 157
Ballantrae Cres.
   G77: Newt M 6G 137
Ballantrae Dr. G77: Newt M 5G 137
Ballantrae Rd. G72: Blan 4C 144
Ballantrae Wynd ML1: Holy 2B 132
   (off Beauly Pl.)
Ballater Cres. ML2: Wis 4H 149
Ballater Dr. G61: Bear 5F 47
   PA2: Pais 4B 102
   PA4: Inch 2H 59
Ballater Pl. G5: Glas 1H 107
Ballater St. G5: Glas 6G 87
Ballater Way ML5: Glenb 3G 71
Ballayne Dr. G69: Mood 4E 55
Ballerup Ter. G75: E Kil 5G 157
BALLIESTON 1A 112
Ballindalloch Dr. G31: Glas 3C 88
Ballindalloch La. G31: Glas 3C 88
Ballinkier Av. FK4: Bank 1E 17
BALLOCH 3D 36
Balloch Gdns. G52: Glas 2F 105
Balloch Holdings G68: Cumb 4D 36
Ballochmill Rd. G73: Ruth 5F 109
Ballochmyle G74: E Kil 5D 142
Ballochmyle Cres. G53: Glas 5A 104
Ballochmyle Dr. G53: Glas 5A 104
Ballochmyle Gdns. G53: Glas 5A 104
Ballochmyle Pl. G53: Glas 5A 104
Ballochney La. ML6: Air 1G 95
Ballochney Rd. ML6: Air 5D 74
   ML6: Plain 6F 75
Ballochnie Dr. ML6: Plain 1F 97
Ballochnie Vw. ML6: Plain 1F 97
Balloch Rd. G68: Cumb 3C 36
   ML6: Air 5G 97
Balloch Rdbt. G68: Cumb 3C 36
Balloch Vw. G67: Cumb 3H 37

Ballogie Rd. G44: Glas 6F **107**
BALMALLOCH 2G **13**
Balmalloch Rd. G65: Kils 2F **13**
Balmartin Rd. G23: Glas 6B **48**
Balmedie PA8: Ersk 5E **43**
Balmeg Av. G46: Giff 1A **138**
Balmerino Pl. G64: B'rig 1F **67**
Balmoral Av. ML6: Glenm 4H **73**
Balmoral Cres. ML5: Coat 1H **113**
    PA4: Inch 2A **60**
Balmoral Dr. G32: Carm 5B **110**
    G61: Bear 5G **47**
    G72: Camb 2G **125**
    PA7: B'ton 6A **42**
Balmoral Gdns. G71: Tann 4D **112**
    G72: Blan 5A **128**
Balmoral Path *ML9: Lark* *3E 171*
    (off Alloway St.)
Balmoral Pl. G74: E Kil 2E **157**
Balmoral Rd. PA5: Eld 5H **99**
Balmoral St. G14: Glas 6B **62**
BALMORE 5A **30**
Balmore Dr. ML3: Ham 3E **161**
Balmore Ind. Est. G22: Glas . . .1F **65**
Balmore Pl. G22: Glas 3F **65**
Balmore Rd. G22: Glas 1E **65**
    G23: Glas 1D **48**
    G62: Balm, Bard 6D **28**
    G64: Balm, Torr 6D **28**
Balmore Sq. G20: Glas 4F **65**
Balmuildy Rd. G23: Glas 3E **49**
    G64: B'rig 3G **49**
BALORNOCK 3D **66**
Balornock Rd. G21: Glas 4C **66**
Balruddery Pl. G64: B'rig 1F **67**
Balshagray Av. G11: Glas 6F **63**
Balshagray Cres. G14: Glas 1E **85**
Balshagray Dr. G11: Glas 6F **63**
Balshagray La. G11: Glas 1F **85**
Balshagray Pl. G11: Glas 6F **63**
Balta Cres. G72: Camb 4H **125**
Baltic Bus. Pk. PA3: Pais 5H **81**
Baltic Ct. G40: Glas 2C **108**
Baltic La. G40: Glas 2C **108**
Baltic Pl. G40: Glas 1C **108**
Baltic St. G40: Glas 1C **108**
    (not continuous)
Balure Pl. G31: Glas 4E **89**
Balvaird Cres. G73: Ruth 6C **108**
Balvaird Dr. G73: Ruth 6C **108**
Balvenie Dr. ML1: Carf 6B **132**
Balvenie St. ML5: Coat 2D **114**
Balveny Dr. G33: Glas 1D **90**
Balveny Pl. G33: Glas 1D **90**
Balveny St. G33: Glas 1D **90**
Balverny Av. G33: Glas 1D **90**
Balvicar Dr. G42: Glas 4D **106**
Balvicar St. G42: Glas 3D **106**
Balvie Av. G15: Glas 6A **46**
    G46: Giff 5B **122**
Balvie Cres. G62: Miln 3F **27**
Balvie Rd. G62: Miln 3E **27**
Banavie La. G11: Glas 6G **63**
Banavie Rd. G11: Glas 6G **63**
    ML2: Newm 3D **150**
Banchory Av. G43: Glas 2H **121**
    ML6: Glenm 4H **73**
    PA4: Inch 2H **59**
Banchory Cres. G61: Bear 5G **47**
Banchory Rd. ML2: Wis 4H **149**
Baneberry Path G74: E Kil 5F **141**
Banff Av. ML6: Air 1A **116**
Banff Pl. G75: E Kil 3E **157**
Banff Quad. ML2: Wis 4H **149**
Banff St. G33: Glas 1B **90**
Bangorshill St. G46: T'bnk 3F **121**
Bank Av. G62: Miln 2G **27**

Bankbrae Av. G53: Glas 1A **120**
Bankend PA11: Bri W 4G **77**
Bankend Rd. G82: Dumb 3F **19**
    PA11: Bri W 5H **77**
Bankend St. G33: Glas 2A **90**
Bankfield Dr. ML3: Ham 4H **161**
Bankfoot Dr. G52: Glas 6B **84**
Bankfoot Rd. G52: Glas 1B **104**
    PA3: Pais 6F **81**
Bankglen Rd. G15: Glas 3B **46**
Bankhall St. G42: Glas 3F **107**
BANKHEAD 1B **124**
Bankhead Av. G13: Glas 3A **62**
    ML4: Bell 4D **130**
    ML5: Coat 1G **113**
    ML6: Air 4D **96**
Bankhead Dr. G73: Ruth 6C **108**
Bankhead Pl. ML5: Coat 1G **113**
    ML6: Air 4D **96**
Bankhead Rd. G66: Kirk 6G **33**
    G73: Ruth 1B **124**
    G76: Crmck 2H **139**
Bankholm Pl. G76: Busby 4D **138**
Bankier Rd. FK4: Bank 1E **17**
Bank La. PA1: Pais 6B **82**
BANKNOCK 1E **17**
Banknock St. G32: Glas 5G **89**
Bank Pk. G75: E Kil 3F **157**
Bank Rd. G32: Carm 5C **110**
Bankside Av. PA5: John 2F **99**
Banks Rd. G66: Kirk 4D **32**
Bank St. G12: Glas 1C **86**
    G72: Camb 1A **126**
    G78: Barr 5E **119**
    G78: Neil 2D **134**
    ML5: Coat 5A **94**
    ML6: Air 3A **96**
    PA1: Pais 1B **102**
    (not continuous)
Banktop Pl. PA5: John 2F **99**
Bank Vw. ML6: Chap 3D **116**
Bankview Cres. G66: Kirk 5A **32**
Bankview Dr. G66: Kirk 5A **32**
Bank Way *ML9: Lark* *1D 170*
    (off Carrick Pl.)
Bannatyne Av. G31: Glas 4D **88**
Bannercross Av. G69: Bail 6G **91**
Bannercross Dr. G69: Bail 5G **91**
Bannercross Gdns. G69: Bail . . .6G **91**
Bannerman Dr. ML4: Bell 2F **131**
Bannerman Pl. G81: Clyd 5D **44**
Banner Rd. G13: Glas 6C **46**
Bannockburn Dr. ML9: Lark . . .4E **171**
Bannockburn Pl.
    ML1: New S 5A **132**
Bantaskin St. G20: Glas 2A **64**
BANTON 1G **15**
Banton Pl. G33: Glas 4G **91**
Banton Rd. G65: Bant, Kils 2E **15**
Banyan Cres. G71: View 4H **113**
Barassie G74: E Kil 6F **141**
Barassie Cres. G68: Cumb 5H **15**
Barassie Ct. G71: Both 5D **128**
Barassie Cres. G71: Both 5D **128**
Baraston Rd. G64: Torr 2B **30**
Barbados Grn. G75: E Kil 2C **156**
Barbae Pl. G71: Both 4E **129**
Barbana Rd. G74: E Kil 1H **155**
Barbegs Cres. G65: Croy 1B **36**
Barberry Av. G53: Glas 5B **120**
Barberry Gdns. G53: Glas 5B **120**
Barberry Pl. G53: Glas 5C **120**
Barbeth Gdns. G67: Cumb 1D **56**
Barbeth Pl. G67: Cumb 1C **56**
Barbeth Rd. G67: Cumb 1C **56**

Barbeth Way G67: Cumb 1C **56**
Barbreck Rd. G42: Glas 3E **107**
Barcaldine Av. G69: Chry 1H **69**
Barcapel Av. G77: Newt M 2E **137**
Barclay Av. PA5: Eld 3H **99**
Barclay Ct. G60: Old K 1F **43**
Barclay Rd. ML1: Moth 3D **146**
Barclay Sq. PA4: Renf 2D **82**
Barclay St. G21: Glas 4B **66**
    G60: Old K 2F **43**
Barcloy Pl. ML6: Chap 4E **117**
Barcraigs Dr. PA2: Pais 5B **102**
Bard Av. G13: Glas 1B **62**
BARDOWIE 6F **29**
Bardowie Ind. Est.
    G22: Glas *5G 65*
    (off Bardowie St.)
Bardowie Rd. G62: Bard 6F **29**
Bardowie St. G22: Glas 5F **65**
    (not continuous)
Bardrain Av. PA5: Eld 3A **100**
Bardrain Rd. PA2: Pais 6G **101**
Bardrill Dr. G64: B'rig 6A **50**
Bardykes Rd. G72: Blan 1H **143**
Barefield St. ML9: Lark 1C **170**
Barfillan Dr. G52: Glas 6E **85**
Bargany Ct. G53: Glas 4A **104**
Bargany Pl. G53: Glas 4A **104**
Bargany Rd. G53: Glas 4A **104**
Bargaran Rd. G53: Glas 2B **104**
BARGARRAN 5D **42**
Bargarran Rd. PA8: Ersk 5D **42**
Bargarran Sq. PA8: Ersk 4D **42**
Bargarron Dr. PA3: Pais 4C **82**
BARGEDDIE 6D **92**
Bargeddie Station (Rail) 1E **113**
Bargeddie St. G33: Glas 1F **89**
Barhill Cotts. *G65: Twe* *1D 34*
    (off Main St.)
Bar Hill Fort 1F **35**
Barhill La. G65: Twe 1D **34**
Bar Hill Pl. G65: Kils 3F **13**
Barhill Rd. PA8: Ersk 4E **43**
Barholm Sq. G33: Glas 2D **90**
Barke Rd. G67: Cumb 2A **38**
Barkly Ter. G75: E Kil 3E **157**
Barlae Av. G76: Water 3C **154**
BARLANARK 5E **91**
Barlanark Av. G32: Glas 4C **90**
Barlanark Cres. G33: Glas 4D **90**
Barlanark Dr. G33: Glas 4D **90**
Barlanark Pl. G32: Glas 5C **90**
    G33: Glas 4E **91**
Barlanark Rd. G33: Glas 4D **90**
Barlandfauld St. G65: Kils 3A **14**
Barleybank G66: Kirk 5C **32**
Barlia Dr. G45: Glas 4A **124**
Barlia Gdns. G45: Glas 4A **124**
Barlia Gro. G45: Glas 4A **124**
Barlia Sports Complex 4A **124**
Barlia St. G45: Glas 4A **124**
Barlia Ter. G45: Glas 4A **124**
Barloan Ct. G82: Dumb 2G **19**
Barloan Cres.
    G82: Dumb 2G **19**
Barloan Pl. G82: Dumb 2G **19**
Barloch Av. G62: Miln 3G **27**
Barloch Rd. G62: Miln 3H **27**
Barloch St. G22: Glas 5G **65**
Barlogan Av. G52: Glas 6E **85**
Barlogan Quad. G52: Glas 6E **85**
Barmore Av. ML8: Carl 5E **175**
BARMULLOCH 5F **67**
Barmulloch Rd. G21: Glas 5C **66**
Barnard Gdns. G64: B'rig 3C **50**

Barnbeth Rd. G53: Glas 3B 104
Barncluith Av. ML3: Ham 1C 162
Barncluith Ct. ML3: Ham 6B 146
Barncluith Rd. ML3: Ham 6B 146
BARNELLAN 4E 29
Barness Pl. G33: Glas 3A 90
Barnes St. G78: Barr 5D 118
Barnett Path G72: Blan 2B 144
(off Winton Cres.)
Barnflat St. G73: Ruth 4D 108
Barn Grn. PA10: Kilb 2A 98
BARNHILL 1H 143
Barnhill Ct. G77: Newt M 6D 136
Barnhill Dr. G21: Glas 6C 66
G77: Newt M 1D 152
ML3: Ham 1B 160
Barnhill Rd. G82: Dumb 2C 20
Barnhill Station (Rail) 6B 66
Barnkirk Av. G15: Glas 4A 46
Barns Ct. G78: Barr 4D 118
Barnscroft PA10: Kilb 1B 98
Barnsford Av. PA4: Inch 5F 59
Barnsford Rd. PA3: Glas A 3E 81
PA4: Inch 4E 59
Barns St. G81: Clyd 6E 45
Barnswood Pl. G71: Both 4F 129
Barnton St. G32: Glas 4G 89
Barnwell Ter. G51: Glas 4E 85
Barochan Cres. PA3: Pais 1E 101
Barochan Pl. G53: Glas 2B 104
Barochan Rd. G53: Glas 2B 104
ML4: Moss 1F 131
PA5: Brkfld, John 2C 78
PA6: C'lee, Hous 2C 78
PA7: B'ton 6B 40
Barochan Way PA3: Pais 1E 101
Baronald Dr. G12: Glas 3H 63
Baronald Ga. G12: Glas 3H 63
Baronald St. G73: Ruth 4D 108
Baron Ct. ML3: Ham 1C 162
Barone Dr. G76: Clar 1A 138
Baronhall Dr. G72: Blan 1A 144
Baronhill G67: Cumb 6A 16
Baron Path G69: Barg 6D 92
Baron Rd. PA3: Pais 5C 82
Baronscourt Dr. PA1: Pais 1D 100
Baronscourt Gdns.
PA1: Pais 1D 100
Baronscourt Rd.
PA1: Pais 1D 100
Barons Ga. G71: Both 3C 128
Barons Haugh RSPB Nature Reserve
. . . . .6F 147
Barons Rd. ML1: Moth 1B 164
Barons Twr. ML1: Moth 6B 148
Baron St. PA4: Renf 1E 83
Barony Chambers Vis. Cen. 4C 32
Barony Ct. G69: Bail 5H 91
Barony Dr. G69: Bail 5H 91
Barony Gdns. G69: Bail 6H 91
Barony Pl. G68: Cumb 4A 36
Barony Wynd G69: Bail 5H 91
Barra Av. ML2: Wis 4C 150
ML5: Coat 1A 114
PA4: Renf 2E 83
BARRACHNIE 6E 91
Barrachnie Av. G69: Bail 5G 91
Barrachnie Ct. G69: Bail 5F 91
Barrachnie Cres. G69: Bail 5F 91
Barrachnie Dr. G69: Bail 5G 91
Barrachnie Gro. G69: Bail 5G 91
Barrachnie Pl. G69: Bail 5G 91
Barrachnie Rd. G69: Bail 1F 111
Barrack St. G4: Glas 5A 88
ML3: Ham 5H 145
Barra Cres. G60: Old K 2G 43
Barra Dr. ML6: Air 5E 97

Barra Gdns. G60: Old K 2G 43
Barra Pl. ML5: Coat 1A 114
Barra Rd. G60: Old K 2G 43
Barras, The 5A 88
(off Moncur St.)
Barra St. G20: Glas 1A 64
Barr Av. G78: Neil 1E 135
Barrbridge Rd.
G69: Barg, Coat 1F 113
ML5: Barg, Coat 1F 113
Barrcraig Rd. PA11: Bri W 4E 77
Barr Cres. G81: Hard 2D 44
Barr Farm Rd. G65: Kils 4A 14
Barr Gro. G71: Tann 5E 113
BARRHEAD 5E 119
Barrhead Community Mus.
. . . . .5E 119

BARRHEAD INTERCHANGE
. . . . .6D 104
Barrhead Rd. G43: Glas 6E 105
G53: Glas 1H 119
G77: Newt M 4A 136
PA2: Pais 2B 102
Barrhead Sports Cen. 4E 119
Barrhead Station (Rail) 4D 118
Barrhill Ct. G66: Kirk 5G 33
Barrhill Cres. PA10: Kilb 3B 98
Barrhill Rd. G66: Kirk 5G 33
Barrhill Ter. G65: Twe 1E 35
Barriedale Av. ML3: Ham 6F 145
Barrie Quad. G81: Clyd 3C 44
Barrie Rd. G52: Hill 4A 84
G74: E Kil 4D 142
Barrie St. ML1: Moth 3G 147
Barrington Dr. G4: Glas 1D 86
Barrisdale Rd. G20: Glas 1B 64
ML2: Newm 3D 150
Barrisdale Way G73: Ruth 3D 124
Barrland Ct. G41: Glas 2E 107
Barrland Dr. G46: Giff 4A 122
Barrland St. G41: Glas 2E 107
Barrmill Rd. G43: Glas 2G 121
BARROW FIELD 6C 88
BARROWFIELD 1C 114
Barrowfield Ga. G40: Glas 1D 108
Barrowfield Pl. G40: Glas 1D 108
Barrowfield St. G40: Glas 6C 88
(not continuous)
ML5: Coat 1B 114
Barrpath G65: Kils 4B 14
Barr Pl. G77: Newt M 4C 136
PA1: Pais 1H 101
Barrs La. ML8: Carl 2D 174
Barr St. G20: Glas 6E 65
ML1: Moth 1G 147
Barr Ter. G74: E Kil 1G 157
BARRWOOD 3B 14
Barrwood Pl. G71: Tann 5E 113
Barrwood St. G33: Glas 1G 89
Barry Gdns. G72: Blan 3A 144
Barscube Ter. PA2: Pais 3C 102
Barshaw Cl. G52: Glas 5G 83
Barshaw Ct. G52: Glas 5H 83
Barshaw Dr. G52: Glas 5H 83
PA1: Pais 5C 82
Barshaw Ho. PA1: Pais 6E 83
Barshaw Pl. PA1: Pais 6F 83
Barshaw Rd. G52: Glas 5G 83
Barskiven Rd. PA1: Pais 1D 100
PA3: Pais 1D 100
Barterholm Rd. PA2: Pais 3A 102
Bartholomew St.
G40: Glas 2C 108
Bartiebeith Rd. G33: Glas 4D 90
Bartie Gdns. ML9: Ashg 4G 171
Bartonhall Rd. ML2: Wis 2B 166
Barty's Rd. ML4: Bell 2E 131

Barwood Dr. PA8: Ersk 4E 43
Barwood Hill G82: Dumb 1H 19
Barwood Rd. PA8: Ersk 3E 43
Bassett Av. G13: Glas 1B 62
Bassett Cres. G13: Glas 1B 62
Bathgate St. G31: Glas 5C 88
Bathgo Av. PA1: Pais 1G 103
Bath La. G2: Glas 3H 5 (3E 87)
(not continuous)
Bathlin Cres. G69: Mood 4E 55
Bath St. G2: Glas 3H 5 (3E 87)
Batson St. G42: Glas 3F 107
BATTLEFIELD 6E 107
Battlefield Av. G42: Glas 6E 107
Battlefield Cres. G42: Glas 5E 107
Battlefield Gdns.
G42: Glas 5E 107
Battlefield Rd. G42: Glas 5D 106
Battle Pl. G41: Glas 5D 106
Battles Burn Dr. G32: Glas 3A 110
Battles Burn Ga. G32: Glas 3A 110
Battles Burn Vw. G32: Glas 3A 110
Bavelaw St. G33: Glas 1D 90
Baxter Wynd ML2: Wis 1E 165
Bayfield Av. G15: Glas 4A 46
Bayfield Ter. G15: Glas 4A 46
Bay Willow Ct. G72: Flem 3F 127
BBC Scotland HQ 6B 4 (4B 86)
Beacon Pl. G33: Glas 3H 89
Beaconsfield Rd. G12: Glas 4H 63
Beard Cres. G69: G'csh 4E 71
Beardmore Cotts. PA4: Inch 3A 60
Beardmore Pl. G81: Clyd 4A 44
Beardmore St. G81: Clyd 4H 43
Beardmore Way G31: Glas 5D 88
G81: Clyd 5H 43
Bearford Dr. G52: Glas 6B 84
BEARSDEN 2E 47
Bearsden Rd. G13: Glas 3F 63
G61: Bear 3F 63
Bearsden Shop. Cen.
G61: Bear 3G 47
Bearsden Ski & Board Club 1D 46
Bearsden Station (Rail) 3E 47
Beaton Rd. G41: Glas 3C 106
Beaton St. ML9: Lark 1B 170
Beatrice Dr. ML1: Holy 2H 131
Beatrice Gdns. PA6: C'lee 3D 78
Beatson Wynd G71: Tann 4E 113
Beattock St. G31: Glas 6F 89
Beattock Wynd ML3: Ham 6E 145
Beatty St. G81: Clyd 4A 44
Beaufort Av. G43: Glas 1A 122
Beaufort Dr. G66: Kirk 5B 32
Beaufort Gdns. G64: B'rig 6A 50
Beauly Cres. G77: Newt M 5H 137
ML2: Wis 2H 165
ML6: Air 5E 97
Beauly Dr. PA2: Pais 4C 100
Beauly Pl. G20: Glas 4B 64
G64: B'rig 5F 51
G69: Chry 6B 54
G74: E Kil 1F 157
ML1: Holy 2A 132
ML5: Coat 2D 114
Beauly Rd. G69: Bail 2G 111
Beaumont Ga. G12: Glas 1A 86
Beckfield Cres. G33: Glas 2F 67
Beckfield Dr. G33: Glas 2F 67
Beckfield Ga. G33: Glas 2F 67
Beckfield Gro. G33: Glas 2F 67
Beckfield Pl. G33: Glas 2F 67
Beckfield Wlk. G33: Glas 2F 67
Beckford La. ML3: Ham 4H 145
Beckford St. ML3: Ham 4G 145
Beckford St. Bus. Cen.
ML3: Ham 4G 145

Bedale Rd. G69: Bail 1F **111**
Bedcow Vw. G66: Kirk 6F **33**
Bedford Av. G81: Clyd 5F **45**
Bedford La. G5: Glas 6F **87**
Bedford St. G5: Glas 6F **87**
Bedlay Castle 6C **54**
Bedlay Ct. G69: Mood 4E **55**
Bedlay Pl. ML5: Anna 5B **56**
Bedlay Vw. G71: Tann 4F **113**
Bedlay Wlk. G69: Mood 4E **55**
Beech Av. G41: Glas 1H **105**
(not continuous)
G61: Bear 6G **27**
G69: Bail 6G **91**
G72: Camb 1H **125**
G73: Ruth 3E **125**
G77: Newt M 5D **136**
ML1: New S 4B **132**
ML9: Lark 3F **171**
PA2: Pais 4C **102**
PA5: Eld 3A **100**
PA11: Bri W 2F **77**
Beechbank Av. ML6: Air 2H **95**
Beech Cres. G72: Flem 3E **127**
G77: Newt M 6E **137**
ML1: N'hse 6D **116**
(not continuous)
Beech Dr. G81: Clyd 2C **44**
Beeches, The G72: Blan 2A **144**
(off Burnbrae Rd.)
G77: Newt M 3F **137**
PA5: Brkfld 5C **78**
PA6: Hous 2D **78**
Beeches Av. G81: Dun 1B **44**
Beeches Rd. G81: Dun 1A **44**
Beeches Ter. G81: Dun 1C **44**
Beechfield Dr. ML8: Carl 5E **175**
Beech Gdns. G69: Bail 6G **91**
Beech Gro. G69: G'csh 4E **71**
G75: E Kil 5D **156**
ML2: Wis 2A **150**
ML8: Law 5D **166**
Beechgrove G69: Mood 5D **54**
Beechgrove Av. G71: View 6G **113**
Beechgrove Quad.
ML1: Holy 2A **132**
Beechgrove St. G40: Glas 3D **108**
Beechlands Av. G44: Neth 5C **122**
Beechlands Dr. G76: Clar 3A **138**
Beechmount Rd.
G66: Lenz 3C **52**
Beech Pl. G64: B'rig 1D **66**
Beech Rd. G64: B'rig 1D **66**
G66: Lenz 1C **52**
ML1: N'hse 6C **116**
PA5: John 4D **98**
Beech Ter. ML9: Lark 4D **170**
Beechtree Ter. G66: Milt C 6C **10**
Beechwood ML2: Wis 2D **164**
ML9: Lark 6A **164**
Beechwood Av. G73: Ruth 1E **125**
G76: Clar 3A **138**
ML3: Ham 3F **161**
Beechwood Ct. G61: Bear 4F **47**
G67: Cumb 5H **37**
Beechwood Cres. ML2: Wis 1A **166**
Beechwood Dr. G11: Glas 5F **63**
ML5: Coat 6E **95**
PA4: Renf 2D **82**
Beechwood Gdns.
G69: Mood 6D **54**
ML4: Bell 3E **131**
Beechwood Gro. G78: Barr 6E **119**
Beechwood La. G61: Bear 4F **47**
Beechwood Pl. G11: Glas 5F **63**
ML4: Bell 3E **131**
Beechwood Rd. G67: Cumb 4H **37**

Beechworth Dr. ML1: N'hill 5D **132**
Beecroft Pl. G72: Blan 6C **128**
Beil Dr. G13: Glas 2H **61**
Beith Dr. ML6: Air 1A **116**
Beith Rd. PA5: How, John 5D **98**
PA9: How 6B **98**
PA10: How 6B **98**
Beith St. G11: Glas 2G **85**
Belford Ct. G77: Newt M 1D **152**
Belford Gro. G77: Newt M 1D **152**
Belgowan St. ML4: Bell 6B **114**
Belgrave La. G12: Glas 6C **64**
Belgrave St. ML4: Bell 6B **114**
Belgrave Ter. G12: Glas 6C **64**
Belhaven Ct. G77: Newt M 1D **152**
Belhaven Ho. ML2: Wis 6G **149**
Belhaven Pk. G69: Muirh 2A **70**
Belhaven Rd. ML2: Wis 6G **149**
ML3: Ham 6C **144**
Belhaven Ter. G12: Glas 5A **64**
G73: Ruth 1E **125**
ML2: Wis 6G **149**
Belhaven Ter. W.
G12: Glas 5A **64**
Belhaven Ter. W. La.
G12: Glas 5A **64**
BELLAHOUSTON 6F **85**
Bellahouston Dr. G52: Glas 2E **105**
Bellahouston La. G52: Glas 1E **105**
Bellahouston Leisure Cen. 1F **105**
Bellahouston Pk. 1F **105**
Bellairs Pl. G72: Blan 6A **128**
Bellas Pl. ML6: Plain 1G **97**
Bellcraig Pl. G76: Busby 4F **139**
Bell Dr. G72: Blan 5A **144**
Belleisle Av. G71: Udd 6C **112**
Belleisle Ct. G68: Cumb 1G **37**
Belleisle Cres. PA11: Bri W 5E **77**
Belleisle Dr. G68: Cumb 1G **37**
Belleisle Gdns. G68: Cumb 1G **37**
Belleisle Gro. G68: Cumb 1G **37**
Belleisle St. G42: Glas 4F **107**
Bellevue Av. G66: Kirk 5B **32**
Bellevue Rd. G66: Kirk 5B **32**
Bellfield Ct. G78: Barr 3D **118**
Bellfield Cres. G78: Barr 3D **118**
Bellfield Dr. ML2: Wis 1A **166**
Bellfield Rd. G66: Kirk 5B **32**
Bellfield St. G31: Glas 5C **88**
Bellflower Av. G53: Glas 4C **120**
Bellflower Ct. G74: E Kil 6E **141**
Bellflower Gdns. G53: Glas 4C **120**
Bellflower Gro. G74: E Kil 5E **141**
Bellflower Pl. G53: Glas 4C **120**
Bell Grn. E. G75: E Kil 3H **157**
Bell Grn. W. G75: E Kil 3G **157**
Bellgrove Station (Rail) 5B **88**
Bellgrove St. G31: Glas 5B **88**
Bellhaven Ter. La. G12: Glas 5A **64**
(off Horslethill Rd.)
Bellisle Ter. ML3: Ham 4F **161**
Bellrock Ct. G33: Glas 3B **90**
Bellrock Cres. G33: Glas 3A **90**
Bellrock Path G33: Glas 3B **90**
Bellrock St. G33: Glas 3A **90**
Bellrock Vw. G33: Glas 3A **90**
Bellscroft Av. G73: Ruth 6B **108**
Bellsdyke Rd. ML6: Air 5H **95**
Bellsfield Dr. G72: Blan 3B **144**
Bellshaugh Ct. G12: Glas 4A **64**
Bellshaugh Gdns. G12: Glas 4A **64**
Bellshaugh La. G12: Glas 4A **64**
Bellshaugh Pl. G12: Glas 4A **64**
Bellshaugh Rd. G12: Glas 4A **64**
BELLSHILL 2C **130**
Bellshill Cultural Cen. 2C **130**

Bellshill (Motherwell Food Pk.) Ind. Est.
ML4: Bell 6C **114**
(Belgowan St.)
ML4: Bell 1B **130**
(Belgrave St.)
Bellshill Rd. G71: Both 1G **145**
G71: Udd 2D **128**
ML1: Moth 4E **131**
Bellshill Station (Rail) 2C **130**
Bellside Rd. ML1: N'hse 5G **117**
ML6: Chap 3E **117**
BELLSMYRE 1H **19**
Bellsmyre Av. G82: Dumb 1G **19**
Bell St. G1: Glas 6F **7** (4H **87**)
G4: Glas 5A **88**
G81: Clyd 2F **61**
ML2: Wis 6F **149**
ML4: Bell 6D **114**
ML6: Air 3H **95**
PA4: Renf 5F **61**
Belltrees Cres. PA3: Pais 1E **101**
Bell Vw. ML2: Newm 3E **151**
Bell Vw. Ct. PA4: Renf 5F **61**
Bellvue Cres. ML4: Bell 3A **130**
Bellvue Way ML5: Coat 1E **115**
Bellwood St. G41: Glas 6C **106**
Bellziehill Rd. ML4: Bell 2A **130**
Belmar Ct. PA3: Lin 6A **80**
(off Langholm Dr.)
Belmont Av. G71: Udd 6C **112**
Belmont Ct. G66: Kirk 5D **32**
(off Willowbank Gdns.)
Belmont Cres. G12: Glas 6C **64**
Belmont Dr. G46: Giff 4H **121**
G73: Ruth 6D **108**
G75: E Kil 3D **156**
G78: Barr 6F **119**
Belmont Ho. G75: E Kil 3D **156**
(off Riverton Dr.)
Belmont La. G12: Glas 6C **64**
(off Gt. Western Rd.)
Belmont Rd. G21: Glas 3B **66**
G72: Camb 4G **125**
PA3: Pais 5C **82**
Belmont St. G12: Glas 6C **64**
G65: Kils 2G **13**
G81: Clyd 1D **60**
ML2: Over 5H **165**
ML5: Coat 2G **93**
Belses Dr. G52: Glas 6C **84**
Belses Gdns. G52: Glas 6C **84**
Belstane M. ML8: Carl 2E **175**
Belstane Pk. ML8: Carl 2D **174**
Belstane Pl. G71: Both 4E **129**
Belstane Rd. G67: Cumb 2H **57**
ML8: Carl 3D **174**
Belsyde Av. G15: Glas 5A **46**
Beltane St. G3: Glas 3G **5** (3D **86**)
ML2: Wis 1G **165**
Beltonfoot Way ML2: Wis 1F **165**
Beltrees Av. G53: Glas 4A **104**
Beltrees Cres. G53: Glas 4A **104**
Beltrees Rd. G53: Glas 4A **104**
Belvidere Av. G31: Glas 1E **109**
Belvidere Cres. G64: B'rig 5D **50**
ML4: Bell 3D **130**
Belvidere Ga. G31: Glas 1E **109**
Belvidere Rd. ML4: Bell 3C **130**
Belvoir Pl. G72: Blan 1B **144**
Bemersyde G64: B'rig 5E **51**
Bemersyde Av. G43: Glas 2H **121**
Bemersyde Pl. ML9: Lark 4C **170**
Bemersyde Rd. PA2: Pais 5C **100**
Ben Aigan Pl. G53: Glas 3C **120**
Ben Alder Dr. PA2: Pais 4F **103**
Benalder St. G11: Glas 1A **4** (2A **86**)
Benarty Gdns. G64: B'rig 5D **50**

Benbecula G74: E Kil 2C **158**
Benbow Rd. G81: Clyd 5B **44**
Ben Buie Way PA2: Pais 4F **103**
Bencloich Av. G66: Len 3G **9**
Bencloich Cres. G66: Len 2G **9**
Bencloich Rd. G66: Len 3G **9**
Bencroft Dr. G44: Glas 2A **124**
Ben Donich Pl. G53: Glas 3D **120**
Ben Edra Pl. G53: Glas 3D **120**
Benford Av. ML1: N'hill 3D **132**
Benford Knowe ML1: N'hill 3E **133**
Bengairn St. G31: Glas 4E **89**
Bengal Pl. G43: Glas 6A **106**
Bengal St. G43: Glas 6A **106**
Ben Garrisdale Pl.
    G53: Glas 3D **120**
Ben Glas Pl. G53: Glas 3D **120**
Benhar Pl. G33: Glas 4H **89**
Benholm St. G32: Glas 2H **109**
Ben Hope Av. PA2: Pais 3F **103**
Ben Laga Pl. G53: Glas 3D **120**
Ben Lawers Dr. G68: Cumb 3D **36**
    PA2: Pais 3F **103**
Ben Ledi Av. PA2: Pais 3F **103**
Ben Ledi Cres. G68: Cumb 3D **36**
Ben Loyal Av. PA2: Pais 3F **103**
Ben Lui Dr. PA2: Pais 4E **103**
Ben Lui Pl. G53: Glas 3D **120**
    G68: Cumb 3D **36**
Ben Macdui Gdns. G53: Glas 3D **120**
Ben More Dr. G68: Cumb 3C **36**
    PA2: Pais 3F **103**
Benmore Twr. G72: Camb 4H **125**
Bennan Pl. G75: E Kil 1C **168**
Bennan Sq. G42: Glas 3G **107**
Benn Av. PA1: Pais 1B **102**
Ben Nevis Rd. PA2: Pais 4E **103**
Ben Nevis Way G68: Cumb 3C **36**
Benny Lynch Ct. G5: Glas 6G **87**
Ben Oss Pl. G53: Glas 3C **120**
Benson St. ML5: Coat 1C **114**
Benston Rd. PA5: John 4E **99**
Bent Cres. G71: View 1G **129**
Bentfoot Rd. ML2: Over 5A **166**
Benthall St. G5: Glas 1H **107**
Bentinck St. G3: Glas 2D **4** (2C **86**)
Bent Rd. ML3: Ham 1G **161**
    ML6: Chap 2D **116**
Bents Rd. G69: Bail 6H **91**
Benty's La. ML8: Carl 5D **174**
Ben Uird Pl. G53: Glas 3D **120**
Ben Vane Av. PA2: Pais 4E **103**
Ben Venue Rd. G68: Cumb 3C **36**
Ben Venue Way PA2: Pais 4F **103**
Benvie Gdns. G64: B'rig 5D **50**
Benview Rd. G76: Clar 2C **138**
Benview Rd. G20: Glas 5D **64**
Benview Ter. PA2: Pais 3D **102**
Ben Vorlich Dr. G53: Glas 2D **120**
Ben Vorlich Pl. G53: Glas 3D **120**
Benvue Rd. G66: Len 4G **9**
Ben Wyvis Dr. PA2: Pais 4E **103**
Berelands Cres. G73: Ruth 6A **108**
Berelands Pl. G73: Ruth 6A **108**
Berenice Pl. G82: Dumb 3C **20**
Beresford Av. G14: Glas 5E **63**
Berkeley St. G3: Glas 3E **5** (3C **86**)
Berkeley Ter. La. G3: Glas 3F **5**
Berkley Dr. G72: Blan 6A **128**
Berl Av. PA6: C'lee 3C **78**
Bernadette Cres. ML1: Carf 5D **132**
Bernadette St. ML1: N'hill 4D **132**
Bernard Path G40: Glas 1C **108**
    (off Bernard Ter.)
Bernard St. G40: Glas 1C **108**
Bernard Ter. G40: Glas 1C **108**
Berneray St. G22: Glas 2G **65**

Bernisdale Dr. G15: Glas 4F **45**
Bernisdale Gdns. G15: Glas 4F **45**
Bernisdale Pl. G15: Glas 4F **45**
Berridale Av. G44: Glas 2E **123**
Berriedale G75: E Kil 3A **156**
Berriedale Av. G69: Bail 1G **111**
Berriedale Cres. G72: Blan 6A **144**
Berriedale Path G72: Blan 5A **144**
Berriedale Quad. ML2: Wis 4H **149**
Berriedale Ter. G72: Blan 6A **144**
Berryburn Rd. G21: Glas 5E **67**
Berry Dyke G66: Kirk 6H **33**
Berryhill Cres. ML2: Wis 1E **165**
Berryhill Dr. G46: Giff 5H **121**
Berryhill Rd. G46: Giff 6H **121**
    G67: Cumb 3G **37**
Berryknowe G66: Kirk 6H **33**
    (off Bk. o'Dykes Rd.)
Berryknowe Av. G69: Chry 2A **70**
Berryknowes Av. G52: Glas 6C **84**
Berryknowes Dr. G52: Glas 6D **84**
Berryknowes La. G52: Glas 6C **84**
Berryknowes Rd.
    G52: Glas 1C **104**
Bertram St. G41: Glas 4C **106**
    ML3: Ham 3E **145**
    ML9: Lark 4E **171**
Bervie St. G51: Glas 5F **85**
Berwick Cres. ML6: Air 6H **95**
    PA3: Lin 4F **79**
Berwick Dr. G52: Glas 1B **104**
    G73: Ruth 6F **109**
Berwick Pl. G74: E Kil 6C **142**
    ML5: Coat 2D **114**
Berwick St. ML3: Ham 4F **145**
    ML5: Coat 2D **114**
Bessemer Dr. G75: E Kil 6A **158**
Beta Cen. G81: Clyd 2E **61**
Bethel La. G75: E Kil 1A **168**
Betula Dr. G81: Clyd 2C **44**
Bevan Gro. PA5: John 3E **99**
Beveridge Ter. ML4: Bell 3F **131**
Beverley Rd. G43: Glas 1B **122**
Bevin Av. G81: Clyd 6F **45**
Bideford Cres. G32: Glas 2D **110**
Bield, The ML2: Over 1A **166**
BIGGAR ROAD 2G **133**
Biggar Rd.
    ML1: Cle, N'hill, N'hse 5F **117**
        (not continuous)
    ML6: Chap 4E **117**
Biggar St. G31: Glas 5D **88**
Bigton St. G33: Glas 1B **90**
Billings Rd. ML1: Moth 4D **146**
Bilsland Ct. G20: Glas 4F **65**
Bilsland Dr. G20: Glas 4D **64**
Binend Rd. G53: Glas 5C **104**
Binniehill Rd. G68: Cumb 2F **37**
Binnie Pl. G40: Glas 6A **88**
Binns Rd. G33: Glas 1C **90**
Birch Av. G76: Busby 3D **138**
Birch Brae ML3: Ham 2A **162**
Birch Cl. G72: Camb 1C **126**
Birch Cres. G76: Busby 3D **138**
    PA5: John 4G **99**
Birch Dr. G66: Lenz 2D **52**
    G72: Camb 1B **126**
Birchend Dr. G21: Glas 1D **88**
Birchend Pl. G21: Glas 1D **88**
Birchfield Dr. G14: Glas 5B **62**
Birchfield Rd. ML3: Ham 6F **145**
Birch Gro. G71: View 6F **113**
    G72: Camb 1C **126**
    ML9: Lark 6A **164**
Birchgrove PA6: Hous 2D **78**
Birch Knowe G64: B'rig 1D **66**
Birchlea Dr. G46: Giff 3B **122**

Birchmount Ct. ML6: Air 3D **96**
Birch Pl. G72: Blan 1B **144**
    G72: Flem 3F **127**
    PA4: Renf 1D **82**
Birch Quad. ML6: Air 4D **96**
Birch Rd. G67: Cumb 2E **39**
    G81: Clyd 3C **44**
    G82: Dumb 3F **19**
Birch St. G5: Glas 2H **107**
    ML1: Holy 2B **132**
Birch Vw. G61: Bear 2G **47**
Birchview Dr. G76: Busby 5D **138**
Birch Way PA4: Renf 1D **82**
Birchwood Av. G32: Glas 1E **111**
Birchwood Courtyards, The
    ML4: Bell 5A **114**
Birchwood Dr. PA2: Pais 4E **101**
Birchwood Pl. G32: Glas 1E **111**
Birdsfield Ct. ML3: Ham 3D **144**
Birdsfield Dr. G72: Blan 3C **144**
Birdsfield St. ML3: Ham 3D **144**
BIRDSTON 2C **32**
Birdston Rd. G21: Glas 3E **67**
    G66: Milt C 5C **10**
Birgidale Rd. G45: Glas 5H **123**
Birgidale Ter. G45: Glas 5H **123**
Birkbeck Ct. G4: Glas 4G **7** (3H **87**)
Birkdale G74: E Kil 6E **141**
Birkdale Ct. G71: Both 5D **128**
Birkdale Cres. G68: Cumb 5H **15**
Birkdale Wood G68: Cumb 5A **16**
Birkenburn Rd. G67: Cumb 5F **17**
Birkenhead Rd. G66: Lenz 3E **53**
BIRKENSHAW
    G71 . . . . .5D **112**
    ML9 . . . . .6D **170**
Birkenshaw Ind. Est.
    G71: Tann 4C **112**
Birkenshaw Rd. G69: G'csh 1G **71**
    ML5: Glenb 1G **71**
Birkenshaw Sports Hall 4D **112**
Birkenshaw St. G31: Glas 4D **88**
Birkenshaw Way PA3: Pais 3A **82**
    (off Mosslands Rd.)
Birkfield Loan ML8: Carl 4G **175**
Birkfield Pl. ML8: Carl 4G **175**
Birkhall Av. G52: Glas 1H **103**
    PA4: Inch 2H **59**
Birkhall Dr. G61: Bear 5F **47**
Birkhill Av. G64: B'rig 5D **50**
Birkhill Gdns. G64: B'rig 5D **50**
Birkhill Rd. ML3: Ham 4H **161**
Birkmyre Rd. G51: Glas 5F **85**
Birks Ct. ML8: Law 1F **173**
Birkshaw Brae ML2: Wis 3G **165**
Birkshaw Pl. ML2: Wis 3G **165**
Birkshaw Twr. ML2: Wis 3F **165**
Birks Rd. ML8: Carl 1E **173**
    ML9: Lark 6D **170**
Birkwood Ct. ML5: Glenb 3A **72**
Birkwood Pl. G77: Newt M 1D **152**
Birkwood St. G40: Glas 3D **108**
Birmingham Rd. PA4: Renf 2D **82**
Birnam Av. G64: B'rig 5D **50**
Birnam Cres. G61: Bear 2H **47**
Birnam Gdns. G64: B'rig 5D **50**
Birnam Pl. G77: Newt M 5H **137**
    ML3: Ham 6C **144**
Birnam Rd. G31: Glas 2F **109**
Birness Dr. G43: Glas 5B **106**
Birnie Ct. G21: Glas 5E **67**
BIRNIEHILL 3H **157**
Birniehill Ct. G81: Hard 6C **24**
Birniehill Rdbt. G74: E Kil 3A **158**
Birnie Rd. G21: Glas 5E **67**
Birnock Av. PA4: Renf 2G **83**
Birrell Rd. G62: Miln 2F **27**

Birrens Rd. ML1: Moth . . . 1E **147**
Birsay Rd. G22: Glas . . . 2F **65**
BISHOPBRIGGS . . . 6C **50**
Bishopbriggs Ind. Est.
  G64: B'rig . . . 2C **66**
Bishopbriggs Station (Rail) . . 6C **50**
Bishopburn Dr. ML5: Coat . . 6B **94**
Bishopdale G74: E Kil . . . 6E **141**
Bishop Gdns. G64: B'rig . . . 5A **50**
  ML3: Ham . . . 4A **162**
Bishop Loch Local Nature Reserve
  . . . 1B **92**
Bishopmill Pl. G21: Glas . . . 5E **67**
Bishopmill Rd. G21: Glas . . 4E **67**
Bishops Ga. G64: B'rig . . . 6B **50**
  G74: T'hall . . . 6G **139**
  (not continuous)
Bishopsgate Dr. G21: Glas . . 2A **66**
Bishopsgate Gdns.
  G21: Glas . . . 2A **66**
Bishopsgate Pl. G21: Glas . . 2A **66**
Bishopsgate Rd. G21: Glas . . 2A **66**
Bishops Pk. G74: T'hall . . . 6F **139**
Bishop St. G3: Glas . . . 5H **5** (4E **87**)
BISHOPTON . . . 3G **41**
Bishopton Station (Rail) . . . 5H **41**
Bisset Ct. PA5: John . . . 4E **99**
  (off Tannahill Cres.)
Bissett Cres. G81: Dun . . . 1A **44**
Blackadder Pl. G75: E Kil . . 4H **155**
Blackbog Rd. ML6: Rigg . . . 5G **57**
Blackbraes Rd. G74: E Kil . . 5B **142**
Blackbull Cl. ML8: Carl . . . 3D **174**
Blackburn Cres. G66: Kirk . . 5G **33**
  G82: Dumb . . . 3C **18**
Blackburn Sq. G78: Barr . . . 6F **119**
Blackburn St. G51: Glas . . . 5B **86**
Blackbyres Ct. G78: Barr . . 3F **119**
Blackbyres Rd. G78: Barr . . 1E **119**
Blackcraig Av. G15: Glas . . . 4A **46**
Blackcroft Av. ML6: Gart . . . 6E **97**
Blackcroft Gdns. G32: Glas . . 1D **110**
Blackcroft Rd. G32: Glas . . . 1D **110**
Blackdyke Rd. G66: Kirk . . . 5E **33**
Blackfarm Rd. G77: Newt M . . 5F **137**
Blackfaulds Rd. G73: Ruth . . 5A **108**
Blackford Rd. PA2: Pais . . . 3C **102**
Blackfriars Rd. G1: Glas . . . 6G **7** (4H **87**)
Blackfriars St. G1: Glas . . . 6F **7** (4H **87**)
BLACKHALL . . . 3D **102**
Blackhall Ct. PA2: Pais . . . 2D **102**
Blackhall La. PA1: Pais . . . 2B **102**
Blackhall St. PA1: Pais . . . 2B **102**
BLACKHILL . . . 1F **89**
Blackhill Ct. G23: Glas . . . 6B **48**
Blackhill Dr. G23: Glas . . . 5C **48**
Blackhill Gdns. G23: Glas . . 5B **48**
Blackhill Pl. G33: Glas . . . 1F **89**
Blackhill Rd. G23: Glas . . . 5B **48**
Blackhill Vw. ML8: Law . . . 6E **167**
Blackhouse Av. G77: Newt M . 5F **137**
Blackhouse Gdns.
  G77: Newt M . . . 5F **137**
Blackhouse Rd. G77: Newt M . . 5F **137**
Blackie St. G3: Glas . . . 2B **4** (2B **86**)
Blackland Gro. PA2: Pais . . . 5G **101**
Blacklands Pl. G66: Lenz . . . 3E **53**
Blacklands Rd. G74: E Kil . . 2F **157**
Blacklaw Dr. G74: E Kil . . . 2B **158**
Blacklaw La. PA3: Pais . . . 6A **82**
Blackmoor Pl. ML1: New S . . 4A **132**
Blackmoss Dr. ML4: Bell . . . 3B **130**
Blackness St. ML5: Coat . . . 2D **114**
Blacksey Burn Dr. G53: Glas . . 3H **103**
Blackstone Av. G53: Glas . . . 5C **104**
Blackstone Cres. G53: Glas . . 4C **104**
Blackstoun Av. PA3: Lin . . . 5H **79**

Blackstoun Oval PA3: Pais . . . 6F **81**
Blackstoun Rd. PA3: Pais . . . 3E **81**
Black St. G4: Glas . . . 2G **7** (2H **87**)
  ML6: Air . . . 2B **96**
Blackswell La. ML3: Ham . . . 6B **146**
Blackthorn Av. G66: Lenz . . . 2A **52**
Blackthorn Gro. G66: Lenz . . 2B **52**
Blackthorn Rd. G67: Cumb . . . 1D **38**
  G71: View . . . 5G **113**
Blackthorn Rdbt. G67: Cumb . . 2E **39**
Blackthorn St. G22: Glas . . . 4A **66**
BLACKWOOD . . . 4A **36**
Blackwood G75: E Kil . . . 6F **157**
Blackwood Av. G77: Newt M . . 6F **137**
  PA3: Lin . . . 5H **79**
Blackwood Gdns. ML1: Moth . . 6E **131**
Blackwood Rd. G62: Miln . . . 1F **27**
  G68: Cumb . . . 4H **35**
Blackwood Rdbt. G68: Cumb . . 3A **36**
Blackwoods Cres. G69: Mood . 5D **54**
  ML4: Bell . . . 3E **131**
Blackwood St. G13: Glas . . . 2E **63**
  G78: Barr . . . 5D **118**
Blackwood Ter. PA5: John . . . 5D **98**
Blackwood West Rdbt.
  G68: Cumb . . . 4H **35**
Bladda La. PA1: Pais . . . 1B **102**
Blades Ct. G69: G'csh . . . 3E **71**
Bladnoch Dr. G15: Glas . . . 5C **46**
Blaeloch Av. G45: Glas . . . 6G **123**
Blaeloch Dr. G45: Glas . . . 6F **123**
Blaeloch Ter. G45: Glas . . . 6F **123**
Blaeshill Rd. G75: E Kil . . . 3A **156**
Blairardie Dr. G13: Glas . . . 6B **46**
Blairatholl Av. G11: Glas . . . 6G **63**
Blairatholl Cres.
  G77: Newt M . . . 5H **137**
Blair Atholl Dr. ML9: Lark . . . 4E **171**
Blair Atholl Gdns. ML3: Ham . 5E **145**
Blairatholl Gdns. G11: Glas . . 6G **63**
Blairatholl Ga. G77: Newt M . . 5H **137**
Blair Atholl Gro. ML3: Ham . . 5E **145**
Blair Athol Wynd ML1: Carf . . 5B **132**
Blairbeth Dr. G44: Glas . . . 6F **107**
Blairbeth Pl. *G73: Ruth* . . . 2D **124**
  (off Blairbeth Rd.)
Blairbeth Rd. G73: Ruth . . . 2C **124**
Blairbeth Ter. G73: Ruth . . . 2E **125**
Blairbuie Dr. G20: Glas . . . 2A **64**
Blair Ct. G81: Clyd . . . 5D **44**
Blair Cres. G69: Bail . . . 2G **111**
Blairdardie Rd. G13: Glas . . . 6C **46**
  G15: Glas . . . 6B **46**
Blairdenan Av. G69: Mood . . 4E **55**
Blairdenon Dr. G68: Cumb . . . 2E **37**
Blair Dr. G66: Milt C . . . 6B **10**
Blair Gdns. G64: Torr . . . 4D **30**
  G77: Newt M . . . 4B **136**
Blairgowrie Rd. G52: Glas . . . 1C **104**
Blairgrove Ct. ML5: Coat . . . 5A **94**
Blairhall Av. G41: Glas . . . 5D **106**
BLAIRHILL . . . 4B **94**
Blairhill Av. G66: Kirk . . . 1G **53**
Blairhill Pl. ML5: Coat . . . 4A **94**
Blairhill Station (Rail) . . . 3A **94**
Blairhill St. ML5: Coat . . . 4A **94**
Blairholm Dr. ML4: Bell . . . 4D **130**
Blair Ho. G67: Cumb . . . 2A **38**
BLAIRLINN . . . 1H **57**
Blairlinn Ind. Est. G67: Cumb . . 1H **57**
Blairlinn Rd. G67: Cumb . . . 1H **57**
Blairlogie St. G33: Glas . . . 2B **90**
Blairmore Av. PA1: Pais . . . 6E **83**
Blairpark Av. ML5: Coat . . . 3A **94**
Blair Path ML1: Moth . . . 4H **147**
Blair Rd. ML5: Coat . . . 4A **94**
  PA1: Pais . . . 6G **83**

BLAIRSKAITH . . . 2H **29**
Blairston Av. G71: Both . . . 6E **129**
Blairston Gdns. G71: Both . . . 6F **129**
Blair St. G32: Glas . . . 6H **89**
Blairtum Dr. G73: Ruth . . . 2D **124**
Blairtummock Pl. G33: Glas . . 3D **90**
Blairtummock Rd. G33: Glas . . 3C **90**
  (not continuous)
Blake Rd. G67: Cumb . . . 3A **38**
Blane Dr. G62: Miln . . . 2H **27**
Blanefield Gdns. G13: Glas . . 1F **63**
Blane St. ML5: Coat . . . 3C **94**
Blaneview G33: Step . . . 5D **68**
BLANTYRE . . . 2C **144**
Blantyre Ct. PA8: Ersk . . . 4E **43**
Blantyre Cres. G81: Dun . . . 6A **24**
Blantyre Dr. PA7: B'ton . . . 3G **41**
Blantyre Farm Rd. G71: Udd . . 6A **112**
  G72: Blan . . . 6A **128**
BLANTYREFERME . . . 2B **128**
Blantyre Gdns. G68: Cumb . . . 4A **36**
Blantyre Ind. Est. G72: Blan . . 4C **144**
Blantyre Mill Rd. G71: Both . . 5D **128**
Blantyre Rd. G71: Both . . . 5E **129**
Blantyre Sports Cen. . . . 1C **144**
Blantyre Station (Rail) . . . 1C **144**
Blantyre St. G3: Glas . . . 2B **4** (2B **86**)
Blaven Ct. G69: Bail . . . 1A **112**
Blawarthill St. G14: Glas . . . 4H **61**
Bleachfield G62: Miln . . . 2F **27**
Bleasdale Ct. G81: Clyd . . . 5D **44**
Blenheim Av. G33: Step . . . 3D **68**
  G75: E Kil . . . 4E **157**
Blenheim Ct. G33: Step . . . 3D **68**
  G65: Kils . . . 2H **13**
  ML8: Carl . . . 4E **175**
  PA1: Pais . . . 6H **81**
BLOCHAIRN INTERCHANGE . . . 3C **88**
Blochairn Rd. G21: Glas . . . 2C **88**
Bluebell Gdns. G45: Glas . . . 5C **124**
  ML1: Moth . . . 5E **131**
Bluebell Wlk. ML1: New S . . . 4A **132**
Bluebell Way G66: Len . . . 4H **9**
  ML6: Air . . . 1H **95**
  ML8: Carl . . . 5D **174**
Bluebell Wynd ML2: Wis . . . 2F **165**
Blueberry Pl. G68: Cumb . . . 3C **36**
Blueknowes Rd. ML8: Law . . . 6D **166**
  (not continuous)
Bluevale St. G31: Glas . . . 5C **88**
Blyth Pl. G33: Glas . . . 5D **90**
Blyth Rd. G33: Glas . . . 5E **91**
BLYTHSWOOD . . . 4F **61**
Blythswood Av. PA4: Renf . . . 5F **61**
Blythswood Dr. PA3: Pais . . . 5H **81**
Blythswood Ind. Est.
  PA4: Renf . . . 5D **60**
Blythswood Rd. PA4: Renf . . . 5F **61**
Blythswood Sq. G2: Glas . . . 4A **6** (3E **87**)
Blythswood St. G2: Glas . . . 6A **6** (4E **87**)
Boardwalk, The
  G75: E Kil . . . 4A **158**
Bobbins Ga. PA1: Pais . . . 2F **101**
Boclair Av. G61: Bear . . . 3F **47**
Boclair Cres. G61: Bear . . . 3G **47**
  G64: B'rig . . . 5C **50**
Boclair Rd. G61: Bear . . . 3G **47**
  G62: Miln . . . 3G **47**
  G64: B'rig . . . 6C **50**
Boclair St. G13: Glas . . . 1E **63**
Bodden Sq. ML1: N'hse . . . 6E **117**
Boden Ind. Est. G40: Glas . . . 1D **108**
Boden Quad. ML1: Moth . . . 5D **130**
Boden St. G40: Glas . . . 1C **108**
Bodmin Gdns. G69: Mood . . . 4D **54**
Bogany Ter. G45: Glas . . . 5A **124**
Bogbain Rd. G34: Glas . . . 3G **91**

Boggknowe G71: Tann 5B 112
Boghall Rd. G71: Udd 3G 111
  ML8: Carl 6F 175
Boghall St. G33: Glas 2B 90
BOGHEAD 3H 51
Boghead Av. G82: Dumb 3H 19
Boghead Rd. G21: Glas 4C 66
  G66: Lenz 3A 52
  G82: Dumb 3G 19
Bogleshole Rd. G72: Camb 6G 109
Bogmoor Pl. G51: Glas 2C 84
Bogmoor Rd. G51: Glas 3B 84
      (not continuous)
Bog Rd. FK4: Bank 1E 17
BOGSIDE 3G 167
Bogside Rd. G33: Mille 3A 68
  G65: Kils 4H 13
  ML9: Ashg 5H 171
Bogside St. G40: Glas 1D 108
Bogstonhill Rd. PA6: Hous 1B 78
Bogs Vw. ML4: Bell 4B 130
Bogton Av. G44: Glas 3D 122
Bogton Av. La. G44: Glas 3D 122
Boleyn Rd. G41: Glas 3C 106
Bolingbroke Dr. G74: E Kil 5C 142
Bolivar Ter. G42: Glas 5G 107
Bolton Dr. G42: Glas 5F 107
Bolton Ter. G66: Len 3G 9
Bon Accord Cres. PA3: Pais 3B 82
Bon Accord Sq. G81: Clyd 1D 60
Bonar Cres. PA11: Bri W 4G 77
Bonar La. PA11: Bri W 4G 77
Bonawe St. G20: Glas 5D 64
Bonds Dr. ML2: Newm 3F 151
Bo'ness Rd. ML1: Holy 1C 132
  ML6: Chap 1C 132
Boness St. G40: Glas 1D 108
Bonhill Rd. G82: Dumb 3G 19
Bonhill St. G22: Glas 6F 65
BONKLE 3G 151
Bonkle Gdns. ML2: Newm 4F 151
Bonkle Rd. ML2: Newm 4E 151
Bonnar St. G40: Glas 2C 108
Bonnaughton Rd. G61: Bear 1B 46
Bonnyholm Av. G53: Glas 2A 104
Bonnyrigg Dr. G43: Glas 2G 121
Bonnyton Dr. G76: Eag 6B 154
Bonnyton La. ML3: Ham 4F 161
Bonnyton Moor Rd. G76: Eag 6F 153
Bontine Av. G82: Dumb 3D 18
Bonyton Av. G13: Glas 3H 61
Boon Dr. G15: Glas 5B 46
Boquhanran Pl. G81: Clyd 4C 44
      (not continuous)
Boquhanran Rd. G81: Clyd 5B 44
      (not continuous)
Borden La. G13: Glas 4E 63
Borden Rd. G13: Glas 4E 63
Border Way G66: Kirk 5E 33
Boreland Dr. G13: Glas 2A 62
  ML3: Ham 1C 160
Boreland Pl. G13: Glas 3B 62
Bore Rd. ML6: Air 2B 96
Borgie Cres. G72: Camb 2A 126
Borland Cres. G76: Eag 6C 154
Borland Dr. ML9: Lark 5D 170
Borland Rd. G61: Bear 4G 47
Borron St. G4: Glas 6G 65
Borrowdale G75: E Kil 6B 156
Borthwick Dr. G75: E Kil 4H 155
Borthwick Pl. G69: G'csh 5D 70
Borthwick St. G33: Glas 2B 90
Bosfield Cnr. G74: E Kil 6H 141
Bosfield Pl. G74: E Kil 6H 141
Bosfield Rd. G74: E Kil 6G 141
Boswell Ct. G42: Glas 6D 106
Boswell Dr. G72: Blan 2B 144

Boswell Pk. G74: E Kil 5C 142
Boswell Sq. G52: Hill 4H 83
Bosworth Rd. G74: E Kil 5B 142
Botanic Cres. G20: Glas 5B 64
Botanic Cres. La. G20: Glas 5B 64
Bothlin Dr. G33: Step 3D 68
Bothlyn Av. G66: Kirk 6E 33
Bothlyn Cres. G69: G'csh 2D 70
Bothlyn Rd. G69: Chry 1B 70
BOTHWELL 5E 129
Bothwell Bri.
  G71: Both, Ham 1G 145
Bothwell Castle (remains of) . . .4B 128
Bothwellhaugh Quad.
  ML4: Bell 4B 130
Bothwellhaugh Rd.
  ML1: Bell, Moth 6B 130
  ML4: Bell 6B 130
Bothwell Ho. ML3: Ham 4A 146
Bothwell La. G2: Glas 5A 6 (4E 87)
  G12: Glas 1C 86
      (off Glasgow St.)
Bothwell Pk. Ind. Est.
  G71: Udd 2E 129
Bothwellpark Pl. ML4: Bell 1H 129
Bothwellpark Rd.
  G71: Both, View 5F 129
      (not continuous)
Bothwell Pl. ML5: Coat 4B 94
  PA2: Pais 5C 100
Bothwell Rd. G71: Udd 2D 128
  ML3: Ham 2G 145
  ML8: Carl 1C 174
BOTHWELL SERVICE AREA 3F 129
Bothwell St. G2: Glas 5A 6 (4E 87)
  G72: Camb 1G 125
  ML3: Ham 4G 145
Bothwick Way PA2: Pais 5C 100
Boulevard, The G5: Glas 2H 107
  G66: Len 2C 8
Bourhill Ct. ML2: Wis 1D 164
Bourne Ct. PA4: Inch 2H 59
Bourne Cres. PA4: Inch 2H 59
Bourne St. ML3: Ham 6B 146
Bourock Sq. G78: Barr 6F 119
Bourtree Rd. ML3: Ham 1C 160
Bouverie St. G14: Glas 3G 61
  G73: Ruth 6B 108
Bowden Dr. G52: Glas 5B 84
Bowden Gro. ML2: Wis 3B 150
Bowden Pk. G75: E Kil 3E 157
Bower St. G12: Glas 6C 64
BOWERWALLS 3G 119
Bowerwalls St. G78: Barr 3F 119
Bowes Cres. G69: Bail 1F 111
Bowfield Av. G52: Glas 5H 83
Bowfield Cres. G52: Glas 5H 83
Bowfield Dr. G52: Glas 5H 83
Bowfield Path G52: Glas 5H 83
Bowfield Pl. G52: Glas 5H 83
Bowhill Rd. ML6: Chap 4E 117
Bowhousebrae Rd.
  ML6: Gart 1E 117
Bowhouse Dr. G45: Glas 2C 124
Bowhouse Gdns. G45: Glas 2C 124
Bowhouse Gro. G45: Glas 3C 124
Bowhouse Pl. G45: Glas 3C 124
Bowhouse Rd. ML6: Gart 6E 97
Bowie St. G82: Dumb 4E 19
BOWLING 5B 22
Bowling Grn. Gro. G72: Flem 3F 127
Bowling Grn. La. G14: Glas 6D 62
      (off Westland Dr.)
Bowling Grn. Rd. G14: Glas 6D 62
  G32: Glas 1D 110
  G44: Glas 2E 123
  G69: Chry 1B 70

Bowling Grn. St. ML4: Bell 2D 130
Bowling Grn. Vw.
  G72: Flem 3F 127
Bowling Station (Rail) 5A 22
Bowling St. ML5: Coat 4B 94
Bowmanflat ML9: Lark 2C 170
Bowman St. G42: Glas 3E 107
Bowmont Gdns. G12: Glas 6A 64
Bowmont Pl. G12: Glas 6A 64
Bowmont Hill G64: B'rig 3C 50
Bowmont Pl. G72: Camb 2D 126
  G75: E Kil 4A 156
Bowmont Ter. G12: Glas 6A 64
Bowmore Cres. G74: T'hall 6G 139
Bowmore Gdns. G71: Tann 5C 112
  G73: Ruth 4G 125
Bowmore Rd. G52: Glas 6E 85
Bowyer Vennel ML4: Bell 1B 130
Boyd Dr. ML1: Moth 2D 146
Boydstone Pl. G46: T'bnk 2G 121
Boydstone Rd.
  G43: Glas, T'bnk 1E 121
  G46: T'bnk 1E 121
  G53: Glas 1E 121
Boyd St. G42: Glas 4F 107
Boylestone Rd. G78: Barr 3C 118
Boyle St. G81: Clyd 1F 61
Boyndie St. G34: Glas 3H 91
Brabloch Cres. PA3: Pais 5B 82
Brabloch Pk. PA3: Pais 5B 82
Bracadale Dr. G69: Bail 1B 112
Bracadale Gdns. G69: Bail 1B 112
Bracadale Gro. G69: Bail 1A 112
Bracadale Rd. G69: Bail 1A 112
Brackenbrae Av. G64: B'rig 5A 50
Brackenbrae Rd.
  G64: B'rig 6B 50
Brackendene PA6: Hous 2D 78
Brackenhill Dr. ML3: Ham 4F 161
Brackenhill Rd. ML8: Law 5E 167
Brackenhirst Gdns.
  ML6: Glenm 3F 73
Brackenhirst Rd.
  ML6: Glenm, Rigg 3F 73
Brackenhurst St. G82: Dumb 1H 19
Bracken Pl. PA11: Bri W 3G 77
Brackenrig Cres.
  G76: Water 2C 154
Brackenrig Rd. G46: T'bnk 5E 121
Bracken St. G22: Glas 3F 65
  ML1: New S 4A 132
Bracken Ter. G71: Both 4E 129
Bracken Way ML9: Lark 4E 171
      (off Donaldson Rd.)
Brackla Av. G13: Glas 1G 61
  G81: Clyd 1G 61
Braco Av. ML6: Chap 4D 116
Bradan Av. G13: Glas 2G 61
  G81: Clyd 2G 61
Bradda Av. G73: Ruth 3E 125
Bradfield Av. G12: Glas 4A 64
Bradley Ct. G33: Step 4F 69
Bradshaw Cres. ML3: Ham 6C 144
Brady Cres. G69: Mood 4E 55
BRAEDALE 3D 146
Braedale Av. ML1: Moth 3D 146
  ML6: Air 4B 96
Braedale Cres. ML2: Newm 4F 151
Braedale Pl. ML2: Newm 4G 151
Braeface Rd. G67: Cumb 3G 37
Braefield Dr. G46: T'bnk 4G 121
Braefoot Av. G62: Miln 5G 27
Braefoot Ct. ML8: Law 6D 166
Braefoot Cres. ML8: Law 1F 173
  PA2: Pais 6B 102
BRAEHEAD 6H 139
Braehead G72: Blan 3B 144
Braehead Arena 6A 62

Braehead Av. G62: Miln 4F 27
  G78: Neil 2D 134
  G81: Dun 6C 24
  ML5: Coat 2H 113
  ML9: Lark 3A 170
Braehead Cres. G81: Dun 6A 62
Braehead Curling & Ice Rinks
  . . . . .6A 62
Braehead Dr. ML4: Bell 3B 130
Braehead Ind. Est. PA4: Renf 6H 61
Braehead Loan ML8: Carl 5F 175
  (off Charles Cres.)
Braehead Pl. ML4: Bell 3B 130
Braehead Quad. G78: Neil 2D 134
  ML1: N'hill 3D 132
Braehead Rd. G67: Cumb 2B 38
  G74: T'hall 6G 139
  G81: Dun 6C 24
Braehead Shop. Cen.
  G51: Glas 6A 62
Braehead St. G5: Glas 2H 107
  G66: Kirk 4C 32
Braemar Av. G81: Clyd 3B 44
Braemar Ct. G44: Glas 3C 122
Braemar Cres. G61: Bear 5F 47
  ML8: Carl 2E 175
  PA2: Pais 4B 102
Braemar Dr. PA5: Eld 4H 99
Braemar Rd. G73: Ruth 4G 125
  PA4: Inch 2H 59
Braemar St. G42: Glas 6D 106
  ML3: Ham 3F 145
Braemar Vw. G81: Clyd 2B 44
Braemore Gdns. G22: Glas 5H 65
Braemount Av. PA2: Pais 6G 101
Braes Av. G81: Clyd 6F 45
Braesburn Ct. G67: Cumb 5F 17
Braesburn Pl. G67: Cumb 5F 17
Braesburn Rd. G67: Cumb 5F 17
Braeside Av. G62: Miln 5G 27
  G69: Mood 5D 54
  G73: Ruth 6E 109
Braeside Cres. G69: Barg 6D 92
  G78: Barr 6G 119
Braeside Dr. G78: Barr 6F 119
  G82: Dumb 2H 19
Braeside Gdns. ML3: Ham 3A 162
Braeside La. ML9: Lark 1D 170
  (off Carrick Pl.)
Braeside Pl. G72: Camb 3B 126
Braeside Rd. ML1: N'hill 3D 132
Braeside St. G20: Glas 5D 64
Braeside Way ML9: Lark 4D 170
  (off Keir Hardie Rd.)
Braes o' Yetts G66: Kirk 5G 33
Braes Shop. Cen., The
  G45: Glas 4A 124
Braeval Way G33: Step 3E 69
Braeview Av. PA2: Pais 6F 101
Braeview Dr. PA2: Pais 6F 101
Braeview Gdns. PA2: Pais 6F 101
Braeview Pl. G74: E Kil 5B 142
Braeview Rd. PA2: Pais 6F 101
Braid Av. ML1: Cle 6E 133
Braidbar Ct. G46: Giff 4A 122
Braidbar Farm Rd. G46: Giff . . .3B 122
  (not continuous)
Braidbar Rd. G46: Giff 4A 122
Braidcraft Pl. G53: Glas 5C 104
Braidcraft Rd. G53: Glas 4C 104
Braidcraft Ter. G53: Glas 4D 104
BRAIDFAULD 2G 109
Braidfauld Gdns. G32: Glas 2H 109
Braidfauld Pl. G32: Glas 3H 109
Braidfauld St. G32: Glas 3H 109
Braidfield Gro. G81: Hard 2D 44
Braidfield Rd. G81: Hard 2D 44

Braidholm Cres. G46: Giff 4A 122
Braidholm Rd. G46: Giff 4A 122
Braidhurst Ind. Est.
  ML1: Moth 6F 131
Braidhurst Sports Barn 6F 131
Braidhurst St. ML1: Moth 1G 147
Braidley Cres. G75: E Kil 6G 157
Braidpark Dr. G46: Giff 4B 122
Braids Circ. PA2: Pais 4A 102
Braids Ct. PA2: Pais 4H 101
Braids Dr. G53: Glas 4H 103
Braids Gait PA2: Pais 4H 101
Braids Sq. G4: Glas 1A 6 (1E 87)
Braids St. G4: Glas 1E 87
Braidwood Pl. PA3: Lin 5F 79
Braidwood St. ML2: Wis 2A 150
Bramah Av. G75: E Kil 4H 157
Bramble Ct. G66: Len 3E 9
Brambling Ct. ML2: Wis 2F 165
Brambling Rd. ML5: Air, Coat . . .2F 115
Bramley Dr. ML4: Bell 5C 114
Bramley Pl. G66: Lenz 3E 53
  ML6: Air 5E 97
Brampton G75: E Kil 5B 156
Branchalfield Dr. ML2: Wis 5C 150
Branchalmuir Cres.
  ML2: Newm 3D 150
Branchal Rd. ML2: Wis 4B 150
Branchock Av. G72: Camb 3D 126
Brancumhall Rd. G74: E Kil 6D 142
Brandon Arc. ML1: Moth 3G 147
Brandon Ct. ML1: Moth 3G 147
  ML3: Ham 5G 145
Brandon Dr. G61: Bear 6E 27
Brandon Gdns. G72: Camb 2G 125
Brandon Ga. ML4: Bell 2E 131
Brandon Ho. ML3: Ham 4A 146
Brandon Pde. E. ML1: Moth 2G 147
Brandon Pde. Sth.
  ML1: Moth 3G 147
Brandon Pl. ML4: Bell 4A 130
Brandon St. G31: Glas 5B 88
  ML1: Moth 3H 147
  ML3: Ham 6A 146
Brandon Way ML5: Coat 1H 113
Brand Pl. G51: Glas 5A 86
Brand St. G51: Glas 5A 86
Brankholm Brae ML3: Ham 5B 144
Branklyn Cl. G13: Glas 3D 62
Branklyn Ct. G13: Glas 3D 62
Branklyn Cres. G13: Glas 3D 62
Branklyn Gro. G13: Glas 3D 62
Branklyn Pl. G13: Glas 3D 62
BRANKUMHALL 6C 142
Brannock Av. ML1: N'hill 3D 132
Brannock Pl. ML1: N'hill 3D 132
Brannock Rd. ML1: N'hill 4D 132
Brassey St. G20: Glas 3C 64
Breadalbane Cres.
  ML1: Moth 6F 131
Breadalbane Gdns.
  G73: Ruth 3F 125
Breadalbane St.
  G3: Glas 4F 5 (3D 86)
Breadie Dr. G62: Miln 5F 27
Breamish Pl. G75: E Kil 5B 156
Bream Pl. PA6: C'lee 3D 78
Brechin Rd. G64: B'rig 6E 51
Brechin St. G3: Glas 3E 5 (3C 86)
BREDILAND 4E 101
Brediland Rd. PA2: Pais 6C 100
  PA3: Lin 5G 79
Bredin Way ML1: Moth 1D 146
Bredisholm Cres. G71: View 4G 113
Bredisholm Dr. G69: Bail 1A 112

Bredisholm Rd. G69: Bail 1A 112
  (not continuous)
  G69: Barg 1D 112
  (not continuous)
Bredisholm Ter. G69: Bail 1A 112
Bredland Rd. PA2: Pais 3E 101
Bremners Cotts. G81: Dun 1B 44
Brendan Way ML1: Moth 1B 164
Brendon Av. G75: E Kil 1A 168
Brenfield Av. G44: Glas 3A 122
Brenfield Dr. G44: Glas 3D 122
Brenfield Rd. G44: Glas 3D 122
  G44: Neth 3D 122
Brent Av. G46: T'bnk 2F 121
Brent Ct. G74: E Kil 6G 141
Brent Cres. PA6: C'lee 3C 78
Brent Dr. G46: T'bnk 2F 121
Brent Gdns. G46: T'bnk 2F 121
Brent Rd. G46: T'bnk 2F 121
  G74: E Kil 6G 141
Brent Way G46: T'bnk 2F 121
Brentwood Av. G53: Glas 3A 120
Brentwood Dr. G53: Glas 3B 120
Brentwood Sq. G53: Glas 3B 120
Brereton St. G42: Glas 4G 107
Bressay Cl. G33: Glas 5E 91
Bressay Gro. G33: Glas 5E 91
  G72: Camb 4G 125
Bressay Pl. G33: Glas 5E 91
Bressay Rd. G33: Glas 5E 91
Bressay Wynd ML2: Newm 3D 150
  (off Tiree Cres.)
Breval Ct. G69: Bail 1A 112
Breval Cres.
  G81: Dun, Hard 6C 24
Brewery St. PA5: John 2F 99
Brewster Av. PA3: Pais 4C 82
Briar Bank G66: Milt C 6B 10
Briarbush Way G72: Blan 1A 144
Briarcroft Dr. G33: Glas 2F 67
Briarcroft Pl. G33: Glas 3G 67
Briarcroft Rd. G33: Glas 3F 67
Briar Dr. G81: Clyd 3D 44
Briar Gdns. G43: Glas 2B 122
Briar Gro. G43: Glas 2B 122
Briarlea Dr. G46: Giff 3A 122
Briar Neuk G64: B'rig 1D 66
Briar Rd. G43: Glas 2B 122
  G66: Kirk 5F 33
Briar Wlk. G66: Kirk 5G 33
Briarwell La. G62: Miln 4H 27
Briarwell Rd. G62: Miln 4H 27
Briarwood Ct. G32: Glas 3E 111
Briarwood Gdns.
  G32: Glas 3E 111
Briarwood Rd. ML2: Wis 5E 149
Brichwood Gro. G69: Barg 5E 93
Brick La. PA3: Pais 6B 82
Bridgebar St. G78: Barr 3G 119
Bridgeburn Dr. G69: Mood 5C 54
Bridgeford Av. ML4: Bell 6E 115
Bridgegait G62: Miln 5A 28
Bridgegate G1: Glas 5G 87
Bridgegate Path G1: Glas 5H 87
  (off Saltmarket)
Bridge La. PA1: Pais 2F 101
  (off Spoolers Rd.)
BRIDGEND 4C 54
Bridgend PA7: B'ton 4G 41
Bridgend Cotts. G66: Kirk 6G 33
Bridgend Ct. G68: C'cry 2F 17
Bridgend Cres. G69: Mood 5C 54
Bridgend Pl. G69: Mood 5C 54
Bridgend Rd. PA5: Eld 2A 100
Bridgend Vw. ML8: Carl 4D 174
BRIDGE OF WEIR 3F 77

Bridge of Weir Rd. PA3: Lin 6H **79**
   PA5: Brkfld, John, Lin 6C **78**
   PA6: Hous 2A **78**
   PA11: Bri W 4G **77**
Bridge Pl. G62: Miln 4G **27**
Bridge St. G5: Glas 5F **87**
   G72: Camb 1A **126**
   G81: Clyd 4A **44**
   G82: Dumb 4E **19**
Bridge St. ML2: Wis 6E **149**
   ML3: Ham 1G **161**
   PA1: Pais 1A **102**
   PA3: Lin 5A **80**
Bridge Street Station (Und.) 6F **87**
BRIDGETON 1B **108**
Bridgeton Bus. Cen. G40: Glas . .6B **88**
Bridgeton Cross G40: Glas 6B **88**
Bridgeton Station (Rail) 1B **108**
Bridgewater Ind. Pk. PA8: Ersk . .5G **43**
Bridgewater Pl. PA8: Ersk 5G **43**
Bridgewater Shop. Cen.
   PA8: Ersk 5F **43**
Bridgeway Ct. G66: Kirk 6F **33**
Bridgeway Pl. G66: Kirk 6F **33**
Bridgeway Rd. G66: Kirk 6F **33**
Bridgeway Ter. G66: Kirk 6F **33**
Bridie Ter. G74: E Kil 5C **142**
Brierie Av. PA6: C'lee 2B **78**
Brierie Gdns. PA6: C'lee 3B **78**
Brierie Hill Ct. PA6: C'lee 3B **78**
Brierie Hill Gro. PA6: C'lee 3B **78**
Brierie Hill Rd. PA6: C'lee 3A **78**
Brierie La. PA6: C'lee 3A **78**
Brigbrae Av. ML4: Bell 4E **131**
Brigham Pl. G23: Glas 1C **64**
Brighton Pl. G51: Glas 5H **85**
Brighton St. G51: Glas 5H **85**
Brightside Av. G71: Udd 2D **128**
Bright St. G21: Glas 2B **88**
Brig o'Lea Ter. G78: Neil 3D **134**
Brigside Gdns. ML3: Ham 1C **162**
Brisbane Ct. G46: Giff 4B **122**
Brisbane Rd. PA7: B'ton 4H **41**
Brisbane St. G42: Glas 6E **107**
   G81: Clyd 3H **43**
Brisbane Ter. G75: E Kil 4E **157**
Britannia Way G81: Clyd 5D **44**
   PA4: Renf 2E **83**
Briton St. G51: Glas 4H **85**
Brittain Way ML1: Holy 6H **115**
Broad Cairn Ct. ML1: Moth 1C **164**
Broadcroft G66: Kirk 4C **32**
            (not continuous)
Broadcroft Rd. G66: Kirk 4C **32**
Broadford St. G4: Glas 1G **87**
Broadholm St. G22: Glas 3F **65**
Broadleys Av. G64: B'rig 4B **50**
Broadlie Ct. G78: Neil 2D **134**
Broadlie Dr. G13: Glas 3A **62**
Broadlie Rd. G78: Neil 2C **134**
Broadloan PA4: Renf 1E **83**
Broadmeadow Ind. Est.
   G82: Dumb 3F **19**
Broadmoss Av. G77: Newt M 5A **138**
Broad Sq. G72: Blan 1A **144**
Broad St. G40: Glas 6B **88**
Broadway, The ML2: Wis 5E **149**
Broadwood Bus. Pk.
   G68: Cumb 5B **36**
Broadwood Dr. G44: Glas 1F **123**
Broadwood Rdbt. G68: Cumb 5B **36**
Broadwood Stadium 4B **36**
Brockburn Cres. G53: Glas 5B **104**
Brockburn Pl. G53: Glas 3A **104**
Brockburn Rd. G53: Glas 3A **104**
Brockburn Ter. G53: Glas 5C **104**
Brocklinn Pk. G75: E Kil 4A **156**

Brock Oval G53: Glas 1C **120**
Brock Pl. G53: Glas 6C **104**
Brock Rd. G53: Glas 1B **120**
Brock Ter. G53: Glas 1C **120**
Brockville St. G32: Glas 5H **89**
Brodick Av. ML1: Moth 2D **146**
Brodick Dr. G74: E Kil 6F **141**
Brodick Pl. G77: Newt M 5A **136**
Brodick Sq. G64: B'rig 1E **67**
Brodick St. G21: Glas 2C **88**
Brodie Gdns. G69: Bail 5A **92**
Brodie Gro. G69: Bail 5A **92**
Brodie Pk. Av. PA2: Pais 3A **102**
Brodie Pk. Cres. PA2: Pais 3H **101**
Brodie Pk. Gdns.
   PA2: Pais 3A **102**
Brodie Pl. G74: E Kil 6F **141**
Brodie Rd. G21: Glas 2F **67**
Brogan Cres. ML1: Moth 2D **146**
Bron Way G67: Cumb 4A **38**
Brookbank Ter. ML8: Carl 4E **175**
BROOKFIELD 6D **78**
Brookfield Av. G33: Glas 2F **67**
Brookfield Cnr. G33: Glas 2F **67**
Brookfield Dr. G33: Glas 2F **67**
Brookfield Gdns. G33: Glas 2F **67**
Brookfield Ga. G33: Glas 2F **67**
Brookfield Pl. G33: Glas 2G **67**
Brookfield Rd. G33: Glas 2F **67**
Brooklands G74: E Kil 2C **156**
Brooklands G71: Udd 6C **112**
Brooklea Dr. G46: Giff 2A **122**
Brooklime Dr. G74: E Kil 5E **141**
Brooklime Gdns. G74: E Kil 5E **141**
Brooklyn Pl. ML2: Over 5H **165**
Brookside St. G40: Glas 6C **88**
Brook St. G40: Glas 6B **88**
   G81: Clyd 3B **44**
BROOM .4G **137**
Broom Av. PA8: Ersk 2F **59**
Broomburn Dr. G77: Newt M 5F **137**
Broom Cliff G77: Newt M 6F **137**
Broom Cres. G75: E Kil 6F **157**
   G78: Barr 2C **118**
Broomcroft Rd. G77: Newt M 3G **137**
Broom Dr. G81: Clyd 3C **44**
   ML9: Lark 6A **164**
Broomdyke Way PA3: Pais 4H **81**
          (off Osprey Cres.)
Broomelton Rd. ML9: Lark 4A **170**
Broomfauld Gdns.
   G82: Dumb 3G **19**
          (not continuous)
Broomfield PA6: Hous 2D **78**
Broomfield Av. G72: Camb 6F **109**
   G77: Newt M 6F **137**
Broomfield Ct. G21: Glas 6E **67**
Broomfield La. G21: Glas 4B **66**
Broomfield Pl. G21: Glas 4B **66**
Broomfield Rd. G21: Glas 4B **66**
   G46: Giff 3G **137**
   ML9: Lark 5D **170**
Broomfield St. ML6: Air 4B **96**
Broomfield Ter. G71: Tann 4D **112**
Broomfield Wlk. G66: Kirk 5D **32**
Broom Gdns. G66: Lenz 1B **52**
Broomhil Ct. G66: Kirk 4D **32**
          (off Eastside)
BROOMHILL
   G11 . . . . .6F **63**
   G66 . . . . .3D **32**
Broomhill Av. G11: Glas 1F **85**
   G32: Carm 5B **110**
   G77: Newt M 5F **137**
Broomhill Ct. ML9: Lark 1C **170**
Broomhill Cres. ML4: Bell 4B **130**
   PA8: Ersk 2F **59**

Broomhill Dr. G11: Glas 6F **63**
   G73: Ruth 2D **124**
   G82: Dumb 2H **19**
Broomhill Farm M. G66: Kirk 4E **33**
Broomhill Gdns. G11: Glas 6F **63**
   G77: Newt M 5F **137**
Broomhill Ga. ML9: Lark 3C **170**
Broomhill Ind. Est. G66: Kirk 3E **33**
Broomhill La. G11: Glas 6F **63**
Broomhill Path G11: Glas 1F **85**
          (off Broomhill Dr.)
Broomhill Pl. G11: Glas 1F **85**
Broomhill Rd. ML9: Lark 3B **170**
Broomhill Ter. G11: Glas 1F **85**
Broomhill Vw. ML9: Lark 3A **170**
BROOMHOUSE 3H **111**
Broomhouse Cres. G69: Udd . . .2H **111**
Broomhouse La. G69: Udd 2H **111**
Broomhouse Rd. G69: Udd 2H **111**
Broomieknowe Dr. G73: Ruth . . .1D **124**
Broomieknowe Gdns.
   G73: Ruth 1C **124**
Broomieknowe Rd. G73: Ruth . . .1D **124**
Broomielaw G1: Glas 6A **6** (5E **87**)
Broomknoll St. ML6: Air 4A **96**
Broomknowe G68: Cumb 2F **37**
Broomknowes Av. G66: Lenz 3E **53**
Broomknowes Rd. G21: Glas 5C **66**
Broomlands Av. PA8: Ersk 1A **60**
Broomlands Ct. PA1: Pais 1G **101**
Broomlands Cres. PA8: Ersk 1H **59**
Broomlands Gdns. PA8: Ersk . . .1H **59**
Broomlands La. PA1: Pais 1F **101**
Broomlands St. G67: Cumb 5A **38**
Broomlands St. PA1: Pais 1F **101**
Broomlands Way PA8: Ersk 1A **60**
Broomlea Cres. PA4: Inch 2G **59**
Broomlee Rd. G67: Cumb 1H **57**
Broomley Dr. G46: Giff 6A **122**
Broomley La. G46: Giff 6A **122**
Broomloan Ct. G51: Glas 6G **85**
Broomloan Pl. G51: Glas 5G **85**
Broomloan Rd. G51: Glas 5G **85**
Broompark Av. G72: Blan 3A **144**
Broompark Cir. G31: Glas 4B **88**
Broompark Cres. ML6: Air 1A **96**
Broompark Dr. G31: Glas 4B **88**
   G77: Newt M 4G **137**
   PA4: Inch 2H **59**
Broompark La. G31: Glas 4B **88**
Broompark Rd. G72: Blan 2A **144**
   ML2: Wis 5D **148**
Broompark St. G31: Glas 4B **88**
Broom Path G69: Bail 2F **111**
Broom Pl. G43: Glas 2B **122**
   ML1: N'hill 3C **132**
   ML5: Coat 2B **114**
   PA11: Bri W 4G **77**
Broom Rd. G43: Glas 2B **122**
   G67: Cumb 6D **16**
   G77: Newt M 3G **137**
Broom Rd. E. G77: Newt M 6G **137**
Broomside Cres. ML1: Moth 5G **147**
Broomside St. ML1: Moth 5G **147**
Broomstone Av. G77: Newt M 6F **137**
Broom Ter. PA5: John 4F **99**
Broomton Rd. G21: Glas 2E **67**
Broomvale Dr. G77: Newt M 4F **137**
Broomward Dr. PA5: John 2H **99**
Brora Cres. ML3: Ham 3D **160**
Brora Dr. G46: Giff 5B **122**
   G61: Bear 3H **47**
   PA4: Renf 6G **61**
Brora Gdns. G64: B'rig 6D **50**
Brora Rd. G64: B'rig 6D **50**
Brora St. G33: Glas 2F **89**
Broughton G75: E Kil 6G **157**
Broughton Dr. G23: Glas 1C **64**

Broughton Gdns. G23: Glas 6D 48
Broughton Pl. ML3: Ham 6E 145
   ML5: Coat 2D 114
Broughton Rd. G23: Glas 1C 64
Brouster Ga. G74: E Kil 2G 157
Brouster Hill G74: E Kil 2G 157
Brouster Pl. G74: E Kil 2G 157
Brown Av. G81: Clyd 1F 61
   G82: Dumb 1C 20
Brown Ct. G33: Step 4E 69
Brownhill Rd. G43: Glas 3H 121
Brownhill Vw. ML2: Newm 3H 151
Brownieside Pl. ML6: Plain 6G 75
Brownieside Rd. ML6: Plain ...1H 97
Brownlee Rd. ML2: Over 1B 172
   ML8: Carl, Law 1B 172
Brownlie St. G42: Glas 5F 107
Brown Pl. G72: Camb 1A 126
Brown Rd. G67: Cumb 3H 37
BROWNSBURN 1B 116
Brownsburn Ind. Est. ML6: Air 6B 96
Brownsburn Rd. ML6: Air 1B 116
Brownsdale Rd. G73: Ruth 6B 108
Brownsfield Av. PA4: Inch 5F 59
Brownsfield Cres. PA4: Inch 4F 59
Brownsfield Rd. PA4: Inch 4F 59
Brownshill Av. ML5: Coat 1B 114
Brownside Av. G72: Camb 2G 125
   G78: Barr 2C 118
   PA2: Pais 6G 101
Brownside Cres. G78: Barr 2C 118
Brownside Dr. G13: Glas 3H 61
   G78: Barr 2C 118
Brownside Gro. G78: Barr 2C 118
Brownside M. G72: Camb 2G 125
Brownside Rd. G72: Camb 2F 125
   G73: Ruth 2F 125
Brownsland Ct. G69: G'csh 3D 70
Brown's La. PA1: Pais 1A 102
Brown St. G2: Glas 6A 6 (4E 87)
   ML1: Moth 1H 147
   ML2: Newm 5E 151
   ML3: Ham 1A 162
   ML5: Coat 6C 94
   ML8: Carl 2D 174
   ML9: Lark 1C 170
   PA1: Pais 6G 81
   PA4: Renf 1D 82
Brown Wlk. ML2: Newm 4F 151
Bruar Way ML2: Newm 3D 150
   (off Tiree Cres.)
Bruce Av. G72: Camb 4A 126
   ML1: Moth 2F 147
   PA3: Pais 4C 82
   PA5: John 5E 99
Bruce Ct. ML6: Air 3E 97
Brucefield Pl. G34: Glas 3B 92
BRUCEHILL 3C 18
Brucehill Rd. G82: Dumb 3C 18
Bruce Ho. G67: Cumb 2H 37
Bruce Loan ML2: Over 5A 166
Bruce Pl. G75: E Kil 4H 157
Bruce Rd. G41: Glas 1C 106
   ML1: New S 5B 132
   PA3: Pais 5C 82
   PA4: Renf 2C 82
   PA7: B'ton 3G 41
Bruce's Loan ML9: Lark 3E 171
   (off Keir Hardie Rd.)
Bruce St. G81: Clyd 6D 44
   G82: Dumb 5G 19
   ML4: Bell 2D 130
   ML5: Coat 3D 94
   ML6: Plain 1G 97
Bruce Ter. G72: Blan 6C 128
   G75: E Kil 4H 157
Brunel Way G75: E Kil 3H 157

Brunstane Rd. G34: Glas 2G 91
Brunswick Cen. 4D 66
Brunswick Ho. G81: Clyd 1H 43
Brunswick La. G1: Glas ...6E 7 (4G 87)
Brunswick St. G1: Glas ...6E 7 (4G 87)
Brunton St. G44: Glas 2D 122
Brunton Ter. G44: Glas 3E 123
Bruntsfield Av. G53: Glas 4B 120
Bruntsfield Gdns. G53: Glas ...4B 120
Bryan St. ML3: Ham 4F 145
Bryce Gdns. ML9: Lark 1C 170
Bryce Pl. G75: E Kil 5E 157
Brydson Pl. PA3: Lin 5H 79
Bryson Ct. ML3: Ham 4H 161
Bryson St. G81: Faif 6G 25
Buccleuch Av. G52: Hill 3G 83
   G76: Clar 2B 138
Buccleuch Ct. G61: Bear 6E 27
Buccleuch Dr. G61: Bear 6E 27
Buccleuch La. G3: Glas ...2A 6 (2E 87)
   G3: Glas 2H 5 (2E 87)
Buchanan Av. PA7: B'ton 3H 41
Buchanan Bus. Pk. G33: Step 3F 69
Buchanan Ct. G33: Step 3E 69
   (not continuous)
Buchanan Cres. G64: B'rig 1E 67
   ML3: Ham 1F 161
Buchanan Dr. G61: Bear 6E 27
   G64: B'rig 1E 67
   G66: Lenz 4D 52
   G72: Camb 1G 125
   G73: Ruth 1D 124
   G77: Newt M 2E 137
   ML8: Carl 5G 175
   ML8: Law 5E 167
Buchanan Galleries (Shop. Cen.)
   G1: Glas 4D 6 (3G 87)
Buchanan Ga. G33: Step 3F 69
Buchanan Gro. G69: Bail 6H 91
Buchanan Pl. G64: Torr 4D 30
Buchanan St. G1: Glas 6C 6 (4F 87)
   G62: Miln 3H 27
   G69: Bail 1H 111
   G82: Dumb 5G 19
   ML5: Coat 5A 94
   ML6: Air 4A 96
   PA5: John 3E 99
Buchanan Street Station (Und.)
   ....4D 6 (3G 87)
Buchanan Way PA5: John 3E 99
Buchandyke Rd. G74: E Kil 5B 142
Buchandean Gdns. G32: Glas 3E 111
Buchan Grn. G74: E Kil 6B 142
Buchan Ho. G67: Cumb 2H 37
   (not continuous)
Buchan Rd. ML1: New S 5B 132
Buchan St. ML2: Wis 3H 149
   ML3: Ham 3G 161
Buchan Ter. G72: Camb 4G 125
BUCHLEY 2G 49
Buchlyvie Gdns. G64: B'rig 2B 66
Buchlyvie Path G34: Glas 4H 91
Buchlyvie Rd. PA1: Pais 6G 83
Buchlyvie St. G34: Glas 4H 91
Buckie PA8: Ersk 4E 43
Buckie Wlk. ML4: Bell 1C 130
Buckingham Ct. ML3: Ham 5C 144
Buckingham Dr. G32: Carm 5B 110
   G73: Ruth 6F 109
Buckingham St. G12: Glas 6B 64
Buckingham Ter. G12: Glas 6B 64
Bucklaw Gdns. G52: Glas 1C 104
Bucklaw Pl. G52: Glas 1C 104
Bucklaw Ter. G52: Glas 1C 104
Buckley St. G22: Glas 3H 65
Bucksburn Rd. G21: Glas 5E 67
Buckthorne Pl. G53: Glas 4B 120

Buddon St. G40: Glas 1E 109
Budhill Av. G32: Glas 6B 90
Budshaw Av. ML6: Chap 3C 116
Bulldale Ct. G14: Glas 4G 61
Bulldale Pl. G14: Glas 4G 61
Bulldale Rd. G14: Glas 4G 61
Bulldale St. G14: Glas 3G 61
Buller Cl. G72: Blan 5B 128
Buller Cres. G72: Blan 5A 128
Bullionslaw Dr.
   G73: Ruth 1F 125
Bulloch Av. G46: Giff 5B 122
Bull Rd. G76: Busby 3D 138
Bullwood Av. G53: Glas 5H 103
Bullwood Ct. G53: Glas 5H 103
Bullwood Dr. G53: Glas 4H 103
Bullwood Gdns. G53: Glas 4H 103
Bullwood Pl. G53: Glas 4H 103
Bunbury Ter. G75: E Kil 3E 157
Bunessan St. G52: Glas 6F 85
Bunhouse Rd. G3: Glas 1A 4 (2A 86)
Burbank G62: Miln 3G 27
   (off Highland Rd.)
Burch Hall La. G11: Glas 1H 85
Burghead Dr. G51: Glas 3E 85
Burghead Pl. G51: Glas 3E 85
Burgher St. G31: Glas 6E 89
Burgh Hall St. G11: Glas 1H 85
Burgh La. G12: Glas 6B 64
   (off Cresswell St.)
Burleigh Pl. ML5: Coat 2E 115
Burleigh Rd. G71: Both 4F 129
Burleigh St. G51: Glas 3G 85
   ML5: Coat 2D 114
Burley Pl. G74: E Kil 1B 156
Burlington Av. G12: Glas 3H 63
Burmola St. G22: Glas 5F 65
Burnacre Gdns. G71: Udd 6C 112
Burnawn Gdns. G33: Glas 2F 67
Burnawn Ga. G33: Glas 2F 67
Burnawn Gro. G33: Glas 2F 67
Burnawn Pl. G33: Glas 2F 67
BURNBANK 4E 145
Burnbank Braes ML8: Carl 4D 174
Burnbank Cen. ML3: Ham 4E 145
   ML3: Ham 4E 145
   (off Burnbank Rd.)
Burnbank La. G20: Glas 1D 86
Burnbank M. G66: Lenz 3D 52
Burnbank Pl. G20: Glas 1E 87
Burnbank Quad. ML6: Air 3H 95
Burnbank Rd. ML3: Ham 4E 145
Burnbank St. ML5: Coat 3D 94
   ML6: Air 3H 95
Burnbank Ter. G20: Glas 1D 86
   G65: Kils 2H 13
Burnblea Gdns. ML3: Ham 1A 162
Burnblea St. ML3: Ham 1H 161
Burn Brae G81: Dun 1C 44
Burnbrae G65: Twe 2D 34
Burnbrae Av. G61: Bear 6G 27
   G69: Mood 5D 54
   PA3: Lin 6A 80
Burnbrae Dr. G73: Ruth 2F 125
   PA3: Lin 2B 100
Burn Brae Gdns.
   G81: Dun 1C 44
Burnbrae Gdns. G53: Glas 1D 120
Burnbrae Pl. G74: E Kil 1E 157
Burnbrae Rd. G66: Auch 5E 53
   G66: Kirk 6H 33
   G69: Chry 5G 53
   G69: Chry, Lenz 3H 53
   G72: Blan 2A 144
   PA3: Lin 1H 99

Burnbrae St. G21: Glas 5C 66
  G81: Faif 5F 25
  ML9: Lark 2B 170
Burncleuch Av.
  G72: Camb 3A 126
Burn Cres. ML1: New S 3A 132
  ML6: Chap 3D 116
Burncrooks Av. G61: Bear 6C 26
  G74: E Kil 1E 157
Burncrooks Ct. G81: Dun 1B 44
Burndyke Ct. G51: Glas 4H 85
Burndyke Sq. G51: Glas 4A 86
Burnet Rose Ct. G74: E Kil 5E 141
Burnet Rose Gdns.
  G74: E Kil 5E 141
Burnet Rose Pl. G74: E Kil 5E 141
Burnett Ct. G69: Chry 1A 70
Burnett Rd. G33: Glas 4E 91
Burnfield Av. G46: Giff 3H 121
Burnfield Cotts. G46: Giff 3H 121
Burnfield Dr. G43: Glas 3H 121
Burnfield Gdns. G46: Giff 3A 122
Burnfield Rd. G43: Glas 2G 121
  G46: Giff 3A 122
BURNFOOT 2G 95
Burnfoot Cres. G73: Ruth 2F 125
  PA2: Pais 5G 101
Burnfoot Dr. G52: Glas 6B 84
Burnfoot Rd. ML6: Air 3G 95
Burngill Pl. PA11: Bri W 3F 77
Burngreen G65: Kils 3H 13
Burngreen Ter. G67: Cumb 6B 16
Burnhall Pl. ML2: Wis 2B 166
Burnhall Rd. ML2: Wis 1A 166
Burnhall St. ML2: Wis 2B 166
Burnham Rd. G14: Glas 5A 62
Burnhaven PA8: Ersk 5E 43
BURNHEAD 2E 171
Burnhead Rd. G43: Glas 2C 122
  G68: Cumb 3E 37
  ML6: Air 1C 96
  ML9: Lark 2D 170
Burnhead St. G71: View 5F 113
Burnhill Quad. G73: Ruth 5B 108
Burnhill Sports Cen. 5B 108
Burnhill St. G73: Ruth 5B 108
Burnhouse Brae
  G77: Newt M 6G 137
Burnhouse Cres. ML3: Ham 2F 161
Burnhouse La. G75: E Kil 3A 168
Burnhouse Rd. ML3: Ham 2F 161
Burnhouse St. G20: Glas 3A 64
  (not continuous)
Burniebrae ML6: Air 3G 95
Burniebrae Rd. ML6: Chap 2E 117
Burn La. ML1: New S 3A 132
Burnlea Cres. PA6: Hous 1A 78
Burnlip Rd. ML5: Glenb 5C 72
  ML6: Glenm 5C 72
Burnmouth Ct. G33: Glas 5F 91
Burnmouth Pl. G61: Bear 2G 47
Burnmouth Rd.
  G33: Glas 5F 91
Burnock Pl. G75: E Kil 4A 156
Burnpark Av. G71: Udd 6B 112
Burn Pl. G72: Camb 6G 109
Burn Rd. ML8: Carl 2D 174
Burns Av. PA7: B'ton 4H 41
Burns Ct. G66: Kirk 4G 33
Burn's Cres. ML6: Air 5B 96
Burns Dr. G66: Kirk 3G 33
  PA5: John 5E 99
Burns Gdns. G72: Blan 6A 128
Burns Ga. G72: Camb 4A 126
Burns Gro. G46: T'bnk 5G 121
BURNSIDE 2E 125
Burnside G61: Bear 6C 26

Burnside Av. G66: Kirk 6B 32
  G78: Barr 3D 118
  ML4: Bell 3E 131
  ML6: C'bnk 3B 116
  PA5: Brkfld 6C 78
Burnside Ct. G61: Bear 1C 46
  G73: Ruth 2E 125
  G81: Clyd 3A 44
  ML1: Moth 5B 148
  ML5: Coat *6B 94*
  (off Kirk St.)
Burnside Cres. G72: Blan 3C 144
  G81: Hard 1D 44
Burnside Gdns. G76: Clar 2B 138
  PA10: Kilb 3B 98
Burnside Ga. G73: Ruth 2E 125
Burnside Gro. PA5: John 3E 99
Burnside Ind. Est. G65: Kils 3G 13
Burnside La. ML3: Ham 1A 162
Burnside Pl. G82: Dumb 5H 19
  ML9: Lark 2D 170
  (not continuous)
  PA3: Pais 4E 81
Burnside Quad. ML1: Holy 2A 132
Burnside Rd. G46: Giff 3H 137
  G73: Ruth 2E 125
  ML1: N'hill 3C 132
  ML5: Coat 2E 95
  PA5: Eld 4A 100
Burnside Station (Rail) 2E 125
Burnside St. G82: Dumb 5H 19
  ML1: Moth 5B 148
Burnside Ter. *G82: Dumb* *5H 19*
  (off Burnside Pl.)
  PA10: Kilb 3B 98
Burnside Twr. *ML1: Moth* *5A 148*
  (off Burnside Ct.)
Burnside Vw. G75: E Kil 1A 168
  ML5: Coat 6A 94
Burnside Wlk. *G61: Bear* *6C 26*
  (off Burnside)
  ML5: Coat 6A 94
Burns La. ML6: Chap 2D 116
Burns Loan *ML9: Lark* *1D 170*
  (off Carrick Pl.)
Burns Pk. G74: E Kil 1A 158
Burns Path ML4: Bell 6D 114
Burns Rd. G66: Kirk 4F 33
  G67: Cumb 3B 38
  ML6: Chap 1D 116
Burns St. G4: Glas 1F 87
  G81: Clyd 3A 44
  ML3: Ham 1H 161
Burns Way ML1: N'hill 3C 132
Burntbroom Dr. G69: Bail 2F 111
Burntbroom Gdns. G69: Bail 2F 111
Burntbroom St. G33: Glas 3D 90
Burn Ter. G72: Camb 6G 109
Burnthills Ind. Est. *PA5: John* *2F 99*
  (off High St.)
Burntshields Rd. PA10: Kilb 2A 98
Burn Vw. G67: Cumb 2C 38
Burnwood Dr. ML6: Air 5G 97
Burra Gdns. G64: B'rig 5F 51
Burrell Collection Mus. 4H 105
Burrell Ct. G41: Glas 3A 106
Burrell's La. G4: Glas 5G 7 (4A 88)
Burrelton Rd. G43: Glas 1D 122
Burte Ct. ML4: Bell 6C 114
Burton La. G42: Glas 4E 107
Bute G8: Carl 3A 174
BUSBY 3D 138
Busby Equitation Cen. 5E 139
Busby Rd. G76: Busby, Clar 2C 138
  G76: Crmck 3G 139
  ML4: Bell 4B 130

Busby Station (Rail) 4E 139
Bush Cres. ML2: Wis 1A 166
Bushelhead Rd. ML8: Carl 6C 174
Bushes Av. PA2: Pais 4H 101
Busheyhill St. G72: Camb 2A 126
Bute G74: E Kil 2C 158
Bute Av. ML1: Moth 2E 147
  PA4: Renf 2F 83
Bute Cres. G60: Old K 2G 43
  G61: Bear 5F 47
  PA2: Pais 6H 101
Bute Dr. G60: Old K 2G 43
  PA5: John 4D 98
Bute Gdns. G12: Glas 1B 86
  G44: Neth 3D 122
  G60: Old K 1G 43
Bute La. G12: Glas 1B 86
Bute Pl. G60: Old K 2H 43
Bute Rd. G66: Kirk 5H 33
  PA3: Glas A 2H 81
Bute St. ML3: Ham 3F 145
  ML5: Coat 1D 114
Bute Ter. G71: View 6F 113
  G73: Ruth 2C 124
Bute Twr. G72: Camb 4G 125
Butler Wynd ML4: Bell 2B 130
Butterbiggins Rd. G42: Glas 2E 107
Butterburn Pk. St. ML3: Ham . . .1H 161
Buttercup Path ML2: Wis 2F 165
Butterfield Pl. G41: Glas 2E 107
Buttermere G75: E Kil 6B 156
Byars Rd. G66: Kirk 5B 32
Byrebush Rd. G53: Glas 4C 104
Byres Av. PA3: Pais 5C 82
Byres Cres. PA3: Pais 5C 82
Byres Rd. G11: Glas 1A 86
  G12: Glas 1A 86
  ML1: N'hill 3E 133
  PA5: Eld 3B 100
Byrestone Av. G77: Newt M 5A 138
Byron Ct. G71: Both 5F 129
Byron St. G11: Glas 1E 85
  G81: Clyd 3C 44
Byshot Path G22: Glas 5H 65
Byshot St. G22: Glas 5H 65

C

Cable Dpt. Rd. G81: Clyd 5B 44
CADDER
  G23 . . . . .2D 64
  G64 . . . . .2D 50
Cadder Ct. G64: B'rig 2D 50
  G69: G'csh 4D 70
Cadder Gro. *G20: Glas* *2C 64*
  (off Cadder Rd.)
Cadder Pl. G20: Glas 1C 64
Cadder Rd. G20: Glas 1C 64
  G23: Glas 1C 64
  G64: B'rig 2D 50
Cadder Way G64: B'rig 2D 50
Cadell Gdns. G74: E Kil 4D 142
Cadger's Sheuch G65: Kils 3C 14
Cadoc St. G72: Camb 2B 126
Cadogan Sq. G2: Glas 6A 6 (4E 87)
Cadogan St. G2: Glas 5A 6 (4E 87)
Cadzow Av. G46: Giff 1H 137
  ML3: Ham 4F 145
Cadzow Bri. ML3: Ham 5A 146
Cadzow Castle (remains of) 3C 162
Cadzow Cres. ML5: Coat 1A 114
Cadzow Dr. G72: Camb 2H 125
  ML4: Bell 3F 131
Cadzow Grn. G74: E Kil 1F 157
Cadzow Ho. ML3: Ham 4A 146

Cadzow Ind. Est. ML3: Ham 3H **161**
Cadzow La. ML3: Ham 5A **146**
    (not continuous)
Cadzow Pk. ML3: Ham 5A **146**
Cadzow St. G2: Glas 6H **5** (4E **87**)
   ML1: Moth 3F **147**
   ML3: Ham 5A **146**
   ML9: Lark 1C **170**
Caerlaverock Pl. G72: Blan 3A **144**
Caird Dr. G11: Glas 1H **85**
Caird Gdns. ML3: Ham 4G **145**
Caird Pk. ML3: Ham 4H **145**
Caird St. ML3: Ham 4G **145**
Caird Ter. *G61: Bear* *6D 26*
    (off Grampian Way)
Cairhill Trad. Est. ML6: Air 5A **96**
Cairn Av. PA4: Renf 2G **83**
Cairnban Ct. *ML8: Carl* *2D 174*
    (off Carranbuie Rd.)
Cairnban St. G51: Glas 5D **84**
Cairnbrook Ind. Est. G34: Glas . . .3H **91**
Cairnbrook Rd. G34: Glas 3A **92**
Cairn Ct. G74: E Kil 5G **141**
   ML1: Moth 4H **147**
Cairncraig St. G40: Glas 1E **109**
Cairncross Ho. *G3: Glas* *3B 86*
    (Kelvinhaugh Pl.)
Cairndow Av. G44: Glas 3D **122**
Cairndow Av. La. G44: Glas 3D **122**
Cairndow Ct. G44: Glas 3D **122**
Cairndow Pl. ML2: Wis 2H **165**
Cairn Dr. PA3: Lin 5H **79**
Cairndyke Cres. ML6: Air 5A **96**
Cairneymount Rd. ML8: Carl 3D **174**
Cairney Pl. ML2: Newm 3H **151**
Cairngorm Ct. ML3: Ham 4F **161**
Cairngorm Cres. G61: Bear 1B **46**
   G78: Barr 6E **119**
   ML2: Wis 6F **149**
   PA2: Pais 4A **102**
Cairngorm Gdns. G68: Cumb . . .4D **36**
Cairngorm Pl. G75: E Kil 1B **168**
Cairngorm Rd. G43: Glas 2A **122**
CAIRNHILL 6H **95**
Cairnhill Av. ML6: Air 6A **96**
Cairnhill Cir. G52: Glas 2H **103**
Cairnhill Ct. *G61: Bear* *4E 47*
    (off Cairnhill Vw.)
   ML8: Carl 3D **174**
Cairnhill Cres. ML5: Coat 2F **115**
Cairnhill Dr. G52: Glas 2H **103**
Cairnhill Pl. G52: Glas 2H **103**
Cairnhill Rd. G61: Bear 6F **47**
   ML6: Air 6H **95**
Cairnhill Vw. G61: Bear 4E **47**
Cairnhope Av. ML6: Air 6H **95**
Cairnlea Dr. G51: Glas 5H **85**
Cairnlea Gdns. ML4: Bell 4D **130**
Cairnlea Rd. G62: Miln 4E **27**
Cairnmuir Rd. G73: Ruth 3F **141**
   G74: Roger 3F **141**
   G76: Crmck, Roger 4C **140**
Cairnoch Hill G68: Cumb 3E **37**
Cairn Pl. G74: E Kil 5G **141**
Cairnryan G74: E Kil 6F **141**
Cairnryan Cres. G72: Blan 3G **127**
CAIRNS 3C **126**
Cairns Av. G72: Camb 2B **126**
Cairns Ct. G72: Camb 2B **126**
Cairns Dr. G62: Miln 3G **27**
Cairnsmore Dr. G61: Bear 6B **26**
Cairnsmore Rd. G15: Glas 5G **45**
Cairns Rd. G72: Camb 3B **126**
   PA7: B'ton 3G **41**
Cairns St. ML1: Moth 3G **147**
Cairn St. G21: Glas 3B **66**
Cairnswell Av. G72: Camb 3C **126**

Cairnswell Pl. G72: Camb 3C **126**
Cairntoul Ct. G68: Cumb 4D **36**
Cairntoul Dr. G14: Glas 3A **62**
Cairntoul Pl. G14: Glas 4A **62**
Cairn Vw. G66: Kirk 6H **33**
   ML1: Air 5H **95**
Cairnview Rd.
   G66: Milt C 6B **10**
Cairnwood Dr. ML6: Air 6H **95**
Caithness Rd. G74: E Kil 6C **142**
Caithness St. G4: Glas 1F **87**
   G20: Glas 5D **64**
   G72: Blan 3A **144**
Cala Sona Ct. ML2: Wis 3E **165**
Calcots Path G34: Glas 2A **92**
Calcots Pl. G34: Glas 2A **92**
Caldarvan St. G22: Glas 6F **65**
Caldeen Rd. ML5: Coat 6D **94**
Calder Av. G78: Barr 6E **119**
   ML2: Newm 3E **151**
   ML5: Coat 1D **114**
CALDERBANK 3B **116**
Calderbank Rd.
   ML6: Air, C'bnk 1A **116**
Calderbank Ter.
   ML1: Moth 2H **147**
Calderbank Vw. G69: Bail 1A **112**
Calderbankview Cotts.
   ML6: C'bnk 1B **116**
CALDERBRAES 5C **112**
Calderbraes Av. G71: Tann 4C **112**
Calder Ct. *ML5: Coat* *1D 114*
    (off Whifflet St.)
Caldercuilt Rd. G20: Glas 1A **64**
   G23: Glas 1A **64**
Calder Dr. G72: Camb 2A **126**
   ML4: Bell 3E **131**
Calder Ga. G64: B'rig 3B **50**
Calderglen Av. G72: Blan 3A **128**
Calderglen Country Pk. 6E **143**
Calderglen Country Pk. Vis. Cen.
    .5D **158**
Calder Glen Ct. ML6: Air 6D **96**
Calderglen Rd. G74: E Kil 6D **142**
Caldergrove ML1: Moth 2G **147**
Calderigg Pl. ML6: Air 4E **97**
Calderpark Av. G71: Udd 3H **111**
Calderpark Ct. G71: Udd 3H **111**
Calderpark Cres. G71: Udd 3H **111**
Calderpark Pl. G71: Udd 3H **111**
Calderpark Rd. G71: Udd 3H **111**
    (not continuous)
Calderpark Ter. G71: Udd 3H **111**
Calder Pl. G69: Bail 1H **111**
Calder Rd. G71: View 4H **113**
   G72: Blan 2H **127**
   ML4: Bell, Moss 2E **131**
   PA3: Pais 6E **81**
Calderside Gro. G74: E Kil 5E **143**
Calderside Rd. G72: Blan 3D **158**
Calder St. G42: Glas 3E **107**
   G72: Blan 1B **144**
   ML5: Coat 1D **114**
   ML6: C'bnk 3C **116**
Calder Twr. G74: E Kil 4B **158**
   ML1: Moth 4G **147**
Caldervale St. ML6: Gart 1E **117**
Calder Vw. ML3: Ham 3F **161**
Calderview ML1: Moth 2H **147**
Calderview Av. ML5: Coat 1F **115**
CALDERWOOD 6B **142**
Calderwood Av. G69: Bail 2G **111**
Calderwood Ct. ML2: Wis 1H **165**
Calderwood Dr. G69: Bail 2G **111**
   G72: Blan 3B **144**
Calderwood Gdns. G69: Bail 2G **111**
   G74: E Kil 5E **143**

Calderwood Rd. G43: Glas 1B **122**
   G73: Ruth 6E **109**
   G74: E Kil 2A **158**
Calderwood Sq. *G74: E Kil* *6B 142*
    (off Pollock Pl.)
Caldwell Av. G13: Glas 3A **62**
   PA3: Lin 6F **79**
Caldwell Gro. G73: Ruth 5E **125**
   ML4: Bell 5C **114**
Caldwell Quad. ML1: Moth 4E **147**
Caldwell Rd. ML8: Carl 5F **175**
Caledonia Av. G5: Glas 2G **107**
   G73: Ruth 5D **108**
Caledonia Ct. PA3: Pais 5H **81**
Caledonia Dr. G69: Bail 2H **111**
   ML1: N'hill 3E **133**
Caledonia Gdns. ML8: Carl 2C **174**
Caledonian Av. ML4: Bell 3B **130**
Caledonian Cres. *G12: Glas* *1C 86*
    (off Otago St.)
Caledonian Ga. ML5: Coat 3C **94**
Caledonian Pk. ML2: Wis 6D **148**
Caledonian Rd. ML2: Wis 2G **165**
   ML9: Lark 2C **170**
Caledonia Rd. G5: Glas 1F **107**
   G69: Bail 2G **111**
Caledonia St. G5: Glas 2G **107**
   G81: Clyd 4B **44**
   PA3: Pais 6H **81**
Caledonia Ter. G82: Dumb 4C **18**
Caledonia Wlk. *ML3: Ham* *2A 162*
    (off Chatelherault Cres.)
Caledonia Way PA3: Glas A 2H **81**
Caledonia Way E. PA3: Glas A . . .2A **82**
Caledonia Way W. PA3: Glas A . . .2H **81**
Caledon La. *G12: Glas* *1A 86*
    (off Highburgh Rd.)
Caledon St. G12: Glas 1A **86**
Caley Brae G71: Udd 1D **128**
Calfhill Rd. G53: Glas 2B **104**
Calfmuir Rd. G66: Kirk, Lenz 6G **33**
Calgary Pk. G75: E Kil 3F **157**
Calgary Pl. G75: E Kil 3F **157**
Calgary St. G4: Glas 2E **7** (2G **87**)
Calico Way G66: Len 2E **9**
Callaghan Wynd G72: Blan 6H **127**
Callander Ct. G68: Cumb 1H **37**
Callander Rd. G68: Cumb 1H **37**
   ML6: Chap 4D **116**
Callander St. G20: Glas 6E **65**
Callieburn Ct. G64: B'rig 1C **66**
Callieburn Rd. G64: B'rig 1C **66**
Callon St. ML6: Air 4A **96**
Cally Av. G15: Glas 4A **46**
Calside Av. PA2: Pais 3H **101**
Calside Av. PA2: Pais 2H **101**
Calside Ct. PA2: Pais 3A **102**
CALTON 6H **7** (5A **88**)
Calton Entry *G40: Glas* *5A 88*
    (off Stevenson St.)
Calvay Cres. G33: Glas 4D **90**
Calvay Pl. G33: Glas 4E **91**
Calvay Rd. G33: Glas 4D **90**
Cambourne Rd. G69: Mood 4D **54**
Cambridge Av. G81: Clyd 4D **44**
Cambridge Rd. PA4: Renf 1E **83**
Cambridge St. G2: Glas 3B **6** (3F **87**)
   G3: Glas 3B **6** (3F **87**)
Camburn St. G32: Glas 6H **89**
Cambusdoon Rd. G33: Glas 1C **90**
Cambuskenneth Gdns.
   G32: Glas 6D **90**
Cambuskenneth Pl. G33: Glas . . .1C **90**
CAMBUSLANG 1A **126**
Cambuslang Bri. G32: Glas 6A **110**

Cambuslang Ct. G32: Glas 5H **109**
Cambuslang Gdns.
G72: Camb *2B 126*
(off Croft Rd.)
Cambuslang Ind. Pk.
G32: Glas 5A **110**
Cambuslang Investment Pk.
G32: Glas 5A **110**
Cambuslang Rd. G32: Glas 5H **109**
G72: Camb 5G **109**
(Bogleshole Rd.)
G72: Camb 4D **108**
(Farmeloan Rd.)
G73: Ruth 4D **108**
Cambuslang Way G32: Glas 5H **109**
Cambusmore Pl. G33: Glas 1C **90**
CAMBUSNETHAN 6B **150**
Cambusnethan St. ML2: Wis 5C **150**
Cambus Pl. G33: Glas 1C **90**
Camden St. G5: Glas 1G **107**
Camden Ter. G5: Glas 1G **107**
Camellia Dr. ML2: Wis 2E **165**
Camelon Cres. G72: Blan 2B **144**
Camelon St. G32: Glas 5H **89**
Cameron Av. PA7: B'ton 3H **41**
Cameron Cotts. *G81: Hard* *1E 45*
(off Glasgow Rd.)
Cameron Ct. G52: Hill 4H **83**
G73: Ruth 6C **108**
G81: Clyd 1E **61**
Cameron Cres. G76: Crmck 2A **140**
ML3: Ham 6F **145**
Cameron Dr. G61: Bear 4G **27**
G71: Tann 5E **113**
G77: Newt M 2E **137**
Cameronian Dr. ML8: Carl 4E **175**
Cameronian Pl. ML4: Bell 4B **130**
Cameronian Way ML9: Lark 4E **171**
Cameron Path *ML9: Lark* *4E 171*
(off Donaldson Rd.)
Cameron Rd. ML8: Carl 5F **175**
Cameron Sq. G81: Hard 1E **45**
Cameron St. G52: Hill 4G **83**
G81: Clyd 1E **61**
ML1: Moth 3F **147**
ML5: Coat 3D **94**
Cameron Way G72: Blan 1B **144**
Camie Ct. G66: Kirk 5C **32**
CAMLACHIE 6D **88**
Camlachie St. G31: Glas 6D **88**
(not continuous)
Campbell Av. G62: Miln 4G **27**
G82: Dumb 1C **20**
PA7: B'ton 3H **41**
Campbell Cl. ML3: Ham 5B **146**
Campbell Cres. G71: Both 3E **129**
G77: Newt M 3E **137**
Campbell Dr. G61: Bear 2D **46**
G78: Barr 5E **119**
G82: Dumb 1C **20**
Campbell Ho. G67: Cumb 4G **37**
Campbell La. ML1: Moth 6A **146**
Campbell Pl. G64: Torr 4D **30**
G75: E Kil 4G **157**
Campbell St. G20: Glas 2B **64**
ML2: Wis 6H **149**
ML3: Ham 6A **146**
ML4: Bell 2C **130**
PA4: Renf 5F **61**
PA5: John 3F **99**
Campbell Ter. G82: Dumb 1C **20**
Camphill PA1: Pais 2H **101**
Camphill Av. G41: Glas 5C **106**
G66: Kirk 5C **32**
Camphill Ct. PA2: Pais 2H **101**
Camphill Gdns. PA7: B'ton 4A **42**

Camphill Ho. G41: Glas 4D **106**
Campion Rd. ML1: Moth 1G **147**
Camp Rd. G69: Bail 6H **91**
G73: Ruth 3B **108**
ML1: Moth 5G **147**
Camps Cres. PA4: Renf 1G **83**
Campsie Av. G78: Barr 6E **119**
Campsie Ct. G66: Kirk 1C **52**
ML5: Coat 2E **115**
ML9: Lark 6H **163**
Campsie Cres. ML6: Air 3H **95**
Campsie Dr. G61: Bear 6D **26**
G62: Miln 3H **27**
PA2: Pais 5H **101**
PA3: Glas A 1A **82**
PA4: Renf 3C **82**
Campsie Gdns. G76: Clar 1A **138**
Campsie Pl. G69: Chry 1A **70**
Campsie Recreation Cen. 3G **9**
Campsie Rd. G64: Torr 4E **31**
G66: Kirk 4B **32**
G66: Len, Milt C 4H **9**
(not continuous)
G75: E Kil 2A **168**
ML2: Wis 5E **149**
Campsie St. G21: Glas 4B **66**
Campsie Vw. G33: Step 5D **68**
G66: Kirk 5A **32**
G67: Cumb 2B **38**
G69: Barg 6D **92**
G69: Chry 1A **70**
G71: Tann 5E **113**
G72: Flem 4E **127**
ML3: Ham 1D **160**
Campston Pl. G33: Glas 2B **90**
Camp St. ML1: Moth 4G **147**
Camstradden Dr. E. G61: Bear . . .3C **46**
Camstradden Dr. W.
G61: Bear 3C **46**
Camus Pl. G15: Glas 3H **45**
Canal Av. PA5: John 3G **99**
Canal Bank G13: Glas 1H **61**
G23: Glas *2E 65*
(off Balmore Rd.)
Canal Bank Nth. *G23: Glas* *2E 65*
(Balmore Rd.)
Canal Ct. ML5: Coat 4B **94**
Canal Gdns. PA5: Eld 2B **100**
Canal La. G66: Kirk 4D **32**
PA4: Renf 5F **61**
Canal Rd. PA5: John 3F **99**
Canal St. G4: Glas 1E 7 (2G **87**)
G66: Kirk 4D **32**
G81: Clyd 1D **60**
PA1: Pais 1H **101**
PA4: Renf 5F **61**
PA5: Eld 2B **100**
PA5: John 2G **99**
Canal Ter. PA1: Pais 1A **102**
Canberra Av. G81: Clyd 3H **43**
Canberra Ct. G46: Giff 4C **122**
Canberra Dr. G75: E Kil 3E **157**
Candermill & Marlage Rd.
ML9: Ashg 6H **171**
Cander Rigg G64: B'rig 3C **50**
Cander St. ML9: Lark 5D **170**
Candimilne Ct. ML8: Carl 4F **175**
Candleriggs G1: Glas 6F 7 (4H **87**)
Candren Rd. PA3: Lin, Pais 6B **80**
PA3: Pais 1E **101**
(not continuous)
Candren Way PA3: Pais 6E **81**
Candymill La. ML3: Ham 2G **145**
Caneluk Av. ML8: Carl 5F **175**
Canmore Pl. G31: Glas 1F **109**
Canmore St. G31: Glas 1F **109**
Cannerton Cres. G66: Milt C 6B **10**

Cannerton Pk. G66: Milt C 6B **10**
Cannich Dr. PA2: Pais 4D **102**
Cannich Pl. ML2: Newm 3D **150**
Canniesburn Ct. *G61: Bear* *4E 47*
(off Canniesburn Quad.)
Canniesburn Dr. G61: Bear 5E **47**
Canniesburn Quad. G61: Bear 5E **47**
Canniesburn Rd. G61: Bear 5C **46**
Canniesburn Sq. G61: Bear 5F **47**
Canniesburn Toll G61: Bear 5F **47**
Canniesburn Rd. G61: Bear 4D **46**
Cannons Health & Fitness
East Kilbride 4A **158**
Canonbie Av. G74: E Kil 5H **141**
Canonbie La. G74: E Kil 5G **141**
Canonbie St. G34: Glas 2B **92**
Canon Ct. ML1: Carf 5D **132**
Canongate G74: E Kil 5D **142**
Canterbury G75: E Kil 5D **156**
Cantieslaw Dr. G74: E Kil 6A **142**
Canting Way G51: Glas . . .6A 4 (4A **86**)
Canyon Rd. ML2: Wis 1D **164**
Caol Ct. G74: T'hall 6G **139**
Capel Av. G77: Newt M 3F **137**
Capel Gro. G74: E Kil 6B **142**
Capelrig Dr. G74: E Kil 1B **158**
G77: Newt M 1D **136**
Capelrig La. G77: Newt M 3D **136**
Capelrig Rd. G77: Newt M 1D **136**
Capelrig St. G46: T'bnk 3F **121**
Caper House Play Barn 5D **140**
Caplaw Pl. ML2: Wis 3F **165**
Caplaw Rd. PA2: Pais 6G **101**
Caplaw Twr. ML2: Wis 3F **165**
Caplethill Rd. G78: Barr 6A **102**
PA2: Pais 6A **102**
Caprington Pl. G33: Glas 2A **90**
Caprington St. G33: Glas 2A **90**
Cara Dr. G51: Glas 3E **85**
Cara Rd. ML6: Air 6D **96**
Caravelle Way PA4: Renf 2F **83**
Carbarns ML2: Wis 2D **164**
Carbarns E. ML2: Wis 2D **164**
Carbarns Rd. ML2: Wis 3C **164**
Carbarns W. ML2: Wis 2D **164**
Carberry Rd. G41: Glas 3B **106**
Carbeth Rd. G62: Miln 4F **27**
Carbeth St. G22: Glas 5F **65**
Carbisdale St. G22: Glas 4A **66**
Carbost St. G23: Glas 6B **48**
Carbrach Loan *ML2: Newm* *3D 150*
(off Tiree Cres.)
CARBRAIN 4A **38**
Carbrain Ind. Est. G67: Cumb 4B **38**
Carbrook St. G21: Glas 2C **88**
PA1: Pais 1G **101**
Cardarrach St. G21: Glas 5C **66**
Cardean Rd. ML4: Moss 1G **131**
Cardell Av. PA2: Pais 2E **101**
Cardell Cres. ML6: Chap 3D **116**
Cardell Dr. PA2: Pais 2E **101**
Cardell Rd. PA2: Pais 2E **101**
CARDONALD 6B **84**
Cardonald Dr. G52: Glas 1A **104**
Cardonald Gdns. G52: Glas 1B **104**
CARDONALD INTERCHANGE 5C **84**
Cardonald Pk. G51: Glas 4B **84**
Cardonald Pl. Rd. G52: Glas 1B **104**
Cardonald Station (Rail) 5D **84**
Cardowan Dr. G33: Step 4D **68**
G68: Cumb 4H **35**
Cardowan Rd. G71: Tann 4F **113**
Cardowan Rd. G32: Glas 5H **89**
G33: Step 3E **69**
Cardow Rd. G21: Glas 5E **67**
Cardrona St. G33: Glas 6B **68**
Cardross Ct. G31: Glas 4B **88**

Cardross Pl. G68: Cumb 3D 36
Cardross Rd.
   G82: Card, Dumb 2A 18
   G82: Dumb 3B 18
Cardross St. G31: Glas 4B 88
Cardwell St. G41: Glas 1E 107
Cardyke St. G21: Glas 5C 66
Careston Pl. G64: B'rig 6F 51
Carey Gdns. ML1: Cle 6H 133
CARFIN 5B 132
Carfin Ind. Est. ML1: New S 5B 132
   (not continuous)
Carfin Lourdes Grotto 5D 132
Carfin Mill Rd. ML1: Carf 6C 132
Carfin Rd. ML1: N'hill 5D 132
   ML2: Wis 5C 148
Carfin Station (Rail) 5D 132
Carfin St. G42: Glas 3F 107
   ML1: New S 4A 132
   ML5: Coat 1D 114
Carfrae St. G3: Glas 3A 4 (3A 86)
Cargill Sq. G64: B'rig 1E 67
Carham Cres. G52: Glas 6C 84
Carham Dr. G52: Glas 6C 84
Caribou Grn. G75: E Kil 3D 156
Carillon Rd. G51: Glas 6A 86
Carinthia Sq. G81: Clyd 5D 44
Carisbrooke Cres. G64: B'rig . . .3D 50
Carlaverock Rd. G43: Glas 1B 122
Carleith Av. G81: Dun 1B 44
Carleith Quad. G51: Glas 4D 84
Carleith Ter. G81: Dun 1B 44
Carleston St. G21: Glas 5B 66
Carleton Ct. G46: Giff 3A 122
Carleton Dr. G46: Giff 3A 122
Carleton Ga. G46: Giff 3A 122
Carlibar Av. G13: Glas 3H 61
Carlibar Dr. G78: Barr 4E 119
Carlibar Gdns. G78: Barr 4E 119
Carlibar Rd. G78: Barr 4D 118
Carlile Pl. PA3: Pais 5A 82
Carlin La. ML8: Carl 4F 175
Carlin's Pl. G66: Len 3F 9
Carlisle La. ML6: Air 4C 96
Carlisle Rd. ML1: Cle, N'hse 6G 117
   ML3: Fern 1D 162
   ML3: Ham 3B 146
   ML6: Air, Chap 5C 96
   ML9: Birk, Lark 5D 170
   ML9: Lark 5G 163
Carlisle St. G21: Glas 6H 65
Carlock Wlk. G32: Glas 5C 90
Carlouk La. ML8: Carl 4F 175
Carloway Ct. G33: Glas 3B 90
Carlowrie Av. G72: Blan 5A 128
CARLSTON 3G 31
Carlton Ct. G5: Glas 5F 87
   ML3: Ham 1A 162
   (off Woodside Av.)
Carlton Pl. G5: Glas 5F 87
CARLUKE 3D 174
Carluke Leisure Cen. 3E 175
Carluke Station (Rail) 4B 174
Carlyle Av. G52: Hill 3H 83
Carlyle Dr. G74: E Kil 1A 158
Carlyle Ter. G73: Ruth 4D 108
   G74: E Kil 1B 158
Carmaben Rd. G33: Glas 3D 90
Carman Vw. G82: Dumb 1G 19
Carment Dr. G41: Glas 5B 106
Carmichael Path ML5: Glenb 3G 71
   (off The Oval)
Carmichael Pl. G42: Glas 6D 106
Carmichael St. G51: Glas 5H 85
   ML8: Law 6D 166
Carmichael Way ML8: Law 6D 166
CARMUNNOCK 2H 139

Carmunnock By-Pass
   G76: Crmck 6G 123
Carmunnock La. G44: Glas 2F 123
Carmunnock Rd. G44: Glas 6F 107
   (not continuous)
   G45: Glas 6G 123
   G74: E Kil 1F 157
   G76: Busby 4E 139
   G76: Crmck 6G 123
   (Carmunnock By-Pass)
   G76: Crmck 6C 140
   (Kittochside Rd.)
CARMYLE 5B 110
Carmyle Av.
   G32: Carm, Glas 3B 110
CARMYLE AVENUE INTERCHANGE
   . . . . .4B 110
Carmyle Gdns.
   ML5: Coat 2A 114
Carmyle Station (Rail) 4B 110
Carnarvon St. G3: Glas . .1G 5 (2D 86)
Carnbooth Ct. G45: Glas 5B 124
CARNBROE 2F 115
Carnbroe Rd. ML4: Bell 6D 114
   (not continuous)
   ML5: Bell, Coat 1F 115
Carneddans Rd. G62: Miln 1C 26
Carnegie Hill G75: E Kil 3F 157
Carnegie Pl. G75: E Kil 3F 157
Carnegie Rd. G52: Hill 4A 84
   (not continuous)
Carnoch St. G23: Glas 6B 48
Carnock Cres. G78: Barr 6D 118
Carnock Gdns. G62: Miln 3E 27
Carnock Rd. G53: Glas 5C 104
Carnoustie Ct. G71: Both 5D 128
Carnoustie Cres. G64: B'rig 6E 51
   G75: E Kil 5C 156
Carnoustie Pl. G5: Glas 6D 86
   ML4: Bell 6C 114
Carnoustie St. G5: Glas 6D 86
Carnoustie Way G68: Cumb 5H 15
CARNTYNE 4G 89
Carntyne Gdns. G32: Glas 4G 89
Carntyne Gro. G32: Glas 4A 90
Carntynehall Rd. G32: Glas 4H 89
Carntyne Ind. Est. G32: Glas 5G 89
Carntyne Path G32: Glas 4F 89
Carntyne Pl. G32: Glas 4F 89
Carntyne Rd. G31: Glas 5E 89
Carntyne Station (Rail) 5H 89
CARNWADRIC 3E 121
Carnwadric Rd. G46: T'bnk 2E 121
Carnwath Av. G43: Glas 1D 122
Carnwath Rd. ML8: Carl 4D 174
Caroline St. G31: Glas 6G 89
Carolside Av. G76: Clar 2C 138
Carolside Dr. G15: Glas 4B 46
Carolside Gdns. G76: Clar 2C 138
Carousel Cres. ML2: Wis 6A 150
Carradale Cres. G68: Cumb 5B 36
Carradale Gdns. G64: B'rig 6E 51
   ML8: Carl 5E 175
Carradale Pl. PA3: Lin 5G 79
Carradale St. ML5: Coat 4B 94
   (not continuous)
Carranbuie Rd. ML8: Carl 2D 174
Carrbridge Dr. G20: Glas 3B 64
Carresbrook Av. G66: Kirk 1G 53
CARRIAGEHILL 4A 102
Carriagehill Av. PA2: Pais 3A 102
Carriagehill Dr. PA2: Pais 4A 102
Carrickarden Rd. G61: Bear 4F 47
Carrick Ct. G66: Kirk 3G 33
Carrick Cres. G46: Giff 6A 122
   ML2: Wis 5G 149

Carrick Dr. G32: Glas 1E 111
   G73: Ruth 2C 124
   ML5: Coat 4H 93
Carrick Gdns. G72: Blan 3B 144
   ML3: Ham 1C 160
   ML4: Bell 5C 114
   ML8: Carl 5E 175
Carrick Gro. G32: Glas 1E 111
Carrick Mans. G32: Glas 2E 111
   (off Carrick Dr.)
   ML5: Coat 4H 93
   ML5: Glenb 3A 72
   ML9: Lark 1D 170
Carrick Rd. G64: B'rig 6E 51
   G67: Cumb 1A 38
   G73: Ruth 2B 124
   G74: E Kil 6H 141
   PA7: B'ton 5A 42
CARRICKSTONE 6G 15
Carrickstone Rd. G68: Cumb 6G 15
Carrickstone Rdbt. G68: Cumb . . .6G 15
Carrickstone Vw. G68: Cumb 6H 15
Carrick St. G2: Glas 6A 6 (4E 87)
   ML9: Lark 3E 171
Carrick Ter. G82: Dumb 3B 18
Carrickvale Ct. G68: Cumb 6H 15
Carrick Vw. ML5: Glenb 3A 72
Carrick Way G71: Both 4E 129
Carriden Pl. G33: Glas 4E 91
Carrington St. G4: Glas . .1G 5 (1D 86)
Carroglen Gdns. G32: Glas 6D 90
Carroglen Gro. G32: Glas 6D 90
Carroll Cres. ML1: Carf 5C 132
Carron Ct. G72: Camb 2E 127
   (off Mill Rd.)
   G72: Camb 2D 126
   (Arnhem St.)
   ML3: Ham 2F 161
Carron Cres. G22: Glas 4H 65
   G61: Bear 4C 46
   G64: B'rig 6D 50
   G66: Lenz 3E 53
Carron Dr. PA7: B'ton 5A 42
Carron Ho. G67: Cumb 3H 37
   (in The Cumbernauld Shop. Cen.)
   G67: Cumb 4H 37
   (off Town Cen.)
Carron Pl. G22: Glas 4A 66
   G75: E Kil 6H 157
   ML5: Coat 2H 93
Carron St. G22: Glas 4A 66
   ML2: Wis 2H 165
Carron Way G67: Cumb 3H 37
   (in The Cumbernauld Shop. Cen.)
   ML1: N'hill 3C 132
   PA3: Pais 4C 82
Carrour Gdns. G64: B'rig 5B 50
Carr Quad. ML4: Moss 2F 131
Carruth Rd. PA11: Bri W 3E 77
Carsaig Dr. G52: Glas 6E 85
Carsaig Loan ML5: Glenb 3G 71
Carscallan Rd. ML3: Ham 5H 161
Carsegreen Av. PA2: Pais 6F 101
Carsemeadow PA11: Q'riers 1A 76
Carse Vw. Dr. G61: Bear 1G 47
Carstairs St. G40: Glas 3B 108
Carswell Gdns. G41: Glas 3C 106
Carswell Rd. G77: Newt M 4B 136
Cartbank Gdns. G44: Glas 3E 123
Cartbank Gro. G44: Glas 3D 122
Cartbank Rd. G44: Glas 3D 122
Cartcraigs Rd. G43: Glas 1H 121
Cartha Cres. PA2: Pais 2C 102
Cartha St. G41: Glas 6C 106
Cartland Av. ML8: Carl 5D 174
Cart La. PA3: Pais 5A 82

Cartsbridge Rd. G76: Busby 3C **138**
CARTSIDE 4D **98**
Cartside Av. PA4: Inch 5F **59**
   PA5: John 4D **98**
Cartside Dr. G76: Busby 3E **139**
Cartside Pl. G77: Busby 4D **138**
Cartside Quad. G42: Glas 6E **107**
Cartside Rd. G76: Busby 4D **138**
Cartside St. G42: Glas 6D **106**
Cartside Ter. *PA10: Kilb* *3C* **98**
   (off Waterside La.)
Cart St. G81: Clyd 1D **60**
Cartvale La. PA3: Pais 5A **82**
Cartvale Rd. G42: Glas 6D **106**
Cartview Ct. G76: Busby 3D **138**
Cart Wlk. PA1: Pais 1B **102**
Castburn Rd. G67: Cumb 5F **17**
Castle Av. G71: Both, Udd 3C **128**
   ML1: Holy 1B **132**
   PA5: Eld 4H **99**
Castlebank Ct. G13: Glas 3E **63**
Castlebank Dr. G11: Glas 2G **85**
Castlebank Gdns.
   G13: Glas 3E **63**
Castlebank Pl. G11: Glas 2F **85**
Castlebank St. G11: Glas 2F **85**
   (not continuous)
Castlebank Ter. G11: Glas ..2G **85**
Castlebank Vs. G13: Glas 3E **63**
Castlebay Dr. G22: Glas 6G **49**
Castlebay Pl. G22: Glas 1G **65**
Castlebay St. G22: Glas 1G **65**
Castlebrae G82: Dumb 2C **18**
Castlebrae Gdns. G44: Glas ...1F **123**
CASTLECARY 3E **17**
Castlecary Rd.
   G68: C'cry, Cumb 5C **16**
Castle Chimmins Av.
   G72: Camb 3D **126**
Castle Chimmins Gdns.
   G72: Camb 4D **126**
Castle Chimmins Rd.
   G72: Camb 4D **126**
Castle Ct. G66: Kirk 5D **32**
   G68: C'cry 3F **17**
Castle Cres. PA7: B'ton 5H **41**
Castlecroft Gdns. G71: Udd ...2D **128**
Castle Dr. ML1: Holy 1B **132**
Castlefern Rd. G73: Ruth 4D **124**
Castlefield Ct. G33: Mille 5B **68**
Castlefield Gdns. G75: E Kil ...6D **156**
Castle Gait G53: Glas 5A **104**
   PA1: Pais 2H **101**
Castle Gdns. G69: Mood 5D **54**
   PA2: Pais 2E **101**
Castle Ga. G71: Both 2C **128**
   G77: Newt M 6G **137**
Castleglen Rd. G74: E Kil 5B **140**
Castlegreen Cres. G82: Dumb ...5H **19**
Castlegreen Gdns. G82: Dumb ...5H **19**
Castlegreen La. G82: Dumb 5G **19**
Castlegreen St. G82: Dumb 5G **19**
Castle Gro. G65: Kils 1G **13**
CASTLEHEAD 2H **101**
CASTLEHILL
   G82 ....2C **18**
   ML8 ....1C **174**
Castle Hill Cres. ML3: Fern ...2E **163**

Castlehill Cres. FK4: Bank 1E **17**
   ML3: Ham 1B **162**
   ML6: Chap 4F **117**
   ML8: Law 1G **173**
   PA4: Renf 5F **61**
Castlehill Rd. G77: Newt M ...5F **137**
Castlehill Grn. G74: E Kil 5B **140**
Castlehill Ind. Est. ML8: Carl ...1C **174**
Castlehill Quad. G82: Dumb ...2C **18**
Castlehill Rd. G61: Bear 1B **46**
   G82: Dumb 2C **18**
   ML2: Over, Wis 3F **165**
   ML8: Carl 1C **174**
   G65: Kils 1G **13**
Castleknowe Gdns.
   ML8: Carl 2C **174**
Castlelaw Gdns. G32: Glas 5B **90**
Castlelaw St. G32: Glas 5B **90**
Castle Mains Rd. G62: Miln ...3D **26**
CASTLEMILK 4H **123**
Castlemilk Arc. G45: Glas 4A **124**
Castlemilk Cres. G44: Glas ...2A **124**
Castlemilk Dr. G45: Glas 4A **124**
Castlemilk Rd. G44: Glas 1A **124**
   (Croftend Av.)
   G44: Glas 2A **108**
   (Curtis Av.)
Castlemilk Sports Cen. 4A **124**
Castlemilk Swimming Pool 4A **124**
Castlemilk Ter. G45: Glas 5A **124**
Castlemount Av. G77: Newt M ...6F **137**
Castle Pl. G71: Udd 1C **128**
Castle Quad. ML6: Air 4D **96**
Castle Rd. G77: Newt M 5C **136**
   G82: Dumb 5G **19**
   ML6: Air 4D **96**
   PA5: Eld 2A **100**
   PA11: Bri W 2F **77**
Castle Sq. G81: Clyd 4A **44**
Castle St. G4: Glas 2H 7 (3A **88**)
   G11: Glas 1A **4** (2A **86**)
   G69: Bail 2G **111**
   G73: Ruth 5C **108**
   G81: Clyd 4A **44**
   G82: Dumb 4F **19**
   ML3: Ham 5B **146**
   ML6: Chap 3D **116**
   PA1: Pais 1H **101**
Castle Ter. G82: Dumb 4G **19**
   PA11: Bri W *4G* **77**
   (off Kilbarchan Rd.)
Castleton Av. G64: B'rig 2A **66**
   G77: Newt M 6F **137**
Castleton Ct. G45: Glas 5B **124**
   G77: Newt M 6F **137**
Castleton Cres. G77: Newt M ...6F **137**
Castleton Dr. G77: Newt M 6F **137**
Castleton Gro. G77: Newt M ...6F **137**
Castle Vw. G66: Len 2C **8**
   G72: Blan 5A **128**
   G81: Clyd 4D **44**
   ML2: Newm 3E **151**
Castleview G66: Cam G 1B **8**
   G68: C'cry 3E **17**
   ML9: Lark 5C **170**
Castleview Av. PA2: Pais 6E **101**
Castleview Dr. PA2: Pais 6E **101**
Castleview Pl. PA2: Pais 6E **101**
Castleview Ter. FK4: Hag 1G **17**
Castle Way G67: Cumb 1C **38**
   G69: Barg 6D **92**
Cathay St. G22: Glas 1G **65**
Cathburn Rd. ML2: Newm 5F **151**
CATHCART 1E **123**
Cathcart Cres. PA2: Pais 2C **102**
Cathcart Pl. G73: Ruth 6B **108**

Cathcart Rd. G42: Glas 3F **107**
   G73: Ruth 6A **108**
Cathcart Station (Rail) 1E **123**
Cathedral Sq. G4: Glas 5H 7 (4A **88**)
   (not continuous)
Cathedral St. G1: Glas 4D **6** (3G **87**)
   G4: Glas 4G **7** (3H **87**)
Catherine St. G66: Kirk 5C **32**
   ML1: Moth 5G **147**
Catherine Wlk. G72: Blan 3B **144**
Catherines Wlk. G72: Blan 3B **144**
Catherine Way ML1: New S ...4H **131**
CATHKIN 5F **125**
Cathkin Av. G72: Camb 1G **125**
   G73: Ruth 6E **109**
Cathkin Braes Country Pk. 5D **124**
Cathkin By-Pass G73: Ruth ...4F **125**
Cathkin Ct. G45: Glas 5B **124**
Cathkin Cres. G68: Cumb 6G **15**
Cathkin Dr. G76: Clar 1A **138**
Cathkin Gdns. G71: Tann 4C **112**
Cathkin Pl. G72: Camb 1G **125**
Cathkin Recreation Cen. 5F **107**
Cathkin Rd. G42: Glas 6D **106**
   G71: Tann 4C **112**
   G73: Ruth 6C **124**
   G76: Crmck 1A **140**
Cathkin Vw. G32: Carm 5B **110**
Cathkinview Pl. G42: Glas 6F **107**
Cathkinview Rd. G42: Glas 6E **107**
Catrine G74: E Kil 1F **157**
Catrine Av. *G81: Clyd* *4F* **45**
   (off Kirkoswald Dr.)
Catrine Ct. G53: Glas 5A **104**
Catrine Cres. ML1: Moth 6A **148**
Catrine Gdns. G53: Glas 5A **104**
Catrine Pl. G53: Glas 5A **104**
Catrine Rd. G53: Glas 5A **104**
Catrine St. ML9: Lark 3E **171**
Catriona Pl. G82: Dumb 3C **20**
Catriona Way ML1: Holy 2B **132**
Catter Gdns. G62: Miln 2E **27**
Cauldstream Pl. G62: Miln 4E **27**
Caurnie Vw. G66: Kirk 6A **34**
Causewayside Cres.
   G32: Glas 2A **110**
Causewayside St. G32: Glas ...3A **110**
Causeyside St. PA1: Pais 1A **102**
   (Forbes Pl.)
   PA1: Pais 2A **102**
   (Thompson Brae)
Causeystanes Path *G72: Blan* ...2B **144**
   (off Winton Cres.)
Cavendish Ct. G5: Glas 1F **107**
Cavendish Dr. G77: Newt M ...3F **137**
Cavendish Pl. G5: Glas 1F **107**
Cavendish St. G5: Glas 1F **107**
Cavin Dr. G45: Glas 3A **124**
Cavin Rd. G45: Glas 3A **124**
Cawder Ct. G68: Cumb 6F **15**
Cawder Pl. G68: Cumb 6G **15**
Cawder Rd. G68: Cumb 6G **15**
Cawder Vw. G68: Cumb 6G **15**
Cawder Way G68: Cumb 6G **15**
Cawdor Cres. ML6: Chap 2E **117**
   PA7: B'ton 5H **41**
Cawdor Way G74: E Kil 6F **141**
Cayton Gdns. G69: Bail 1F **111**
Cecil St. G12: Glas 6B **64**
   G76: Clar 2C **138**
   ML5: Coat 6C **94**
Cedar Av. G71: View 5F **113**
   G81: Clyd 3H **43**
   PA5: John 5F **99**
Cedar Ct. G20: Glas 1E **87**
   G72: Flem 3E **127**
   G75: E Kil 6E **157**
   PA10: Kilb 2A **98**

Cedar Cres. ML3: Ham 2A **162**
Cedar Dr. G66: Lenz 2C **52**
 G71: View 5G **113**
 G75: E Kil 6E **157**
Cedar Gdns. G73: Ruth 3E **125**
 ML1: N'hill 3C **132**
 ML8: Law 5D **166**
Cedar La. ML1: Holy 3B **132**
 ML6: Air 4C **96**
Cedar Pl. G72: Blan 6A **128**
 G75: E Kil 6E **157**
 G78: Barr 6F **119**
Cedar Rd. FK4: Bank 1E **17**
 G64: B'rig 1D **66**
 G66: Milt C 6C **10**
 G67: Cumb 2D **38**
Cedars Gro. G69: Barg 5E **93**
Cedar St. G20: Glas 1E **87**
Cedar Wlk. G64: B'rig 1D **66**
 ML1: Carf 5D **132**
Cedarwood ML2: Wis 2D **164**
Cedarwood Av.
 G77: Newt M 5F **137**
Cedric Pl. G13: Glas 2D **62**
Cedric Rd. G13: Glas 2D **62**
Celtic FC 6E **89**
Celtic FC Vis. Cen. 1D **108**
Celtic Pk. 6E **89**
Celtic St. G20: Glas 2A **64**
Cemetery Rd. G52: Glas 1D **104**
 G72: Blan 3A **144**
Centenary Av. ML6: Air 4F **95**
Centenary Ct. *G78: Barr 5D 118*
 (off Cochrane St.)
 G81: Clyd 6D **44**
Centenary Cres. ML4: Bell ..1D **130**
Centenary Gdns. ML3: Ham ..1A **162**
 ML5: Coat 6B **94**
Centenary Quad. ML1: Holy ..2A **132**
Central Av. G11: Glas 1F **85**
 G32: Glas 2D **110**
 G71: View 1G **129**
 G72: Blan 4C **144**
 G72: Camb 1H **125**
 G81: Clyd 5C **44**
 ML1: Holy 2H **131**
Central Cres. ML9: Ashg 5H **171**
Central Gro. G32: Glas 1D **110**
 G72: Camb 1H **125**
Central Path G32: Glas 2E **111**
Central Rd. PA1: Pais 6A **82**
Central Station (Rail) 6C **6** (4F **87**)
Central Way G67: Cumb 5G **37**
 PA1: Pais 6A **82**
Centre, The G78: Barr 5D **118**
Centre for Contemporary Arts 3A **6**
Centre Pk. Ct. ML5: Coat 5C **94**
Centre Rdbt., The G74: E Kil ..2H **157**
Centre St. G5: Glas 6E **87**
 ML5: Glenb 3G **71**
 ML6: Chap 3D **116**
Centre Way G78: Barr 4D **118**
Centre W. G74: E Kil 2G **157**
Centurion Pl. ML1: Moth 6D **130**
Ceres Gdns. G64: B'rig 6F **51**
Ceres Pl. ML1: Moth 1F **147**
Cessnock Pl. G72: Camb 2D **126**
Cessnock Rd. G33: Nmlt 4B **68**
Cessnock Station (Und.) 5A **86**
Cessnock St. G51: Glas 5A **86**
Chalmers Ct. G71: Udd 1D **128**
Chalmers Cres. G75: E Kil ...4H **157**
Chalmers Dr. G75: E Kil 4H **157**
Chalmers Ga. *G40: Glas 5A 88*
 (off Claythorn St.)
Chalmers Pl. *G40: Glas 5A 88*
 (off Claythorn St.)

Chalmers St. G40: Glas 5A **88**
 G81: Clyd 6D **44**
Chamberlain La. G13: Glas ...4E **63**
Chamberlain Rd. G13: Glas ..3E **63**
Chancellors Hall G4: Glas 5G **7**
Chancellor St. G11: Glas 1H **85**
CHANTINGHALL 6F **145**
Chantinghall Rd. ML3: Ham ...6F **145**
Chantinghall Ter. ML3: Ham ..6F **145**
CHAPEL 1G **167**
Chapel Ct. G73: Ruth 5B **108**
Chapel Cres. ML3: Ham 5H **161**
Chapelcross Av. ML6: Air 2A **96**
CHAPELHALL 3E **117**
Chapelhall Ind. Est. ML6: Chap ..1D **116**
Chapelhill Rd. PA2: Pais 3C **102**
Chapelknowe Rd.
 ML1: Carf, Cle 6C **132**
Chapel Pl. G78: Neil 2D **134**
Chapel Rd. G81: Dun 1C **44**
 ML2: Newm 2F **167**
 PA6: Hous 1B **78**
Chapelside Av. ML6: Air 3A **96**
Chapelside Rd. G74: Ners 3A **142**
Chapel St. G20: Glas 4C **64**
 G66: Len 3F **9**
 G73: Ruth 5B **108**
 ML1: Cle 6H **133**
 ML3: Ham 6A 146
 (off Leechlee St.)
 ML6: Air 3A **96**
 ML8: Carl 3D **174**
Chapel St. Ind. Est. G20: Glas ..3C **64**
Chapelton Av. G61: Bear 3F **47**
 G82: Dumb 2G **19**
Chapelton Gdns. G61: Bear ..3F **47**
 G82: Dumb 2G **19**
Chapelton Rd. G67: Cumb 1E **57**
Chapelton St. G22: Glas 3F **65**
Chapman Av. ML5: Glenb 3G **71**
Chapmans Ct. ML2: Wis 5G **149**
Chapman St. G42: Glas 3E **107**
Chappell St. G78: Barr 4D **118**
Charing Cross ML9: Lark 2C **170**
CHARING CROSS INTERCHANGE
 ....2H **5**
Charing Cross La. G3: Glas ...3G **5**
Charing Cross Station (Rail)
 ....3H **5** (3E **87**)
Charles Av. PA4: Renf 5F **61**
Charles Cres. G66: Lenz 4D **52**
 ML8: Carl 4F **175**
Charleson Row G65: Croy 2B **36**
Charles Path ML6: Chap 4D **116**
Charles Quad. ML1: Holy 2A **132**
Charles Rennie Mackintosh Society
 ....5D **64**
Charles St. G21: Glas 1H **7** (2A **88**)
 G65: Kils 2H **13**
 ML2: Wis 5C **148**
CHARLESTON 3A **102**
Charleston Ga. *PA2: Pais 2A 102*
 (off Sth. Campbell St.)
Charlotte Av. G64: Torr 5D **30**
Charlotte Path ML9: Lark 3C **170**
Charlotte Pl. PA2: Pais 3A **102**
Charlotte St. G1: Glas 5H **87**
 G82: Dumb 3D **18**
Charn Ter. ML1: Moth 6C **148**
Charnwood Av. PA5: John 5D **98**
Chartwell Rd. PA7: B'ton 4H **41**
Chassels St. ML5: Coat 3C **94**
Chateau Gro. ML3: Ham 1C **162**
Chatelherault Av.
 G72: Camb 2G **125**

Chatelherault Country Pk. 2C **162**
Chatelherault Country Pk. Vis. Cen.
 ....3D **162**
Chatelherault Cres.
 ML3: Ham 2A **162**
Chatelherault Wlk.
 ML3: Ham 2A **162**
Chatham G75: E Kil 4E **157**
Chatton St. G23: Glas 6B **48**
Chatton Wlk. ML5: Coat 3F **115**
Cheapside St. G3: Glas ...6G **5** (4D **86**)
 G76: Eag 6D **154**
Chelmsford Dr. G12: Glas 4H **63**
Cherry Av. G67: Cumb 6E **17**
Cherry Bank G66: Lenz 2B **52**
Cherrybank Rd. G43: Glas ...1D **122**
Cherrybank Wlk. ML6: Air 3F **95**
Cherry Cres. G81: Clyd 3C **44**
Cherry Gro. G69: Barg 5F **93**
Cherryhill Vw. ML9: Lark 2B **170**
Cherry La. FK4: Bank 1E **17**
Cherry Pl. G64: B'rig 1D **66**
 G66: Milt C 1B **32**
 G71: View 6H **113**
 ML1: Holy 2B **132**
 PA5: John 4G **99**
Cherryridge Dr. G69: Barg 5E **93**
Cherrytree Cres. ML9: Lark ...6A **164**
Cherrytree Dr. G72: Flem 3E **127**
Cherrytree Wynd G75: E Kil ..5G **157**
Cherry Wlk. ML1: Moth 6G **147**
Cherrywood Rd. PA5: Eld 3A **100**
Chesterfield Av. G12: Glas 4G **63**
Chesters Cres. ML1: Moth 1E **147**
Chesters Pl. G73: Ruth 6B **108**
Chesters Rd. G61: Bear 3C **46**
Chester St. G32: Glas 6A **90**
Chestnut Av. G67: Cumb 6E **17**
 PA7: B'ton 2F **41**
 (not continuous)
Chestnut Ct. G66: Milt C 6B **10**
 G67: Cumb 6E **17**
Chestnut Cres. G71: View 6H **113**
 G75: E Kil 5E **157**
 ML3: Ham 1A **162**
Chestnut Dr. G66: Lenz 1B **52**
 G72: Blan 1A **144**
 ML1: Moth 4F **147**
 ML8: Carl 4C **174**
 ML9: Lark 6A **164**
Chestnut La. G62: Miln 4E **27**
Chestnut Pl. G67: Cumb 6E **17**
 PA5: John 5G **99**
Chestnut St. G22: Glas 4H **65**
Chestnut Wlk. G66: Len 4G **9**
Chestnut Way G72: Flem 3E **127**
Cheviot Av. G78: Barr 5E **119**
Cheviot Cl. G13: Glas 3B **62**
Cheviot Ct. ML5: Coat 2E **115**
 ML6: Air 1B **96**
Cheviot Cres. G75: E Kil 1B **168**
 ML2: Wis 5F **149**
Cheviot Dr. G77: Newt M 6C **136**
Cheviot Gdns. G61: Bear 6D **26**
Cheviot Rd. G43: Glas 2A **122**
 ML3: Ham 1B **162**
 ML9: Lark 3E **171**
 PA2: Pais 4A **102**
Cheviot St. G72: Blan 2A **144**
Chirmorie Cres.
 G53: Glas 4A **104**
Chirmorie Pl. G53: Glas 4A **104**
Chirnside Ct. G72: Blan 4C **144**
Chirnside Pl. G52: Glas 5A **84**
Chirnside Rd. G52: Glas 5A **84**

Chirnsyde Sports Cen. 2H 65
Chisholm Av. PA7: B'ton 4A 42
Chisholm Dr. G77: Newt M 3E 137
Chisholm Pl. ML1: Moth 1B 164
Chisholm St. G1: Glas 5H 87
ML5: Coat 3D 94
Chrighton Grn. G71: Tann 5E 113
Chriss Av. ML3: Ham 4H 161
Christchurch Pl. G75: E Kil 4D 156
Christian St. G43: Glas 5A 106
Christie La. PA3: Pais 6A 82
Christie Pl. G72: Camb 2A 126
Christie St. ML4: Bell 2F 131
PA1: Pais 6B 82
Christopher St. G21: Glas 2C 88
CHRYSTON 6B 54
Chryston Rd. G66: Kirk 1H 53
G69: Chry 1B 70
Chryston Valley Bus. Cen.
G69: Chry 1A 70
Chuckie La. PA5: Brkfld 5C 78
Church Av. G33: Step 3D 68
G73: Ruth 2E 125
ML2: Newm 5D 150
Church Ct. G82: Dumb 4F 19
ML3: Ham 5A 146
Church Cres. ML6: Air 2E 97
Church Dr. G66: Lenz 1C 52
Church Hill PA1: Pais 6A 82
Churchill Av. G74: E Kil 2H 157
PA5: John 6C 98
Churchill Cres. G71: Both 4F 129
Churchill Dr. G11: Glas 5F 63
PA7: B'ton 4H 41
Churchill Pl. PA10: Kilb 2A 98
Churchill Way G64: B'rig 6C 50
Church La. G65: Kils 3H 13
(not continuous)
ML2: Newm 5D 150
ML5: Coat 4C 94
ML8: Carl 4D 174
Church Manse La.
PA11: Bri W 3F 77
Church Pl. G60: Old K 1E 43
G73: Ruth 5D 108
Church Rd. G46: Giff 5A 122
G69: Muirh 2A 70
G76: Busby 3D 138
ML2: Newm 2H 151
PA11: Bri W 4G 77
PA11: Q'riers 1A 76
Church St. G11: Glas 1A 4 (1A 86)
G65: Kils 3H 13
G69: Bail 1A 112
G71: Udd 2D 128
G72: Blan 2C 144
G81: Clyd 4D 44
G82: Dumb 4F 19
(not continuous)
ML1: N'hill 3F 133
ML3: Ham 5A 146
ML5: Coat 4C 94
ML9: Lark 2C 170
PA5: John 2F 99
PA10: Kilb 2A 98
Church Vw. G72: Camb 6A 110
ML5: Coat 4C 94
Church Vw. Ct. G66: Len 2F 9
Church Vw. Gdns. ML4: Bell 2C 130
Cineworld Cinema
Glasgow, Renfrew St. 3C 6
Glasgow, The Forge Shop. Cen.
. . . . .6E 89
Circus Dr. G31: Glas 4B 88
Circus Pl. G31: Glas 4B 88
Circus Pl. La. G31: Glas 3B 88
Citadel Pl. ML1: Moth 1E 147

Citizen La. G2: Glas 5D 6 (4G 87)
Citizens' Theatre 6G 87
Citrus Cres. G71: View 5G 113
Cityford Cres. G73: Ruth 6B 108
Cityford Dr. G73: Ruth 1B 124
City Halls 6F 7 (4H 87)
Civic Sq. ML1: Moth 4H 147
(off Camp St.)
Civic St. G4: Glas 1B 6 (1F 87)
Civic Theatre 4F 19
Civic Way G66: Kirk 6C 32
Clachan, The ML2: Wis 6H 149
Clachan Dr. G51: Glas 3E 85
Clachan Way ML5: Coat 6A 94
CLADDENS 3E 53
Claddens Pl. G22: Glas 3F 65
G66: Lenz 3E 53
Claddens Quad. G22: Glas 3G 65
Claddens St. G22: Glas 3F 65
Claddens Wynd G66: Lenz 3E 53
Cladence Gro. G75: E Kil 6H 157
Claire St. ML2: Newm 4D 150
Clairinsh Gdns. PA4: Renf 2E 83
Clairmont Gdns.
G3: Glas 2F 5 (2D 86)
Clair Rd. G64: B'rig 6F 51
Clamp Rd. ML2: Wis 5C 148
Clamps Gro. G74: E Kil 3A 158
Clamps Ter. G74: E Kil 3B 158
Clamps Wood G74: E Kil 3A 158
Clanrye Dr. ML5: Coat 1C 114
Clapperhow Rd. ML1: Carf 6A 132
Claremont Av. G66: Kirk 5B 32
Claremont Dr. G62: Miln 4G 27
Claremont Gdns. G62: Miln 4G 27
Claremont Ho. G74: E Kil 2C 158
Claremont Pl. G3: Glas 2F 5 (2D 86)
Claremont St. G3: Glas 3E 5 (3C 86)
(not continuous)
Claremont Ter. G3: Glas 2F 5 (2D 86)
Claremont Ter. La. G3: Glas 2F 5
Claremount Av. G46: Giff 5A 122
Claremount Vw. ML5: Coat 2E 115
Clarence Dr. G11: Glas 6G 63
G12: Glas 6G 63
PA1: Pais 6C 82
Clarence Gdns. G11: Glas 6G 63
Clarence La. G12: Glas 6H 63
(off Hyndland Rd.)
Clarence St. G81: Clyd 4D 44
PA1: Pais 6C 82
Clarendon Pl. G20: Glas 1H 5 (1E 87)
G33: Step 4D 68
Clarendon Rd. ML2: Wis 2E 165
Clarendon St. G20: Glas 1E 87
Clare St. G21: Glas 2C 88
Clarinda Ct. G66: Kirk 3G 33
Clarinda Pl. ML1: N'hill 4C 132
Clarion Cres. G13: Glas 1A 62
Clarion Rd. G13: Glas 2A 62
Clarkin Av. G75: E Kil 1A 168
Clark Pl. G64: Torr 5E 31
G77: Newt M 5B 136
CLARKSTON
G76 .2C 138
ML6 . . . . .3D 96
Clarkston Av. G44: Glas 3D 122
Clarkston Dr. ML6: Air 4D 96
Clarkston Rd. G44: Neth, Glas . . .3D 122
G76: Clar 1C 138
Clarkston Station (Rail) 2C 138
Clark St. G81: Clyd 3B 44
ML2: Newm 4D 150
ML6: Air 4B 96
PA3: Pais 5G 81
PA4: Renf 6D 60
PA5: John 2F 99

Clark Way ML4: Bell 6B 114
Clarkwell Rd. ML3: Ham 1C 160
Clarkwell Ter. ML3: Ham 6D 144
Clathic Av. G61: Bear 3G 47
Claude Av. G72: Camb 3E 127
Claude St. ML9: Lark 2C 170
Claud Rd. PA3: Pais 5C 82
Clavens Rd. G52: Glas 5G 83
Claverhouse Pl. PA2: Pais 2C 102
Claverhouse Rd. G52: Hill 4H 83
Clavering St. E. PA1: Pais 6G 81
Clavering St. W. PA1: Pais 6G 81
Clay Ct. ML1: Moth 5G 147
Clay Cres. ML4: Bell 6D 114
Clayhouse Rd. G33: Step 5E 69
Claymore Dr. PA6: C'lee 3D 78
Claypotts Pl. G33: Glas 2A 90
Claypotts Rd. G33: Glas 2A 90
Clay Rd. ML4: Bell 6D 114
Clayslaps Rd. G3: Glas 2C 4 (2B 86)
Claythorn Av. G40: Glas 5A 88
Claythorn Cir. G40: Glas 5A 88
Claythorn Ct. G40: Glas 5A 88
(off Claythorn St.)
Claythorn Pk. G40: Glas 6A 88
Claythorn St. G40: Glas 5A 88
Claythorn Ter. G40: Glas 5A 88
Clayton Path ML4: Bell 6D 114
Clayton Ter. G31: Glas 4B 88
Clearfield Av. ML3: Ham 5F 145
CLEDDANS 4E 33
Cleddans Cres. G81: Hard 1E 45
Cleddans Rd. G66: Kirk 4E 33
G81: Hard 2E 45
Cleddans Vw. G81: Clyd 4E 45
(off Kirkoswald Dr.)
ML6: Glenm 5G 73
Cleddens Ct. G64: B'rig 6C 50
ML6: Air 3F 95
(off Monkscourt Av.)
CLEEKHIMIN 6B 132
Cleeves Quad. G53: Glas 2A 120
Cleeves Rd. G53: Glas 2A 120
Cleghorn St. G22: Glas 6F 65
Cleish Av. G61: Bear 6C 26
CLELAND 6H 133
Cleland La. G5: Glas 6G 87
Cleland Pl. G74: E Kil 1A 158
Cleland Rd. ML1: Carf 6C 132
ML1: Cle 4F 133
ML2: Wis 6G 149
Clelland Av. G64: B'rig 1C 66
Clem Attlee Gdns.
ML9: Lark 3D 170
Clerwood St. G32: Glas 5F 89
Cleuch Gdns. G76: Clar 1B 138
Cleughearn Rd. G75: E Kil 4C 168
Clevans Rd. PA11: Bri W 4D 76
Cleveden Cres. G12: Glas 4H 63
Cleveden Cres. La. G12: Glas 4H 63
Cleveden Dr. G12: Glas 4H 63
G73: Ruth 1E 125
Cleveden Dr. La. G12: Glas 5A 64
Cleveden Gdns. G12: Glas 4A 64
Cleveden La. G12: Glas 3H 63
(off Northampton Dr.)
Cleveden Pl. G12: Glas 3H 63
Cleveden Rd. G12: Glas 2H 63
Cleveland La. G3: Glas 3G 5
Cleveland St.
G3: Glas 3G 5 (3D 86)
Clifford Gdns. G51: Glas 6H 85
Clifford La. G51: Glas 6A 86
Clifford Pl. G51: Glas 6B 86
(off Clifford La.)
Clifford St. G51: Glas 6H 85

Cliff Rd. G3: Glas 1F **5** (1D **86**)
Cliftonhill Stadium 5E **95**
Clifton Pl. G3: Glas 3E **5**
   ML5: Coat 5E **95**
Clifton Rd. G46: Giff 4H **121**
Clifton St. G3: Glas 2E **5** (2C **86**)
Clifton Ter. G72: Camb 4G **125**
   PA5: John 3G **99**
    (off Auchenlodment Rd.)
CLIFTONVILLE 4E **95**
Cliftonville Ct. ML5: Coat 5E **95**
    (off Clifton Pl.)
CLINCARTHILL 6C **108**
Clincarthill Rd. G73: Ruth . . .6C **108**
Clincart Rd. G42: Glas 5F **107**
CLIPPENS 5G **79**
Clippens Rd. PA3: Lin 3E **79**
    (not continuous)
   PA6: Hous 3E **79**
Cloan Av. G15: Glas 5B **46**
Cloan Cres. G64: B'rig 3D **50**
Clober Farm La. G62: Miln 2E **27**
Cloberfield G62: Miln 1F **27**
Cloberfield Gdns.
   G62: Miln 2F **27**
Cloberhill Rd. G13: Glas 6C **46**
Clober Rd. G62: Miln 2F **27**
Clochbar Av. G62: Miln 2F **27**
Clochbar Gdns. G62: Miln 3F **27**
Clochoderick Av.
   PA10: Kilb 3B **98**
Cloch St. G33: Glas 3A **90**
Clockenhill Pl. ML1: N'hill 3E **133**
Clock Sq. *G67: Cumb* 4H **37**
    (in The Cumbernauld Shop. Cen.)
Cloister Av. ML6: Air 1C **116**
Closeburn St. G22: Glas 4G **65**
Cloth St. G78: Barr 5E **119**
Clouden Rd. G67: Cumb 3B **38**
Cloudhowe Ter. G72: Blan 6A **128**
Clouston Ct. G20: Glas 5C **64**
Clouston La. G20: Glas 5C **64**
Clouston St. G20: Glas 5B **64**
Clova Pl. G71: Udd 1D **128**
Clova St. G46: T'bnk 3F **121**
Clove Mill Wynd ML9: Lark . . .3A **170**
Cloverbank Gdns. G21: Glas . . .2C **88**
Cloverbank St. G21: Glas 2C **88**
Clovergate G64: B'rig 6A **50**
Cloverhill Pl. G69: Chry 1A **70**
Cloverhill Ter. G74: E Kil 2G **157**
Cloverhill Vw. G74: E Kil 2F **157**
Clunie Pl. ML2: Newm 3D **150**
   ML5: Coat 2D **114**
Clunie Rd. G52: Glas 1E **105**
Cluny Av. G61: Bear 5G **47**
Cluny Dr. G61: Bear 5G **47**
   G77: Newt M 4B **136**
   PA3: Pais 5C **82**
Cluny Gdns. G14: Glas 5E **63**
   G69: Bail 1G **111**
Cluny Vs. G14: Glas 5E **63**
Clutha Pl. G75: E Kil 4C **156**
Clutha St. G51: Glas 5B **86**
Clyde Auditorium (Armadillo)
   . . . . .5C **4** (4B **86**)
Clyde Av. G64: Torr 5D **30**
   G71: Both 6D **128**
   G78: Barr 6F **119**
   ML3: Fern 2E **163**
CLYDEBANK 6D **44**
Clydebank Bus. Pk. G81: Clyd . .5C **44**
Clydebank Crematorium
   G81: Dun 1H **43**
Clydebank Ind. Est.
   G81: Clyd 5H **43**
Clydebank Megabowl 6E **45**

Clydebank Mus. 6C **44**
Clydebank Station (Rail) 6D **44**
Clydebrae Dr. G71: Both 1F **145**
Clydebrae St. G51: Glas 3H **85**
Clyde Bri. ML3: Ham 4D **146**
Clydebuilt (Scottish Maritime Mus.)
   .6A **62**
Clyde Ct. G81: Clyd 2A **44**
   G82: Dumb 3E **19**
   ML5: Coat 5E **95**
    (off Clifton Pl.)
   ML8: Carl 3C **174**
Clyde Cruising Club Dingy Section
   .5E **29**
Clyde Dr. ML4: Bell 3E **131**
Clyde FC 4B **36**
Clydeford Dr. G32: Glas 2G **109**
   G71: Udd 6B **112**
Clydeford Rd. G32: Glas 6A **110**
   G72: Camb 1B **126**
Clydeholm Rd. G14: Glas 1D **84**
Clydeholm Ter. G81: Clyd 2F **61**
Clyde Ho. ML3: Ham 4A **146**
Clyde La. ML1: New S 3A **132**
Clydeneuk Dr. G71: Udd 6B **112**
Clyde Pl. G5: Glas 5E **87**
   G72: Camb 3D **126**
   ML1: New S 3A **132**
   PA5: John 5C **98**
Clyde Retail Pk. G81: Clyd 6E **45**
Clyde Rd. PA3: Pais 4D **82**
CLYDESDALE 3G **131**
Clydesdale Av. ML2: Wis 2D **164**
   ML3: Ham 5H **161**
   PA3: Pais 2C **82**
Clydesdale Pl. ML3: Ham 5H **161**
Clydesdale Rd.
   ML4: Bell, New S 2E **131**
Clydesdale St. ML1: New S 3G **131**
   ML3: Ham 5G **145**
   ML4: Bell 3G **131**
   ML9: Lark 1C **170**
Clyde Shop. Cen. G81: Clyd . . .5D **44**
Clydeshore Rd. G82: Dumb 5E **19**
Clydeside Expressway
   G3: Glas 5D **4** (3B **86**)
   G11: Glas 1F **85**
   G14: Glas 6D **62**
Clydeside Ind. Est.
   G14: Glas 1E **85**
Clydeside Rd. G73: Ruth 3B **108**
Clydesmill Dr. G32: Glas 6A **110**
Clydesmill Gro. G32: Glas 6A **110**
Clydesmill Pl. G32: Glas 5A **110**
Clydesmill Rd. G32: Glas 5H **109**
Clyde Sq. *G67: Cumb* 4H **37**
    (in The Cumbernauld Shop. Cen.)
Clyde St. G1: Glas 5G **87**
   G81: Clyd 1E **61**
   ML5: Coat 4E **95**
   ML8: Carl 3B **174**
   PA4: Renf 4F **61**
Clyde Ter. G71: Both 6E **129**
   ML1: Moth 1C **164**
Clyde Twr. G74: E Kil 4B **158**
   ML1: Moth 4G **147**
    (off Airbles Rd.)
Clyde Valley Av.
   ML1: Moth 5G **147**
Clyde Vw. ML3: Ham 2F **161**
   ML9: Ashg 5A **172**
   PA2: Pais 3D **102**
Clydeview G71: Both 6G **129**
   G82: Dumb 5E **19**

Clyde Vw. Ct. G60: Bowl 5A **22**
Clydeview La. G11: Glas 1F **85**
Clydeview Shop. Cen.
   G72: Blan 2C **144**
Clydeview Ter. G32: Carm 5C **110**
Clyde Wlk. *G67: Cumb* 4H **37**
    (in The Cumbernauld Shop. Cen.)
   ML2: Newm 3E **151**
Clyde Walkway G3: Glas 6G **5**
Clyde Way *G67: Cumb* 4H **37**
    (in The Cumbernauld Shop. Cen.)
   PA3: Pais 4D **82**
Clydeway Ind. Est. G3: Glas 4E **5**
Clyde Workshops
   G32: Glas 4H **109**
Clynder St. G51: Glas 5H **85**
Clyth Dr. G46: Giff 5B **122**
Coach Cl. G65: Kils 3C **14**
Coach Pl. G65: Kils 4A **14**
Coach Rd. G65: Kils 4B **14**
Coalburn Rd. G71: Both 2F **129**
Coalhall Av. ML1: Carf 6A **132**
Coalhill St. G31: Glas 6D **88**
Coatbank St. ML5: Coat 6D **94**
Coatbank Way ML5: Coat 5D **94**
COATBRIDGE 4C **94**
Coatbridge Central Station (Rail)
   .4B **94**
Coatbridge College Leisure Cen.
   .4D **94**
Coatbridge Indoor Bowling Club
   .4F **95**
Coatbridge Ind. Est. ML5: Coat . . .2C **94**
Coatbridge Outdoor Sports Complex
   .6B **94**
Coatbridge Rd. G69: Bail 6B **92**
   G69: Barg 5D **92**
   G69: G'csh 5E **71**
   ML5: Coat 2D **94**
   ML5: Glenb 4B **72**
   ML6: Glenm 2D **94**
Coatbridge Sunnyside Station (Rail)
   .3C **94**
COATDYKE 5F **95**
Coatdyke Station (Rail) 4F **95**
Coathill St. ML5: Coat 1C **114**
Coats Cres. G69: Bail 6G **91**
Coats Dr. PA2: Pais 2F **101**
COATSHILL 6A **128**
Coatshill Av. G72: Blan 6A **128**
Coats Observatory, The 6H **81**
Coats St. ML5: Coat 5D **94**
Cobbett Rd. ML1: Moth 4D **146**
Cobblerigg Way G71: Udd 2C **128**
Cobbleton Rd. ML1: New S 5H **131**
Cobden Rd. G21: Glas 1B **88**
Cobington Pl. G33: Glas 2B **90**
Cobinshaw St. G32: Glas 5A **90**
Coburg St. G5: Glas 6F **87**
    (Kilbarchan St.)
   G5: Glas 6F **87**
    (Norfolk St.)
Cochno Rd. G81: Faif, Hard 4B **24**
Cochno Rd. E. G81: Faif 6G **25**
Cochno St. G81: Clyd 1E **61**
COCHRANE CASTLE 5E **99**
Cochrane Ct. G62: Miln 5A **28**
Cochranemill Rd. PA5: John 4C **98**
Cochrane Sq. PA3: Lin 5H **79**
Cochrane St. G1: Glas 5E **7** (4G **87**)
   G78: Barr 5D **118**
   ML4: Bell 2B **130**
Cochran St. PA1: Pais 1B **102**
Cockburn Pl. ML5: Coat 1B **114**
Cockels Loan PA4: Renf 2D **82**
Cockenzie St. G32: Glas 6A **90**
Cockerhill Rd. G52: Glas 4D **104**

Cockhill Way ML4: Bell 1H **129**
Cockmuir St. G21: Glas 5C **66**
Coddington Cres. ML1: Holy 6H **115**
Cogan Pl. G78: Barr 5D **118**
Cogan Rd. G43: Glas 1A **122**
Cogan St. G43: Glas 6A **106**
   G78: Barr 5D **118**
Colbert St. G40: Glas 1B **108**
Colbreggan Ct. G81: Hard 1E **45**
Colbreggan Gdns. G81: Hard 1E **45**
Colbreggan Pl. G81: Hard 1E **45**
Colchester Dr. G12: Glas 3G **63**
Coldingham Av. G14: Glas 3G **61**
Coldstream Cres. ML2: Wis 4A **150**
Coldstream Dr. G73: Ruth 6F **109**
   PA2: Pais 4E **101**
Coldstream Pl. G21: Glas 6G **65**
Coldstream Rd. G81: Clyd 6D **44**
Coldstream St. G72: Blan 2B **144**
Colebrooke Pl. G12: Glas 6C **64**
Colebrooke St. G12: Glas 6C **64**
Colebrooke Ter. G12: Glas 6C **64**
Colebrook St. G72: Camb 1A **126**
Coleridge G75: E Kil 4C **156**
Coleridge Av. G71: Both 4F **129**
Colfin St. G34: Glas 2A **92**
Colgrain Av. G20: Glas 3E **65**
Colgrain Ter. G20: Glas 3D **64**
Colgrave Cres. G32: Glas 2H **109**
Colinbar Circ. G78: Barr 6D **118**
Colinslee Av. PA2: Pais 4B **102**
Colinslee Cres. PA2: Pais 4B **102**
Colinslee Dr. PA2: Pais 4B **102**
Colinslie Rd. G53: Glas 5D **104**
Colinton Pl. G32: Glas 4B **90**
Colintraive Av. G33: Glas 6G **67**
Colintraive Cres. G33: Glas 6G **67**
Coll G74: E Kil 3C **158**
Collace Av. PA11: Bri W 4F **77**
Colla Gdns. G64: B'rig 5F **51**
Coll Av. PA4: Renf 2F **83**
Coll Dr. ML5: Coat 1H **113**
College Ga. G61: Bear 1C **46**
College La. G1: Glas 6G **7** (4H **87**)
COLLEGE MILTON 6D **140**
College St. G1: Glas 6F **7** (4H **87**)
   G82: Dumb 3F **19**
College Way G82: Dumb 4F **19**
College Way Shop. Cen.
   G82: Dumb 4E **19**
Collessie Dr. G33: Glas 1C **90**
Collier St. PA5: John 2F **99**
Colliertree Rd. ML6: Air 3D **96**
Collina St. G20: Glas 3A **64**
Collins Gallery 5F **7** (4H **87**)
Collins St. G4: Glas 5H **7** (4A **88**)
   G81: Faif 1E **45**
Coll Lea ML3: Ham 2D **160**
Coll Pl. G21: Glas 1D **88**
   ML6: Air 6C **96**
Collree Gdns. G34: Glas 4A **92**
Coll St. G21: Glas 1D **88**
   ML2: Newm 3D **150**
Collylinn Rd. G61: Bear 3E **47**
Colmonell Av. G13: Glas 2H **61**
Colonsay G74: E Kil 4B **158**
Colonsay Av. PA4: Renf 2E **83**
Colonsay Cres. ML5: Coat 1H **113**
Colonsay Dr. G77: Newt M 4B **136**
Colonsay Rd. G52: Glas 6E **85**
   PA2: Pais 6H **101**
Colquhoun Av. G52: Hill 4A **84**
Colquhoun Ct. G41: Glas 1A **106**
Colquhoun Dr. G61: Bear 2D **46**
Colquhoun Pk. G52: Hill 4B **84**
   (off Hepburn Rd.)
Colquhoun Rd. G82: Milt 4E **21**

Colquhoun St. G82: Dumb 3G **19**
Colson Pl. ML4: Bell 4E **131**
COLSTON 2A **66**
Colston Av. G64: B'rig 2B **66**
Colston Dr. G64: B'rig 2B **66**
Colston Gdns. G64: B'rig 2A **66**
   ML6: Air 4C **96**
Colston Gro. G64: B'rig 2B **66**
Colston Path G64: B'rig 2A **66**
Colston Pl. G64: B'rig 2A **66**
   ML6: Air 4C **96**
Colston Rd. G64: B'rig 2A **66**
   ML6: Air 4C **96**
Colston Row ML6: Air 4C **96**
Colston Ter. ML6: Air 4C **96**
Colt Av. ML5: Coat 3A **94**
Coltmuir Cres. G64: B'rig 1A **66**
Coltmuir Dr. G64: B'rig 1A **66**
Coltmuir Gdns. G64: B'rig 1A **66**
Coltmuir St. G22: Glas 3F **65**
COLTNESS 3A **150**
Coltness Dr. ML4: Bell 3D **130**
Coltness La. G33: Glas 4C **90**
Coltness Pl. ML2: Wis 3A **150**
Coltness St. G33: Glas 3C **90**
Coltpark Av. G64: B'rig 1A **66**
Coltpark La. G64: B'rig 1B **66**
Colt Pl. ML5: Coat 3C **94**
Coltsfoot Dr. G53: Glas 4B **120**
Coltswood Ct. ML5: Coat 3C **94**
Coltswood Rd. ML5: Coat 2C **94**
Colt Ter. ML5: Coat 3C **94**
Columba G81: Clyd 5F **45**
Columba Dr. G71: View 6G **113**
Columba Cres. ML1: Moth 5F **131**
Columba Path G72: Blan 1A **144**
Columba Sports Complex 6C **94**
Columba St. G51: Glas 4H **85**
Columbia Pl. G75: E Kil 3D **156**
Columbia Way G75: E Kil 3D **156**
Columbine Way ML8: Carl 5D **174**
Colvend Dr. G73: Ruth 4D **124**
Colvend La. G40: Glas 2B **108**
Colvend St. G40: Glas 2B **108**
Colville Cl. G72: Camb 1D **126**
Colville Ct. ML1: Carf 6C **132**
Colville Dr. G73: Ruth 1F **125**
Colvilles Pk. G75: E Kil 5B **158**
Colvilles Pl. G75: E Kil 5B **158**
Colvilles Rd. G75: E Kil 6A **158**
Colwood Av. G53: Glas 3A **120**
Colwood Gdns. G53: Glas 4A **120**
Colwood Path G53: Glas 4A **120**
Colwood Pl. G53: Glas 4A **120**
Colwood Sq. G53: Glas 4A **120**
Colwyn Ct. ML6: Air 2A **96**
COLZIUM 1C **14**
Colzium Vw. G65: Kils 3A **14**
Combe Quad. ML4: Bell 4A **130**
Comedie Rd. G33: Step 5E **69**
Comely Bank ML3: Ham 6D **144**
Comelybank La. G82: Dumb 3D **18**
Comelybank Rd. G82: Dumb 3D **18**
Comelypark Pl. G31: Glas 5C **88**
   (off Comelypark St.)
Comelypark St. G31: Glas 5B **88**
Commerce St. G5: Glas 6F **87**
Commercial Ct. G5: Glas 6H **87**
Commercial Rd. G5: Glas 6G **87**
   G78: Barr 4E **119**
Common Grn. ML3: Ham 5A **146**
Commonhead Av. ML6: Air 2H **95**
Commonhead La. ML6: Air 2H **95**
Commonhead Rd. G34: Glas 3B **92**
Commonhead St. ML6: Air 2H **95**
Commonside St. ML6: Air 2H **95**
Commore Av. G78: Barr 6F **119**

Commore Dr. G13: Glas 2A **62**
Commore Pl. G78: Neil 3C **134**
Community Av. ML4: Bell 5C **130**
Community Pl. ML4: Bell 4D **130**
Community Rd. ML4: Bell 4B **130**
Comrie Cres. ML3: Ham 6B **144**
Comrie Rd. G33: Step 4C **68**
Comrie St. G32: Glas 2B **110**
Conan Ct. G72: Camb 2D **126**
Cona St. G46: T'bnk 3E **121**
Condor Glen ML1: Holy 6G **115**
CONDORRAT 6C **36**
Condorrat Interchange
   G68: Cumb 5D **36**
Condorrat Ring Rd.
   G67: Cumb 5D **36**
Condorrat Rd. G67: Cumb 4D **56**
   ML6: Glenm 4D **56**
Coneypark Cres. FK4: Bank 1C **16**
Coneypark Pl. FK4: Bank 1C **16**
Congress Rd. G3: Glas 5C **4** (4B **86**)
Congress Way
   G3: Glas 6D **4** (4C **86**)
Conifer Pl. G66: Lenz 1B **52**
Conisborough Path G34: Glas . . .1F **91**
Conisborough Rd. G34: Glas 1F **91**
Conisbrough Cl. G34: Glas 2G **91**
Coniston G75: E Kil 6B **156**
Coniston Cres. ML3: Ham 5G **161**
Coniston Dr. ML4: Bell 4D **130**
Conistone Cres. G69: Bail 1F **111**
Connal St. G40: Glas 2D **108**
Connell Cres. G62: Miln 4A **28**
Connell Gro. ML2: Wis 1E **165**
Conniston St. G32: Glas 4G **89**
Connollys Land G81: Dun 1C **44**
Connor Rd. G78: Barr 4D **118**
Connor St. ML6: Air 2E **97**
Conon Av. G61: Bear 4C **46**
Conservation Pl. ML2: Wis 2H **165**
Consett La. G33: Glas 3C **90**
Consett St. G33: Glas 3C **90**
Constantine Way ML1: Moth 6E **131**
Constarry Rd. G65: Croy 6A **14**
Consul Way ML1: Moth 6E **131**
Contin Pl. G20: Glas 4B **64**
Convair Way PA4: Renf 2F **83**
Conval Way PA3: Pais 3H **81**
Cook St. G5: Glas 6E **87**
Coo La. G76: Eag 6C **154**
Coolgardie Grn. G75: E Kil 4E **157**
Coolgardie Pl. G75: E Kil 4E **157**
Coopers Ct. G14: Glas 3F **61**
Cooperage Pl. G3: Glas 3A **4** (3A **86**)
Co-operative Ter. PA5: John 2G **99**
Cooper Av. ML8: Carl 2C **174**
Cooper's Well St.
   G11: Glas 1A **4** (2A **86**)
Copenhagen Av. G75: E Kil 5G **157**
Copland Pl. G51: Glas 5H **85**
Copland Quad. G51: Glas 5H **85**
Copland Rd. G51: Glas 6H **85**
Coplaw Ct. G42: Glas 2E **107**
Coplaw St. G42: Glas 2E **107**
Copperfield La. G71: Tann 6E **113**
Copperwood Ct. ML3: Ham 4F **145**
Copperwood Cres. ML3: Ham . . .4F **145**
Copperwood Wynd
   ML3: Ham 4F **145**
Coralmount Gdns. G66: Kirk 6E **33**
Corbett Ct. G32: Glas 2H **109**
Corbett St. G32: Glas 2H **109**
Corbie Pl. G62: Miln 3D **26**
Corbiston Way G67: Cumb 3B **38**
Cordiner La. G44: Glas 6F **107**
Cordiner St. G44: Glas 6F **107**
CORKERHILL 3D **104**

Corkerhill Gdns.
G52: Glas 1E **105**
Corkerhill Pl. G52: Glas 3D **104**
Corkerhill Rd. G52: Glas 2D **104**
Corkerhill Station (Rail) 3D **104**
Corlaich Av. G42: Glas 6A **108**
Corlaich Dr. G42: Glas 6A **108**
Corless St. G71: Udd 1E **129**
Cormack Av. G64: Torr 4E **31**
Cormorant Av. PA6: C'lee 3D **78**
Cornaig Rd. G53: Glas 5B **104**
Cornalee Gdns. G53: Glas 5A **104**
Cornalee Pl. G53: Glas 5A **104**
(not continuous)
Cornalee Rd. G53: Glas 5B **104**
Cornelian Ter. ML4: Bell 3C **130**
Cornelia St. ML1: Moth 6D **130**
Cornfield Ct. G72: Camb 1E **127**
Cornhill Dr. ML5: Coat 3A **94**
Cornhill St. G21: Glas 4C **66**
Cornish Ct. ML5: Coat 3B **94**
Cornmill Ct. G81: Dun 1C **44**
Cornock Cres. G81: Clyd 4D **44**
Cornock St. G81: Clyd 4D **44**
Cornsilloch Brae ML9: Lark 2H **171**
Corn St. G4: Glas 1B **6** (1F **87**)
Cornwall Av. G73: Ruth 2F **125**
Cornwall Ct. G74: E Kil 2H **157**
Cornwall St. G41: Glas 6B **86**
G74: E Kil 2F **157**
Cornwall St. Sth. G41: Glas 6B **86**
Cornwall Way G74: E Kil 2H **157**
Coronation Av. ML9: Lark 5C **170**
Coronation Ct. ML1: New S 3H **131**
Coronation Cres. ML9: Lark 5C **170**
Coronation Pl. G69: G'csh 2C **70**
ML9: Lark 5D **170**
Coronation Rd. ML1: New S 3H **131**
Coronation Rd. E.
ML1: New S 4H **131**
Coronation St. ML2: Wis 6B **150**
Coronation Way G61: Bear 5F **47**
Corpach Pl. G34: Glas 2B **92**
Corporation Yd. G15: Glas 4H **45**
Corra Linn ML3: Ham 6E **145**
Corran Av. G77: Newt M 3C **136**
Corran St. G33: Glas 3H **89**
Correen Gdns. G61: Bear 6B **26**
Corrie Brae G65: Kils 2G **13**
Corrie Ct. ML3: Ham 1D **160**
Corrie Dr. ML1: Moth 2D **146**
PA1: Pais 1G **103**
Corrie Gdns. G75: E Kil 6G **157**
Corrie Gro. G44: Neth 3D **122**
Corrie Pl. G66: Lenz 3E **53**
Corrie Rd. G65: Kils 2G **13**
Corrie Vw. G68: Cumb 5B **36**
Corrie Vw. Cotts.
G65: Twe 1C **34**
(off Alexander Av.)
Corrie Way ML9: Lark 3D **170**
Corrour Rd. G43: Glas 6B **106**
G77: Newt M 3C **136**
Corsebar Av. PA2: Pais 3G **101**
Corsebar Cres. PA2: Pais 4G **101**
Corsebar Dr. PA2: Pais 3G **101**
Corsebar La. PA2: Pais 4F **101**
Corsebar Rd. PA2: Pais 4F **101**
Corsebar Way PA2: Pais 2G **101**
CORSEFORD 5C **98**
Corseford Av. PA5: John 5C **98**
Corsehill Path G34: Glas 3A **92**
Corsehill Pl. G34: Glas 3A **92**
Corsehill St. G34: Glas 3A **92**
Corselet Rd. G53: Glas 5B **120**
G78: Barr 6A **120**
Corse Rd. G52: Glas 5G **83**

Corsewall Av. G32: Glas 2E **111**
Corsewall St. ML5: Coat 4A **94**
Corsford Dr. G53: Glas 1C **120**
Corsock Av. ML3: Ham 1C **160**
Corsock St. G31: Glas 4D **88**
Corston St. G33: Glas 3F **89**
Cortachy Pl. G64: B'rig 6F **51**
Cortmalaw Av. G33: Glas 2G **67**
Cortmalaw Cl. G33: Glas 2G **67**
Cortmalaw Cres. G33: Glas 2G **67**
Cortmalaw Gdns. G33: Glas 2H **67**
Cortmalaw Ga. G33: Glas 2G **67**
Cortmalaw Loan G33: Glas 2G **67**
Cortmalaw Rd. G33: Glas 2G **67**
Coruisk Dr. G76: Clar 1B **138**
Coruisk Way PA2: Pais 5C **100**
Corunna Ct. ML8: Carl 4F **175**
Corunna St. G3: Glas 3D **4** (3C **86**)
Coshneuk Rd. G33: Mille 4B **68**
Cosy Neuk ML9: Lark 4E **171**
Cottar St. G20: Glas 2C **64**
Cotton Av. PA3: Lin 6H **79**
Cotton St. G40: Glas 3C **108**
PA1: Pais 1B **102**
Cotton St. Ent. Pk. G40: Glas . . .3B **108**
Cotton Va. ML1: Cle 6E **133**
Coulin Gdns. G22: Glas 5H **65**
Coulter Av. ML2: Wis 2A **150**
ML5: Coat 3A **94**
Countess Ga. G71: Both 4C **128**
Countess Way G69: Barg 6E **93**
(off Princess Dr.)
Counting Ho., The PA1: Pais 2F **101**
County Av. G72: Camb 6F **109**
County Pl. PA1: Pais 6A **82**
County Sq. PA1: Pais 6A **82**
Couper Pl. G4: Glas 2F **7** (2H **87**)
Couper St. G4: Glas 2F **7** (2H **87**)
Coursington Cres. ML1: Moth . . .2A **148**
Coursington Gdns.
ML1: Moth 2H **147**
Coursington Pl. ML1: Moth 2H **147**
Coursington Rd. ML1: Moth 2H **147**
(not continuous)
Coursington Twr. ML1: Moth 2H **147**
(off Coursington Rd.)
Court Hill G65: Kils 3A **14**
Courthill G61: Bear 1D **46**
Courthill Av. G44: Glas 2F **123**
Courthill Cres. G65: Kils 3A **14**
Coustonholm Rd. G43: Glas 6B **106**
Couther Quad. ML6: Air 1A **96**
Covanburn Av. ML3: Ham 2B **162**
Covenant Cres. ML9: Lark 3D **170**
Covenanters Way ML2: Over 5A **166**
Covenant Pl. ML2: Wis 1C **164**
Coventry Dr. G31: Glas 3D **88**
Cowal Cres. G66: Kirk 4H **33**
Cowal Dr. PA3: Lin 6G **79**
Cowal St. G20: Glas 2A **64**
Cowal Vw. G81: Clyd 4D **44**
Cowan Cres. G78: Barr 4F **119**
Cowan La. G12: Glas 1C **86**
(off Glasgow St.)
Cowan Rd. G68: Cumb 3E **37**
Cowan St. G12: Glas 1C **86**
Cowan Wilson Av.
G72: Blan 1B **144**
Cowan Wynd G71: Tann 5E **113**
ML2: Over 4A **166**
COWCADDENS 2C **6** (2F **87**)
Cowcaddens Rd.
G4: Glas 2B **6** (2F **87**)
Cowcaddens Station (Und.)
. . . . .2B **6** (2F **87**)
Cowden Dr. G64: B'rig 4C **50**

Cowdenhill Cir. G13: Glas 1D **62**
Cowdenhill Pl. G13: Glas 1D **62**
Cowdenhill Rd. G13: Glas 1D **62**
Cowden St. G51: Glas 4D **84**
Cowdray Cres. PA4: Renf 6F **61**
Cowgate G66: Kirk 4C **32**
Cowglen Rd. G53: Glas 6C **104**
COWLAIRS 5A **66**
Cowlairs Ind. Est. G21: Glas 5H **65**
Cowlairs Rd. G21: Glas 5A **66**
(off Kemp St.)
G21: Glas 5A **66**
(Millarbank St.)
Coxdale Av. G66: Kirk 5B **32**
Coxhill St. G21: Glas 6H **65**
Coxton Pl. G33: Glas 2D **90**
Coylton Cres. ML3: Ham 2C **160**
Coylton Rd. G43: Glas 2C **122**
Crabb Quad. ML1: Moth 6E **131**
Cragdale G74: E Kil 6E **141**
Craggan Dr. G14: Glas 3H **61**
Crags Av. PA2: Pais 4B **102**
Crags Cres. PA2: Pais 3B **102**
Crags Rd. PA2: Pais 4B **102**
Cragwell Pk. G76: Crmck 2A **140**
Craigallian Av. G62: Miln 1F **27**
G72: Camb 3D **126**
Craiganour La. G43: Glas 1A **122**
Craiganour Pl. G43: Glas 1A **122**
(off Hillpark Dr.)
Craigard Pl. G73: Ruth 4F **125**
Craigash Quad. G62: Miln 2E **27**
Craigash Rd. G62: Miln 3E **27**
Craigbank Cres. G76: Eag 5C **154**
Craigbank Dr. G53: Glas 1A **120**
Craigbank Gro. G76: Eag 5C **154**
Craigbank Rd. ML9: Lark 5C **170**
Craigbank St. ML9: Lark 4C **170**
Craigbanzo St. G81: Faif 5F **25**
Craigbarnet Av. G64: Torr 5C **30**
Craigbarnet Cres. G33: Mille 5B **68**
Craigbarnet Rd. G62: Miln 3D **26**
Craigbet Av. PA11: Q'riers 1A **76**
Craigbet Cres. PA11: Q'riers 1A **76**
Craigbet Pl. PA11: Q'riers 1A **76**
Craigbo Av. G23: Glas 6B **48**
Craigbo Ct. G23: Glas 1B **64**
Craigbo Dr. G23: Glas 6B **48**
Craigbog Av. PA5: John 4D **98**
Craigbog Rd. PA5: John 5F **99**
Craigbo Pl. G23: Glas 1B **64**
Craigbo Rd. G23: Glas 1B **64**
Craigbo St. G23: Glas 6B **48**
Craigburn Av. PA6: C'lee 3D **78**
Craigburn Ct. ML9: Ashg 4H **171**
Craigburn Cres. PA6: C'lee 4D **78**
Craigburn Pl. PA6: C'lee 4D **78**
Craigburn St. ML3: Ham 3H **161**
Craig Cres. G66: Kirk 6H **33**
(off Bk. o'Dykes Rd.)
Craigdhu Av. G62: Miln 4F **27**
ML6: Air 4E **97**
Craigdhu Farm Cotts G62: Miln . .4E **27**
Craigdhu Rd. G61: Bear 5D **26**
G62: Miln 4E **27**
Craigdonald Pl. PA5: John 2F **99**
Craigellan Rd. G43: Glas 1B **122**
Craigelvan Av. G67: Cumb 1B **56**
Craigelvan Ct. G67: Cumb 1B **56**
Craigelvan Dr. G67: Cumb 1B **56**
Craigelvan Gdns. G67: Cumb 1B **56**
Craigelvan Gro. G67: Cumb 1B **56**
Craigelvan Pl. G67: Cumb 1B **56**
Craigelvan Vw. G67: Cumb 1B **56**
Craigenbay Cres. G66: Lenz 2E **53**
Craigenbay Rd. G66: Lenz 3D **52**
Craigenbay St. G21: Glas 5D **66**

Craigencart Ct. G81: Dun 1B 44
CRAIGEND 6C 68
Craigend Cres. G62: Miln 3F 27
Craigend Dr. ML5: Coat 1G 113
Craigend Dr. W. G62: Miln 3E 27
Craigend Ho. G82: Dumb 3C 18
CRAIGENDMUIR 5E 69
Craigendmuir Cvn. Site
   G33: Step 5E 69
Craigendmuir Rd. G33: Step 5E 69
Craigendmuir St. G33: Step 1F 89
Craigendon Oval PA2: Pais 6G 101
Craigendon Rd. PA2: Pais 6G 101
Craigend Pl. G13: Glas 3E 63
Craigend Rd. G67: Cumb 2B 56
CRAIGENDS 3D 78
Craigends Av. PA11: Q'riers 1A 76
Craigends Ct. G65: Kils 3A 14
Craigends Dr. PA10: Kilb 2A 98
Craigends Pl. PA11: Q'riers 1A 76
Craigends Rd.
   PA6: C'lee, Hous 4D 78
Craigend St. G13: Glas 3E 63
Craigend Vw. G67: Cumb 2B 56
Craigenfeoch Av. PA5: John 4D 98
Craigens Rd.
   ML6: Air, Chap, Gart 6F 97
Craigfaulds Av. PA2: Pais 3F 101
Craigfell Ct. ML3: Ham 1C 160
Craigflower Av. G53: Glas 3A 120
Craigflower Gdns. G53: Glas 3A 120
Craigflower Rd. G53: Glas 4A 120
Craig Gdns. G77: Newt M 5C 136
Craighalbert Rd. G68: Cumb 2E 37
   (not continuous)
Craighalbert Rdbt.
   G68: Cumb 1E 37
Craighalbert Way G68: Cumb 1E 37
Craighall Quad. G78: Neil 3D 134
Craighall Rd. G4: Glas 1C 6 (1F 87)
Craighaw St. G81: Faif 5F 25
CRAIGHEAD 1E 145
Craighead Av. G33: Glas 6F 67
   G66: Milt C 5C 10
Craighead Dr. G62: Miln 3D 26
Craighead Pl. G33: Glas 6F 67
Craighead Rd. G66: Milt C 5C 10
   PA7: B'ton 5H 41
Craighead Way G78: Barr 5D 118
   ML6: Air 3E 97
Craighead Way G78: Barr 5D 118
   (not continuous)
Craig Hill G75: E Kil 4E 157
Craighill Dr. G76: Clar 3B 138
Craighill Gro. G76: Clar 3B 138
Craighirst Dr.
   G81: Dun, Hard 6C 24
Craighirst Rd. G62: Miln 3D 26
Craighlaw Av. G76: Water 1B 154
Craighlaw Dr. G76: Water 1B 154
Craigholme PA6: Hous 1D 78
Craighouse St. G33: Glas 2A 90
Craighton Gdns. G66: Len 3H 9
Craigiebar Dr. PA2: Pais 5G 101
Craigieburn Gdns. G20: Glas . . .1H 63
Craigieburn Rd. G67: Cumb 4H 37
Craigie Dr. G77: Newt M 6E 137
Craigiehall Av. PA8: Ersk 2E 59
Craigiehall Cres. PA8: Ersk 2E 59
Craigiehall Pl. G51: Glas 5B 86
Craigiehall St. G51: Glas 5C 86
Craigiehall Way PA8: Ersk 2E 59
Craigie La. *ML9: Lark 1D 170*
   (off Duncan Graham St.)
Craigielea Ct. PA4: Renf 5E 61
Craigielea Cres. G62: Miln 3E 27
Craigielea Dr. PA3: Pais 5F 81

Craigielea Pk. PA4: Renf 6E 61
Craigielea Rd. G81: Dun 6A 24
   PA4: Renf 6E 61
Craigielea St. G31: Glas 3C 88
Craigielinn Av. PA2: Pais 6F 101
Craigie Pk. G66: Lenz 2E 53
Craigie Pl. ML5: Coat 6A 94
Craigie St. G42: Glas 3E 107
Craigievar Av. G33: Glas 1D 90
Craigievar Ct. G33: Glas 1E 91
Craigievar Cres. G33: Glas 1E 91
Craigievar Pl. G77: Newt M 4B 136
   ML6: Air 5E 97
Craigievar St. G33: Glas 1E 91
Craiglea Pl. ML6: Air 3C 96
Craiglea Ter. ML6: Plain 6F 75
Craiglee G75: E Kil 6G 157
Craigleith St. G32: Glas 5G 89
CRAIGLINN 4B 36
Craiglinn Gdns. G45: Glas 5G 123
Craiglinn Pk. Rd. G68: Cumb 4C 36
Craiglinn Rdbt. G68: Cumb 4C 36
Craiglockhart Dr. G33: Glas 1D 90
Craiglockhart Pl. G33: Glas 1D 90
Craiglockhart St. G33: Glas 1D 90
Craigmaddie Gdns. G64: Torr 5C 30
Craigmaddie Rd.
   G62: Balder, Bard 3D 28
Craigmaddie Ter. La. G3: Glas . . .2D 4
CRAIGMARLOCH 1E 37
Craigmarloch Av. G64: Torr 5D 30
Craigmillar Av. G62: Miln 3H 27
Craigmillar Pl. G69: G'csh 5C 70
Craigmillar Rd. G42: Glas 6E 107
Craigmochan Av. ML6: Air 1H 95
Craigmont Dr. G20: Glas 3C 64
Craigmont St. G20: Glas 3C 64
Craigmore Pl. ML5: Coat 2A 114
Craigmore Rd. G61: Bear 6B 26
Craigmore St. G31: Glas 5E 89
Craigmore Wynd *ML9: Lark 1D 170*
   (off Carrick Pl.)
Craigmount Av. PA2: Pais 6G 101
Craigmount St. G66: Kirk 6D 32
Craigmuir Ct. G52: Glas 5H 83
Craigmuir Cres. G52: Glas 5H 83
Craigmuir Gdns. G72: Blan 3H 143
Craigmuir Pl. G52: Glas 5G 83
Craigmuir Rd. G52: Glas 5G 83
   G72: Blan 3H 143
Craigneath Castle (Ruins) 6E 143
Craigneith St. G74: E Kil 5E 143
Craignethan Dr. G69: G'csh 5E 71
Craigneuk Av. G46: Giff 2G 137
   ML8: Carl 2C 174
CRAIGNEUK
   ML2 . . . . .5C 148
   ML6 . . . . .4D 96
Craigneuk Av. ML6: Air 5C 96
Craigneuk St. ML1: Moth 4B 148
   ML2: Wis 4B 148
Craignure Cres. ML6: Air 4E 97
Craignure Rd. G73: Ruth 4D 124
Craigpark G31: Glas 4C 88
Craigpark Dr. G31: Glas 4C 88
Craigpark St. G81: Faif 6F 25
Craigpark Ter. *G31: Glas 4C 88*
   (off Craigpark)
Craigpark Way G71: Tann 6E 113
Craig Pl. G77: Newt M 4B 136
   ML8: Law 6E 167
Craig Rd. G44: Glas 2E 123
   G78: Neil 3D 134
   PA3: Lin 4F 79
Craigs Av. G81: Faif, Hard 1E 45

Craigsheen Av. G76: Crmck 2H 139
Craigside Ct. G68: Cumb 6B 36
Craigside Pl. G68: Cumb 6B 36
Craigside Rd. G68: Cumb 6B 36
Craigson Pl. ML6: Air 5F 97
Craigstone Vw. G65: Kils 3B 14
Craigston Pl. PA5: John 3F 99
Craigston Rd. PA5: John 3E 99
Craig St. G72: Blan 3C 144
   ML5: Coat 1B 114
   ML6: Air 4H 95
CRAIGTON 6D 84
Craigton Av. G62: Miln 3F 27
   G78: Barr 6G 119
Craigton Cotts. G62: Miln 1C 26
Craigton Crematorium
   G52: Glas 6D 84
Craigton Cres. G77: Newt M 4B 136
Craigton Dr. G51: Glas 5F 85
   G77: Newt M 4C 136
   G78: Barr 6G 119
Craigton Gdns. G62: Miln 2E 27
Craigton Ind. Est. G52: Glas 6D 84
CRAIGTON INTERCHANGE 6B 42
Craigton Pl. G51: Glas 5E 85
   G72: Blan 6B 128
Craigton Rd. G51: Glas 5F 85
   G62: Miln 2C 26
   G77: Newt M 6H 135
Craigton St. G81: Faif 5F 25
CRAIGTON VILLAGE 2B 26
Craigvale Cres. ML6: Air 4E 97
Craigvicar Gdns.
   G32: Glas 1D 110
Craigview Av. PA5: John 5D 98
Craigview Rd. ML1: Moth 1H 147
Craigview Ter. PA5: John 4D 98
Craigwell Av. G73: Ruth 1F 125
Crail Cl. G72: Blan 6B 144
Crail Pl. G31: Glas 6F 89
Crail St. G31: Glas 6F 89
Craithie Ct. G11: Glas 1G 85
Crammond Av. ML5: Coat 1G 113
Cramond Av. PA4: Renf 1G 83
Cramond St. G5: Glas 3H 107
Cramond Ter. G32: Glas 6B 90
Cranborne Rd. G12: Glas 4G 63
Cranbrooke Dr. G20: Glas 2B 64
CRANHILL 3B 90
Crannog Ct. G82: Milt 4E 21
Crannog Rd. G82: Milt 4E 21
CRANSTON HILL 4F 5 (3D 86)
Cranston St. G3: Glas 5F 5 (4D 86)
Cranworth La. *G12: Glas 6B 64*
   (off Gt. George St.)
Cranworth St. G12: Glas 6B 64
Crarae Av. G61: Bear 5E 47
Crarae Pl. G77: Newt M 4A 136
Crathes Ct. G44: Glas 3C 122
   ML2: Wis 6H 149
Crathie Ct. ML8: Carl 2C 174
Crathie Dr. G11: Glas 1G 85
   ML6: Glenm 5H 73
Crathie Pl. G77: Newt M 5H 137
Crathie Quad. ML2: Wis 4H 149
Crauchan Av. PA2: Pais 5A 102
Crawford Av. G66: Lenz 4D 52
Crawford Ct. G46: Giff 6H 121
Crawford Cres. G71: Udd 6C 112
   G72: Blan 6B 128
Crawford Dr. G15: Glas 6H 45
   G74: E Kil 1B 158
   PA3: Pais 5F 81
CRAWFORDDYKE 4E 175
Crawford Hill G74: E Kil 1B 158
Crawford La. *G11: Glas 1G 85*
   (off Crawford St., not continuous)

Crawford Path G11: Glas 1G 85
(off Crawford St.)
Crawford Rd. G62: Miln 1F 27
PA6: C'lee 2D 78
Crawford St. G11: Glas 1G 85
ML1: Moth 3E 147
ML3: Ham 4E 145
Crawfurd Gdns. G73: Ruth 3E 125
Crawfurd Rd. G73: Ruth 3D 124
Crawriggs Av. G66: Kirk 1D 52
Craw Rd. PA2: Pais 2G 101
Creamery Rd. ML2: Wis 2B 166
Crebar Dr. G78: Barr 5E 119
Crebar St. G46: T'bnk 3E 121
Credon Dr. ML6: Air 6A 96
Credon Gdns. G73: Ruth 3E 125
Cree Av. G64: B'rig 6F 51
Cree Gdns. G32: Glas 6H 89
Cree Pl. G75: E Kil 2D 156
Creighton Gro. G74: E Kil 2G 157
Creran Ct. ML3: Ham 2E 161
Creran Dr. PA4: Renf 5D 60
Creran Path ML2: Newm 3D 150
(off Tiree Cres.)
Crescent, The G62: Miln 5G 27
G76: Busby 4E 139
G81: Clyd 4A 44
Crescent Ct. G81: Clyd 4A 44
(off The Crescent)
Crescent Rd. G13: Glas 4B 62
G14: Glas 4B 62
Cressdale Av. G45: Glas 5H 123
Cressdale Ct. G45: Glas 5H 123
Cressdale Dr. G45: Glas 5H 123
Cressland Dr. G45: Glas 6H 123
Cressland Pl. G45: Glas 6H 123
Cresswell Gro.
G77: Newt M 6D 136
Cresswell La. G12: Glas 6B 64
(off Cresswell St.)
Cresswell Pl. G77: Newt M 1E 153
Cresswell St. G12: Glas 6B 64
Cressy St. G51: Glas 3E 85
Crest Av. G13: Glas 1B 62
Crestlea Av. PA2: Pais 5A 102
Creswell Ter. G71: Udd 1C 128
Crichton Ct. G45: Glas 5B 124
Crichton Pl. G21: Glas 5A 66
Crichton St. G21: Glas 5A 66
ML5: Coat 3C 94
Cricketfield La. PA6: Hous 1B 78
Crieff Av. ML6: Chap 4D 116
Criffell Gdns. G32: Glas 2D 110
Criffell Rd. G32: Glas 1D 110
Criffel Pl. ML1: N'hill 4C 132
(off Clarinda Pl.)
Crighton Wynd ML4: Bell 2H 129
Crimea St. G2: Glas 6H 5 (4E 87)
Crimond Pl. G65: Kils 2F 13
Crinan Cres. ML5: Coat 2H 93
Crinan Gdns. G64: B'rig 6E 51
Crinan Pl. ML4: Bell 3D 130
ML5: Coat 2H 93
Crinan Rd. G64: B'rig 6E 51
Crinan St. G31: Glas 3D 88
CRINDLEDYKE 4G 151
Crindledyke Cres. ML2: Newm . . .3F 151
Cripps Av. G81: Clyd 6F 45
Croft ML9: Lark 3B 170
Croftbank Av. G71: Both 6F 129
Croftbank Cres. G71: Both 6F 129
G71: Udd 1D 128
Croftbank Ga. G71: Both 6F 129
Croftbank St. G21: Glas 5B 66
Croftburn Dr. G44: Glas 3H 123
Croftcot Av. ML4: Bell 4B 130
Croftcroighn Rd. G33: Glas 2B 90

Croftend Av. G44: Glas 1A 124
Croftend La. G44: Glas 2B 124
CROFTFOOT 2A 124
Croftfoot Cres. G45: Glas 3C 124
Croftfoot Dr. G45: Glas 3B 124
Croftfoot Pl. G69: G'csh 3E 71
Croftfoot Quad. G45: Glas 3A 124
Croftfoot Rd. G44: Glas 3H 123
G45: Glas 3H 123
Croftfoot Station (Rail) 1A 124
Croftfoot St. G45: Glas 3C 124
Croftfoot Ter. G45: Glas 3B 124
Crofthead Cres. ML4: Bell 4B 130
Crofthead Dr. G66: Len 2E 9
Crofthead La. G66: Kirk 4C 32
(off W. High St.)
Crofthead Pl. G77: Newt M 6E 137
ML4: Bell 4B 130
Crofthead St. G71: Udd 2D 128
Crofthill Av. G71: Udd 1D 128
Crofthill Rd. G44: Glas 1H 123
Crofthouse Dr. G44: Glas 3A 124
Croftmont Av. G44: Glas 3A 124
Croftmoraig Av.
G69: Mood 3E 55
Crofton Av. G44: Glas 3H 123
Croftpark G81: Hard 6D 24
(off Cochno Rd.)
Croftpark Av. G44: Glas 3G 123
Croftpark Cres. G72: Blan 3C 144
Croftpark Rd. G81: Hard 6D 24
Croftpark St. ML4: Bell 1C 130
Croft Pl. ML9: Lark 2B 170
Croft Rd. G64: Balm 5A 30
G72: Camb 2B 126
G75: E Kil 4G 157
Croftside Av. G44: Glas 3A 124
Croftspar Av. G32: Glas 5C 90
Croftspar Ct. G32: Glas 5D 90
Croftspar Dr. G32: Glas 5C 90
Croftspar Ga. G32: Glas 5D 90
Croftspar Gro. G32: Glas 5C 90
Croftspar Pl. G32: Glas 5C 90
Croft Way PA4: Renf 2F 83
Croftwood G64: B'rig 3C 50
Croftwood Av. G44: Glas 3H 123
Croftwood Rd. ML3: Ham 2H 161
Croft Wynd G71: Udd 1E 129
Crogal Cres. ML6: Chap 3D 116
Cromalt Av. G75: E Kil 1B 168
Cromalt Cres. G61: Bear 5C 26
Cromarty Av. G43: Glas 1D 122
G64: B'rig 5F 51
Cromarty Cres. G61: Bear 6F 27
Cromarty Gdns. G76: Clar 6E 123
Cromarty Pl. G69: Chry 6B 54
G74: E Kil 6C 142
Cromarty Rd. ML6: Air 6H 95
Crombie Gdns. G69: Bail 2F 111
Cromdale St. G51: Glas 4E 85
Cromdale Way ML1: New S 5A 132
Cromer Gdns. G20: Glas 4D 64
Cromer Way PA3: Pais 4H 81
Cromlix Gro. ML6: Plain 6H 75
Crompton Av. G44: Glas 2F 123
Cromptons Gro. PA1: Pais 2F 101
Cromwell La. G20: Glas 1E 87
Cromwell St. G20: Glas 1E 87
Crona Dr. ML3: Ham 5C 144
Cronberry Quad. G52: Glas 2H 103
Cronberry Ter. G52: Glas 2H 103
Cronin Pl. ML4: Bell 6D 114
Cronulla Pl. G65: Kils 3B 14
Crookedshields Rd.
G72: Camb 2A 142
G74: Ners 2A 142

CROOKFUR 3C 136
Crookfur Cott. Homes
G77: Newt M 4D 136
CROOKFUR INTERCHANGE 2B 136
Crookfur Rd. G77: Newt M 3B 136
CROOKSTON 1A 104
Crookston Av. G52: Glas 1A 104
Crookston Castle (Remains of)
. . . . .3B 104
Crookston Ct. G52: Glas 1A 104
Crookston Dr. G52: Glas 1H 103
PA1: Pais 1H 103
Crookston Gdns. G52: Glas 1H 103
Crookston Gro. G52: Glas 1A 104
Crookstonhill Path
G52: Glas 1H 103
(off Crookston Quad.)
Crookston Path G52: Glas 1H 103
(off Crookston Quad.)
Crookston Pl. G52: Glas 1H 103
Crookston Quad. G52: Glas 1H 103
Crookston Rd. G52: Glas 2H 103
G53: Glas 6A 104
Crookston Station (Rail) 1H 103
Crookston Ter. G52: Glas 1A 104
Crosbie Dr. PA2: Pais 6C 100
Crosbie La. G20: Glas 1A 64
(off Crosbie St.)
Crosbie Pl. PA2: Pais 5C 100
Crosbie St. G20: Glas 1A 64
Crosbie Wood PA2: Pais 4F 101
Cross, The PA1: Pais 6A 82
PA10: Kilb 2A 98
Crossan Dr. G66: Len 2C 8
Cross Arthurlie St. G78: Barr 5D 118
Crossbank Av. G42: Glas 4A 108
Crossbank Dr. G42: Glas 4H 107
Crossbank Rd. G42: Glas 4H 107
Crossbank Ter. G42: Glas 4H 107
CROSSBASKET 3F 143
Crossburn Av. G62: Miln 4F 27
Cross Ct. G64: B'rig 6B 50
(off Brackenbrae Av.)
Crossdykes G66: Kirk 6G 33
Crossen La. ML8: Carl 4F 175
(off Ramage Rd.)
Crossflat Cres. PA1: Pais 6C 82
Crossford Dr. G23: Glas 6C 48
Crossgate G66: Kirk 4D 32
Cross Gates ML4: Bell 3C 130
Crossgates PA7: B'ton 3F 41
Crossgates Av. ML1: Cle 4H 133
Crossgates St. ML9: Lark 1B 170
CROSSHILL
G42 . . . . .4F 107
G69 . . . . .6B 92
Crosshill Av. G42: Glas 4F 107
G66: Kirk 1D 52
Crosshill Dr. G73: Ruth 1D 124
ML1: Cle 4H 133
Crosshill Rd. G64: B'rig, Lenz 2E 51
G66: Lenz 2E 51
Crosshill Station (Rail) 4F 107
Crosshill St. G66: Len 2F 9
ML1: Moth 3H 147
ML5: Coat 1F 113
ML6: Air 4H 95
Crosshouse Rd. G75: E Kil 6B 156
Crosslea Gdns. PA6: C'lee 2B 78
CROSSLEE 3B 78
Crosslee Cres. PA6: Hous 2C 78
Crosslee Pk. PA6: C'lee 2C 78
Crosslee Rd. PA11: Bri W 5H 77
Crosslees Dr. G46: T'bnk 4F 121
Crosslees Pk. G46: T'bnk 4F 121
Crosslees Rd. G46: T'bnk 5F 121
Crosslee St. G52: Glas 6D 84

CROSSLET 2C 20
Crosslet Av. G82: Dumb 1C 20
Crosslet Ct. G82: Dumb 2C 20
Crosslet Ho. G82: Dumb 2C 20
Crosslet Pl. G82: Dumb 4H 19
Crosslet Rd. G82: Dumb 3G 19
Crossloan Rd. G51: Glas 4F 85
Crossloan Ter. G51: Glas 4F 85
CROSSMILL 3F 119
Crossmill Av. G78: Barr 3F 119
Crossmount Ct. ML8: Carl 3C 174
CROSSMYLOOF 4B 106
Crossmyloof Gdns. G41: Glas 4B 106
Crossmyloof Station (Rail) 4B 106
Cross Orchard Way
    ML4: Bell 2C 130
Crosspoint Dr. G23: Glas 6C 48
Cross Rd. PA2: Pais 3F 101
CROSS STOBS 2C 118
Cross Stone Pl. ML1: Moth 3G 147
Cross St. G32: Carm 4C 110
    PA1: Pais 1G 101
Crosstobs Rd. G53: Glas 4A 104
Crossvegate Bus. Pk.
    G62: Miln 4H 27
                                (off Fulton Rd.)
Crossveggate G62: Miln 4H 27
Crossview Av. G69: Bail 6B 92
Crossview Pl. G69: Bail 6B 92
Crossway Gdns. 3E 41
Crossways PA6: Hous 1D 78
Cross Wynd G74: E Kil 1H 157
                                (off Hunter St.)
Crovie Rd. G53: Glas 6A 104
Crow Av. ML1: Holy 2B 132
Crowflats Rd. G71: Udd 1C 128
Crowfoot Vw. G71: View 4G 113
Crowhill Cres. ML6: Air 1H 95
Crowhill Rd. G64: B'rig 2B 66
Crowhill St. G22: Glas 3G 65
Crow La. G13: Glas 4F 63
Crowlin Cres. G33: Glas 3B 90
Crown Av. G81: Clyd 4C 44
Crown Cir. G12: Glas 6A 64
Crown Gdns. G12: Glas 6A 64
Crownhall Pl. G32: Glas 6C 90
Crownhall Rd. G32: Glas 6C 90
Crownhill Ct. ML6: Glenm 6G 73
Crownpoint Rd. G40: Glas 6B 88
Crownpoint Sports Complex 5B 88
Crown Rd. Nth. G12: Glas 6H 63
Crown Rd. Sth. G12: Glas 6H 63
Crown St. G5: Glas 6G 107
                                (Alexander Cres.)
    G5: Glas 6G 87
                                (Ballater St.)
    G5: Glas 1F 107
                                (Caledonia Rd.)
    G69: Bail 2F 111
    ML5: Coat 4E 95
    ML6: C'bnk 2B 116
Crown Ter. G12: Glas 6H 63
Crow Rd. G11: Glas 5F 63
    G13: Glas 5F 63
                                (not continuous)
    G66: Len 1F 9
Crow-Wood Cres. ML6: C'bnk . . .3B 116
Crowwood Dr. ML6: Air 4D 96
Crow Wood Rd. G69: Chry 2H 69
Crow-Wood Rd. ML6: C'bnk 3B 116
Crow Wood Ter. G69: Chry 2H 69
CROY 1B 36
Croy G74: E Kil 6F 141
Croy Av. G77: Newt M 4G 137
Croy Pl. G21: Glas 4E 67
Croy Rd. G21: Glas 4E 67
    ML5: Coat 1A 114

Croy Station (Rail) 2B 36
Cruachan Av. PA4: Renf 2E 83
Cruachan Dr. G77: Newt M 6F 137
    G78: Barr 6E 119
    G73: Ruth 4F 125
Cruachan Rd. G61: Bear 6B 26
Cruachan St. G46: T'bnk 3F 121
Cruachan Way G78: Barr 6E 119
Cruden St. G51: Glas 5F 85
Crum Av. G46: T'bnk 4G 121
Crusader Av. G13: Glas 6D 46
Cubie St. G40: Glas 6B 88
Cuckoo Way ML1: Holy 2B 132
Cuilhill Rd. G69: Barg 3D 92
Cuillin Pl. ML6: Chap 4F 117
    ML9: Lark 2E 171
Cuillins, The G69: Mood 3E 55
    G71: Tann 4C 112
Cuillins Rd. G73: Ruth 4F 125
Cuillin Way G78: Barr 5E 119
Cuilmuir Ter. G65: Croy 1B 36
Cuilmuir Vw. G65: Croy 6B 14
Culbin Dr. G13: Glas 1H 61
Cullen PA8: Ersk 4E 43
Cullen La. G75: E Kil 4G 157
Cullen Pl. G71: Tann 5E 113
Cullen St. G75: E Kil 4F 157
    ML1: Moth 4E 147
Cullen St. G32: Glas 1A 110
Cullion Way ML1: N'hill 2G 133
Cullochrig Rd.
    ML6: Glenm, Rigg 5G 57
                                (not continuous)
Culloch Rd. G61: Bear 5C 26
Culloden Av. ML4: Bell 3F 131
Culloden St. G31: Glas 3D 88
Culrain Gdns. G32: Glas 6A 90
Culrain St. G32: Glas 6A 90
Culross Hill G74: E Kil 2F 157
Culross La. G32: Glas 1C 110
Culross Pl. G74: E Kil 2F 157
    ML5: Coat 4B 94
Culross St. G32: Glas 1C 110
Culross Way G69: Mood 4E 55
Cult Rd. G66: Lenz 3E 53
Cults St. G51: Glas 5F 85
Culvain Av. G61: Bear 6B 26
Culzean ML6: Glenm 4H 73
Culzean Av. ML5: Coat 6A 94
Culzean Ct. ML5: Coat 6A 94
                                (off Torriden St.)
Culzean Cres. G69: Bail 1G 111
    G77: Newt M 4G 137
Culzean Dr. G32: Glas 1D 110
    G74: E Kil 6F 141
    ML1: Carf 4C 132
Culzean Pl. G74: E Kil 6F 141
Cumberland Pl. G5: Glas 1G 107
    ML5: Coat 6G 93
Cumberland St. G5: Glas 6F 87
                                (not continuous)
CUMBERNAULD 4H 37
Cumbernauld Mus. 4H 37
Cumbernauld Rd G68: Mollin 2A 70
Cumbernauld Rd.
    FK4: C'cry, Longc 1F 17
    G31: Glas 4D 88
    G33: Glas 4D 88
    G33: Mille, Step 5A 68
    G33: Step 2G 69
    G69: Chry, Mood, Muirh 2A 70
CUMBERNAULD ROAD INTERCHANGE
    . . . . .1G 89
Cumbernauld Shop. Cen., The
    G67: Cumb 3H 37
Cumbernauld Station (Rail) 5A 38

Cumbernauld Theatre 1B 38
CUMBERNAULD VILLAGE 6B 16
Cumbrae G74: E Kil 2C 158
Cumbrae Ct. G81: Clyd 5D 44
Cumbrae Cres. ML5: Coat 6G 95
Cumbrae Cres. Nth.
    G82: Dumb 2C 18
Cumbrae Cres. Sth.
    G82: Dumb 2B 18
Cumbrae Dr. ML1: Moth 1E 147
Cumbrae Pl. ML5: Coat 1G 115
Cumbrae Rd. PA2: Pais 6A 102
    PA4: Renf 2F 83
Cumbrae St. G33: Glas 3A 90
Cumlodden Dr. G20: Glas 2A 64
Cumming Av. ML8: Carl 5G 175
Cumming Dr. G42: Glas 5F 107
Cumnock Dr. G78: Barr 6F 119
    ML3: Ham 2B 160
    ML6: Air 1A 116
Cumnock Rd. G33: Glas 3G 67
Cumroch Rd. G66: Len 2E 9
Cunard Ct. G81: Clyd 1D 60
Cunard St. G81: Clyd 1D 60
Cunninghair Dr. ML1: Moth 5G 147
Cunningham Dr. G46: Giff 4C 122
    G81: Dun 1B 44
Cunninghame Rd. G73: Ruth 5E 109
    G74: E Kil 2G 157
    PA10: Kilb 2B 98
Cunninghams. PA6: C'lee 2D 78
Cunningham Rd. G52: Hill 3H 83
Cunningham St. ML1: Moth 3F 147
Cuparhead Av. ML5: Coat 1H 113
Curfew Rd. G13: Glas 6D 46
Curle St. G14: Glas 1D 84
                                (not continuous)
Curlew Pl. PA5: John 6C 98
Curling Cres. G44: Glas 6G 107
Curlinghaugh Cres. ML2: Wis 6A 150
Curlingmire G75: E Kil 5G 157
Curran Av. ML2: Wis 2E 165
Currie Ct. PA5: John 4E 99
                                (off Tannahill Cres.)
Currie Pl. G20: Glas 3C 64
Currie St. G20: Glas 3C 64
Curtis Av. G42: Glas 6A 108
    G44: Glas 5G 107
Curzon St. G20: Glas 3C 64
Cut, The G71: Udd 2D 128
Cuthbertson St. G42: Glas 2E 107
Cuthbert St. G71: View 6F 113
Cuthelton Dr. G31: Glas 1G 109
Cuthelton St. G31: Glas 1F 109
Cuthelton Ter. G31: Glas 1F 109
Cutty Sark Pl. G82: Dumb 3C 20
Cypress Av. G71: View 5F 113
    G72: Blan 6A 128
Cypress Ct. G66: Lenz 1B 52
    G75: E Kil 6E 157
    ML3: Ham 1A 162
Cypress Cres. G75: E Kil 6E 157
Cypress Gro. G69: Barg 5F 93
Cypress La. ML3: Ham 3E 161
Cypress Pl. G75: E Kil 6E 157
Cypress St. G22: Glas 4H 65
Cypress Way G72: Flem 3F 127
Cyprus Av. PA5: Eld 3H 99
Cyril St. PA1: Pais 1C 102

D

Daer Av. PA4: Renf 2G 83
Daer Way ML3: Ham 6E 145
Daffodil Way ML1: Moth 1G 147
Dairsie Ct. G44: Glas 3D 122

Dairsie Gdns. G64: B'rig 1F **67**
Dairsie St. G44: Glas 3D **122**
Daisy St. G42: Glas 4F **107**
Dakala Ct. ML2: Wis 1G **165**
Dakota Way PA4: Renf 2F **83**
Dalbeattie Braes
   ML6: Chap 3E **117**
DALBETH 3G **109**
Dalbeth Pl. G32: Glas 3H **109**
Dalbeth Rd. G32: Glas 3H **109**
Dalcharn Path *G34: Glas* *3G 91*
    (off Kildermorie Rd.)
Dalcharn Pl. G34: Glas 3G **91**
Dalcraig Cres. G72: Blan 5A **128**
Dalcross Pass *G11: Glas* *1A 86*
    (off Dalcross St.)
Dalcross St. G11: Glas 1A **86**
Dalcruin Gdns. G69: Mood 3E **55**
Daldowie Av. G32: Glas 2D **110**
Daldowie Complex, The (Land Services)
   G71: Udd 5H **111**
Daldowie Crematorium
   G71: Udd 5H **111**
DALDOWIE INTERCHANGE **4H 111**
Daldowie Rd. G71: Udd 3G **111**
Daldowie St. ML5: Coat 2A **114**
    (not continuous)
Dale Av. G75: E Kil 4E **157**
Dale Ct. ML2: Wis 1C **164**
Dale Dr. ML1: New S 3A **132**
Dale Path *G40: Glas* *1B 108*
    (off Main St.)
Dale St. G40: Glas 1B **108**
    (not continuous)
Daleview Av. G12: Glas 3H **63**
Daleview Dr. G76: Clar 3B **138**
Daleview Gro. G76: Clar 3B **138**
Dale Way G73: Ruth 3D **124**
Dalfoil Ct. PA1: Pais 1H **103**
Dalgarroch Av. G81: Clyd 1G **61**
Dalgleish Av. G81: Dun 1A **44**
Dalhousie Gdns. G64: B'rig 5B **50**
Dalhousie La. G3: Glas 2A **6** (2E **87**)
Dalhousie Rd. PA10: Kilb 3B **98**
Dalhousie St. G3: Glas 3A **6** (3E **87**)
    (not continuous)
   G4: Glas 2B **6**
Dalilea Dr. G34: Glas 2B **92**
    (not continuous)
Dalilea Path *G34: Glas* *2B 92*
    (off Dalilea Dr.)
Dalilea Pl. G34: Glas 2B **92**
Dalintober St. G5: Glas 5E **87**
Dalkeith Av. G41: Glas 1H **105**
   G64: B'rig 4D **50**
Dalkeith Rd. G64: B'rig 3D **50**
Dalmacoulter Rd. ML6: Air 6B **74**
Dalmahoy Cres. PA11: Bri W 5D **76**
Dalmahoy St. G32: Glas 4G **89**
Dalmally St. G20: Glas 6D **64**
DALMARNOCK 2D **108**
Dalmarnock Bri. G40: Glas 3D **108**
Dalmarnock Ct. G40: Glas 2D **108**
Dalmarnock Dr. G40: Glas 1B **108**
Dalmarnock Rd. G40: Glas 1B **108**
   G73: Ruth 3D **108**
Dalmarnock Rd. Trad. Est.
   G73: Ruth 4D **108**
Dalmarnock Station (Rail) 2C **108**
Dalmary Dr. PA1: Pais 5D **82**
Dalmellington Ct. *G74: E Kil* *1F 157*
    (off Dalmellington Dr.)
   ML3: Ham 2B **160**
Dalmellington Dr. G53: Glas 5A **104**
   G74: E Kil 1F **157**
Dalmellington Rd. G53: Glas 4A **104**
Dalmeny Av. G46: Giff 4A **122**

Dalmeny Dr. G78: Barr 5C **118**
Dalmeny Rd. ML3: Ham 1H **161**
Dalmeny St. G5: Glas 3A **108**
Dalmore Cres. ML1: New S 5A **132**
Dalmore Dr. ML6: Air 5A **96**
DALMUIR 4A **44**
Dalmuir Ct. G81: Clyd 4A **44**
Dalmuir Station (Rail) 4A **44**
Dalnair Pl. G62: Miln 3D **26**
Dalnair St. G3: Glas 2A **4** (2A **86**)
Dalness Pas. *G32: Glas* *1A 110*
    (off Ochil St.)
Dalness St. G32: Glas 2A **110**
Dalnottar Av. G60: Old K 1F **43**
Dalnottar Dr. G60: Old K 2F **43**
Dalnottar Gdns. G60: Old K 2F **43**
Dalnottar Hill Rd.
   G60: Old K 1F **43**
Dalnottar Ter. G60: Old K 1F **43**
DALREOCH 3D **18**
Dalreoch Av. G69: Bail 6A **92**
Dalreoch Ct. G82: Dumb 3D **18**
Dalreoch Ho. *G82: Dumb* *3D 18*
    (off School La.)
Dalreoch Path G69: Bail 6A **92**
Dalreoch Station (Rail) 3E **19**
Dalriada Cres.
   ML1: Moth 5F **131**
Dalriada Dr. G64: Torr 5E **31**
Dalriada St. G40: Glas 1E **109**
Dalry Gdns. ML3: Ham 1B **160**
Dalrymple Ct. G66: Kirk 6D **32**
Dalrymple Dr. G74: E Kil 6G **141**
   G77: Newt M 5G **137**
   ML5: Coat 6B **94**
Dalry Pl. ML6: Chap 5D **116**
Dalry Rd. G71: View 6F **113**
Dalry St. G32: Glas 1B **110**
DALSERF 3B **172**
Dalserf Ct. G31: Glas 6D **88**
Dalserf Cres. G46: Giff 6H **121**
Dalserf Gdns. G31: Glas 6D **88**
Dalserf Path *ML9: Lark* *4E 171*
    (off Bannockburn Dr.)
Dalserf Pl. G31: Glas 6D **88**
Dalserf St. G31: Glas 6D **88**
Dalsetter Av. G15: Glas 5H **45**
Dalsetter Cres. G15: Glas 5A **46**
Dalsetter Dr. G15: Glas 5H **45**
Dalsetter Pl. G15: Glas 5A **46**
DALSHANNON 1B **56**
Dalshannon Pl. G67: Cumb 6C **36**
Dalshannon Rd. G67: Cumb 6D **36**
Dalshannon Vw. G67: Cumb 6C **36**
Dalshannon Way G67: Cumb 6C **36**
Dalsholm Av. G20: Glas 1H **63**
Dalsholm Ind. Est. G20: Glas 2H **63**
Dalsholm Pl. G20: Glas 1A **64**
Dalsholm Rd. G20: Glas 2H **63**
Dalskeith Av. PA3: Pais 6E **81**
Dalskeith Cres. PA3: Pais 6E **81**
Dalskeith Rd. PA3: Pais 1E **101**
Dalswinton Path G34: Glas 3A **92**
Dalswinton St. G34: Glas 3A **92**
DALTON 5F **127**
Dalton Av. G81: Clyd 6G **45**
Dalton Cotts G72: Flem 5F **127**
Dalton Ct. G31: Glas 6G **89**
Dalton Hill ML3: Ham 1C **160**
Dalton St. G31: Glas 6G **89**
Dalveen Ct. G78: Barr 6E **119**
Dalveen Dr. G71: Tann 5C **112**
Dalveen Quad. ML5: Coat 6F **95**
Dalveen St. G32: Glas 6H **89**
Dalveen Way G73: Ruth 4E **125**
Dalwhinnie Av. G72: Blan 5A **128**
Daly Gdns. G72: Blan 6C **128**

Dalzell Av. ML1: Moth 5A **148**
Dalzell Country Pk. 6H **147**
Dalzell Dr. ML1: Moth 5A **148**
Dalziel Ct. ML3: Ham 6E **145**
Dalziel Dr. G41: Glas 2A **106**
Dalziel Ga. G72: Camb 1D **126**
Dalziel Gro. G72: Camb 1D **126**
Dalziel Path G72: Camb 1D **126**
Dalziel Quad. G41: Glas 2A **106**
Dalziel Rd. G52: Hill 3H **83**
Dalziel St. ML1: Moth 2H **147**
   ML3: Ham 4F **145**
Dalziel Twr. ML1: Moth 6B **148**
Dalziel Way G72: Camb 2D **126**
Damshot Cres. G53: Glas 5D **104**
Damshot Rd. G53: Glas 6D **104**
Danby Rd. G69: Bail 1F **111**
Danes Av. G14: Glas 5C **62**
Danes Cres. G14: Glas 4B **62**
Danes Dr. G14: Glas 4B **62**
Danes La. Nth. G14: Glas 5C **62**
Danes La. Sth. G14: Glas 5C **62**
Daniel McLaughlin Pl.
   G66: Kirk 4E **33**
Dargarvel Av. G41: Glas 1H **105**
Dargarvel Path *G41: Glas* . . . .
    (off Dumbreck Pl.)
Dargavel Av. PA7: B'ton 4H **41**
Dargarvel Rd. PA7: B'ton 6A **42**
Dargravel Rd. PA8: Ersk 6B **42**
Darkwood Ct. PA3: Pais 5F **81**
Darkwood Cres. PA3: Pais 5F **81**
Darkwood Dr. PA3: Pais 5F **81**
Darleith St. G32: Glas 6H **89**
Darley Pl. ML3: Ham 3F **161**
Darley Rd. G68: Cumb 6G **15**
Darluith Pk. PA5: Brkfld 5C **78**
Darluith Rd. PA3: Lin 5E **79**
Darnaway Av. G33: Glas 1D **90**
Darnaway Dr. G33: Glas 1D **90**
Darnaway St. G33: Glas 1D **90**
Darngavel Ct. *ML6: Air* *3F 95*
    (off Monkscourt Av.)
Darngavil Rd. ML6: Grng 1E **75**
Darnick St. G21: Glas 6C **66**
Darnley Cres. G64: B'rig 4B **50**
Darnley Gdns. G41: Glas 3C **106**
Darnley Ind. Est. G53: Glas 3B **120**
Darnley Mains Rd.
   G53: Glas 4C **120**
Darnley Path G46: T'bnk 2E **121**
Darnley Pl. G41: Glas 3C **106**
Darnley Rd. G41: Glas 3C **106**
   G78: Barr 4F **119**
Darnley St. G41: Glas 3D **106**
Darragh Grn. ML2: Newm 3E **151**
Darroch Dr. PA8: Ersk 4D **42**
Darroch Way G67: Cumb 2A **38**
Dartford St. G22: Glas 6F **65**
Darvel Cres. PA1: Pais 1F **103**
Darvel Dr. G77: Newt M 4G **137**
Darwin Pl. G81: Clyd 3H **43**
Darwin Rd. G75: E Kil 3E **157**
Davaar G74: E Kil 2C **158**
Davaar Dr. ML1: Moth 5E **131**
   ML5: Coat 4H **93**
   PA2: Pais 6A **102**
Davaar Pl. G77: Newt M 3C **136**
Davaar Rd. PA4: Renf 2F **83**
Davaar St. G40: Glas 1D **108**
Davan Loan *ML2: Newm* *3D 150*
    (off Isla Av.)
Dava St. G51: Glas 4G **85**
Dave Barrie Av. ML9: Lark 6H **163**
Daventry Dr. G12: Glas 4G **63**
David Donnelly Pl. G66: Kirk 4C **32**
David Gray Dr. G66: Kirk 4G **33**

David Livingstone Cen. 5C 128
David Lloyd Leisure
  Paisley 2D 82
David Pl. G69: Bail 1F 111
  PA3: Pais 4D 82
Davidson Cres. G65: Twe 2D 34
Davidson Gdns. G14: Glas 5E 63
  (off Westland Dr.)
Davidson La. G14: Glas 5E 63
  ML8: Carl 4F 175
  (off Ramage Rd.)
Davidson Pl. G32: Glas 5C 90
Davidson Quad. G81: Dun 6B 24
Davidson St. G40: Glas 3C 108
  G81: Clyd 1G 61
  ML5: Coat 1D 114
  ML6: Air 3H 95
Davidston Pl. G66: Lenz 3F 53
David St. G40: Glas 6C 88
  ML5: Coat 4E 95
David Way PA3: Pais 4D 82
Davieland Rd. G46: Giff 6G 121
Davie's Acre G74: E Kil 5B 140
Davies Quad. ML1: Moth 5F 131
Davie's Sq. G81: Dun 1C 44
Davington Dr. ML3: Ham 1B 160
Daviot St. G51: Glas 5D 84
Davlea G51: Glas 4E 85
Dawson Av. G75: E Kil 2D 156
Dawson Pl. G4: Glas 6F 65
Dawson Rd. G4: Glas 6F 65
Daziel Cres. G72: Camb 1D 126
Deaconsbank Av. G46: T'bnk . . .6D 120
Deaconsbank Cres.
  G46: T'bnk 6D 120
Deaconsbank Gdns.
  G46: T'bnk 6E 121
Deaconsbank Gro.
  G46: T'bnk 6D 120
Deaconsbank Pl. G46: T'bnk . . .6D 120
Deaconsbrook La. G46: T'bnk . . .6D 120
Deaconsbrook Rd. G46: T'bnk . . .6D 120
Deaconsgait Cl. G46: T'bnk 6D 120
Deaconsgait Way G46: T'bnk . . .6D 120
Deaconsgrange Rd.
  G46: T'bnk 6D 120
Deacons Rd. G65: Kils 3A 14
Deaconsview G46: T'bnk 6D 120
Dealston Rd. G78: Barr 3D 118
Deanbank Rd. ML5: Coat 4H 93
Deanbrae St. G71: Udd 1D 128
Dean Cres. G69: Chry 6B 54
  ML3: Ham 2G 161
Deanfield Quad. G52: Glas 5H 83
DEAN PARK 1G 83
Dean Pk. Av. G71: Both 5E 129
Dean Pk. Dr. G72: Camb 3D 126
Dean Pk. Rd. PA4: Renf 1G 83
Deans Av. G72: Camb 3D 126
Deanside Rd. G52: Hill 3A 84
Deanside Transit Dpt.
  G52: Hill 2A 84
Deanston Av. G78: Barr 6D 118
Deanston Dr. G41: Glas 5B 106
Deanstone Pl. ML5: Coat 2F 115
Deanstone Wlk. ML5: Coat 3F 115
Deanston Gdns. G78: Barr 6D 118
Deanston Gro. ML5: Coat 2A 114
Deanston Pk. G78: Barr 6D 118
Dean St. G81: Clyd 6E 45
  ML4: Bell 2D 130
Deanwood Av. G44: Neth 4D 122
Deanwood Rd. G44: Neth 4D 122
Dechmont G75: E Kil 6F 157
Dechmont Av. G72: Camb 4D 126
  ML1: Moth 2E 147
Dechmont Cotts. G72: Flem 4F 127

Dechmont Gdns. G71: Tann 4C 112
  G72: Blan 6A 128
Dechmont Pl. G72: Camb 4D 126
Dechmont Rd. G71: Tann 4C 112
Dechmont St. G31: Glas 1E 109
  ML3: Ham 1G 161
Dechmont Vw. G71: Tann 6E 113
  ML4: Bell 4B 130
Dee Av. PA2: Pais 3D 100
  PA4: Renf 6G 61
Dee Cres. PA2: Pais 3D 100
Deedes St. ML6: Air 5F 95
Dee Dr. PA2: Pais 4D 100
Dee Path ML1: Holy 2B 132
  ML9: Lark 5C 170
Deep Dale G74: E Kil 6E 141
Deepdene Rd. G61: Bear 4D 46
  G69: Mood 5D 54
Dee Pl. G75: E Kil 4A 156
  PA5: John 5C 98
Deerdykes Ct. Nth.
  G68: Cumb 1A 56
Deerdykes Ct. Sth. G68: Cumb . . .2A 56
Deerdykes Pl. G68: Cumb 1A 56
Deerdykes Rd. G68: Cumb 1A 56
Deerdykes Rdbt. G68: Cumb 2H 55
Deerdykes Vw. G68: Cumb 2H 55
Deer Pk. Ct. ML3: Ham 4H 161
Deer Pk. Pl. ML3: Ham 4A 162
Deeside Dr. ML8: Carl 2E 175
Deeside Pl. ML5: Coat 1F 115
Dee St. G33: Glas 2F 89
  ML5: Coat 1H 93
Dee Ter. ML3: Ham 3F 161
Delhi Av. G81: Clyd 3G 43
Dell, The G77: Newt M 4H 137
  ML4: Bell 4F 131
Dellburn St. ML1: Moth 4H 147
Dellburn Trad. Est.
  ML1: Moth 4A 148
Delny Pl. G33: Glas 4E 91
Delvin Rd. G44: Glas 1E 123
Dempsey Rd. ML4: Bell 4B 130
Den Bak Av. ML3: Ham 1E 161
Denbeath Ct. ML3: Fern 2E 163
Denbeck St. G32: Glas 6H 89
Denbrae St. G32: Glas 6H 89
Dene Wlk. G64: B'rig 1E 67
Denewood Av. PA2: Pais 5H 101
Denham St. G22: Glas 6F 65
Denholm Cres. G75: E Kil 3G 157
Denholm Dr. G46: Giff 6A 122
  ML2: Wis 3A 150
Denholm Grn. G75: E Kil 3H 157
Denholm Ter. ML3: Ham 6C 144
Denmark St. G22: Glas 5G 65
Denmark St. Ind. Cen.
  G22: Glas 4G 65
Denmilne Gdns. G34: Glas 4A 92
Denmilne Path G34: Glas 4A 92
Denmilne Rd. G69: Barg 4B 92
Denmilne St. G34: Glas 4A 92
DENNISTOUN 4C 88
Dennistoun St. ML4: Bell 2C 130
Denny Ship Model Experiment Tank
  . . . . .4F 19
Dennystoun Forge G82: Dumb 3E 19
DENNYSTOWN 3D 18
Dentdale G74: E Kil 6E 141
Deramore Av. G46: Giff 2G 137
Derby St. G3: Glas 3D 4 (3C 86)
Derby Ter. La. G3: Glas 3C 4
Derby Wynd ML1: Carf 6B 132
Derryvood Pl. G66: Milt C 5C 10
Derwent Dr. ML5: Coat 1G 93
Derwent St. G22: Glas 5F 65
Derwentwater G75: E Kil 5B 156

Dery Pl. G64: B'rig 1F 67
Despard Av. G32: Glas 1D 110
Despard Gdns. G32: Glas 1E 111
Deveron Av. G46: Giff 5B 122
Deveron Cres. ML3: Ham 5B 144
Deveron Rd. G61: Bear 5C 46
  G74: E Kil 2A 158
  ML1: Holy 1B 132
Deveron St. G33: Glas 2F 89
  ML5: Coat 2G 93
Deveron Way G67: Cumb 4H 37
  (in The Cumbernauld Shop. Cen.)
  PA2: Pais 4D 100
Devine Ct. ML2: Wis 6H 149
Devine Gro. ML2: Newm 2E 151
Devol Cres. G53: Glas 5B 104
Devondale Av. G72: Blan 6A 128
Devon Dr. PA7: B'ton 4A 42
Devon Gdns. G64: B'rig 4B 50
  ML8: Carl 3C 174
Devonhill Av. ML3: Ham 4H 161
Devon Pl. G41: Glas 1F 107
Devonport Pk. G75: E Kil 4C 156
Devonshire Gdns. G12: Glas 5H 63
Devonshire Gdns. La.
  G12: Glas 5H 63
Devonshire Ter. G12: Glas 5H 63
Devonshire Ter. La. G12: Glas 5H 63
Devon St. G5: Glas 1F 107
Devonview Pl. ML6: Air 5G 95
Devonview St. ML6: Air 4H 95
Devon Wlk. G68: Cumb 5A 36
Devon Way ML1: Moth 3D 146
Dewar Cl. G71: Tann 4E 113
Dewar Dr. G15: Glas 4A 46
Dewar Ga. G15: Glas 4A 46
Dewar Rd. G33: Step 3G 69
Diamond St. ML4: Bell 3C 130
Diana Av. G13: Glas 1B 62
Diana Quad. ML1: Holy 2A 132
Dickens Av. G81: Clyd 3B 44
Dickens Gro. ML1: Carf 5D 132
Dickson Path ML4: Bell 5B 130
  (off McLean Dr.)
Dickson Sq. ML1: Cle 6H 133
Dickson St. ML9: Lark 4E 171
Dicks Pk. G75: E Kil 3F 157
Dick St. G20: Glas 6D 64
Differ Av. G65: Twe 3D 34
Dilwara Av. G14: Glas 1E 85
Dimity St. PA5: John 3F 99
DIMSDALE 2A 166
Dimsdale Cres. ML2: Wis 2A 166
Dimsdale Rd. ML2: Wis 2A 166
Dinard Dr. G46: Giff 3A 122
Dinart St. G33: Glas 2F 89
Dinduff St. G34: Glas 2A 92
Dinmont Av. PA2: Pais 4D 100
Dinmont Cres. ML1: Moth 5E 131
Dinmont Pl. G41: Glas 4C 106
  (off Dinmont Rd.)
Dinmont Rd. G41: Glas 4B 106
Dinmont Way PA2: Pais 4C 100
Dinnet Way ML2: Newm 3D 150
  (off Isla Av.)
Dinwiddie St. G21: Glas 1E 89
Dinyra Pl. ML5: Glenb 3G 71
Dipple Pl. G15: Glas 5B 46
Dirleton Dr. G41: Glas 5C 106
  PA2: Pais 4E 101
Dirleton Ga. G61: Bear 4D 46
Dirleton Pl. G41: Glas 5C 106
Divernia Way G78: Barr 6E 119
Dixon Av. G42: Glas 3E 107
  G82: Dumb 4E 19
Dixon Dr. G82: Dumb 5D 18

Dixon Pl. G74: E Kil 6D **140**
Dixon Rd. G42: Glas 4F **107**
Dixons Blazes Ind. Est.
    G5: Glas 2G **107**
Dixon St. G1: Glas 5F **87**
    ML3: Ham 6H **145**
    ML5: Coat 1D **114**
    PA1: Pais 1B **102**
Dobbies Ct. ML8: Law 5E **167**
Dobbie's Loan G4: Glas 1C **6** (2F **87**)
    (not continuous)
DOBBIE'S LOAN INTERCHANGE
  M8, JUNCTION 15 . . . . .2H **87**
  M8, JUNCTION 16 . . . .1D **6** (2G **87**)
Dobbie's Loan Pl.
    G4: Glas 3F **7** (3H **87**)
Dochart Av. PA4: Renf 2G **83**
Dochart Dr. ML5: Coat 1G **93**
Dochart St. G33: Glas 1G **89**
Dock St. G81: Clyd 2F **61**
Dodhill Pl. G13: Glas 3B **62**
Dodside Gdns. G32: Glas 1C **110**
Dodside Pl. G32: Glas 1C **110**
Dodside Rd.
    G77: Newt M 4A **136**
Dodside St. G32: Glas 1C **110**
Dolan St. G69: Bail 6H **91**
Dollan Aqua Cen. 2G **157**
Dollar Pk. ML1: Moth 6B **148**
Dollar Ter. *G20: Glas* *1A **64***
    (off Crosbie St.)
Dolphington Av. G5: Glas 2A **108**
Dolphin Rd. G41: Glas 3B **106**
Dominica Grn. G75: E Kil 2C **156**
Donald Dewar Leisure Cen. 4A **46**
Donaldfield Rd. PA11: Bri W 4D **76**
Donaldson Av. G65: Kils 4H **13**
Donaldson Cres. G66: Kirk 6C **32**
Donaldson Dr. PA4: Renf 6E **61**
Donaldson Grn. G71: Tann 5E **113**
Donaldson Pl. G66: Kirk 5D **32**
Donaldson Rd. ML9: Lark 4E **171**
Donaldson St. G66: Kirk 6C **32**
    ML3: Ham 4E **145**
Donaldswood Pk. PA2: Pais 5G **101**
Donaldswood Rd.
    PA2: Pais 5G **101**
Donald Ter. ML3: Ham 2G **161**
Donald Way G71: Tann 6E **113**
Don Av. PA4: Renf 1G **83**
Doncaster St. G20: Glas 6E **65**
Don Ct. ML3: Ham 3E **161**
Don Dr. PA2: Pais 4D **100**
Donnelly Way ML2: Wis 5C **148**
Donnies Brae G78: Barr 1F **135**
Donohoe Ct. G64: B'rig 6C **50**
Don Path ML9: Lark 5C **170**
Don Pl. PA5: John 5C **98**
Don St. G33: Glas 3F **89**
Doon Cres. G61: Bear 4D **46**
Doonfoot Ct. G74: E Kil 1F **157**
Doonfoot Gdns. G74: E Kil 1F **157**
Doonfoot Rd. G43: Glas 1B **122**
Doon Pl. G66: Kirk 3F **33**
Doon Rd. G66: Kirk 4F **33**
Doonside G67: Cumb 3B **38**
Doonside Twr. ML1: Moth 5B **148**
Doon St. G81: Clyd 4F **45**
    ML1: Moth 5A **148**
    ML9: Lark 3E **171**
Doon Way G66: Kirk 4G **33**
Dorain Rd. ML1: N'hill 4D **132**
Dora St. G40: Glas 2C **108**
Dorchester Av. G12: Glas 3G **63**
Dorchester Ct. G12: Glas 3G **63**
Dorchester Pl. G12: Glas 3G **63**
Dorian Dr. G76: Clar 1H **137**

Dorlin Rd. G33: Step 4E **69**
Dormanside Ct. G53: Glas 2B **104**
Dormanside Ga. G53: Glas 2B **104**
Dormanside Gro. G53: Glas 2B **104**
Dormanside Pl. G53: Glas 4C **104**
Dormanside Rd. G53: Glas 2B **104**
    (not continuous)
Dornal Av. G13: Glas 2G **61**
Dornford Av. G32: Glas 3D **110**
Dornford Rd. G32: Glas 3D **110**
Dornie Dr. G32: Carm 5B **110**
Dornie Path *ML2: Newm* *3D **150***
    (off Isla Av.)
Dornoch Av. G46: Giff 6A **122**
Dornoch Ct. ML4: Bell 1C **130**
Dornoch Dr. G72: Blan 5B **144**
Dornoch Pl. G64: B'rig 5E **51**
    G69: Chry 6B **54**
    G74: E Kil 1E **157**
Dornoch Rd. G61: Bear 5D **46**
    ML1: Holy 3B **132**
Dornoch St. G40: Glas 6B **88**
Dornoch Way G68: Cumb 6A **16**
    G72: Blan 5B **144**
    ML6: Air 6H **95**
Dorset Sq. G3: Glas 3G **5**
Dorset St. G3: Glas 4F **5** (3D **86**)
Dosk Av. G13: Glas 1H **61**
Dosk Pl. G13: Glas 1H **61**
Double Hedges Rd. G78: Neil . . .3D **134**
Dougalston Av. G62: Miln 4H **27**
Dougalston Cres. G62: Miln 4H **27**
Dougalston Gdns. Nth.
    G62: Miln 4H **27**
Dougalston Gdns. Sth.
    G62: Miln 4H **27**
Dougalston Rd. G23: Glas 1C **64**
Dougan Dr. ML2: Newm 4F **151**
Douglas Av. G32: Carm 4B **110**
    G46: Giff 6A **122**
    G66: Lenz 2D **52**
    G73: Ruth 2E **125**
    PA5: Eld 3H **99**
Douglas Ct. G66: Lenz 2D **52**
Douglas Cres. G71: Tann 5F **113**
    ML3: Ham 5H **161**
    ML6: Air 5A **96**
    PA8: Ersk 4D **42**
Douglasdale G74: E Kil 1F **157**
Douglas Dr. G15: Glas 6H **45**
    G69: Bail 6F **91**
    G71: Both 6E **129**
    G72: Camb 2H **125**
    G75: E Kil 4A **156**
    G77: Newt M 3E **137**
    ML4: Bell 3E **131**
    ML9: Ashg 5H **171**
Douglas Dr. La. G45: Glas 4H **123**
Douglas Gdns. G46: Giff 6A **122**
    G61: Bear 3F **47**
    G66: Lenz 2D **52**
    G71: Udd 2D **128**
Douglas Ga. G72: Camb 2H **125**
Douglas La. G2: Glas 4A **6**
Douglas Muir Dr. G62: Miln 2C **26**
Douglas Muir Gdns. G62: Miln . . .2C **26**
Douglas Muir Pl. G62: Miln 2C **26**
Douglas Muir Rd. G62: Miln 3C **26**
    G81: Faif 6F **25**
Douglas Pk. Cres. G61: Bear 1G **47**
Douglas Pk. La. ML3: Ham 5G **145**
Douglas Pl. G61: Bear 2E **47**
    G66: Lenz 2D **52**
    ML3: Ham 5H **161**
    ML5: Coat 5B **94**

Douglas Rd. G82: Dumb 4H **19**
    PA4: Renf 3C **82**
Douglas St. G2: Glas 6A **6** (4E **87**)
    G62: Miln 4G **27**
    G71: Tann 5F **113**
    G72: Blan 3A **144**
    ML1: Moth 2F **147**
    ML2: Over 4B **166**
    ML3: Ham 4G **145**
    (not continuous)
    ML6: Air 5A **96**
    ML8: Carl 3C **174**
    ML9: Lark 1C **170**
    PA1: Pais 6G **81**
Douglas Ter. G41: Glas 3D **106**
Douglas Vw. G71: Both 3B **128**
Dougray Pl. G78: Barr 5E **119**
Dougrie Cl. G45: Glas 4H **123**
Dougrie Dr. G45: Glas 4H **123**
Dougrie Gdns. G45: Glas 5H **123**
Dougrie Pl. G45: Glas 4A **124**
Dougrie Rd. G45: Glas 5G **123**
Dougrie St. G45: Glas 4A **124**
Dougrie Ter. G45: Glas 4H **123**
Doune Cres. G64: B'rig 3D **50**
    G77: Newt M 4F **137**
    ML6: Chap 4D **116**
Doune Gdns. G20: Glas 6C **64**
Doune Gdns. La. G20: Glas 6C **64**
Doune Pk. Way ML5: Coat 6B **94**
Doune Quad. G20: Glas 6C **64**
Doune Ter. ML5: Coat 2H **93**
Dovecot G43: Glas 5A **106**
Dovecotehall St. G78: Barr 4F **119**
Dovecote Vw. G66: Kirk 6F **33**
DOVECOTHALL 4F **119**
DOVECOTWOOD 2H **13**
Dovecotwood G65: Kils 2H **13**
Doveholm G82: Dumb 2G **19**
Doveholm Av. G82: Dumb 2H **19**
Dove Pl. G75: E Kil 5B **156**
Dover St. G3: Glas 4E **5** (3C **86**)
    ML5: Coat 1H **93**
Dove St. G53: Glas 2A **120**
Dove Wynd ML4: Bell 6A **114**
Dowanfield Rd. G67: Cumb 4F **37**
DOWANHILL 6A **64**
Dowanhill St. G11: Glas 1A **86**
    G12: Glas 6A **64**
Dowan Rd.
    G62: Balder, Bard, Miln 6C **28**
Dowanside La. G12: Glas 6B **64**
Dowanside Rd. G12: Glas 6A **64**
Downcraig Dr. G45: Glas 5H **123**
Downcraig Gro. G45: Glas 5G **123**
Downcraig Rd. G45: Glas 6G **123**
Downcraig Ter. G45: Glas 5H **123**
Downfield Dr. ML3: Ham 4F **161**
Downfield Gdns. G71: Both 5D **128**
Downfield St. G32: Glas 2G **109**
Downiebrae Rd.
    G73: Ruth 3D **108**
Downie Cl. G71: Tann 5F **113**
Downie St. ML3: Ham 2H **161**
Downs St. G21: Glas 4B **66**
Dowrie Cres. G53: Glas 4B **104**
Draffen Ct. ML1: Moth 2H **147**
Draffen St. ML1: Moth 2H **147**
Draffen Twr. ML1: Moth 2H **147**
Drakemire Av. G45: Glas 3G **123**
Drakemire Dr. G44: Glas 5F **123**
    G45: Glas 5F **123**
Drake St. G40: Glas 6A **88**
Dreghorn St. G31: Glas 4E **89**
Drimnin Rd.
    G33: Step 4F **69**

Drive Rd. G51: Glas 3E **85**
Drochil St. G34: Glas 2G **91**
Dromore St. G66: Kirk 6D **32**
Drove Hill G68: Cumb 2D **36**
Drumaling Ter. G66: Len 3H **9**
Drumbathie Rd. ML6: Air 3B **96**
Drumbathie Ter. ML6: Air 3C **96**
Drumbeg Dr. G53: Glas 1A **120**
Drumbeg Path G72: Blan 6A **144**
Drumbeg Pl. G53: Glas 1A **120**
Drumbeg Ter. G62: Miln 3D **26**
Drumbottie Rd. G21: Glas 4C **66**
Drumbowie Vw. G68: Cumb 2E **37**
Drumby Cres. G76: Clar 6B **122**
Drumby Dr. G76: Clar 1B **138**
Drumcarn Dr. G62: Miln 4F **27**
Drumcavel Rd.
  G69: G'csh, Muirh 2B **70**
DRUMCHAPEL 4G **45**
Drumchapel Gdns. G15: Glas 5A **46**
Drumchapel Pl. G15: Glas 5B **46**
Drumchapel Rd. G15: Glas 5A **46**
Drumchapel Shop. Cen.
  G15: Glas 4H **45**
Drumchapel Sports Cen. 5H **45**
Drumchapel Station (Rail) 6A **46**
Drumchapel Swimming Pool 5H **45**
Drumclair Pl. ML6: Air 4D **96**
Drumclog Av. G62: Miln 1G **27**
Drumclog Gdns. G33: Glas 3H **67**
Drumcross Pl. G53: Glas 4C **104**
Drumcross Rd. G53: Glas 4C **104**
  PA7: B'ton 4B **42**
Drumduff G75: E Kil 6F **157**
Drumfearn Dr. G20: Glas 3F **65**
Drumfearn Pl. G20: Glas 3F **65**
Drumfearn Rd. G20: Glas 3F **65**
Drumhill G66: Kirk 3H **33**
DRUMGELLOCH 3D **96**
Drumgelloch Station (Rail) 3E **97**
Drumgelloch St. ML6: Air 2D **96**
Drumglass Vw. G65: Croy 1B **36**
Drumgray La. ML6: Grng 1D **74**
DRUMGREW 4F **35**
Drumgrew Rdbt. G68: Cumb 4F **35**
Drumhead La. G32: Glas 4H **109**
Drumhead Pl. G32: Glas 4H **109**
Drumhead Rd. G32: Glas 4H **109**
Drumilaw Cres. G73: Ruth 2C **124**
Drumilaw Rd. G73: Ruth 2C **124**
Drumilaw Way G73: Ruth 2C **124**
Drumlaken Av. G23: Glas 6A **48**
  (off Drumlaken St.)
Drumlaken Ct. G23: Glas 6B **48**
Drumlaken Path G23: Glas 6B **48**
  (off Littleton St.)
Drumlaken Pl. G23: Glas 6B **48**
  (off Drumlaken Ct.)
Drumlaken St. G23: Glas 6A **48**
Drumlanrig Av. G34: Glas 2A **92**
Drumlanrig Cres. G69: G'csh 5C **70**
Drumlanrig Pl. G34: Glas 3B **92**
Drumlin Dr. G62: Miln 5F **27**
Drumloch Gdns. G75: E Kil 6G **157**
Drumlochy Rd. G33: Glas 2A **90**
Drum Mains Pk. G68: Cumb 6G **35**
Drummond Av. G73: Ruth 5B **108**
Drummond Dr. ML2: Wis 1H **165**
  PA1: Pais 1F **103**
Drummond Hill G74: E Kil 6B **142**
Drummond Ho. G67: Cumb 2A **38**
Drummond Pl. G74: E Kil 6B **142**
Drummond Way
  G77: Newt M 4A **136**
Drummore Av. ML5: Coat 2F **115**
Drummore Pl. G15: Glas 2A **46**
Drumnessie Ct. G68: Cumb 5B **36**

Drumnessie Rd. G68: Cumb 5B **36**
Drumnessie Vw. G68: Cumb 5B **36**
Dromore St. ML6: Chap 4D **116**
Drumover Dr. G31: Glas 1G **109**
DRUMOYNE 5E **85**
Drumoyne Av. G51: Glas 4E **85**
Drumoyne Cir. G51: Glas 5E **85**
Drumoyne Dr. G51: Glas 4E **85**
Drumoyne Pl. G51: Glas 5E **85**
Drumoyne Quad. G51: Glas 5E **85**
Drumoyne Rd. G51: Glas 5E **85**
Drumoyne Sq. G51: Glas 4E **85**
Drumpark St. G46: T'bnk 3F **121**
  ML5: Coat 1F **113**
DRUMPELLIER 4H **93**
Drumpellier Av. G67: Cumb 1E **57**
  G69: Bail 2H **111**
  ML5: Coat 4G **93**
Drumpellier Country Pk. 3F **93**
Drumpellier Country Pk. Vis. Cen.
  . . . . .2E **93**
Drumpellier Ct. G67: Cumb 6E **37**
Drumpellier Cres. ML5: Coat 5H **93**
Drumpellier Gdns. G67: Cumb 6E **37**
Drumpellier Gro. G67: Cumb 6E **37**
Drumpellier Pl. G67: Cumb 6E **37**
  G69: Bail 1H **111**
Drumpellier Rd. G69: Bail 2G **111**
Drumpellier St. G33: Glas 1F **89**
Drumreoch Dr. G42: Glas 5A **108**
Drumreoch Pl. G42: Glas 5A **108**
DRUMRY 4E **45**
Drumry Pl. G15: Glas 5G **45**
Drumry Rd. G81: Clyd 4E **45**
Drumry Rd. E. G15: Glas 5G **45**
Drumry Station (Rail) 5F **45**
Drumsack Av. G69: Chry 1A **70**
Drumsargard Rd.
  G73: Ruth 2F **125**
Drums Av. PA3: Pais 5G **81**
Drums Cres. PA3: Pais 6G **81**
Drumshangie Pl. ML6: Air 1A **96**
Drumshangie St. ML6: Air 1A **96**
Drumshaw Dr. G32: Carm 5C **110**
Drums Rd. G53: Glas 2A **104**
Drumtrocher St. G65: Kils 3H **13**
Drumvale Dr. G69: Mood 5C **54**
Drury La. Ct. G74: E Kil 5C **142**
  (off Bosworth Rd.)
Drury St. G2: Glas 5C **6** (4F **87**)
Dryad St. G46: T'bnk 2E **121**
Dryburgh Av. G73: Ruth 6D **108**
  PA2: Pais 4E **101**
Dryburgh Gdns. G20: Glas 6D **64**
Dryburgh Hill G74: E Kil 2F **157**
Dryburgh La. G74: E Kil 2F **157**
Dryburgh Pl. G66: Kirk 5F **33**
  ML5: Coat 4B **94**
Dryburgh Rd. G61: Bear 1C **46**
  ML2: Wis 6G **149**
Dryburgh St. ML3: Ham 3F **145**
Dryburgh Wlk. G69: Mood 4E **55**
Dryburgh Way G72: Blan 2D **144**
  (off Winton Cres.)
Dryburn Av. G52: Glas 6A **84**
Dryden St. ML3: Ham 3F **145**
Drygait PA9: How 6A **98**
Drygate G4: Glas 5H **7** (4A **88**)
Drygate St. ML9: Lark 1C **170**
Drygrange Rd. G33: Glas 1C **90**
Drymen Pl. G66: Lenz 4D **52**
Drymen Rd. G61: Bear 1D **46**
Drymen St. G52: Glas 6E **85**
Drymen Wynd G61: Bear 4F **47**
Drynoch Pl. G22: Glas 2F **65**
Drysdale St. G14: Glas 4H **61**
  (not continuous)

Duart Dr. G74: E Kil 6F **141**
  G77: Newt M 4G **137**
  PA5: Eld 4H **99**
Duart St. G20: Glas 1A **64**
Duart Way G69: G'csh 5C **70**
Dubs Rd. G78: Barr 4G **119**
Dubton Path
  G34: Glas 2H **91**
Dubton St. G34: Glas 2H **91**
Duchall Pl. G14: Glas 5B **62**
Duchess Ct. ML3: Ham 1C **162**
Duchess Pl. G73: Ruth 5E **109**
Duchess Rd. G73: Ruth 4E **109**
Duchess Way G69: Barg 6D **92**
  (off Park Rd.)
Duchray Dr. PA1: Pais 2G **103**
Duchray La. G33: Glas 2F **89**
Duchray St. G33: Glas 2F **89**
Dudhope St. G33: Glas 1D **90**
Dudley Dr. G12: Glas 6G **63**
  ML5: Coat 1G **93**
Dudley La. G12: Glas 6G **63**
Duffus Pl. G32: Carm 5C **110**
Duffus St. G34: Glas 2G **91**
Duffus Ter. G32: Carm 5C **110**
Duich Gdns. G23: Glas 5C **48**
Duisdale Rd.
  G32: Carm 5C **110**
Dukes Ct. G72: Camb 6G **109**
  ML9: Lark 1C **170**
Dukes Ga. G71: Both 3C **128**
Dukes Pl. ML3: Ham 5H **161**
Dukes Rd. G69: Barg 6D **92**
  G72: Camb 2E **125**
  G73: Ruth 2E **125**
Duke St. G4: Glas 5G **7** (4A **88**)
  G31: Glas 5D **88**
  ML1: Moth 1G **147**
  ML2: Newm 3D **150**
  ML3: Ham 6A **146**
  ML9: Lark 1C **170**
  PA2: Pais 3A **102**
Duke Street Station (Rail) 4D **88**
DULLATUR 5F **15**
Dullatur Rd. G68: Dull 5F **15**
Dullatur Rdbt. G68: Cumb 6H **15**
Dulnain St. G72: Camb 2D **126**
Dulsie Rd. G21: Glas 3E **67**
DUMBARTON 4F **19**
Dumbarton Castle 6G **19**
Dumbarton Central Station (Rail)
  . . . . .3F **19**
Dumbarton East Station (Rail) . .4H **19**
Dumbarton FC 5G **19**
Dumbarton Rd. G11: Glas . .1A **4** (1E **85**)
  (not continuous)
  G14: Glas 3G **61**
  G60: Bowl, Old K 5H **21**
  G81: Clyd 2F **43**
  G81: Dun, Hard 1B **44**
  G82: Milt 4E **21**
DUMBRECK 2A **106**
Dumbreck Av. G41: Glas 1G **105**
Dumbreck Ct. G41: Glas 2G **105**
DUMBRECK INTERCHANGE 2G **105**
Dumbreck Path
  G41: Glas 1G **105**
  (off Dumbreck Pl.)
Dumbreck Pl. G41: Glas 2G **105**
  G66: Lenz 3E **53**
Dumbreck Rd. G41: Glas 6G **85**
DUMBRECK ROAD INTERCHANGE
  . . . . .6H **85**
Dumbreck Sq. G41: Glas 1G **105**
Dumbreck Station (Rail) 1A **106**
Dumbreck Ter.
  G65: Queen 3D **12**

Dumbrock Rd. G62: Miln 3D 26
DUMBUCK 4E 21
Dumbuck Cres. G82: Dumb 5H 19
Dumbuck Gdns. G82: Dumb 5H 19
Dumbuck Rd. G82: Dumb 3H 19
(Overwood Dr., not continuous)
G82: Dumb 2H 19
(Stirling Rd.)
Dumbuie Av. G82: Dumb 3H 19
Dumfries Cres. ML6: Air 6H 95
Dumgoyne Av. G62: Miln 4F 27
Dumgoyne Ct. ML6: Air 1B 96
(off Thrushbush Rd.)
Dumgoyne Dr. G61: Bear 6D 26
Dumgoyne Gdns. G62: Miln 4F 27
Dumgoyne Pl. G76: Clar 2A 138
Dunagoil Gdns. G45: Glas 5A 124
Dunagoil Pl. G45: Glas 6A 124
Dunagoil Rd. G45: Glas 5H 123
Dunagoil St. G45: Glas 5A 124
Dunalastair Dr. G33: Mille 4B 68
Dunan Pl. G33: Glas 4E 91
Dunard Ct. ML8: Carl 2D 174
(off Carranbute Rd.)
Dunard Rd. G73: Ruth 6D 108
Dunard St. G20: Glas 5D 64
Dunard Way PA3: Pais 4H 81
Dunaskin St. G11: Glas 1A 4 (2A 86)
Dunavon Pl. ML5: Coat 1F 115
Dunbar Av. G73: Ruth 6E 109
ML5: Coat 1H 113
PA5: John 5E 99
Dunbar Dr. ML1: Moth 5A 148
Dunbar Hill G74: E Kil 2E 157
Dunbar La. ML1: New S 5A 132
Dunbar Pl. G74: E Kil 2E 157
Dunbar Rd. PA2: Pais 4E 101
Dunbar St. ML3: Ham 4F 145
Dunbeath Av. G77: Newt M 4F 137
Dunbeath Gro. G72: Blan 6A 144
Dunbeith Pl. G20: Glas 4B 64
DUNBETH 4D 94
Dunbeth Av. ML5: Coat 4D 94
Dunbeth Ct. ML5: Coat 4D 94
Dunbeth Rd. ML5: Coat 3D 94
Dunblane Dr. G74: E Kil 6H 141
Dunblane Pl. G74: E Kil 1H 157
ML5: Coat 1B 114
Dunblane St. G4: Glas 1C 6 (2F 87)
(not continuous)
Dunbrach Rd. G68: Cumb 2D 36
Dunbritton Rd. G82: Dumb 2C 20
Duncan Av. G14: Glas 6C 62
Duncan Ct. ML1: Moth 6F 131
Duncan Graham St.
ML9: Lark 1D 170
Duncan La. G14: Glas 6C 62
(off Gleneagles La. Nth.)
Duncan La. Nth. G14: Glas 5C 62
(off Earlbank Av.)
G14: Glas 5C 62
(off Norse La. Nth.)
Duncan McIntosh Rd.
G68: Cumb 4B 16
Dun Cann PA8: Ersk 2G 59
Duncansby Dr. G72: Blan 6A 144
Duncansby Rd. G33: Glas 5D 90
Duncan St. G81: Clyd 4D 44
Duncarnock Av. G78: Neil 2E 135
Duncarnock Cres. G78: Neil 2E 135
Dunchattan Pl. G31: Glas 4B 88
Dunchattan St. G31: Glas 4B 88
Dunchurch Rd. PA1: Pais 6F 83
Dunclutha Dr. G71: Both 6E 129
Dunclutha St. G40: Glas 3D 108
Duncolm Pl. G62: Miln 3D 26
Duncombe Av. G81: Hard 6D 24

Duncombe St. G20: Glas 2B 64
Duncombe Vw. G81: Clyd 4F 45
Duncraig Cres. PA5: John 5D 98
Duncrub Dr. G64: B'rig 6A 50
Duncruin St. G20: Glas 2A 64
Duncruin Ter. G20: Glas 2B 64
Duncryne Av. G32: Glas 1D 110
Duncryne Gdns. G32: Glas 1E 111
Duncryne Pl. G64: B'rig 1A 66
Dundaff Hill G68: Cumb 3E 37
Dundas Av. G64: Torr 5D 30
Dundas Cotts. FK4: Alla 1G 17
Dundas Ct. G74: E Kil 1E 157
Dundashill G4: Glas 1C 6 (1F 87)
Dundas La. G1: Glas 4D 6 (3G 87)
Dundas Pl. G74: E Kil 1G 157
Dundas St. G1: Glas 4D 6 (3G 87)
(not continuous)
Dundasvale Ct.
G4: Glas 1C 6 (2F 87)
Dundee Dr. G52: Glas 1B 104
Dundee Path G52: Glas 2C 104
Dundonald Av. PA5: John 4D 98
Dundonald Cres.
G77: Newt M 5G 137
ML5: Coat 1B 114
Dundonald Dr. ML3: Ham 4H 161
Dundonald Pl. G78: Neil 2D 134
Dundonald Rd. G12: Glas 6A 64
PA3: Pais 4C 82
Dundrennan Dr. ML6: Chap 3E 117
Dundrennan Rd. G42: Glas 6D 106
DUNDYVAN 6B 94
Dundyvan Gdns. ML5: Coat 6C 94
Dundyvan Ga. ML5: Coat 6C 94
Dundyvan Ind. Est.
ML5: Coat 6B 94
Dundyvan La. ML2: Wis 1G 165
Dundyvan Rd. ML5: Coat 5B 94
Dundyvan St. ML2: Wis 1G 165
Dundyvan Way ML5: Coat 6B 94
Dunearn Pl. PA2: Pais 2C 102
Dunearn St. G4: Glas 1D 86
Duneaton Wynd ML9: Lark 5D 170
Dunedin Ct. G75: E Kil 3C 156
Dunedin Dr. G75: E Kil 2C 156
Dunedin Rd. ML9: Lark 4D 170
Dunedin Ter. G81: Clyd 1E 61
Dunellan Av. G69: Mood 5E 55
Dunellan Ct. G69: Mood 5E 55
(off Dunellan Av.)
Dunellan Cres. G69: Mood 5E 55
Dunellan Dr. G81: Hard 6D 24
Dunellan Gdns. G69: Mood 5E 55
Dunellan Gro. G69: Mood 5E 55
(off Heathfield Av.)
Dunellan Pl. G69: Mood 5E 55
Dunellan Rd. G62: Miln 3C 26
Dunellan St. G52: Glas 6E 85
Dunellan Way G69: Mood 5E 55
Dungavel Gdns. ML3: Ham 3A 162
Dungavel La. ML8: Carl 4F 175
(off Kelso Dr.)
Dungeonhill Rd. G34: Glas 3B 92
Dunglass Av. G14: Glas 5C 62
G74: E Kil 6H 141
Dunglass La. G14: Glas 5C 62
(off Norse La. Sth.)
Dunglass La. Nth. G14: Glas 5C 62
(off Danes La. Sth.)
Dunglass Pl. G62: Miln 2E 27
G77: Newt M 4A 136
Dunglass Rd. PA7: B'ton 5A 42
Dunglass Sq. G74: E Kil 1H 157
Dungoil Av. G68: Cumb 2D 36
Dungoil Rd. G66: Lenz 3E 53

Dungoyne St. G20: Glas 1A 64
Dunholme Pk. G81: Clyd 4H 43
Dunira St. G32: Glas 2H 109
Duniston Rd. ML6: Air 1H 117
Dunivaig Rd. G33: Glas 4D 90
Dunkeld Av. G73: Ruth 6D 108
Dunkeld Dr. G61: Bear 3H 47
Dunkeld Gdns. G64: B'rig 5D 50
Dunkeld La. G69: Mood 5E 55
Dunkeld Pl. G77: Newt M 5H 137
ML3: Ham 6C 144
ML5: Coat 1B 114
Dunkeld St. G31: Glas 1E 109
Dunkenny Pl. G15: Glas 3H 45
Dunkenny Rd. G15: Glas 4H 45
Dunkenny Sq. G15: Glas 4H 45
Dunlin G12: Glas 3G 63
G74: E Kil 5G 141
Dunlin Ct. ML4: Bell 5A 114
Dunlin Cres. PA6: C'lee 2C 78
Dunlin Way ML5: Coat 3G 115
Dunlop Cl. ML3: Ham 4A 162
Dunlop Cres. G71: Both 6F 129
PA4: Renf 5F 61
Dunlop Gro. G71: Tann 4E 113
Dunlop Pl. G62: Miln 2F 27
ML9: Ashg 5A 172
Dunlop St. G1: Glas 6D 6 (5G 87)
(not continuous)
G72: Camb 1E 127
PA3: Lin 5A 80
PA4: Renf 5F 61
(off Dunlop Cres.)
Dunlop Twr. G75: E Kil 3G 157
(off Denholm Cres.)
Dunmore Dr. G62: Miln 5A 28
Dunmore St. G81: Clyd 1E 61
Dunnachie Dr. ML5: Coat 1F 113
Dunnachie Pl. ML5: Coat 1G 113
Dunnet Av. ML6: Glenm 4H 73
Dunnet Ct. G72: Blan 5B 144
Dunnet Dr. PA6: C'lee 2B 78
Dunnichen Gdns. G64: B'rig 6F 51
Dunnikier Wlk. G68: Cumb 4A 36
Dunning Dr. G68: Cumb 6A 16
Dunnottar Wlk. ML2: Newm 3D 150
(off Tiree Cres.)
Dunnottar Ct. G74: E Kil 6E 141
Dunnottar Cres. G74: E Kil 6E 141
Dunnottar St. G33: Glas 1B 90
G64: B'rig 5F 51
Dunn Sq. PA1: Pais 1A 102
Dunn St. G40: Glas 2B 108
G81: Clyd 4A 44
G81: Dun 1B 44
PA1: Pais 6C 82
Dunns Wood Rd.
G67: Cumb 5D 16
Dunollie Pl. G69: G'csh 5C 70
Dunolly Dr. G77: Newt M 4F 137
Dunolly St. G21: Glas 2C 88
Dunottar Av. ML5: Coat 3D 114
Dunottar Pl. ML5: Coat 2D 114
Dun Pk. G66: Kirk 5D 32
Dunphail Dr. G34: Glas 3B 92
Dunphail Rd. G34: Glas 3B 92
Dunragit St. G31: Glas 4E 89
DUNROBIN 4E 97
Dunrobin Av. PA5: Eld 4A 100
Dunrobin Ct. G74: E Kil 6F 141
G81: Clyd 5C 44
Dunrobin Cres. G74: E Kil 6F 141
Dunrobin Dr. G74: E Kil 6F 141
Dunrobin Gdns. ML6: Air 5E 97
Dunrobin Pl. ML5: Coat 4B 94
Dunrobin Rd. ML6: Air 4E 97
Dunrobin St. G31: Glas 5D 88

Dunrod Hill G74: E Kil 6H 141
Dunrod St. G32: Glas 1B 110
Dunscore Brae ML3: Ham 1C 160
Duns Cres. ML2: Wis 3A 150
Dunside Dr. G53: Glas 1A 120
Dunskaith Pl. G34: Glas 4B 92
Dunskaith St. G34: Glas 4B 92
Dunsmore Rd. PA7: B'ton 3G 41
Dunsmuir St. G51: Glas 4H 85
Duns Path ML5: Coat 2F 115
Dunster Gdns. G64: B'rig 3D 50
Dunswin Av. G81: Clyd 4A 44
Dunswin Ct. G81: Clyd 4A 44
Dunsyre Pl. G23: Glas 6C 48
Dunsyre St. G33: Glas 3G 89
Duntarvie Av. G34: Glas 3A 92
Duntarvie Cl. G34: Glas 3A 92
Duntarvie Cres. G34: Glas 3A 92
Duntarvie Dr. G34: Glas 3H 91
Duntarvie Gdns. G34: Glas 3A 92
Duntarvie Gro. G34: Glas 3A 92
Duntarvie Pl. G34: Glas 3H 91
Duntarvie Rd. G34: Glas 3H 91
Dunterlie Av. G13: Glas 3A 62
Dunterlie Ct. G78: Barr 4E 119
DUNTIBLAE 6G 33
Duntiblae Rd. G66: Kirk 6G 33
Duntiglennan Rd. G81: Dun 1C 44
DUNTOCHER 1C 44
Duntocher Rd. G61: Bear 6G 25
  G81: Clyd 4A 44
  G81: Dun 2C 44
  G81: Faif 6G 25
Duntreath Av. G13: Glas 1G 61
  G15: Glas 6H 45
Duntreath Dr. G15: Glas 6H 45
Duntreath Gdns. G15: Glas 5H 45
Duntreath Gro. G15: Glas 6H 45
Duntreath Ter. G65: Kils 3H 13
Duntroon Pl. ML4: Bell 4E 131
  (off Glencalder Cres.)
Duntroon St. G31: Glas 3D 88
Dunure Dr. G73: Ruth 2B 124
  G77: Newt M 4G 137
  ML3: Ham 1B 160
Dunure Pl. G77: Newt M 5G 137
  ML5: Coat 2A 114
Dunure St. G20: Glas 2B 64
  ML5: Coat 2A 114
Dunvegan ML6: Glenm 5G 73
Dunvegan Av. ML5: Coat 2H 93
  PA5: Eld 4H 99
Dunvegan Ct. G13: Glas 3B 62
Dunvegan Dr. G64: B'rig 3C 50
  G77: Newt M 4G 137
Dunvegan Pl. G71: Tann 5B 112
  G74: E Kil 6F 141
Dunvegan Quad. PA4: Renf 5D 60
Dunwan Av. G13: Glas 2H 61
Dunwan Pl. G13: Glas 2H 61
Durban Av. G75: E Kil 1B 168
  G81: Clyd 3G 43
Durham St. G41: Glas 6B 86
Durisdeer Dr. ML3: Ham 2C 160
Durness Av. G61: Bear 2H 47
Durno Path G33: Glas 4E 91
Duror St. G32: Glas 6A 90
Durris Gdns. G32: Glas 2D 110
Durrockstock Cres.
  PA2: Pais 6D 100
Durrockstock Rd. PA2: Pais 6D 100
Durrockstock Way PA2: Pais 6D 100
Durward G74: E Kil 5E 143
Durward Av. G41: Glas 4B 106
Durward Ct. G41: Glas 4B 106
  ML1: Moth 5F 131
Durward Cres. PA2: Pais 4D 100

Durward Way PA2: Pais 4D 100
Duthie Pk. Gdns. G13: Glas 3D 62
Duthie Pk. Pl. G13: Glas 3D 62
Duthil St. G51: Glas 5D 84
Dyce Av. ML6: Air 1G 115
Dyce La. G11: Glas 1G 85
Dyer's La. G1: Glas 5H 87
Dyer's Wynd PA1: Pais 6A 82
Dyfrig St. G72: Blan 1A 144
DYKEBAR 4D 102
Dykebar Av. G13: Glas 3B 62
Dykebar Cres. PA2: Pais 3D 102
Dykehead Cres. ML6: Air 1H 95
Dykehead La. G33: Glas 4D 90
Dykehead Rd. G65: Queen 2C 12
  G68: Dull 5E 15
  G69: Barg 6D 92
  ML6: Air, Rigg 1H 95
Dykehead Sq. ML3: Ham 6D 144
Dykehead St. G33: Glas 4D 90
Dykemuir Pl. G21: Glas 5D 66
Dykemuir Quad. G21: Glas 5C 66
Dykemuir St. G21: Glas 5C 66
Dyke Rd. G13: Glas 2A 62
  G14: Glas 4H 61
Dyke St. G69: Bail 6A 92
  ML5: Coat 1F 113
Dysart Ct. G68: Cumb 4A 36
Dysart Dr. G72: Blan 6B 144
Dysart Way ML6: Air 5G 97

E

Eagle Cres. G61: Bear 1B 46
Eagle Hgts. G21: Glas 1H 87
EAGLESHAM 6C 154
Eaglesham Ct. G51: Glas 5C 86
Eaglesham Path
  ML5: Glenb 3G 71
Eaglesham Pl. G51: Glas 5C 86
Eaglesham Rd. G75: E Kil 4G 155
  G76: Clar 6B 138
  G76: Eag 6D 154
  G77: Newt M 5D 136
Eagle St. G4: Glas 1G 87
Earlbank Av. G14: Glas 5C 62
Earlbank La. Nth. G14: Glas 5C 62
  (off Earlbank Av.)
  G14: Glas 5C 62
  (off Verona Av.)
Earlbank La. Sth. G14: Glas 5C 62
Earl Haig Rd. G52: Hill 4H 83
Earl La. G14: Glas 6C 62
  (not continuous)
Earl Pl. G14: Glas 5C 62
  PA11: Bri W 5F 77
Earlsburn Rd. G66: Lenz 3E 53
Earlscourt G69: Mood 6D 54
Earl's Ga. G71: Both 4C 128
Earlsgate PA6: C'lee 2B 78
Earl's Hill G68: Cumb 3D 36
Earlspark Av. G43: Glas 6C 106
Earlston Av. G21: Glas 2B 88
Earlston Cres. ML5: Coat 2F 115
Earlston Pl. G21: Glas 2B 88
Earlston St. ML2: Wis 3A 150
Earl St. G14: Glas 5A 62
Earl Vw. ML1: New S 4A 132
Earlybraes Gdns. G33: Glas 5D 90
Earn Av. G61: Bear 3H 47
  ML4: Bell 1A 130
  PA4: Renf 1G 83
Earn Cres. ML2: Wis 2H 165
Earn Gdns. ML9: Lark 5C 170
Earn La. ML1: Holy 2A 132
  (off Howden Pl.)

EARNOCK 1C 160
Earnock Av. ML1: Moth 3E 147
Earnock Gdns. ML3: Ham 2D 160
Earnock Rd. ML3: Ham 1B 160
Earnock St. G33: Glas 5F 67
  ML3: Ham 1E 145
Earn Rd. G77: Newt M 2D 136
Earnside St. G32: Glas 6B 90
Earn St. G33: Glas 2G 89
Easdale G74: E Kil 4B 158
Easdale Dr. G32: Glas 1A 110
Easdale Path ML5: Coat 1F 115
  ML5: Glenb 3G 71
Easdale Pl. G77: Newt M 4B 136
Easdale Ri. ML3: Ham 6C 144
E. Academy St. ML2: Wis 1H 165
East Av. G71: View 1G 129
  G72: Blan 4B 144
  ML1: New S 5A 132
  ML6: Plain 6G 75
  ML8: Carl 3B 174
  PA4: Renf 6F 61
EAST BALGROCHAN 3E 31
Eastbank Dr. G32: Glas 6C 90
Eastbank Pl. G32: Glas 6C 90
Eastbank Ri. G32: Glas 6C 90
E. Barns St. G81: Clyd 1F 61
E. Bath La. G2: Glas 4D 6 (3G 87)
E. Buchanan M. PA1: Pais 6B 82
  (off E. Buchanan St.)
E. Buchanan St. PA1: Pais 6B 82
Eastburn Cres. G21: Glas 3D 66
Eastburn Pl. G21: Glas 3D 66
Eastburn Rd. G21: Glas 4D 66
E. Burnside St. G65: Kils 3H 13
E. Campbell St. G1: Glas 5A 88
EAST CORNWORTHY 2E 121
Eastcote Av. G14: Glas 5E 63
EAST CRAIGEND 6C 42
EAST CRINDLEDYKE 3E 151
Eastcroft G73: Ruth 5D 108
Eastcroft Ter. G21: Glas 5C 66
East Cross ML2: Wis 6H 149
E. Dean St. ML4: Bell 2D 130
Eastend Av. ML1: Carf 6B 132
Easterbrae ML1: Moth 5F 147
Easter Cadder Cotts.
  G66: Kirk 6H 31
Easter Craigs G31: Glas 3D 88
Easter Cres. ML2: Wis 5C 150
Easter Garngaber Rd.
  G66: Lenz 2E 53
Eastergreens Av. G66: Kirk 6C 32
Easterhill Pl. G32: Glas 2H 109
Easterhill St. G32: Glas 2H 109
EASTERHOUSE 3G 91
Easterhouse Pl. G34: Glas 3A 92
Easterhouse Rd. G34: Glas 3A 92
  G69: Bail 6H 91
EASTERHOUSE ROAD INTERCHANGE
  . . . . .4A 92
Easterhouse Sports Cen. 2F 91
Easterhouse Station (Rail) 5A 92
Easterhouse Swimming Pool 3G 91
Easterhouse Township Cen.
  G34: Glas 2G 91
Eastermains G66: Kirk 3H 33
Easter M. G71: Udd 2C 128
Easter Queenslie Rd. G33: Glas . . .3E 91
Easter Rd. G76: Busby 3E 139
Easter Rossland PA7: B'ton 4H 41
  (off Kingston Rd.)
Easterton Av. G76: Busby 4E 139
Easterton Cotts. G64: Torr 3E 31
Easter Wood Cres. G71: View 4H 113
Eastwood Pl. ML5: Coat 5C 94
EASTFIELD 6F 109

Eastfield Av. G72: Camb 1G 125
Eastfield Cres. G82: Dumb 5H 19
Eastfield Holdings
   G67: Cumb 2G 37
Eastfield Pl. G82: Dumb 5H 19
Eastfield Rd. G21: Glas 5A 66
   G68: Cumb 3C 36
   ML8: Carl 4E 175
Eastfield Ter. ML4: Bell 3F 131
EAST FULTON 5F 79
East Ga. ML5: Glenb 2H 71
Eastgate G69: G'csh 4E 71
   ML2: Wis 6B 150
E. George St. ML5: Coat 3D 94
E. Glebe Ter. ML3: Ham 1H 161
E. Greenlees Av. G72: Camb 4C 126
E. Greenlees Cres.
   G72: Camb 4B 126
E. Greenlees Dr. G72: Camb 4C 126
E. Greenlees Gro.
   G72: Camb 4H 125
E. Greenlees Rd. G72: Camb 4A 126
E. Hallhill Rd. G69: Bail 5G 91
Easthall Pl. G33: Glas 4F 91
E. Hamilton St. ML2: Wis 1H 165
E. High St. ML6: Air 3A 96
EAST KILBRIDE 2H 157
East Kilbride Arts Cen. 6H 141
East Kilbride Ice Rink 3H 157
E. Kilbride Rd. G73: Ruth 2E 125
   G76: Busby 3E 139
   G76: Crmck 5G 139
East Kilbride Sports Cen. 5C 158
East Kilbride Station (Rail) 1G 157
East Kilbride Village Theatre 1H 157
East La. PA1: Pais 1C 102
Eastlea Pl. ML6: Air 5B 96
E. Machan St. ML9: Lark 4D 170
EAST MAINS 1A 158
E. Mains Rd. G74: E Kil 1G 157
E. Milton Gro. G75: E Kil 2D 156
Eastmuir St. G32: Glas 6B 90
   ML2: Wis 5C 150
Easton Pl. ML5: Coat 6D 94
East Rd. ML1: New S 3A 132
   PA10: Kilb 1A 98
E. Scott Ter. ML3: Ham 2H 161
EAST SHAWHEAD 3E 115
Eastside G66: Kirk 4D 32
Eastside Ind. Est.
   G66: Kirk *4D 32*
   (off Kilsyth Rd.)
E. Springfield Ter. G64: B'rig 1D 66
E. Station Ind. Est.
   ML9: Lark 1D 170
E. Stewart Gdns ML5: Coat 4E 95
E. Stewart Pl. ML5: Coat 4E 95
E. Stewart St. ML5: Coat 5E 95
E. Thomson St. G81: Clyd 4D 44
E. Thornlie St. ML2: Wis 1H 165
Eastvale Pl. G3: Glas 3A 4 (3A 86)
E. Wellbrae Cres. ML3: Ham 2F 161
E. Wellington St. G31: Glas 6F 89
E. Whitby St. G31: Glas 1E 109
Eastwood Av. G41: Glas 5B 106
   G46: Giff 4A 122
Eastwood Cres. G46: T'bnk 3F 121
Eastwood Dr. ML2: Newm 3E 151
Eastwoodmains Rd.
   G46: Giff 6A 122
   G76: Clar 6A 122
Eastwood Recreation Cen. 5H 121
Eastwood Rd. G69: Mood 5D 54
Eastwood Toll G46: Giff 6H 121
Eastwood Vw. G72: Camb 1E 127
Eastwood Way *ML9: Lark* *1D 170*
   (off Antrim La.)

Easwald Bank PA10: Kilb 3B 98
Ebroch Dr. G65: Kils 3A 14
Ebroch Pk. G65: Kils 3A 14
Eccles St. G22: Glas 4A 66
Eckford St. G32: Glas 1A 110
Eck Path *ML1: Holy* *2A 132*
   (off Howden Pl.)
Eday St. G22: Glas 3H 65
Edderton Pl. G34: Glas 4G 91
Edderton Way G34: Glas 4G 91
Eddington Dr. G77: Newt M 6C 136
Eddleston Pl. G72: Camb 2D 126
EDDLEWOOD 4H 161
Eddlewood Ct. G33: Glas 4G 91
Eddlewood Path G33: Glas 4F 91
Eddlewood Pl. G33: Glas 4F 91
Eddlewood Rd. G33: Glas 4F 91
Eddlewood Sports Barn 4H 161
Eden Dr. G75: E Kil 5B 156
Eden Gdns. G75: E Kil 4B 156
Eden Gro. G75: E Kil 4B 156
Edenhall Ct. G77: Newt M 1D 152
Edenhall Gro. G77: Newt M 1D 152
Eden La. G33: Glas 2F 89
Eden Pk. G71: Both 5D 128
Eden Pl. G72: Camb 2D 126
   PA4: Renf 1G 83
Edenside G68: Cumb 4B 16
Eden St. G33: Glas 2F 89
Edenwood St. G31: Glas 6G 89
Edgam Dr. G52: Glas 6C 84
Edgefauld Av. G21: Glas 6B 66
Edgefauld Dr. G21: Glas 5B 66
Edgefauld Pl. G21: Glas 4B 66
Edgefauld Rd. G21: Glas 5B 66
Edgehill La. G11: Glas 5G 63
Edgehill Rd. G11: Glas 5F 63
   G61: Bear 1E 47
Edgemont Pk. ML3: Ham 3G 161
Edgemont St. G41: Glas 5C 106
Edinbeg Av. G42: Glas 5A 108
Edinbeg Pl. G42: Glas 5A 108
Edinburgh Rd. G33: Glas 4F 89
   G69: Bail 4A 90
   ML1: N'hse 1C 132
Edington Gdns. G69: Mood 4D 54
Edington St. G4: Glas 1F 87
Edison St. G52: Hill 3G 83
   (not continuous)
Edmiston Dr. G51: Glas 5F 85
   PA3: Lin 5F 79
Edmonstone Ct.
   G81: Clyd 2F 61
Edmonstone Dr. G65: Kils 4H 13
Edmonton Ter. G75: E Kil 3E 157
Edmund Kean G74: E Kil 4C 142
Edrom Ct. G32: Glas 6H 89
Edrom Path G32: Glas 6H 89
Edrom St. G32: Glas 6H 89
   (not continuous)
Edward Av. PA4: Renf 5G 61
Edward Pl. G33: Step 4D 68
Edward St. G65: Kils 2H 13
   G69: Barg 6D 92
   G81: Clyd 2F 61
   ML1: Moth 4H 147
   ML3: Ham 1H 161
Edwin St. G51: Glas 6B 86
Edzell Ct. G14: Glas 1D 84
Edzell Dr. G77: Newt M 5E 137
   PA5: Eld 3B 100
Edzell Gdns. G64: B'rig 1E 67
   ML2: Wis 1G 165
Edzell Pl. G14: Glas 6D 62
Edzell St. G14: Glas 1D 84
   ML5: Coat 1H 113
Egidia Av. G46: Giff 5A 122

Egilsay Cres. G22: Glas 1G 65
Egilsay Pl. G22: Glas 1G 65
Egilsay St. G22: Glas 1G 65
Egilsay Ter. G22: Glas 1G 65
Eglinton Ct. G5: Glas 6F 87
Eglinton Dr. G46: Giff 5A 122
   G76: Eag 6D 154
Eglinton St. G5: Glas 1E 107
   ML5: Coat 3D 94
Egmont Pk. G75: E Kil 4C 156
Eider G12: Glas 2G 63
Eider Av. G75: E Kil 1A 168
Eider Gro. G75: E Kil 6C 156
Eider Pl. G75: E Kil 1A 168
Eighth St. G71: Tann 4C 112
Eildon Cres. ML6: Chap 4F 117
Eildon Dr. G78: Barr 6E 119
Eildon Rd. G66: Kirk 5F 33
Eileen Gdns. G64: B'rig 5D 50
Eilt Wlk. *ML2: Newm* *3D 150*
   (off Islay Av.)
Elcho St. G40: Glas 6A 88
Elderbank G61: Bear 4E 47
Elder Cres. G72: Flem 3E 127
Elder Dr. G72: Flem 3E 127
Elder Gro. G72: View 5F 113
Elder Gro. Av. G51: Glas 4D 84
Elder Gro. Ct. G51: Glas 4D 84
Elder Gro. Pl. G51: Glas 4D 84
Elderpark Gdns. G51: Glas 4F 85
Elderpark Gro. G51: Glas 4F 85
Elderpark St. G51: Glas 4F 85
Elderslea Rd. ML8: Carl 5E 175
ELDERSLIE 2A 100
Elderslie Ct. G3: Glas 4F 5 (3D 86)
Elderslie Leisure Cen. 2B 100
Elderslie St. G3: Glas 2F 5 (2D 86)
Elder St. G51: Glas 4F 85
   (not continuous)
Elders Way ML2: Wis 6B 150
Elder Way ML1: Carf 5D 132
Eldin Pl. PA5: Eld 3H 99
   PA11: Bri W 5G 77
Eldon Ct. G11: Glas 1H 85
Eldon Gdns. G64: B'rig 6A 50
Eldon St. G3: Glas 1C 86
Elgin Av. G74: E Kil 6H 141
Elgin Gdns. G76: Clar 1D 138
Elgin Pl. G65: Kils 2H 13
   G74: E Kil 6H 141
   ML5: Coat 2D 114
   ML6: Air 6G 95
Elgin Rd. G61: Bear 6F 27
Elgin Ter. ML3: Ham 5C 144
Elgin Way ML4: Bell 1C 130
Elibank St. G33: Glas 2A 90
Elie Ct. G68: Cumb 6H 15
Elie Rd. G72: Blan 6B 144
Elie St. G11: Glas 1A 86
Eliot Cres. ML3: Ham 2H 161
Eliot Ter. ML3: Ham 1H 161
Elipta, The PA1: Pais 2A 102
Elison Ct. ML1: Moth 5B 148
Elizabethan Way
   PA4: Renf 2E 83
Elizabeth Av. G66: Milt C 5B 10
Elizabeth Ct. G74: E Kil 1H 157
Elizabeth Cres. G46: T'bnk 4G 121
Elizabeth Quad. ML1: Holy 2A 132
Elizabeth St. G51: Glas 6A 86
Elizabeth Wynd ML3: Ham 4H 161
Ella Gdns. ML4: Bell 3E 131
Ellangowan Ct. G62: Miln 3G 27
Ellangowan Rd. G41: Glas 5A 106
   G62: Miln 3G 27
Ellergreen Rd. G61: Bear 3E 47
Ellerslie Rd. G14: Glas 3G 61

Ellerslie St. PA5: John 2G **99**
Ellesmere St. G22: Glas 6E **65**
Ellinger Ct. G81: Clyd 3H **43**
Elliot Av. G46: Giff 5A **122**
 PA2: Pais 6C **100**
Elliot Ct. ML1: Moth 6F **131**
Elliot Cres. G74: E Kil 1B **158**
Elliot Dr. G46: Giff 4A **122**
Elliot Ho. G67: Cumb 3B **38**
Elliot Pl. G3: Glas 4E **5** (4C **86**)
Elliot St. G3: Glas 6E **5** (4C **86**)
 (not continuous)
Ellisland G66: Kirk 3H **33**
 G74: E Kil 6D **142**
Ellisland Av. G81: Clyd 4E **45**
Ellisland Cres. G73: Ruth 2B **124**
Ellisland Dr. G66: Kirk 3G **33**
 G72: Blan 3H **143**
Ellisland Rd. G43: Glas 1B **122**
 G67: Cumb 3B **38**
 G76: Busby 4C **138**
Ellisland Wynd ML1: N'hill 4C **132**
Ellismuir Farm Rd.
 G69: Bail 1B **112**
Ellismuir Pl. G69: Bail 1A **112**
Ellismuir Rd. G69: Bail 1A **112**
Ellismuir St. ML5: Coat 2H **113**
 (not continuous)
Ellismuir Way G71: Tann 4E **113**
Ellis St. ML5: Coat 4C **94**
Elliston Av. G53: Glas 2C **120**
Elliston Cres. G53: Glas 2C **120**
Elliston Dr. G53: Glas 2C **120**
Ellis Way ML1: Moth 4H **147**
Ellon Dr. PA3: Lin 6G **79**
Ellon Gro. PA3: Pais 4B **82**
Ellon Way PA3: Pais 4B **82**
Ellrig G75: E Kil 6F **157**
Elm Av. G66: Lenz 1C **52**
 PA4: Renf 5E **61**
Elm Bank G64: B'rig 6D **50**
 G66: Kirk 4D **32**
Elmbank Av. G71: View 6F **113**
Elmbank Cres.
 G2: Glas 3H **5** (3E **87**)
 ML3: Ham 5E **145**
Elmbank Dr. ML9: Lark 4E **171**
Elmbank Gdns G2: Glas 3H **5**
Elmbank St. G2: Glas 4H **5** (3E **87**)
 ML4: Bell 2C **130**
 ML8: Carl 5E **175**
Elmbank St. La. G2: Glas 4H **5**
Elm Ct. G72: Blan 2C **144**
Elm Cres. G71: View 6H **113**
Elm Dr. G67: Cumb 1F **39**
 G72: Camb 2C **126**
 ML6: Chap 2E **117**
 PA5: John 3G **99**
Elmfoot St. G5: Glas 3H **107**
Elm Gdns. G61: Bear 1E **47**
Elmhurst ML1: Moth 5F **147**
Elmira Rd. G69: Muirh 2B **70**
Elm La. W. *G14: Glas* *6D **62***
 (off Lime St.)
Elm Lea PA5: John 3H **99**
Elmore Av. G44: Glas 2F **123**
Elmore La. G44: Glas 2F **123**
Elm Pl. G75: E Kil 5E **157**
Elm Quad. ML6: Air 4D **96**
Elm Rd. G73: Ruth 3D **124**
 G81: Clyd 2C **44**
 G82: Dumb 3F **19**
 ML1: Holy 2B **132**
 ML1: New S 5A **132**
 PA2: Pais 4C **102**
 PA11: Br W 2G **77**
Elms, The G44: Glas 3E **123**

Elmslie Ct. G69: Bail 1A **112**
Elm St. G14: Glas 6D **62**
 G66: Len 3G **9**
 G72: Blan 2C **144**
 G76: Busby 3D **138**
 ML1: Moth 1F **147**
 ML5: Coat 6E **95**
Elm St. E. *G14: Glas* *6D **62***
 (off Elm St.)
Elmtree Gdns. G45: Glas 3B **124**
Elmvale Row G21: Glas 4A **66**
Elmvale St. G21: Glas 4A **66**
Elm Vw. Ct. ML4: Bell 3F **131**
Elm Wlk. G61: Bear 1E **47**
Elm Way G72: Flem 3E **127**
 ML9: Lark 6A **164**
Elmwood ML2: Wis 2E **165**
Elmwood Av. G11: Glas 5F **63**
 G77: Newt M 3F **137**
Elmwood Ct. G71: Both 5E **129**
Elmwood Gdns. G66: Lenz 2A **52**
Elmwood La. G11: Glas 5F **63**
Elphinstone Cres.
 G75: E Kil 4H **157**
Elphinstone Pl.
 G51: Glas 6A **4** (4A **86**)
Elphinstone Rd. G46: Giff 2G **137**
Elphin St. G23: Glas 6B **48**
Elrig Rd. G44: Glas 2D **122**
Elsinore Path G75: E Kil 6G **157**
Elspeth Gdns. G64: B'rig 5E **51**
Eltham St. G22: Glas 6F **65**
Elvan Ct. ML1: Moth 3F **147**
Elvan Pl. G75: E Kil 4A **156**
Elvan St. G32: Glas 6H **89**
 ML1: Moth 2F **147**
Elvan Twr. ML1: Moth 4G **147**
Embo Dr. G13: Glas 3B **62**
Emerald Ter. ML4: Bell 3C **130**
Emerson Rd. G64: B'rig 6C **50**
Emerson Rd. W.
 G64: B'rig 6C **50**
Emily Dr. ML1: Moth 5G **147**
Emma Jay Rd. ML4: Bell 2D **130**
Empire Way ML1: Moth 6E **131**
Endfield Av. G12: Glas 3H **63**
Endrick Bank G64: B'rig 3C **50**
Endrick Ct. *ML5: Coat* *5B **94***
 (off Kirk St.)
Endrick Dr. G61: Bear 4F **47**
 PA1: Pais 5D **82**
Endrick Gdns. G62: Miln 3E **27**
Endrick Ho. G82: Dumb 1H **19**
Endrick St. G21: Glas 6H **65**
English Row ML6: C'bnk 3C **116**
English St. ML2: Wis 6D **148**
Ennerdale G75: E Kil 5B **156**
Ennisfree Rd. G72: Blan 1B **144**
Ensay St. G22: Glas 2H **65**
Enterkin St. G32: Glas 1H **109**
Eriboll Pl. G22: Glas 2F **65**
Eriboll St. G22: Glas 2F **65**
Eribol Wlk. ML1: N'hill 4D **132**
Ericht Rd. G43: Glas 2A **122**
Eriska Av. G14: Glas 4A **62**
Eriskay Av. G77: Newt M 4B **136**
 ML3: Ham 1D **160**
Eriskay Cres.
 G77: Newt M 4B **136**
Eriskay Dr. G60: Old K 1G **43**
Eriskay Pl. G60: Old K 1G **43**
Ermelo Gdns. G75: E Kil 1B **168**
Erradale Pl. G22: Glas 2E **65**
Erradale St. G22: Glas 2E **65**
Errogie St. G34: Glas 3H **91**
Errol Gdns. G5: Glas 1G **107**
ERSKINE 6F **43**

Erskine Av. G41: Glas 1H **105**
Erskine Bri. G60: Old K 3D **42**
 PA7: B'ton 3D **42**
Erskine Community Sports Cen.
 . . . . .5G **43**
Erskine Cres. ML6: Air 6H **95**
Erskinefauld Rd. PA3: Lin 5G **79**
Erskine Ferry Rd.
 G60: Old K 2F **43**
 PA7: B'ton 4G **41**
Erskine Rd. G46: Giff 3H **137**
Erskine Sq. G52: Hill 4H **83**
Erskine Swimming Pool 5F **43**
Erskine Vw. G60: Old K 1E **43**
 G81: Clyd 4D **44**
Ervie St. G34: Glas 4A **92**
Escart Rd. ML8: Carl 2D **174**
Esdaile Ct. ML1: New S 4H **131**
Eskbank St. G32: Glas 5A **90**
Esk Av. PA4: Renf 1G **83**
Esk Dale G74: E Kil 6E **141**
Eskdale G77: Newt M 4H **137**
Eskdale Dr. G73: Ruth 6F **109**
Eskdale Rd. G61: Bear 5D **46**
Eskdale St. G42: Glas 4F **107**
Esk Dr. PA2: Pais 4C **100**
Esk St. G14: Glas 4H **61**
Esk Wlk. *G67: Cumb* *4H **37***
 (in The Cumbernauld Shop. Cen.)
Esk Way PA2: Pais 4C **100**
Esmond St. G3: Glas 2A **4** (2A **86**)
Espedair St. PA2: Pais 2A **102**
Espieside Cres.
 ML5: Coat 3H **93**
Esporta Health & Fitness Club
 Finnieston 4D **4** (3C **86**)
 Hamilton 4B **146**
 Milngavie 2B **28**
Essenside Av. G15: Glas 5B **46**
Essex Dr. G14: Glas 5D **62**
Essex La. G14: Glas 5D **62**
 (not continuous)
Esslemont Av. G14: Glas 4B **62**
Esslemont La. G14: Glas 4C **62**
Estate Quad. G32: Carm 5C **110**
Estate Rd. G32: Carm 5C **110**
Etive Av. G61: Bear 3H **47**
 ML3: Ham 2E **161**
Etive Ct. G67: Cumb 1D **56**
 G81: Hard 2E **45**
 ML5: Coat 2D **114**
Etive Cres. G64: B'rig 6D **50**
 G67: Cumb 1D **56**
 ML2: Wis 3H **165**
Etive Dr. G46: Giff 6B **122**
 G67: Cumb 1D **56**
 ML6: Air 6C **96**
 PA7: B'ton 5A **42**
Etive Pl. G67: Cumb 1E **57**
 ML9: Lark 6H **163**
Etive St. G32: Glas 6A **90**
 ML2: Wis 2H **165**
Etna Ind. Est. ML2: Wis 5C **148**
Etna St. ML2: Wis 5C **148**
Eton La. *G12: Glas* *1C **86***
 (off Gt. George St.)
Etrick Av. ML4: Bell 6C **114**
Etterick Wynd *G72: Blan* *2A **144***
 (off Cheviot St.)
Ettrick Av. PA4: Renf 1H **83**
Ettrick Ct. G72: Camb 2D **126**
 ML5: Coat 2E **115**
Ettrick Cres.
 G73: Ruth 6E **109**
Ettrick Dr. G61: Bear 6C **26**
 PA7: B'ton 5A **42**
Ettrick Hill G74: E Kil 6A **142**

Ettrick Oval PA2: Pais 5C 100
Ettrick Pl. G43: Glas 6B 106
Ettrick Sq. *G67: Cumb* *4H 37*
  (in The Cumbernauld Shop. Cen.)
Ettrick St. ML2: Wis 4G 149
Ettrick Ter. PA5: John 5C 98
Ettrick Wlk. *G67: Cumb* *4H 37*
  (in The Cumbernauld Shop. Cen.)
Ettrick Way *G67: Cumb* *3H 37*
  (in The Cumbernauld Shop. Cen.)
  PA4: Renf 1H 83
Eurocentral ML1: Holy 5H 115
Eurocentral Ind. Est.
  ML1: Holy 6H 115
EUROCENTRAL JUNC. 4H 115
Evan Cres. G46: Giff 5B 122
Evan Dr. G46: Giff 5B 122
Evanton Dr. G46: T'bnk 4E 121
Evanton Pl. G46: T'bnk 4E 121
Everard Ct. G21: Glas 2A 66
Everard Dr. G21: Glas 3A 66
Everard Pl. G21: Glas 2A 66
Everard Quad. G21: Glas 2A 66
Everglades, The
  G69: Chry 1H 69
Eversley St. G32: Glas 2A 110
Everton Rd. G53: Glas 3C 104
Ewart Cres. ML3: Ham 1E 161
Ewart Gdns. ML3: Ham 1F 161
Ewart Ter. ML3: Ham 1F 161
Ewing Ct. ML3: Ham 4G 161
Ewing Pl. G31: Glas 6E 89
Ewing St. G73: Ruth 6C 108
  PA10: Kilb 2A 98
Ewing Wlk. G62: Miln 4A 28
Excelsior Gdns.
  ML1: Moth 6C 148
Excelsior Pk. ML2: Wis 1D 164
Excelsior St. ML2: Wis 1C 164
Exchange Pl. G1: Glas 5D 6
  ML5: Coat 5C 94
Exeter Dr. G11: Glas 1G 85
Exeter La. *G11: Glas* *1G 85*
  (off Dumbarton Rd.)
Exeter St. ML5: Coat 6C 94
Exhibition Centre Station (Rail)
  . . . . .4D 4 (3C 86)
Eynort St. G22: Glas 2E 65
Eyrepoint Ct. G33: Glas 3A 90

F

Factory Rd. ML1: Moth 4G 147
Fagan Ct. G72: Blan 6C 128
Faichney Flds. G74: E Kil 1H 157
FAIFLEY 6E 25
Faifley Rd. G81: Faif, Hard 6F 25
Fairbairn Cres. G46: T'bnk 5G 121
Fairbairn Path *G40: Glas* *1C 108*
  (off Ruby St.)
Fairbairn St. G40: Glas 1C 108
Fairburn St. G32: Glas 1H 109
Fairfax Av. G44: Glas 2G 123
Fairfield Ct. G76: Busby 4C 138
Fairfield Dr. G76: Busby 4C 138
  PA4: Renf 2F 83
Fairfield Gdns. G51: Glas 3F 85
Fairfield Pl. G51: Glas 3F 85
  G71: Both 5F 129
  G74: E Kil 1D 156
  ML3: Ham 2A 162
Fairfield St. G51: Glas 3F 85
Fairford Dr. G67: Cumb 6F 37
Fairhaven Av. ML6: Air 5E 97
Fairhaven Rd.
  G23: Glas 1C 64

FAIRHILL 3G 161
Fairhill Av. ML3: Ham 2G 161
Fairhill Cres. ML3: Ham 2G 161
Fairhill Pl. ML3: Ham 4F 161
Fairholm Av. ML3: Fern 2E 163
Fairholm St. G32: Glas 1H 109
  ML9: Lark 1B 170
Fairley St. G51: Glas 5H 85
Fairlie G74: E Kil 6F 141
Fairlie Pk. Dr. G11: Glas 1G 85
Fair Oaks G76: Crmck 1A 140
Fairview Ct. *G62: Miln* *4G 27*
  (off Main St.)
Fairway G61: Bear 2B 46
Fairway Av. PA2: Pais 5H 101
Fairway Rd. ML9: Lark 2E 171
Fairways, The G44: Neth 5D 122
  G71: Both 5E 129
  PA5: John 6D 98
Fairways Vw. G81: Hard 1F 45
Fairweather Pl.
  G77: Newt M 5C 136
Fairyknowe Ct. G71: Both 5F 129
Fairyknowe Gdns. G71: Both 5F 129
Faith Av. PA11: Q'riers 1A 76
Falconbridge Rd. G74: E Kil 5C 142
Falcon Cres. PA3: Pais 5F 81
Falconer Ter. ML3: Ham 2G 161
Falcon Ho. PA3: Pais 4A 82
Falcon Rd. PA5: John 6D 98
Falcon Ter. G20: Glas 1A 64
Falcon Ter. La. *G20: Glas* *1A 64*
  (off Caldercuilt Rd.)
Falfield St. G5: Glas 1E 107
Falkland Av. G77: Newt M 4G 137
Falkland Cres. G64: B'rig 1F 67
Falkland Dr. G74: E Kil 2E 157
Falkland La. G12: Glas 6H 63
Falkland Pk. G74: E Kil 2F 157
Falkland Pl. G74: E Kil 2F 157
  ML5: Coat 2D 114
Falkland St. G12: Glas 6H 63
Falloch Rd. G42: Glas 6E 107
  G61: Bear 5C 46
  G62: Miln 3D 26
FALLSIDE 1G 129
Fallside Av. G71: View 1G 129
Fallside Rd. G71: Both 5E 129
Falside Av. PA2: Pais 4A 102
Falside Rd. G32: Glas 3A 110
  PA2: Pais 4H 101
Falstaff G74: E Kil 4C 142
Faraday Av. ML2: Wis 6A 150
Faraday Retail Pk.
  ML5: Coat 5D 94
Fara St. G23: Glas 1D 64
Farie St. G73: Ruth 5B 108
Farm Ct. G71: Both 3F 129
Farm Cres. ML1: N'hill 3F 133
Farme Castle Ct. G73: Ruth 4E 109
Farme Castle Est. G73: Ruth 4E 109
FARME CROSS 4E 109
Farme Cross G73: Ruth 4D 108
Farmeloan Rd. G73: Ruth 5D 108
Farmgate Sq. ML4: Bell 3B 130
Farmington Av. G32: Glas 6D 90
Farmington Gdns. G32: Glas 6D 90
Farmington Ga. G32: Glas 1D 110
Farmington Gro. G32: Glas 6D 90
Farm La. G71: Udd 2E 129
  ML4: Bell 4B 130
Farm Pk. G66: Lenz 3D 52
Farm Rd. G41: Glas 6H 85
  G72: Blan 6B 128
  G81: Clyd 4H 43
  G81: Dun, Hard 6C 24
  ML3: Ham 5D 144

Farm St. ML1: Moth 2F 147
Farm Ter. ML3: Ham 5D 144
Farndale G74: E Kil 6E 141
Farne Dr. G44: Glas 3F 123
Farnell St. G4: Glas 1F 87
Farrier Ct. PA5: John 2F 99
Faskally Av. G64: B'rig 4A 50
Faskally Wlk. ML2: Newm 3D 150
Faskin Cres. G53: Glas 6H 103
Faskine Av. ML6: Air 5H 95
  ML6: C'bnk 3B 116
Faskine Cres. ML6: Air 5H 95
Faskin Pl. G53: Glas 6H 103
Faskin Rd. G53: Glas 6H 103
Fasque Pl. G15: Glas 3G 45
Fastnet St. G33: Glas 3A 90
FAULDHEAD 1H 53
Fauldhouse Way G5: Glas 2H 107
Faulds G69: Bail 6A 92
Faulds Gdns. G69: Bail 6A 92
Fauldshead Rd. PA4: Renf 6E 61
Faulds La. ML5: Coat 2B 114
Fauldspark Cres. G69: Bail 5A 92
Faulds St. ML5: Coat 2A 114
Fauldswood Cres. PA2: Pais 3F 101
Fauldswood Dr. PA2: Pais 3F 101
Faulkner Gro. ML1: Cle 1F 149
Fearnach Pl. G20: Glas 2H 63
Fearnmore Rd. G20: Glas 2B 64
Fells, The G66: Len 3G 9
Fellsview Av. G66: Kirk 4F 33
Felton Pl. G13: Glas 2H 61
Fendoch St. G32: Glas 1A 110
Fenella St. G32: Glas 6B 90
Fennsbank Av. G73: Ruth 4F 125
Fenwick Dr. G78: Barr 6E 119
  ML3: Ham 4A 162
Fenwick Pl. G46: Giff 6H 121
Fenwick Rd. G46: Giff 6H 121
Ferclay St. G81: Faif 6F 25
Fereneze Av. G76: Clar 1A 138
  G78: Barr 4D 118
  PA4: Renf 3C 82
Fereneze Cres. G13: Glas 3A 62
  ML3: Ham 6D 144
Fereneze Dr. PA2: Pais 5F 101
Fereneze Gro. G78: Barr 4D 118
Fereneze Rd. G78: Barr, Neil 2A 134
Fergus Av. PA3: Pais 6E 81
Fergus Ct. G20: Glas 5C 64
Fergus Dr. G20: Glas 5C 64
  PA3: Pais 6E 81
Fergus Gdns. ML3: Ham 1B 162
Fergus La. G20: Glas 5D 64
Ferguslea Ter. G64: Torr 3E 31
Ferguslie PA1: Pais 1E 101
FERGUSLIE PARK 5E 81
Ferguslie Pk. Av. PA3: Pais 6E 81
Ferguslie Pk. Cres. PA3: Pais 1E 101
Ferguslie Pk. Sports & Recreation Cen.
  . . . . .5E 81
Ferguslie Wlk. PA1: Pais 1F 101
  (not continuous)
Ferguson Av. G62: Miln 3F 27
  PA4: Renf 6F 61
Ferguson Dr. ML1: Moth 6G 147
Ferguson St. PA4: Renf 5F 61
  PA5: John 2E 99
Ferguson Way ML6: Air 1B 96
Fergusson Pl. G74: E Kil 4D 142
Fergusson Rd. G67: Cumb 3H 37
Fergusson Ter. G66: Milt C 5C 10
Ferguston Rd. G61: Bear 3F 47
Fernan St. G32: Glas 6H 89
Fern Av. G64: B'rig 1D 66
  G66: Lenz 3C 52
  PA8: Ersk 2F 59

Fernbank Av. G72: Camb 3C **126**
Fernbank St. G21: Glas 4A **66**
   G22: Glas 4A **66**
Fernbrae Av. G73: Ruth 4D **124**
Fernbrae Way G73: Ruth 4D **124**
Fern Cotts. G13: Glas 4F **63**
Ferncroft Dr. G44: Glas 2H **123**
Ferndale ML9: Lark 4C **170**
Ferndale Ct. G23: Glas 1B **64**
Ferndale Dr. G23: Glas 1B **64**
Ferndale Gdns. G23: Glas 1B **64**
Ferndale Pl. G23: Glas 1B **64**
Fern Dr. G78: Barr 3D **118**
Ferness Oval G21: Glas 2E **67**
Ferness Pl. G21: Glas 2E **67**
Ferness Rd. G21: Glas 3E **67**
Fern Gro. G69: G'csh 3E **71**
Ferngrove Av. G12: Glas 3H **63**
FERNHILL 4D **124**
Fernhill Grange G71: Both 6E **129**
Fernhill Rd. G73: Ruth 2C **124**
FERNIEGAIR 2D **162**
Fernie Gdns. G20: Glas 2C **64**
Fernington Pl. ML2: Wis 5H **149**
Fern La. G13: Glas 4F **63**
   G66: Len 2E **9**
Fernlea G61: Bear 4E **47**
Fernleigh Pl. G69: Mood 5D **54**
Fernleigh Rd. G43: Glas 2B **122**
Fernside Wlk. ML3: Ham 2A **162**
Fernslea Av. G72: Blan 1A **144**
Fern St. ML1: Moth 5A **148**
Ferryden Ct. G14: Glas 1E **85**
Ferryden St. G11: Glas 1E **85**
   G14: Glas 1E **85**
Ferry Rd. G3: Glas 3H **85**
   G71: Both 5E **129**
   G71: Udd 1C **128**
   PA4: Renf 5F **61**
Fersit Ct. *G43: Glas* *1A 122*
   (off Fersit St.)
Fersit St. G43: Glas 1A **122**
Fetlar Dr. G44: Glas 2G **123**
Fetlar Rd. PA11: Bri W 3E **77**
Fettercairn Av. G15: Glas 4G **45**
Fettercairn Gdns. G64: B'rig 6E **51**
Fettes St. G33: Glas 3H **89**
Fiddoch Ct. ML2: Newm 2D **150**
Fidra St. G33: Glas 3H **89**
Fielden Pl. G40: Glas 6C **88**
Fielden St. G40: Glas 6C **88**
Field Gro. G76: Busby 4D **138**
Fieldhead Dr. G43: Glas 2G **121**
Fieldhead Sq. G43: Glas 2G **121**
Field Rd. G76: Busby 4D **138**
   G81: Faif 5F **25**
   ML9: Lark 3D **170**
Fields La. PA6: Hous 1B **78**
Field St. ML3: Ham 2H **161**
Fife Av. G52: Glas 1B **104**
   ML6: Air 6A **96**
Fife Ct. G71: Both 6E **129**
Fife Cres. G71: Both 6E **129**
Fife Dr. ML1: Moth 5F **131**
Fife Way G64: B'rig 1F **67**
Fifth Av. G12: Glas 4F **63**
   G33: Mille 4B **68**
   ML6: Air 3C **96**
   PA4: Renf 1E **83**
Fifth Rd. G72: Blan 4C **144**
Fifty Pitches Pl. G51: Glas 4B **84**
Fifty Pitches Rd. G51: Glas 4B **84**
Fifty Pitches Way
   G51: Glas 4B **84**
Finart Dr. PA2: Pais 4D **102**
Finaven Gdns. G61: Bear 5B **26**
Finch Dr. G13: Glas 1H **61**

Finch Pl. PA5: John 6D **98**
Finch Way ML4: Bell 5B **114**
Findhorn PA8: Ersk 4E **43**
Findhorn Av. PA2: Pais 4D **100**
   PA4: Renf 6G **61**
Findhorn Ct. G75: E Kil 3H **155**
Findhorn Pl. G75: E Kil 3H **155**
Findhorn St. G33: Glas 3F **89**
Findlay Ct. *ML1: Moth* *1F 147*
   (off Roman Rd.)
Findlay St. G65: Kils 3H **13**
   ML1: Moth 4H **147**
Findlay Ter. G72: Camb 1D **126**
Findochty PA8: Ersk 4E **43**
Findochty Pl. G33: Glas 1E **91**
Findochty St. G33: Glas 2D **90**
Fingal La. G20: Glas 2A **64**
Fingal St. G20: Glas 2B **64**
Fingalton Rd. G77: Newt M 4A **136**
Fingask St. G32: Glas 1C **110**
Finglas Av. PA2: Pais 4D **102**
Finglen Gdns. G62: Miln 3E **27**
Finglen Pl. G53: Glas 3B **120**
Fingleton Av. G78: Barr 6F **119**
Finhaven St. G32: Glas 2G **109**
Finlarig St. G34: Glas 4A **92**
Finlas Pl. G22: Glas 4H **65**
Finlas St. G22: Glas 5H **65**
Finlay Dr. G31: Glas 4C **88**
   PA3: Lin 6F **79**
Finlay Ri. G62: Miln 5H **27**
Finlayson Dr. ML6: Air 4E **97**
Finlayson Quad. ML6: Air 4E **97**
Finlaystone St. ML5: Coat 4A **94**
Finnart Sq. G40: Glas 2B **108**
Finnart St. G40: Glas 2B **108**
FINNIESTON 4E **5** (3C **86**)
Finnieston Crane 6D **4** (4B **86**)
Finnieston Sq.
   G3: Glas 4E **5** (3C **86**)
Finnieston St. G3: Glas 6E **5** (4C **86**)
Finnie Wynd ML1: Moth 5B **148**
Finsbay St. G51: Glas 5D **84**
Fintaig La. G2: Wis 6C **150**
Fintry Av. PA2: Pais 5A **102**
Fintry Ct. ML5: Coat 2E **115**
Fintry Cres. G64: B'rig 6E **51**
   G78: Barr 6E **119**
Fintry Dr. G44: Glas 6G **107**
Fintry Gdns. G61: Bear 5C **26**
Fintry Pl. G75: E Kil 1B **168**
Fir Bank Av. ML9: Lark 3D **170**
Firbank Av. G64: Torr 5D **30**
Firbank Quad. ML6: Chap 2E **117**
Firbank Ter. G78: Barr 6G **119**
Fir Ct. G72: Flem 3E **127**
   ML5: Coat 1A **114**
Firdon Cres. G15: Glas 6A **46**
Fir Dr. G75: E Kil 6D **156**
Fir Gro. G71: View 5F **113**
   ML1: New S 5A **132**
FIRHILL 5E **65**
Firhill Av. ML6: Air 5H **95**
Firhill Complex, The 6E **65**
Firhill Ct. G20: Glas 5E **65**
Firhill Pk. 5E **65**
Firhill Rd. G20: Glas 5D **64**
Firhill St. G20: Glas 5E **65**
Firlee G75: E Kil 3B **156**
Fir Pk. 5H **147**
Firpark Cl. G31: Glas 3B **88**
Firpark Ct. G31: Glas 3B **88**
Firpark Rd. G64: B'rig 1D **66**
Fir Pk. St. ML1: Moth 5H **147**
Firpark St. G31: Glas 3B **88**
Firpark Ter. G31: Glas 4B **88**

Fir Pl. G69: Bail 2G **111**
   G72: Camb 1C **126**
   ML1: Cle 6H **133**
   PA5: John 4G **99**
Firs, The G44: Glas 2F **123**
First Av. G33: Mille 4B **68**
   G44: Neth 5D **122**
   G61: Bear 4G **47**
   G66: Auch 6D **52**
   G71: Tann 5C **112**
   G82: Dumb 3C **20**
   PA4: Renf 1E **83**
First Gdns. G41: Glas 1G **105**
First Rd. G72: Blan 4C **144**
First St. G71: Tann 5D **112**
First Ter. G81: Clyd 4C **44**
Firthview Ter. G82: Dumb 4C **18**
Firtree Pl. ML2: Newm 3F **151**
Firtree Rd. ML2: Newm 3F **151**
Fir Vw. ML6: C'bnk 3B **116**
Firwood Courts G77: Newt M 5E **137**
Firwood Dr. G44: Glas 1G **123**
Firwood Rd. G77: Newt M 4E **137**
Fischer Gdns. PA1: Pais 1D **100**
Fisher Av. G65: Kils 3H **13**
   PA1: Pais 1D **100**
Fisher Ct. G31: Glas 4B **88**
Fisher Cres. G81: Hard 1D **44**
Fisher Dr. PA1: Pais 1D **100**
Fishers Rd. PA4: Renf 3E **61**
Fisher St. ML9: Lark 4D **170**
Fisher Way PA1: Pais 1D **100**
Fishescoates Av. G73: Ruth 3E **125**
   (not continuous)
Fishescoates Gdns.
   G73: Ruth 2F **125**
Fitness First Health Club
   Glasgow 3B **6** (3F **107**)
Fitzalan Dr. PA3: Pais 5C **82**
Fitzalan Rd. PA4: Renf 2C **82**
Fitzroy La. G3: Glas 3D **4** (3C **86**)
Fitzroy Pl. G3: Glas 3E **5**
Flakefield G74: E Kil 1D **156**
Flanders St. G81: Hard 6E **25**
Flanigan Gro. ML4: Bell 2C **130**
Flaxfield Gro. ML1: Moth 5F **131**
Flaxmill Av. ML2: Wis 5D **148**
Flax Rd. G71: Udd 2E **129**
Fleet Av. PA4: Renf 2G **83**
Fleet St. G32: Glas 1B **110**
Fleming Av. G69: Chry 1A **70**
   G81: Clyd 1F **61**
Fleming Ct. G81: Clyd 5D **44**
   ML1: Moth 5A **148**
   ML3: Ham 5C **144**
   ML8: Carl 4C **174**
Fleming Pl. G75: E Kil 3G **157**
Fleming Rd. G67: Cumb 3H **37**
   ML4: Bell 1D **130**
   PA6: Hous 1A **78**
   PA7: B'ton 4H **41**
Fleming St. G31: Glas 5D **88**
   PA3: Pais 4A **82**
FLEMINGTON
   G72 . . . . .3E **127**
   ML1 . . . . .5B **148**
Flemington Ind. Est.
   G72: Flem 3E **127**
Flemington Ind. Pk.
   ML1: Moth 4C **148**
Flemington Rd.
   G72: Camb 2E **143**
Flemington St. G21: Glas 6A **66**
   ML1: Moth 4A **148**
Fleming Way ML3: Ham 5B **144**
   ML9: Lark *4E 171*
   (off Bannockburn Dr.)

Flenders Av. G76: Clar 3A 138
Flenders Rd. G76: Clar 3A 138
Fleurs Av. G41: Glas 1H 105
Fleurs Rd. G41: Glas 1H 105
Flinders Pl. G75: E Kil 3D 156
Flloyd St. ML5: Coat 4B 94
Floorsburn Cres. PA5: John 3E 99
Floors Rd. G76: Water 3H 153
Floors St. PA5: John 3E 99
Floors St. Ind. Est.
    PA5: John 3F 99
Flora Gdns. G64: B'rig 5E 51
Florence Dr. G46: Giff 5A 122
Florence Gdns. G73: Ruth 3E 125
Florence St. G5: Glas 1G 107
                                (off Caledonia Rd.)
    G5: Glas 6G 87
                                    (Ballater St.)
Florida Av. G42: Glas 5F 107
Florida Cres. G42: Glas 5F 107
Florida Dr. G42: Glas 5E 107
Florida Gdns. G69: Bail 6G 91
Florida Sq. G42: Glas 5F 107
Florida St. G42: Glas 5F 107
Florish Rd. PA8: Ersk 1H 59
Flowerdale Pl. G53: Glas 4B 120
Flowerhill Ind. Est.
    ML6: Air 3B 96
Flowerhill St. ML6: Air 3B 96
FLUCHTER 3E 29
Fluchter Rd.
    G62: Balm, Bard 4E 29
    G64: Balm 3F 29
Flures Av. PA8: Ersk 1A 60
Flures Cres. PA8: Ersk 1A 60
Flures Dr. PA8: Ersk 1A 60
Flures Pl. PA8: Ersk 1A 60
Fochabers Dr. G52: Glas 5C 84
Fogo Pl. G20: Glas 3B 64
Foinaven Dr. G46: T'bnk 2F 121
Foinaven Gdns. G46: T'bnk 1F 121
Foinaven Way G46: T'bnk 1G 121
Footfield Rd. ML4: Bell 3B 130
Forbes Dr. G40: Glas 6B 88
    ML1: Moth 5D 130
Forbes Hall G4: Glas 5G 7
Forbes Pl. PA1: Pais 1A 102
Forbes St. G40: Glas 5B 88
Fordneuk St. G40: Glas 6C 88
Fordoun St. G34: Glas 3B 92
Ford Rd. G12: Glas 5B 64
    G77: Newt M 6D 136
Fordyce Ct. G77: Newt M 5D 136
Fordyce St. G11: Glas 1H 85
Forefoulds Nursing Home
    G74: E Kil 5B 142
                                (off Blackbraes Rd.)
Forehouse Rd. PA10: Kilb 1A 98
Foremount Ter. La.
    G12: Glas 6A 64
                                (off Hyndland Rd.)
Fore Row ML3: Ham 5A 146
Forest Av. ML3: Ham 5H 161
Forestburn Rd. ML6: Air 4F 95
                                (off Monkscourt Av.)
Forest Dr. G71: Both 4E 129
    ML4: Bell 4E 131
Forest Gdns. G66: Lenz 3A 52
Foresthall Cres.
    G21: Glas 6C 66
Foresthall Dr. G21: Glas 6C 66
Forest Kirk ML8: Carl 5F 175
Forest La. ML3: Ham 5H 161
Forestlea Rd. ML8: Carl 5E 175
Forest Pk. ML2: Wis 4B 150
Forest Pl. G66: Lenz 3A 52
    PA2: Pais 3A 102

Fore St. G14: Glas 6C 62
Forest Rd. G67: Cumb 5D 16
    ML9: Lark 3D 170
Forest Vw. G67: Cumb 2C 38
Forfar Av. G52: Glas 1B 104
Forfar Cres. G64: B'rig 1E 67
Forgan Gdns. G64: B'rig 1F 67
Forge, The G46: Giff 4B 122
Forge Dr. ML5: Coat 4B 94
Forge Pl. G21: Glas 1D 88
Forge Rd. ML6: Air 5F 97
Forge Row ML6: C'bnk 2C 116
Forge Shop. Cen., The
    G31: Glas 5E 89
Forge St. G21: Glas 1D 88
FORGEWOOD 6F 131
Forgewood ML1: Moth 5F 131
                                (off Kylemore Cres.)
Forgewood Path ML6: Air 5F 97
Forgewood Rd. ML1: Moth 5E 131
Forglen St. G34: Glas 2H 91
Formakin Estate Country Pk.
    . . . . 5B 40
Formby Dr. G23: Glas 6B 48
Forres Av. G46: Giff 4A 122
Forres Cres. ML4: Bell 1C 130
Forres Ga. G46: Giff 5B 122
Forres Quad. ML2: Wis 4H 149
Forres St. G23: Glas 6C 48
    G72: Blan 3A 144
Forrest Dr. G61: Bear 4B 26
Forrester Ct. G64: B'rig 1B 66
Forrestfield Cres.
    G77: Newt M 4E 137
Forrestfield Gdns.
    G77: Newt M 4D 136
Forrestfield St. G21: Glas 2C 88
Forrest Ga. G71: Tann 4F 113
    ML3: Ham 2F 161
Forrest St. G40: Glas 6C 88
    G72: Blan 2D 144
    ML6: Air 3C 96
                                (not continuous)
Forsa Ct. G75: E Kil 1C 168
Forsyth St. ML6: Air 3B 96
Fort Antonine Theatre
    . . . . 6B 50
Forteviot Av. G69: Bail 6A 92
Forteviot Pl. G69: Bail 6A 92
Forth Av. PA2: Pais 4D 100
Forth Ct. G75: E Kil 4A 156
Forth Cres. G75: E Kil 3A 156
Forth Gro. G75: E Kil 4A 156
Forth Pl. ML9: Lark 5D 170
    PA5: John 5C 98
Forth Rd. G61: Bear 5D 46
    G64: Torr 5D 30
Forth St. G41: Glas 2D 106
    G81: Clyd 1E 61
Forth Ter. ML3: Ham 3F 161
Forth Wlk. G67: Cumb 4H 37
                        (in The Cumbernauld Shop. Cen.)
Forth Way G67: Cumb 4H 37
                        (in The Cumbernauld Shop. Cen.)
Forties Ct. G46: T'bnk 2F 121
Forties Cres. G46: T'bnk 2G 121
Forties Gdns. G46: T'bnk 2G 121
Forties Rd. PA6: C'lee 3C 78
Forties Way G46: T'bnk 2G 121
Fortieth Av. G75: E Kil 6H 157
Fortingall Av. G12: Glas 3A 64
Fortingall Pl. G12: Glas 3A 64
Fortingall Rd. G72: Blan 4D 144
Fortrose Ct. G72: Blan 6A 144
Fortrose St. G11: Glas 1H 85
Fort St. ML1: Moth 1D 146
Forum Pl. ML1: Moth 6E 131
Fossil Grove 6D 62

Fossil Gro. G66: Kirk 4G 33
Fossil House 6D 62
Foswell Dr. G15: Glas 2H 45
Foswell Pl. G15: Glas 2H 45
Fotheringay La. G41: Glas 3B 106
Fotheringay Rd. G41: Glas 3B 106
Foulis La. G13: Glas 3F 63
Foulis St. G13: Glas 3F 63
FOULSYKES 5C 150
Foulsykes Rd. ML2: Wis 5C 150
Foundry La. G78: Barr 5E 119
Foundry Rd. ML1: Cle 5H 133
Foundry St. G21: Glas 5B 66
Fountain Av. PA4: Inch 5F 59
Fountain Bus. Cen., The
    ML5: Coat 5C 94
                                (off Whittington St.)
Fountain Ct. PA3: Pais 5A 82
                                    (off Love St.)
Fountain Cres. PA4: Inch 4F 59
Fountain Dr. PA4: Inch 5G 59
Fountainwell Av. G21: Glas 1H 87
Fountainwell Dr. G21: Glas 1H 87
Fountainwell Path G21: Glas . . . 6H 65
Fountainwell Pl. G21: Glas 1H 87
Fountainwell Pl. Path
    G21: Glas 1H 87
                                (off Fountain Rd.)
Fountainwell Rd. G21: Glas 1H 87
Fountainwell Sq. G21: Glas 1A 88
Fountainwell Ter. G21: Glas 1A 88
Fourth Av. G33: Mille 4B 68
    G66: Auch 6D 52
    G82: Dumb 3C 20
    PA4: Renf 1E 83
Fourth Gdns. G41: Glas 1G 105
Fourth Rd. G72: Blan 4C 144
Fourth St. G71: Tann 4D 112
Fourways Shop. Mall
    ML2: Wis 6A 150
Four Windings PA6: Hous 1B 78
Fowlis Dr. G77: Newt M 3C 136
FOXBAR 4D 100
Foxbar Cres. PA2: Pais 6C 100
Foxbar Dr. G13: Glas 3B 62
    PA2: Pais 6C 100
Foxbar Rd. PA2: Pais 6B 100
    PA5: Eld 6B 100
Foxes Gro. G66: Lenz 2E 53
Foxglove Pl. G53: Glas 4B 120
Fox Gro. ML1: Moth 2D 146
Foxhills Pl. G23: Glas 6C 48
Foxknowe Gdns. G81: Faif 6F 25
FOXLEY 3C 110
Foxley St. G32: Carm 4C 110
Fox St. G1: Glas 5F 87
Foyers Ter. G21: Glas 5C 66
Foyes Ct. G13: Glas 3B 62
Foy Gdns. ML4: Bell 5C 114
Franconia Sq. G81: Clyd 6D 44
Frankfield Rd. G33: Step 4E 69
Frankfield St. G33: Glas 1F 89
Frankfort St. G41: Glas 4C 106
Franklin Pl. G75: E Kil 2D 156
Franklin St. G40: Glas 2B 108
Fraser Av. G73: Ruth 5E 109
    G77: Newt M 3E 137
    G82: Dumb 1C 20
    PA5: John 3G 99
    PA7: B'ton 3H 41
Fraser Ct. ML3: Ham 1G 161
    ML9: Lark 5C 170
Fraser Cres. ML3: Ham 1F 161
Fraser Gdns. G66: Kirk 5B 32
Fraser River Twr. G75: E Kil . . . 3F 157
Fraser St. G72: Camb 1G 125
    ML1: Cle 5H 133

Frazer St. G40: Glas 6C 88
Frederick St. ML5: Coat 3A 94
FREELAND 2F 59
Freeland Brae G75: E Kil 3H 157
  (off Telford Rd.)
Freeland Ct. G53: Glas 1C 120
Freeland Cres. G53: Glas 1B 120
Freeland Dr. G53: Glas 1B 120
  PA4: Inch 3G 59
  PA11: Bri W 2F 77
Freeland La. G75: E Kil 3H 157
  (off Telford Rd.)
Freeland Pl. G66: Kirk 5D 32
Freeland Rd. PA8: Ersk 2F 59
Freelands Ct. G60: Old K 2G 43
Freelands Cres. G60: Old K 2G 43
Freelands Pl. G60: Old K 3G 43
Freelands Rd. G60: Old K 2G 43
Freeneuk La. G72: Camb 1B 126
Freeneuk Wynd G72: Camb 1B 126
Freesia Ct. ML1: Moth 4G 147
French St. G40: Glas 2B 108
  G81: Clyd 4A 44
  ML2: Wis 6H 149
  PA4: Renf 1D 82
Freuchie St. G34: Glas 4H 91
Frew St. ML6: Air 3A 96
Friar Av. G64: B'rig 4D 50
Friarscourt Av. G13: Glas 6D 46
Friarscourt La. G13: Glas 1D 62
  (off Knightscliffe Av.)
Friarscourt Rd. G69: Chry 6H 53
Friars Cft. G66: Kirk 5E 33
Friarshall Ga. PA2: Pais 3H 101
Friars Pl. G13: Glas 1D 62
Friars Way ML6: Air 1C 116
Friarton Rd. G43: Glas 2D 122
Friendship Way PA4: Renf 2F 83
Frood St. ML1: Moth 6E 131
Fruin Av. G77: Newt M 3E 137
Fruin Courts G77: Newt M 3E 137
Fruin Dr. ML2: Wis 6C 150
Fruin Ho. G82: Dumb 1H 19
Fruin Pl. G22: Glas 5G 65
Fruin Ri. ML3: Ham 1C 160
Fruin Rd. G15: Glas 6H 45
Fruin St. G22: Glas 5G 65
Fulbar Av. PA4: Renf 5E 61
Fulbar Ct. PA4: Renf 5F 61
Fulbar Cres. PA2: Pais 3D 100
Fulbar Gdns. PA2: Pais 3D 100
Fulbar La. PA4: Renf 5F 61
Fulbar Path G51: Glas 4C 84
Fulbar Rd. G51: Glas 4C 84
  PA2: Pais 3D 100
Fulbar St. PA4: Renf 5F 61
FULLARTON 3A 110
Fullarton Av. G32: Glas 3A 110
Fullarton Dr. G32: Glas 4A 110
Fullarton La. G32: Glas 3A 110
Fullarton Pl. ML5: Coat 2H 113
Fullarton Rd. G32: Glas 5H 109
  G68: Cumb 6G 15
FULLARTON ROAD INTERCHANGE
  ....4A 110
Fullarton St. ML5: Coat 2A 114
Fullers Ga. G81: Faif 6E 25
Fullerton St. PA3: Pais 4H 81
Fullwood Ind. Est.
  ML3: Ham 5F 145
Fulmar Ct. G64: B'rig 1B 66
Fulmar Pk. G74: E Kil 6F 141
Fulmar Pl. PA5: John 6C 98
Fulton Cres. PA10: Kilb 2A 98
Fulton Dr. PA6: C'lee 3E 79
Fulton Gdns. PA6: C'lee 3E 79
Fulton Rd. G62: Miln 4H 27

Fulton St. G13: Glas 2D 62
Fulwood Av. G13: Glas 2H 61
  PA3: Lin 5H 79
Fulwood Pl. G13: Glas 2H 61
Furlongs, The ML3: Ham 4A 146
Fyffe Pl. PA5: John 2G 99
  (off Russell St.)
Fyneart St. ML2: Wis 5C 150
Fyne Av. ML4: Bell 6A 114
Fyne Ct. ML3: Ham 2E 161
Fyne Cres. ML9: Lark 6H 163
Fyne Way ML1: Holy 2A 132
  (off Howden Pl.)
Fynloch Pl. G81: Dun 6A 24
Fyvie Av. G43: Glas 2G 121
Fyvie Cres. ML6: Air 4F 97

G

Gadie Av. PA4: Renf 1G 83
Gadie St. G33: Glas 3F 89
Gadloch Av. G66: Auch 5D 52
Gadloch Gdns. G66: Lenz 4D 52
Gadloch St. G22: Glas 3G 65
Gadloch Vw. G66: Auch 5D 52
Gadsburn Ct. G21: Glas 3E 67
Gadshill St. G21: Glas 2B 88
Gailes Pk. G71: Both 5D 128
Gailes Rd. G68: Cumb 6H 15
Gailes St. G40: Glas 1D 108
Gain & Shankburn Rd.
  G67: Cumb 6D 56
Gainburn Ct. G67: Cumb 1B 56
Gainburn Cres. G67: Cumb 2B 56
Gainburn Gdns. G67: Cumb 2B 56
Gainburn Pl. G67: Cumb 1B 56
Gainburn Vw. G67: Cumb 1C 56
Gain Rd. G67: Cumb 6B 56
  ML5: Glenb 6B 56
Gainside Rd. ML5: Glenb 3G 71
Gairbraid Av. G20: Glas 3A 64
Gairbraid Ct. G20: Glas 3A 64
Gairbraid Pl. G20: Glas 3B 64
Gairbraid Ter. G69: Barg 6E 93
Gair Cres. ML2: Wis 2H 165
  ML8: Carl 2E 175
Gairloch Gdns. G66: Kirk 4H 33
Gair Rd. ML8: Carl 1E 175
Gala Av. PA4: Renf 1G 83
Gala Cres. ML2: Wis 4G 149
Gala St. G33: Glas 1G 89
Galbraith Cres. ML8: Law 5E 167
Galbraith Dr. G51: Glas 3D 84
  G62: Miln 5F 27
Galdenoch St. G33: Glas 1B 90
Gallacher Av. PA2: Pais 4E 101
Gallacher Ct. ML1: Moth 6B 148
  PA1: Pais 6G 81
Gallan Av. G23: Glas 6C 48
Gallery Gro. ML5: Coat 5C 94
Gallery of Modern Art 5D 6
Galloway Av. ML2: Wis 5A 150
  ML3: Ham 4G 161
  PA3: Pais 4H 81
Galloway Dr. G73: Ruth 4D 124
Galloway Rd. G74: E Kil 6C 142
  ML6: Air 6H 95
Galloway St. G21: Glas 3B 66
Galloway Ter. PA3: Pais 4H 81
GALLOWFLAT 6E 109
Gallowflat St. G73: Ruth 5D 108
GALLOWGATE 6C 88
Gallowgate G1: Glas 5H 87
  G4: Glas 5A 88
  G31: Glas 6D 88
  G40: Glas 5A 88

Gallow Grn. Rd. PA1: Pais 1G 101
GALLOWHILL 4D 82
Gallowhill ML9: Lark 3C 170
Gallowhill Av. G66: Lenz 1C 52
Gallowhill Ct. PA3: Pais 3C 82
Gallowhill Gro. G66: Kirk 6C 32
Gallowhill Rd.
  G66: Kirk, Lenz 1C 52
  G76: Crmck 1H 139
  PA3: Pais 5B 82
Galston Av. G77: Newt M 4G 137
Galston Ct. ML3: Ham 4A 162
Galston St. G53: Glas 1H 119
Galt Pl. G75: E Kil 4F 157
Gamrie Dr. G53: Glas 6A 104
Gamrie Gdns. G53: Glas 6A 104
Gamrie Rd. G53: Glas 5A 104
Gannochy Dr. G64: B'rig 6E 51
Gantock Cres. G33: Glas 4B 90
Gardeners La. G69: Bail 1A 112
GARDENHALL 4A 156
Gardenhall G75: E Kil 3H 155
Gardenhall Ct. G75: E Kil 3A 156
Garden Ho. G66: Milt C 5B 10
Gardenside ML4: Bell 3C 130
Gardenside Av. G32: Carm 5B 110
  G71: Udd 1C 128
Gardenside Cres. G32: Carm ...5B 110
Gardenside Gro. G32: Carm 5B 110
Gardenside Pl. G32: Carm 5B 110
Gardenside Rd. ML3: Ham 1H 161
Gardenside St. G71: Udd 1C 128
Garden Sq. Wlk. ML6: Air 3F 95
Garden Veteran's Cotts.
  PA7: B'ton 2D 42
Gardner Gro. G71: Tann 5E 113
Gardner St. G11: Glas 1H 85
Gardyne St. G34: Glas 2G 91
Gareloch Av. ML6: Air 1H 95
  PA2: Pais 3E 101
Garfield Av. ML4: Bell 2E 131
Garfield Dr. ML4: Bell 3E 131
Garfield Pl. G33: Step 3E 69
Garfield St. G31: Glas 5C 88
Garforth Rd. G69: Bail 1F 111
Gargrave Av. G69: Bail 1F 111
Garion Dr. G13: Glas 4B 62
Garlieston Rd. G33: Glas 5F 91
Garmouth Ct. G51: Glas 3G 85
Garmouth Gdns. G51: Glas 3G 85
Garmouth St. G51: Glas 3F 85
Garnet Ct. G4: Glas 1A 6
GARNETHILL 2B 6 (2E 87)
Garnethill St. G3: Glas 2A 6 (2E 87)
Garnet St. G3: Glas 3H 5 (2E 87)
Garnett Hall G4: Glas 4G 7
  (off Cathedral St.)
Garngaber Av. G66: Lenz 2D 52
Garngaber Ct. G66: Lenz 2E 53
Garngrew Rd. FK4: Hag 1F 17
Garnhall Farm Rd.
  G68: Cumb 3E 17
Garnie Av. PA8: Ersk 6H 43
Garnie Cres. PA8: Ersk 6H 43
Garnieland Rd. PA8: Ersk 6H 43
Garnie La. PA8: Ersk 1H 59
Garnie Oval PA8: Ersk 6H 43
Garnie Pl. PA8: Ersk 6H 43
GARNKIRK 3G 69
Garnkirk La. G33: Step 4E 69
Garnock Pk. G74: E Kil 2B 158
Garnock St. G21: Glas 2B 88
GARNQUEEN 4H 71
Garnqueen Cres. ML5: Glenb ...4G 71
Garrell Av. G65: Kils 2H 13
Garrell Gro. G65: Kils 1H 13
Garrell Pl. G65: Kils 3G 13

Garrell Rd. G65: Kils 4G 13
Garrell Way G65: Kils 3G 13
Garret Ct: Cumb 3G 37
Garret Pl. G68: Cumb 6F 15
Garrick Av. G77: Newt M 1D 152
Garrick Ct. G77: Newt M 1D 152
Garrioch Cres. G20: Glas 4B 64
Garrioch Dr. G20: Glas 4B 64
Garrioch Ga. G20: Glas 4B 64
Garriochmill Rd. G12: Glas 6C 64
   G20: Glas 5B 64
                    (not continuous)
Garriochmill Way G20: Glas 6D 64
                    (off Henderson St.)
Garrioch Quad. G20: Glas 4B 64
Garrioch Rd. G20: Glas 5B 64
Garrion Bus. Pk.
   ML2: Wis 3H 165
Garrion Pl. ML9: Ashg 4H 171
Garrion St. ML2: Over 5A 166
GARROWHILL 6G 91
Garrowhill Dr. G69: Bail 1F 111
Garrowhill Station (Rail) 6F 91
Garry Av. G61: Bear 5H 47
Garry Dr. PA2: Pais 3E 101
Garry St. G44: Glas 6E 107
Garscadden Rd. G15: Glas 5H 45
Garscadden Rd. Sth.
   G13: Glas 1A 62
   G15: Glas 1H 61
                    (off Gt. Western Rd.)
Garscadden Station (Rail) 3A 62
Garscadden Vw. G81: Clyd 4F 45
Garscube Rd. G4: Glas 1B 6 (2F 87)
   G20: Glas 6E 65
Garshake Av. G82: Dumb 1C 20
Garshake Rd. G82: Dumb 3H 19
Garshake Ter. G82: Dumb 2H 19
Gartartan Rd. PA1: Pais 6H 83
Gartcarron Hill G68: Cumb 2E 37
Gartcloss Rd. ML5: Coat 1G 93
Gartconnell Dr. G61: Bear 1E 47
Gartconnell Gdns.
   G61: Bear 1E 47
Gartconnell Rd. G61: Bear 1E 47
Gartconner Av. G66: Kirk 5H 33
GARTCOSH 4D 70
GARTCOSH INTERCHANGE 4E 71
Gartcosh Rd. G69: Barg 5D 92
   G69: Barg, G'csh 1E 93
Gartcosh Station (Rail) 5E 71
Gartcosh Wlk. ML4: Bell 2B 130
Gartcraig Path G33: Glas 2H 89
                    (off Gartcraig Rd.)
Gartcraig Pl. G33: Glas 2H 89
Gartcraig Rd. G33: Glas 3H 89
Gartferry Av. G69: Mood 5D 54
Gartferry Rd. G68: Mollin 5B 54
   G69: Chry, Mood 5B 54
Gartferry St. G21: Glas 5C 66
Gartfield St. ML6: Air 5B 96
Gartgill Rd. ML5: Coat 1A 94
GARTHAMLOCK 1E 91
Garthamlock Recreation Cen.
   . . . . .1D 90
Garthland Dr. G31: Glas 4C 88
Garthland La. PA1: Pais 6B 82
Garth St. G1: Glas 6E 7 (4G 87)
GARTLEA 5B 96
Gartlea Av. ML6: Air 4A 96
Gartlea Gdns. ML6: Air 4B 96
Gartlea Rd. ML6: Air 4A 96
Gartliston Rd. ML5: Coat 6B 72
Gartliston Ter. G69: Barg 6E 93
Gartloch Av. G69: G'csh 6A 70
Gartloch Ct. G69: G'csh 6A 70

Gartloch Rd. G33: G'csh, Glas 2C 90
   G33: Glas 1H 89
   G34: Glas 2C 90
   G69: G'csh, Glas 2C 90
Gartly St. G44: Glas 3D 122
Gartmore Gdns. G71: Tann 5C 112
Gartmore La. G69: Mood 5E 55
Gartmore Rd. PA1: Pais 1D 102
Gartmore Ter. G72: Camb 4G 125
GARTNESS 6E 97
Gartness Dr. ML6: Gart 6E 97
Gartness Rd. ML6: Air 2G 117
Gartocher Dr. G32: Glas 6C 90
Gartocher Rd. G32: Glas 6C 90
Gartocher Ter. G32: Glas 6C 90
Gartons Rd. G21: Glas 4E 67
GARTSHERRIE 2B 94
Gartsherrie Av. ML5: Glenb 4B 72
Gartsherrie Ind. Est.
   ML5: Coat 2B 94
Gartsherrie Rd. ML5: Coat 3A 94
Gartshore Cres. G65: Twe 3D 34
Gartshore Est. G66: Kirk 5C 34
Gartshore Gdns. G68: Cumb 4A 36
Garturk St. G42: Glas 3F 107
   ML5: Coat 1D 114
Garvald Ct. G40: Glas 2D 108
Garvald St. G40: Glas 2D 108
Garve Av. G44: Glas 3E 123
Garvel Cres. G33: Glas 5E 91
Garvel Pl. G62: Miln 3D 26
Garvel Rd. G33: Glas 5E 91
   G62: Miln 3D 26
Garvin Lea ML4: Bell 5C 114
Garvock Dr. G43: Glas 2H 121
Garwhitter Dr. G62: Miln 3H 27
Gary Jacobs Health Club 5C 106
Gascoyne G75: E Kil 4E 157
Gaskin Path G33: Step 4E 69
Gask Pl. G13: Glas 1H 61
Gas St. PA5: John 2G 99
Gasworks Rd. ML8: Carl 2A 174
Gatehouse St. G32: Glas 6B 90
GATESIDE 6B 118
Gateside Av. G65: Kils 3F 13
   G72: Camb 2D 126
Gateside Cres. G78: Barr 6C 118
   ML6: Air 3A 96
Gateside Gdns. G78: Barr 5B 118
Gateside Pk. G65: Kils 2F 13
Gateside Pl. PA10: Kilb 2A 98
Gateside Rd. G78: Barr 6B 118
   ML2: Wis 5E 149
Gateside St. G31: Glas 5D 88
   ML3: Ham 1A 162
Gateway, The G74: E Kil 5A 142
Gaughan Quad. ML1: Moth 4F 147
Gauldry Av. G52: Glas 2C 104
Gauze St. PA1: Pais 6A 82
Gavell Rd. G65: Kils, Queen 4D 12
Gavinburn Gdns. G60: Old K 6D 22
Gavinburn Pl. G60: Old K 6E 23
Gavinburn St. G60: Old K 6E 23
Gavin's Mill Rd. G62: Miln 4G 27
Gavins Rd. G81: Hard 2D 44
Gavin St. ML1: Moth 4G 147
Gavinton St. G44: Glas 2D 122
Gayne Dr. ML5: Glenb 3G 71
Gean Ct. G67: Cumb 1F 39
Gear Ter. G40: Glas 3D 108
Geary St. G23: Glas 6B 48
Geddes Hill G74: E Kil 5B 142
Geddes Rd. G21: Glas 2E 67
Geelong Gdns. G66: Len 2F 9
Geils Av. G82: Dumb 2C 20
Geils Quad. G82: Dumb 2C 20

Gelston St. G32: Glas 1B 110
Gemini Gro. ML1: Holy 2B 132
Gemmel Pl. G77: Newt M 5B 136
General Roy Way ML8: Carl 5G 175
Generals Ga. G71: Udd 1C 128
Gentle Row G81: Dun 1B 44
George V Bri. G5: Glas 5F 87
George Av. G81: Clyd 4E 45
George Ct. ML3: Ham 4E 145
   PA1: Pais 1H 101
George Cres. G81: Clyd 4E 45
George La. PA1: Pais 1A 102
George Mann Ter. G73: Ruth 3C 124
George Pl. PA1: Pais 1A 102
George Reith Av. G12: Glas 4F 63
Georges Cl. ML3: Ham 4E 145
George Sq. G2: Glas 5D 6 (4G 87)
George Stewart Gdns.
   ML3: Ham 4E 145
George St. G1: Glas 5E 7 (4G 87)
   G69: Bail 1H 111
   G78: Barr 4D 118
   ML1: Moth 5G 147
   ML1: New S 3B 132
   ML3: Ham 4E 145
   ML4: Bell 2B 130
   ML6: Air 4G 95
   ML6: Chap 2D 116
   PA1: Pais 1G 101
                    (Broomlands St.)
   PA1: Pais 1H 101
                    (George Ct.)
   PA5: John 2F 99
GEORGETOWN 5B 58
George Vw. ML2: Wis 1F 165
George Way ML9: Lark 3D 170
                    (off Duncan Graham St.)
Gerard Pl. ML4: Bell 6D 114
GERMISTON 1D 88
Germiston Ct. G75: E Kil 1A 168
Germiston Cres. G75: E Kil 1A 168
Gertrude Pl. G78: Barr 5C 118
Ghillies La. ML1: Moth 6E 131
Gibbon Cres. G74: E Kil 6C 142
Gibb St. ML1: Cle 6H 133
   ML6: Chap 2D 116
Gibson Av. G82: Dumb 3H 19
Gibson Cres. PA5: John 3E 99
Gibson Hgts. G4: Glas 5H 7
Gibson Quad. ML1: Moth 6E 131
Gibson Rd. PA4: Renf 3D 82
Gibson St. G12: Glas 1B 86
   G40: Glas 5A 88
   G82: Dumb 3G 19
GIFFNOCK 4A 122
Giffnock Pk. Av. G46: Giff 3A 122
Giffnock Station (Rail) 4A 122
Giffnock Tennis Squash & Hockey Club
   . . . . .6A 122
Gifford Dr. G52: Glas 6A 84
Gifford Pl. ML5: Coat 2A 114
Gifford Wynd PA2: Pais 3D 100
Gigha Gdns. ML8: Carl 5E 175
Gigha Quad. ML2: Wis 2E 165
GIFFNOCK 4A 122
Gilbertfield Path
   G33: Glas 1B 90
Gilbertfield Pl. G33: Glas 1B 90
Gilbertfield Rd.
   G72: Camb, Flem 4C 126
Gilbertfield St. G33: Glas 1B 90
Gilbert St. G3: Glas 3A 4 (3A 86)
Gilchrist Ct. PA5: John 4E 99
                    (off Tannahill Cres.)
Gilchrist St. ML5: Coat 3D 94
Gilchrist Way ML2: Wis 2H 165
Gilderdale G74: E Kil 1E 157
Gilfillan Pl. ML2: Over 4A 166

Gilfillan Way PA2: Pais 5C **100**
Gilhill St. G20: Glas 2B **64**
Gillbank Av. ML8: Carl 3B **174**
Gillbank La. *ML9: Lark* *3E* **171**
(off Shawrigg Rd.)
Gillburn St. ML2: Over 5A **166**
Gillies Cres. G74: E Kil 4D **142**
Gillies La. G69: Bail 1A **112**
Gill Rd. ML2: Over 4A **166**
(not continuous)
Gilmartin Rd. PA3: Lin 5E **79**
Gilmerton St. G32: Glas 1A **110**
Gilmour Av. G74: T'hall 1F **155**
G81: Hard 2D **44**
Gilmour Cres. G73: Ruth 5B **108**
G76: Eag 6C **154**
Gilmour Dr. ML3: Ham 1D **160**
Gilmour Pl. G5: Glas 1G **107**
ML4: Bell 2A **130**
ML5: Coat 3B **94**
Gilmour St. G76: Eag 6C **154**
G81: Clyd 3E **45**
PA1: Pais 6A **82**
Gilmourton Cres.
G77: Newt M 6D **136**
GILSHOCHILL 2B **64**
Gilshochill Station (Rail) 2C **64**
Gimmerscroft Cres.
ML6: Air 5F **97**
Girdons Way G71: Udd 1C **128**
Girthon St. G32: Glas 1C **110**
Girvan Cres. ML6: Chap 4D **116**
Girvan St. G33: Glas 2F **89**
Glade, The ML9: Lark 3D **170**
Gladney Av. G13: Glas 1G **61**
Gladsmuir Rd. G52: Glas 5A **84**
GLADSTONE 6H **41**
Gladstone Av. G78: Barr 5D **118**
PA5: John 6D **98**
Gladstone Ct. ML3: Ham 4E **145**
Gladstone St. G4: Glas 1A 6 (1E **87**)
G81: Clyd 5B **44**
ML4: Bell 2D **130**
Glaive Rd. G13: Glas 6D **46**
Glamis Av. G77: Newt M 4F **137**
ML8: Carl 3D **174**
PA5: Eld 4H **99**
Glamis Ct. ML1: Carf 5C **132**
Glamis Cres. G72: Blan 6B **144**
Glamis Dr. G74: E Kil 6H **141**
Glamis Gdns. G64: B'rig 3D **50**
Glamis La. G72: Blan 6B **144**
Glamis Rd. G31: Glas 1F **109**
Glanderston Av.
G77: Newt M 3B **136**
G78: Barr 5G **119**
Glanderston Ct. G13: Glas 1A **62**
Glanderston Dr. G13: Glas 2A **62**
Glanderston Ga.
G77: Newt M 3B **136**
Glanderston Rd.
G77: Newt M 3H **135**
G78: Neil, Newt M 3H **135**
GLASGOW 5D 6 (4G **87**)
GLASGOW AIRPORT 2H **81**
GLASGOW AIRPORT INTERCHANGE
. . . . .3H **81**
Glasgow and Edinburgh Rd.
G69: Bail 6B **92**
G69: Barg 1D **112**
ML1: Holy, N'hse 4A **116**
ML1: N'hse 5E **117**
(not continuous)
ML4: Bell 4A **116**
ML5: Coat 1D **112**
Glasgow Botanic Gdns. 5B **64**
Glasgow Bri. G5: Glas 5F **87**

Glasgow Bri. Cotts. *G66: Kirk* *6G* **31**
(off Kirkintilloch Rd.)
Glasgow Caledonian University
. . . . .2G **87**
Glasgow Climbing Cen. 6H **85**
(off Paisley Rd. W.)
Glasgow Crematorium
G23: Glas 1D **64**
Glasgow Film Theatre . . .3B 6 (3F **87**)
Glasgow Fish Mkt. G21: Glas 2D **88**
Glasgow Fort Shop. Pk.
G34: Glas 2E **91**
Glasgow Fruit Mkt.
G21: Glas 2C **88**
Glasgow Green Football Cen.
. . . . .1A **108**
Glasgow Harbour Terraces
G11: Glas 2G **85**
Glasgow Hawks RUFC 3E **63**
Glasgow Mus. of Transport
. . . . .1A 4 (2A **86**)
Glasgow Museums Resource Cen.
. . . . .2H **119**
Glasgow Necropolis 3A **88**
Glasgow Rd. G62: Miln 5G **27**
G65: Kils 3E **13**
G66: Kirk 6H **31**
G67: Cumb 5H **37**
(Condorrat Ring Rd.)
G67: Cumb 1B **38**
(Old Glasgow Rd.)
G69: Bail 1F **111**
G69: Barg, Coat 5F **93**
G71: Tann, Udd 4A **112**
G72: Blan 6H **127**
G72: Camb 6G **109**
(Duke's Rd.)
G72: Camb 5H **125**
(E. Kilbride Rd.)
G73: Ners, Ruth 5H **125**
G73: Ruth 3B **108**
G74: Ners 2A **142**
G76: Eag, Water 6B **138**
G78: Barr 3F **119**
G81: Clyd 1D **60**
G81: Faif, Hard 1D **44**
G82: Dumb, Milt 3E **19**
ML2: Wis 6D **148**
ML3: Ham 4E **145**
ML5: Barg, Coat 5F **93**
PA1: Pais 6B **82**
PA4: Renf 6G **61**
Glasgow Rowing Club 6H **87**
Glasgow Royal Concert Hall
. . . . .3D 6 (3G **87**)
Glasgow School of Art
GSA Library & Bourdon Building
. . . . .3A 6
(off Renfrew St.)
Haldane Building *2B 6*
(off Hill St.)
JD Kelly & Richmond Building
. . . . .2H 5
Glasgow School of Art
Mackintosh Building 3A 6
Newbery Tower, Foulis &
Assembly Buildings 2A 6
Glasgow Science Cen. 6A 4 (4B **86**)
Glasgow's Grand Ole Opry Theatre
. . . . .5C **86**
Glasgow Ski Cen. 1G **105**
Glasgow Southern Orbital
G74: T'hall, E Kil 4A **154**
G76: Eag 4A **154**
Glasgow Southern Orbital
G77: Eag, Newt M 2B **152**
Glasgow St. G12: Glas 6C **64**

Glasgow Tigers Speedway
Saracen Pk. 4H **65**
Glasgow Tower, The 5A 4 (4A **86**)
Glassel Rd. G34: Glas 2B **92**
Glasserton Pl. G43: Glas 2D **122**
Glasserton Rd. G43: Glas 2D **122**
Glassford St. G1: Glas 6E 7 (4G **87**)
G62: Miln 3H **27**
ML1: Moth 5A **148**
Glassford Twr. *ML1: Moth* *5A* **148**
(off Burnside Ct.)
Glaudhall Av. G69: G'csh 2C **70**
Glazert Bank G66: Len 3E **9**
Glazertbank G66: Len 1C **8**
Glazert Dr. G66: Len 4G **9**
Glazert Mdw. G66: Len 4G **9**
Glazert Pk. Dr. G66: Len 4G **9**
Glazert Pl. G66: Milt C 6B **10**
Glebe, The G71: Both 5F **129**
Glebe Av. G71: Both 5F **129**
G76: Crmck 2H **139**
ML5: Coat 1H **113**
Glebe Ct. G4: Glas 3G 7 (3H **87**)
Glebe Cres. G74: E Kil 2H **157**
ML3: Ham 1G **161**
ML6: Air 3D **96**
Glebe Gdns. PA6: Hous 1B **78**
Glebe Hollow G71: Both 5F **129**
Glebe La. G77: Newt M 5D **136**
Glebe Pk. G82: Dumb 2H **19**
Glebe Pl. G72: Camb 2B **126**
G73: Ruth 5B **108**
Glebe Rd. G77: Newt M 5D **136**
Glebe St. G4: Glas 2G 7 (2H **87**)
(Kennedy St.)
G4: Glas 3H 7 (3A **88**)
(McAslin St., not continuous)
G74: E Kil 1H **157**
ML3: Ham 1G **161**
ML4: Bell 2B **130**
PA4: Renf 6F **61**
Glebe Wynd G71: Both 5F **129**
Gleddoch Cl. G52: Glas 5G **83**
Gleddoch Ct. G52: Glas 5G **83**
Gleddoch Ga. G52: Glas 5H **83**
Gleddoch Rd. G52: Glas 5G **83**
Gleddoch Vw. G82: Dumb 5D **18**
Gledstane Rd. PA7: B'ton 5H **41**
Glenacre Cres.
G71: Tann 5C **112**
Glenacre Dr. G45: Glas 4H **123**
ML6: Air 5D **96**
Glenacre Gdns. G45: Glas 3H **123**
Glenacre Gro. G45: Glas 3A **124**
Glenacre Quad. G45: Glas 4H **123**
Glenacre Rd. G67: Cumb 5H **37**
Glenacre St. G45: Glas 4H **123**
Glenacre Ter. G45: Glas 4H **123**
Glenafeoch Rd. ML8: Carl 4D **174**
Glen Affric G74: E Kil 2B **158**
Glen Affric Av. G53: Glas 3D **120**
Glen Affric Way
ML6: Chap 4D **116**
(off Glen Avon Dr.)
Glenafton Gro. ML5: Coat 6A **94**
Glenafton Vw. ML3: Ham 3F **161**
Glen Alby Rd. G53: Glas 3C **120**
Glenallan Ter. ML1: Moth 6F **131**
Glenallan Way
PA2: Pais 6B **100**
(not continuous)
Glen Almond G74: E Kil 1D **158**
Glenalmond Rd. G73: Ruth 4F **125**
Glenalmond St. G32: Glas 1A **110**
Glenalva Ct. G65: Kils 2H **13**
Glenapp Av. PA2: Pais 4D **102**
Glenapp Pl. G69: Mood 4D **54**
Glenapp Rd. PA2: Pais 4D **102**

Glenapp St. G41: Glas 2D **106**
Glenarklet Cres. PA2: Pais 5C **102**
Glenarklet Dr. PA2: Pais 4C **102**
Glen Arroch G74: E Kil 2B **158**
Glenartney PA6: Hous 1A **78**
Glenartney Rd. G69: Chry 6A **54**
Glenashdale Way PA2: Pais 4C **102**
Glen Av. G32: Glas 5B **90**
  G69: Mood 5D **54**
  G78: Neil 2E **135**
  ML9: Lark 5B **170**
Glenavon Ct. ML3: Ham 2F **161**
  ML9: Lark 6D **170**
Glen Avon Dr. ML6: Chap 4D **116**
Glenavon Rd. G20: Glas 2B **64**
Glenbank Av. G66: Lenz 3D **52**
Glenbank Ct. G46: T'bnk 5F **121**
  (off Glenbank Dr.)
Glenbank Dr. G46: T'bnk 5F **121**
Glenbank Rd. G66: Lenz 3D **52**
Glenbarr St. G21: Glas 2B **88**
Glen Bervie G74: E Kil 1B **158**
Glenbervie Cres. G68: Cumb 1H **37**
Glenbervie Pl. G23: Glas 6B **48**
  G77: Newt M 4A **136**
GLENBOIG 3A **72**
Glenboig Farm Rd.
  ML5: Glenb 3A **72**
Glenboig New Rd. ML5: Glenb 3B **72**
Glenboig Rd.
  G69: G'csh, Glenb 1F **71**
  ML5: Glenb 3G **71**
Glen Brae PA11: Bri W 3E **77**
Glenbrittle Dr. PA2: Pais 4C **102**
Glenbrittle Way PA2: Pais 4C **102**
Glenbuck Av. G33: Glas 3H **67**
Glenbuck Dr. G33: Glas 3H **67**
GLENBURN 5H **101**
Glenburn Av. G69: Bail 6A **92**
  G69: Mood 5D **54**
  G72: Camb 2F **125**
  ML1: N'hill 3C **132**
Glenburn Cl. ML6: Grng 1C **74**
Glenburn Ct. G66: Kirk 5D **32**
  (off Willowbank Gdns.)
  G74: E Kil 6C **140**
Glenburn Cres. G66: Milt C 6C **10**
  G71: View 5G **113**
  PA2: Pais 5H **101**
Glenburn Gdns. G64: B'rig 5B **50**
  ML5: Glenb 3G **71**
Glenburnie Pl. G34: Glas 4F **91**
Glenburn La. G20: Glas 2C **64**
Glenburn Rd. G46: Giff 6H **121**
  G61: Bear 2D **46**
  G74: E Kil 6C **140**
  ML3: Ham 6F **145**
  PA2: Pais 5F **101**
Glenburn St. G20: Glas 2C **64**
Glenburn Ter. ML1: Carf 6C **132**
  ML8: Carl 5C **174**
Glenburn Wlk. G69: Bail 6A **92**
Glenburn Way G74: E Kil 6B **140**
Glenburn Wynd ML9: Lark 1D **170**
  (off Muirshot Rd.)
Glencairn Av. ML2: Wis 5D **148**
Glencairn Ct. PA3: Pais 3D **82**
  (off Montgomery Rd.)
Glencairn Dr. G41: Glas 3B **106**
  G69: Mood 5C **54**
  G73: Ruth 5B **108**
  ML5: Coat 6A **94**
Glencairn Gdns. G41: Glas 3C **106**
  G72: Camb 2D **126**
Glencairn La. G41: Glas 3C **106**
Glencairn Path G32: Glas 5C **90**
  (off Mansionhouse Dr.)

Glencairn Rd. G67: Cumb 3C **38**
  G82: Dumb 4C **18**
  PA3: Pais 4C **82**
Glencairn St. G66: Kirk 6D **32**
  ML1: Moth 4G **147**
Glencairn Twr. ML1: Moth 4G **147**
Glencalder Cres. ML4: Bell 4D **130**
Glen Cally G74: E Kil 1B **158**
Glencally Av. PA2: Pais 4D **102**
Glen Cannich G74: E Kil 2B **158**
Glen Carron G74: E Kil 2B **158**
Glencart Gro. PA10: Kilb 4C **98**
Glencleland Rd. ML2: Wis 5D **148**
Glenclora Dr. PA2: Pais 4C **102**
Glen Clova G74: E Kil 1B **158**
Glen Clova Dr. G68: Cumb 1E **37**
Glenclova St. G20: Glas 2A **64**
Glen Clunie G74: E Kil 1D **158**
Glen Clunie Dr. G53: Glas 3C **120**
Glen Clunie Pl. G53: Glas 3C **120**
Glencoats Dr. PA3: Pais 6E **81**
Glencoe Dr. ML1: Holy 2A **132**
Glencoe Pl. G13: Glas 2E **63**
  ML3: Ham 3F **161**
Glencoe Rd. G73: Ruth 4F **125**
  ML8: Carl 5E **175**
Glen Cona Dr. G53: Glas 2C **120**
Glenconner Way G66: Kirk 4G **33**
Glencorse Rd. PA2: Pais 3G **101**
Glencorse St. G32: Glas 4G **89**
Glen Ct. ML1: Moth 5B **148**
  ML5: Coat 1A **114**
Glencraig St. ML6: Air 4G **95**
Glen Creran Cres. G78: Neil 3C **134**
Glen Cres. G13: Glas 2G **61**
Glencroft Av. G71: Tann 5C **112**
Glencroft Rd. G44: Glas 1H **123**
Glencryan Rd. G67: Cumb 5A **38**
Glendale Av. ML6: Air 5D **96**
Glendale Cres. G64: B'rig 1E **67**
Glendale Dr. G64: B'rig 1E **67**
Glendale Pl. ML5: Coat 2A **114**
Glendale Pl. G31: Glas 5D **88**
  G64: B'rig 2E **67**
Glendale St. G31: Glas 5D **88**
Glendaruel Av. G61: Bear 3H **47**
Glendaruel Rd. G73: Ruth 5G **125**
Glendarvel Gdns. G22: Glas 5H **65**
Glendee Gdns. PA4: Renf 1F **83**
Glendee Rd. PA4: Renf 1F **83**
Glen Dene Way G53: Glas 3C **120**
Glendentan Rd. PA11: Bri W 4E **77**
Glendermott Ct. ML8: Carl 2D **174**
Glen Derry G74: E Kil 6D **142**
Glen Dessary G74: E Kil 3B **158**
Glendeveron Way ML1: Carf 5A **132**
Glen Devon Pl. G74: E Kil 2D **158**
Glendevon Cotts. G81: Clyd 4B **44**
Glendevon Pl. G81: Clyd 4B **44**
  ML3: Ham 3F **161**
Glendevon Sq. G33: Glas 1B **90**
Glen Dewar Pl. G53: Glas 3C **120**
Glendinning Rd. G13: Glas 6E **47**
Glendinnings Pl. G76: Eag 6B **154**
Glen Dochart Dr. G68: Cumb 6E **15**
Glendoick Pl. G77: Newt M 4A **136**
Glen Doll Rd. G74: E Kil 1B **158**
Glen Doll Rd. G78: Neil 4B **134**
Glendorch Av. ML2: Wis 2A **150**
Glendore St. G14: Glas 1E **85**
Glen Douglas Rd. G68: Cumb 1E **37**
Glendoune Rd. G76: Clar 4C **138**
Glendower Way PA2: Pais 5C **100**
Glen Dr. ML1: Holy 2B **132**
Glenduffhill Rd. G69: Bail 1F **91**
Glen Dye G74: E Kil 1B **158**

Glen Eagles G74: E Kil 2C **158**
Gleneagles Av. G68: Cumb 6A **16**
Gleneagles Ct. G64: B'rig 4C **50**
  (off Hilton Rd.)
Gleneagles Dr. G64: B'rig 4C **50**
  G77: Newt M 5H **137**
Gleneagles Gdns. G64: B'rig 4B **50**
Gleneagles Ga. G77: Newt M 5H **137**
Gleneagles La. Nth. G14: Glas 5C **62**
Gleneagles La. Sth.
  G14: Glas 6C **62**
Gleneagles Pk. G71: Both 5D **128**
Glenelg Cres. G66: Kirk 4G **33**
Glenelg Path ML5: Glenb 3G **71**
Glenelg Quad. G34: Glas 2B **92**
Glenelm Pl. ML4: Bell 1C **130**
Glen Esk G74: E Kil 1C **158**
Glen Esk Cres. G53: Glas 3C **120**
Glen Esk Dr. G53: Glas 3C **120**
Glen Esk Pl. G53: Glas 3C **120**
Glen Etive Pl. G73: Ruth 5G **125**
Glen Falloch G74: E Kil 2C **158**
Glen Falloch Cres. G78: Neil 4D **134**
Glen Falloch Way G68: Cumb 6E **15**
Glen Farg G74: E Kil 2D **158**
Glenfarg Ct. ML3: Ham 3F **161**
Glenfarg Cres. G61: Bear 3H **47**
Glenfarg Rd. G73: Ruth 3D **124**
Glenfarg St. G20: Glas 1E **87**
Glenfarm Rd. ML1: N'hill 3E **133**
Glen Farrar G74: E Kil 2B **158**
Glen Feshie G74: E Kil 3B **158**
Glenfield Av. PA2: Pais 6H **101**
Glenfield Cres. PA2: Pais 6H **101**
Glenfield Gdns. PA2: Pais 6H **101**
Glenfield Grange PA2: Pais 1A **118**
Glenfield Gro. PA2: Pais 6H **101**
Glenfield Rd. G75: E Kil 5A **158**
  PA2: Pais . . . . .6G **101** & 6H **101**
Glen Finlet Cres. G78: Neil 4C **134**
Glenfinnan Dr. G20: Glas 3B **64**
  G61: Bear 4H **47**
Glenfinnan Gro. ML4: Bell 3F **131**
Glenfinnan Pl. G20: Glas 3B **64**
  (off Glenfinnan Rd.)
Glenfinnan Rd. G20: Glas 3B **64**
Glenfruin Cres. PA2: Pais 4D **102**
Glen Fruin Dr. ML9: Lark 4E **171**
Glen Fruin Pl. ML6: Chap 4D **116**
  (off Glen Rannoch Dr.)
Glenfruin Rd. G72: Blan 1A **144**
Glen Fyne Rd. G68: Cumb 1D **36**
Glen Gairn G74: E Kil 1D **158**
Glen Gairn Cres. G78: Neil 3C **134**
Glen Gdns. PA5: Eld 2A **100**
Glen Garrell Pl. G65: Kils 2F **13**
Glengarriff Rd. ML4: Bell 5D **114**
Glen Garry G74: E Kil 3B **158**
Glengarry Dr. G52: Glas 6C **84**
Glengavel Cres. G33: Glas 3H **67**
Glengavel Gdns. ML2: Wis 2A **150**
Glen Gavin Way PA2: Pais 4D **102**
Glengonnar St. ML9: Lark 5C **170**
GLENGOWAN 2A **170**
Glengowan Rd. PA11: Bri W 3E **77**
Glengowen Ct. ML9: Lark 2C **170**
Glengoyne Dr. ML1: New S 3A **132**
Glen Gro. G65: Kils 1H **13**
  G75: E Kil 4F **157**
Glengyre Pl. G34: Glas 3A **92**
Glengyre St. G34: Glas 2A **92**
Glenhead Cres. G22: Glas 3G **65**
  G81: Dun, Hard 6C **24**
Glenhead Dr. ML1: Moth 5F **147**
Glenhead Rd. G66: Lenz 3D **52**
  G81: Clyd 2B **44**
Glenhead St. G22: Glas 3G **65**

Glenheath Dr. ML5: Glenb 4G 71
Glenholme Av. PA2: Pais 4F 101
Glenhove Rd. G67: Cumb 3A 38
Gleniffer Av. G13: Glas 3A 62
Gleniffer Ct. PA2: Pais 6F 101
Gleniffer Cres. PA5: Eld 4A 100
Gleniffer Dr. G78: Barr 2C 118
Gleniffer Rd. PA4: Renf 3D 82
Gleniffer Vw. G78: Neil 1D 134
    G81: Clyd 4F 45
Glen Isla G74: E Kil 1C 158
Glen Isla Av. G78: Neil 4C 134
Glenisla Av. G69: Mood 3E 55
Glen Isla Quad. ML1: Cle 1H 149
Glenisla St. G31: Glas 2F 109
Glenkirk Dr. G15: Glas 5B 46
Glen Kyle Dr. G53: Glas 3C 120
Glen La. PA3: Pais 6A 82
Glen Lednock Dr. G68: Cumb . .1D 36
Glen Lee G74: E Kil 1C 158
Glenlee St. ML3: Ham 4D 144
Glen Lethnot G74: E Kil 1C 158
Glen Livet Pl. G53: Glas 3C 120
Glenlivet Rd. G78: Neil 3C 134
Glen Lochay Gdns.
    G68: Cumb 1D 36
Glenlora Dr. G53: Glas 6A 104
Glenlora Ter. G53: Glas 6B 104
Glen Loy Pl. G53: Glas 3C 120
Glenluce Dr. G32: Glas 2D 110
Glenluce Gdns. G69: Mood 4E 55
Glenluce Ter. G74: E Kil 1E 157
Glenluggie Rd. G66: Kirk 6G 33
Glenlui Av. G73: Ruth 2D 124
Glen Luss Gdns. G68: Cumb . . .1D 36
Glen Luss Pl. G53: Glas 3C 120
    ML5: Coat 6F 95
Glen Lyon G74: E Kil 2C 158
Glen Lyon Ct. G68: Cumb 1D 36
Glenlyon Ct. ML3: Ham 3F 161
Glenlyon Pl. G73: Ruth 4E 125
Glen Lyon Rd. G78: Neil 3C 134
Glen Mallie G74: E Kil 2C 158
Glenmalloch Pl. PA5: Eld 2A 100
Glenmanor Av. G69: Mood 5C 54
Glenmanor Rd. G69: Mood 5C 54
Glenmare Av. G66: Kirk 6G 33
Glen Mark G74: E Kil 1C 158
Glen Mark Rd. G78: Neil 3C 134
GLENMAVIS 5G 73
Glenmavis Ct. ML8: Carl 4E 175
Glenmavis Cres. ML8: Carl 4E 175
Glenmavis Rd.
    ML6: Air, Glenm 6G 73
Glenmavis St. G4: Glas . . .1C 6 (2F 87)
Glen More G74: E Kil 2A 158
    ML8: Carl 5G 175
Glenmore Av. G42: Glas 5A 108
    ML4: Bell 4D 130
Glenmore Rd. ML1: N'hill 4C 132
Glen Moriston Dr. G74: E Kil . .2C 158
Glen Moriston Rd. G53: Glas . .4C 120
    G68: Cumb 1D 36
Glenmoss Av. PA8: Ersk 6D 42
Glen Moy G74: E Kil 2B 158
Glenmuir Av. G53: Glas 2C 120
Glenmuir Ct. G53: Glas 2D 120
Glenmuir Cres. G53: Glas 2C 120
Glen Muir Dr. G53: Glas 2B 120
Glen Muir Rd. G78: Neil 3C 134
Glen Nevis G74: E Kil 3B 158
Glen Nevis Pl. G73: Ruth 5E 125
Glenniffer Rd. PA2: Pais 6D 100
Glen Noble ML1: Cle 1G 149
Glen Ochil Rd. ML6: Chap 4D 116
Glen Ogilvie G74: E Kil 1C 158
Glen Ogle St. G32: Glas 1D 110

Glenoran La. ML9: Lark 1D 170
Glenorchard Rd. G64: Balm 3H 29
Glen Orchy Ct. G68: Cumb 6D 14
Glen Orchy Dr. G53: Glas 3C 120
    G68: Cumb 1D 36
Glen Orchy Gro. G53: Glas 3D 120
Glen Orchy Pl. G53: Glas 4D 120
    G68: Cumb 1D 36
    ML6: Chap 4D 116
    (off Glen Rannoch Dr.)
Glen Orchy Rd. ML1: Cle 1H 149
Glen Orchy Way G53: Glas 4C 120
Glen Orrin Way G78: Neil 3C 134
Glenpark ML6: Air 5E 97
Glenpark Av. G46: T'bnk 5F 121
Glenpark Gdns. G72: Camb 6G 109
Glenpark Ind. Est. G31: Glas . . .5D 88
Glenpark Rd. G31: Glas 5D 88
Glenpark St. G31: Glas 5D 88
    ML2: Wis 5G 149
Glenpark Ter. G72: Camb 6G 109
Glenpath G82: Dumb 2C 20
Glenpatrick Rd. PA5: Eld 5A 100
Glen Pl. G76: Clar 2C 138
Glen Prosen G74: E Kil 1C 158
Glen Quoich G74: E Kil 6D 142
Glenraith Path G33: Glas 6B 68
Glenraith Rd. G33: Glas 6B 68
Glenraith Sq. G33: Glas 6B 68
Glenraith Wlk. G33: Glas 6C 68
Glen Rannoch Dr.
    ML6: Chap 4D 116
Glenrigg Ct. ML6: Air 6H 95
Glen Rinnes Dr. G78: Neil 4D 134
Glen Rd. G32: Glas 4B 90
    G60: Old K 1F 43
    G66: Cam G, Len 1C 8
    G68: Dull 4F 15
    G74: E Kil 5B 140
    (not continuous)
    ML1: N'hse 6D 116
    ML2: Wis 5G 149
    ML4: Bell 5E 97
    PA7: B'ton 3G 41
Glen Rosa Gdns. G68: Cumb . . .1D 36
Glen Roy Dr. G78: Neil 3C 134
Glen Sannox Dr. G68: Cumb . . .1D 36
Glen Sannox Gro. G68: Cumb . .1E 37
Glen Sannox Loan G68: Cumb . .1D 36
Glen Sannox Vw. G68: Cumb . . .1D 36
Glen Sannox Wynd
    G68: Cumb 1E 37
Glen Sax Dr. PA4: Renf 2G 83
Glen Shee G74: E Kil 1C 158
Glen Shee Av. G78: Neil 3C 134
Glenshee Ct. G31: Glas 1F 109
Glen Shee Cres. ML6: Chap 4D 116
Glen Shee Gdns. ML8: Carl 5G 175
Glenshee Gdns. G31: Glas 1G 109
Glenshee St. G31: Glas 1F 109
Glenshee Ter. ML3: Ham 3F 161
Glenshiel Av. PA2: Pais 4C 102
Glenshira Av. PA2: Pais 4C 102
Glen Shirva Rd. G65: Twe 1C 34
Glenside Av. G53: Glas 3B 104
Glenside Cotts.
    PA11: Bri W 3F 77
    (off Mill of Gryffe Rd.)
Glenside Dr. G73: Ruth 1F 125
Glenside Rd. G82: Dumb 1H 19
Glenspean Pl. ML5: Coat 6F 95
Glenspean St. G43: Glas 1A 122
Glen St. G72: Camb 3D 126
    G78: Barr 5E 119
    ML1: Moth 6G 131
    ML1: N'hill 3D 132
    PA3: Pais 6H 81

Glentanar Ct. PA1: Pais 1C 102
Glentanar Dr. G69: Mood 5E 55
Glentanar Pl. G22: Glas 2F 65
Glentanar Rd. G22: Glas 2F 65
Glen Tanner G74: E Kil 1D 158
Glen Tarbert Dr. G78: Neil 3C 134
Glentarbert Rd. G73: Ruth 4F 125
Glen Tennet G74: E Kil 1C 158
Glentore Quad. ML6: Air 1A 96
Glen Twr. ML1: Moth 5B 148
    (off Glen Ct.)
Glentrool Gdns. G22: Glas 5H 65
    G69: Mood 4E 55
Glen Turret G74: E Kil 1C 158
Glenturret St. G32: Glas 1A 110
Glentyan Av. PA10: Kilb 1A 98
Glentyan Dr. G53: Glas 6A 104
Glentyan Pl. G53: Glas 6A 104
Glen Urquhart G74: E Kil 2B 158
Glen Vw. G67: Cumb 2C 38
    ML3: Ham 5H 161
Glenview G66: Kirk 5D 32
    ML6: Air 5D 96
    ML9: Lark 1B 170
Glenview Av. FK4: Bank 1E 17
Glenview Cres. G69: Mood 4D 54
Glenview Pl. G72: Blan 6B 128
Glenvilla Circ. PA2: Pais 6H 101
Glenvilla Cres. PA2: Pais 6H 101
Glenvilla Pl. PA2: Pais 6H 101
Glenvilla Wynd PA2: Pais 6H 101
Glenville Av. G46: Giff 4H 121
Glenville Ga. G76: Busby 4E 139
Glenville Ter. G76: Busby 4E 139
Glenward Av. G66: Len 3G 9
Glenwell St. ML6: Glenm 6G 73
Glenwood Av. ML6: Air 1C 116
Glenwood Bus. Cen. G45: Glas . .4A 124
Glenwood Ct. G66: Lenz 2A 52
Glenwood Dr. G46: T'bnk 5F 121
Glenwood Gdns. G66: Lenz 2A 52
Glenwood Path G45: Glas 4A 124
Glenwood Pl. G45: Glas 4A 124
    G66: Lenz 2A 52
Glenwood Rd. G66: Lenz 2A 52
Glidden Ct. ML2: Over 4A 166
Globe Ct. G74: E Kil 4D 142
Glorat Av. G66: Len 3G 9
Gloucester Av. G73: Ruth 2F 125
    G76: Clar 2B 138
Goals Football Cen.
    Glasgow, Gt. Western Rd. 4F 45
    Glasgow, Pollokshaws Rd.
    . . . . .4D 106
GOCKSTON 3H 81
Gockston Rd. PA3: Pais 4H 81
Goddard Pl. ML2: Newm 4F 151
Gogar Pl. G33: Glas 3G 89
Gogar St. G33: Glas 3G 89
Goil Av. ML4: Bell 1H 129
Goil Way ML1: Holy 2A 132
    (off Howden Pl.)
Golberry La. G14: Glas 4B 62
    (off Esslemont Av.)
Goldberry Av. G14: Glas 4B 62
Goldcrest Ct. ML2: Wis 2F 165
Goldenacre Pl. ML6: Plain 6F 75
Goldenhill Ct. G81: Hard 1D 44
Goldenlee Vw. PA6: C'lee 3A 78
Goldie Rd. G71: Udd 3E 129
Golf Av. ML4: Bell 4C 130
Golf Course Rd. G64: Balm 5A 30
    PA11: Bri W 3D 76
Golf Ct. G44: Neth 5C 122
Golf Dr. G15: Glas 6H 45
    PA1: Pais 1E 103

Golf Gdns. ML9: Lark 3E **171**	Govan Station (Und.) 3G **85**	Gran St. G81: Clyd 1G **61**
GOLFHILL 1H **95**	Gowanbank Gdns. PA5: John 3E **99**	Grant Ct. ML3: Ham 5G **161**
Golfhill Dr. G31: Glas 3C **88**	Gowanbrae G66: Lenz 1C **52**	ML6: Air 3E **97**
Golfhill Quad. ML6: Air 1A **96**	Gowanlea Av. G15: Glas 6A **46**	Grant Gro. ML4: Bell 3C **130**
Golfhill Rd. ML2: Wis 5D **148**	Gowanlea Dr. G46: Giff 3B **122**	Grantholm Av. ML1: Holy 1B **132**
Golf Pl. ML4: Bell 4D **130**	Gowanlea Ter. G71: View 6F **113**	Grantlea Gro. G32: Glas 1D **110**
Golf Rd. G73: Ruth 3D **124**	Gowanside Pl. ML8: Carl 3B **174**	Grantlea Ter. G32: Glas 1D **110**
G76: Clar 2B **138**	Gower St. G41: Glas 1A **106**	Grantley Gdns. G41: Glas 5B **106**
PA7: B'ton 2H **41**	G51: Glas 6A **86**	Grantley St. G41: Glas 5B **106**
Golf Vw. G81: Clyd 3B **44**	Gower Ter. G41: Glas 6A **86**	Grantoften Path G75: E Kil 5F **157**
Golfview G61: Bear 2B **46**	Gowkhall Av. ML1: N'hill 4F **133**	Granton St. G5: Glas 3A **108**
Golfview Dr. ML5: Coat 4G **93**	GOWKTHRAPPLE 3G **165**	Grantown Av. ML6: Air 5E **97**
Golfview Pl. ML5: Coat 5G **93**	Goyle Av. G15: Glas 4C **46**	Grantown Gdns.
Golspie Av. ML6: Air 1G **115**	Grace Av. G69: Barg 6D **92**	ML6: Glenm 4H **73**
Golspie St. G51: Glas 3G **85**	Grace St. G3: Glas 5F **5** (4D **86**)	Grants Av. PA2: Pais 4G **101**
Golspie Way G72: Blan 6A **144**	Grace Wynd ML3: Ham 6A **146**	Grants Cres. PA2: Pais 5H **101**
Goodview Gdns. ML9: Lark 3E **171**	Graeme Ct. ML1: Moth 5F **131**	Grants Pl. PA2: Pais 5G **101**
Goosedubbs G1: Glas 5G **87**	Graffham Av. G46: Giff 4B **122**	Grant St. G3: Glas 1G **5** (2D **86**)
(off Bridgegate)	Grafton Pl. G1: Glas 3E **7** (3G **87**)	Grants Way PA2: Pais 4G **101**
Gooseholm Cres. G82: Dumb 2G **19**	Graham Av. G72: Camb 2D **126**	Granville St. G3: Glas 3G **5** (3D **86**)
Gooseholm Rd. G82: Dumb 2G **19**	G74: E Kil 1G **157**	G81: Clyd 4D **44**
Gopher Av. G71: View 5F **113**	G81: Clyd 4D **44**	Grasmere G75: E Kil 6B **156**
GORBALS 1G **107**	ML3: Ham 3H **161**	Grasmere Ct. ML3: Ham 5H **161**
Gorbals Cross G5: Glas 6G **87**	(not continuous)	Grathellen Ct. ML1: Moth 1A **148**
Gorbals Leisure Cen. 6G **87**	Graham Dr. G62: Miln 3E **27**	Gray Dr. G61: Bear 4F **47**
Gorbals St. G5: Glas 6F **87**	Graham Ho. G67: Cumb 3G **37**	Grayshill Rd. G68: Cumb 6H **35**
Gordon Av. G44: Neth 5C **122**	Graham Pl. G65: Kils 1G **13**	Gray's Rd. G71: Udd 1F **129**
G52: Hill 4G **83**	ML9: Ashg 4H **171**	Grayston Mnr. G69: Chry 6C **54**
G69: Bail 6F **91**	Graham Rd. G82: Dumb 3D **18**	Gray St. G3: Glas 2C **4** (2B **86**)
PA7: B'ton 3G **41**	Grahamsdyke Rd. G66: Kirk 4E **33**	G66: Kirk 6H **33**
Gordon Ct. ML6: Air 3E **97**	Grahamshill Av. ML6: Air 3D **96**	ML1: Cle 6H **133**
Gordon Cres. G77: Newt M 3E **137**	Grahamshill St. ML6: Air 3D **96**	ML9: Lark 1C **170**
Gordon Dr. G44: Neth 5C **122**	Graham Sq. G31: Glas 5B **88**	Great Av. ML3: Fern 2C **162**
G74: E Kil 6B **142**	Grahamston Ct. PA2: Pais 5E **103**	Great Dovehill G1: Glas 5H **87**
Gordon La. G1: Glas 5C **6** (4F **87**)	Grahamston Pk. G78: Barr 2D **118**	Gt. George La. G12: Glas 6B **64**
Gordon McMaster Gdns.	Grahamston Pl. PA2: Pais 5E **103**	Gt. George St. G12: Glas 6B **64**
PA5: John 2G **99**	Grahamston Rd. G78: Barr 2D **118**	Gt. Hamilton St. PA2: Pais 3A **102**
Gordon Pl. ML4: Bell 4B **130**	PA2: Pais 2D **118**	Gt. Kelvin La. G12: Glas 1C **86**
Gordon Rd. G44: Neth 5C **122**	Graham St. G78: Barr 4D **118**	(off Glasgow St.)
ML3: Ham 5D **144**	ML1: Holy 2A **132**	Gt. Western Retail Pk.
Gordon Sq. PA5: John 3F **99**	ML2: Wis 1H **165**	G15: Glas 5G **45**
Gordon St. G1: Glas 5C **6** (4F **87**)	ML3: Ham 6A **146**	Gt. Western Rd. G4: Glas 4G **63**
PA1: Pais 1A **102**	ML6: Air 4A **96**	G12: Glas 4G **63**
Gordon Ter. G72: Blan 5A **128**	(not continuous)	G13: Glas 6H **45**
ML3: Ham 6D **144**	PA5: John 3E **99**	G15: Glas 6H **45**
Gorebridge St. G32: Glas 4G **89**	Graham Ter. G64: B'rig 2D **66**	G60: Bowl, Old K 5H **21**
Goremire Rd. ML8: Carl 6E **175**	Graigenstock Pl. G40: Glas 6A **88**	G81: Clyd, Dun, Hard 1G **43**
Gorget Av. G13: Glas 6C **46**	Graigenstock St. G40: Glas 6A **88**	Gt. Western Ter. G12: Glas 5A **64**
Gorget Pl. G13: Glas 6C **46**	Grainger Rd. G64: B'rig 6F **51**	Gt. Western Ter. La. G12: Glas . . .5A **64**
Gorget Quad. G13: Glas 6B **46**	Grammar School Sq.	Green, The G40: Glas 1A **108**
Gorse Cres. PA11: Bri W 4G **77**	ML3: Ham 5A **146**	G65: Twe 1D **34**
Gorse Dr. G78: Barr 3D **118**	Grampian Av. PA2: Pais 5H **101**	Greenacres ML1: Moth 4E **147**
Gorsehall St. ML1: Cle 5H **133**	Grampian Ct. G61: Bear 5C **26**	ML6: Air 6B **74**
Gorse Pl. G71: View 5F **113**	Grampian Cres. G32: Glas 1B **110**	Greenacres Ct. G53: Glas 3C **120**
Gorsewood G64: B'rig 6A **50**	ML6: Chap 4F **117**	Greenacres Dr. G53: Glas 3C **120**
Gorstan Path G23: Glas 1B **64**	Grampian Dr. G75: E Kil 1B **168**	Greenacres Vw. ML1: Moth 4E **147**
Gorstan Pl. G20: Glas 4A **64**	Grampian Pl. G32: Glas 1B **110**	Greenacres Way G53: Glas 3C **120**
Gorstan St. G23: Glas 1B **64**	Grampian Sq. G32: Glas 1B **110**	Greenan Av. G42: Glas 6A **108**
Gosford La. G14: Glas 5A **62**	Grampian Way G61: Bear 6B **26**	Greenbank G72: Blan 2A **144**
Gotter Bank PA11: Q'riers 1A **76**	G68: Cumb 3C **36**	Greenbank Av. G46: Giff 2G **137**
Goudie St. PA3: Pais 4H **81**	G78: Barr 6E **119**	Greenbank Dr. PA2: Pais 6H **101**
Gough La. G33: Glas 3F **89**	Granby La. G12: Glas 6B **64**	Greenbank House & Garden 3H **137**
(off Gough St.)	Grandtully Dr. G12: Glas 3A **64**	Green Bank Rd. G68: Cumb 3E **37**
Gough St. G33: Glas 3F **89**	Grange Av. G62: Miln 3H **27**	Greenbank Rd. ML2: Wis 6A **150**
Gourlay G74: E Kil 4D **142**	ML2: Wis 2E **165**	Greenbank St. G73: Ruth 5C **108**
Gourlay Dr. ML2: Over 5A **166**	Grange Ct. ML1: Moth 1B **164**	Greenbank Ter. ML8: Carl 3D **174**
Gourlay St. G21: Glas 6H **65**	Grange Gdns. G71: Both 6F **129**	Green Dale ML2: Wis 4B **150**
(not continuous)	Grangeneuk Gdns.	Greendyke St. G1: Glas 5H **87**
Gourock St. G5: Glas 1E **107**	G68: Cumb 4E **37**	GREENEND 1F **115**
GOVAN 3G **85**	Grange Pl. G42: Glas 5E **107**	Greenend Av. PA5: John 5D **98**
GOVANHILL 3F **107**	G61: Bear 2F **47**	Greenend Gro. G32: Glas 4C **90**
Govanhill St. G42: Glas 3F **107**	Grange St. ML1: Moth 5A **148**	Greenend Vw. ML4: Bell 3B **130**
(not continuous)	Grange Twr. ML1: Moth 1B **164**	Greenfarm Rd. G77: Newt M 4B **136**
Govanhill Swimming Pool 3E **107**	Grannoch Pl. ML5: Coat 3F **115**	PA3: Lin 5H **79**
Govan Rd.		GREENFAULDS 6G **37**
G51: Glas . . . . . .5A **4** & 6B **4** (2D **84**)		Greenfaulds Cres. G67: Cumb 5A **38**
		Greenfaulds Rd. G67: Cumb 6G **37**

Greenfaulds Station (Rail) 6H 37
GREENFIELD 5B 90
Greenfield Av. G32: Glas 4B 90
Greenfield Cres. ML2: Wis 5B 150
Greenfield Dr. ML2: Wis 5B 150
Greenfield Pl. G32: Glas 5B 90
Greenfield Quad. ML1: N'hill 3F 133
Greenfield Rd. G32: Glas 4C 90
   G76: Clar 3C 138
   ML3: Ham 4E 145
   ML8: Carl 2D 174
Greenfields Rd. G67: Cumb 5A 38
Greenfield St. G51: Glas 4F 85
   ML2: Wis 5B 150
GREENFOOT 2C 72
Greengairs Av. G51: Glas 3D 84
Greengairs Rd. ML6: Grng 2B 74
Green Gdns. ML1: Cle 5H 133
Greenhall Pl. G72: Blan 3A 144
GREENHEAD 1A 166
Greenhead Av. G82: Dumb 4H 19
Greenhead Gdns.
   G82: Dumb 4H 19
     (not continuous)
Greenhead Rd. G61: Bear 3F 47
   G66: Len 3G 9
   G82: Dumb 4H 19
   ML2: Wis 1A 166
   PA4: Inch 2G 59
Greenhead St. G40: Glas 6A 88
GREENHILL 2D 94
Greenhill G64: B'rig 1E 67
Greenhill Av. G46: Giff 6H 121
   G69: G'csh 2C 70
Greenhill Bus. Pk. PA3: Pais 5G 81
Greenhill Ct. G73: Ruth 5C 108
Greenhill Cres. PA3: Lin 5H 79
   PA5: Eld 3B 100
Greenhill Dr. PA3: Lin 5A 80
Greenhill Ind. Est. ML5: Coat . . .2D 94
Greenhill Rd. G73: Ruth 5C 108
   PA3: Pais 5G 81
GREENHILLS 6D 156
Greenhills Cres. G75: E Kil 6D 156
Greenhills Rd. G75: E Kil 3A 156
Greenhills Sports Cen. 5E 157
Greenhills Sq. G75: E Kil 6D 156
Greenhill St. G73: Ruth 6C 108
Greenhills Way G75: E Kil 5F 157
Greenholm Av. G71: Udd 6C 112
   G76: Clar 2C 138
Greenholme Ct. G44: Glas 1F 123
Greenholme St. G44: Glas 1F 123
Greenknowe Dr. ML8: Law 5D 166
Greenknowe Rd. G43: Glas 1H 121
Greenknowe St. ML2: Over 5H 165
Greenlaw Av. ML2: Wis 4A 150
   PA1: Pais 6C 82
Greenlaw Ct. G14: Glas 3F 61
   ML2: Wis 1H 165
Greenlaw Cres. PA1: Pais 5C 82
Greenlaw Dr. G77: Newt M 4C 136
   PA1: Pais 6C 82
Greenlaw Gdns. PA1: Pais 5C 82
Greenlaw Ho. PA1: Pais 6C 82
Greenlaw Ind. Est. PA3: Pais 5B 82
Greenlaw Rd. G14: Glas 3F 61
   G77: Newt M 4C 136
Greenlea Rd. G69: Chry 1H 69
Greenlea St. G13: Glas 3E 63
GREENLEES 4B 126
Greenlees Gdns. G72: Camb 4H 125
Greenlees Gro. ML5: Coat 6F 95
Greenlees Pk. G72: Camb 4A 126
Greenlees Rd. G72: Camb 5H 125
Green Loan ML1: New S 4A 132
Greenloan Av. G51: Glas 3D 84

Greenloan Vw. ML9: Lark 4D 170
     (off Keir Hardie Rd.)
Greenlodge Ter. G40: Glas 1B 108
Greenmoss Pl. ML4: Bell 2D 130
Greenmount G22: Glas 2E 65
Greenoakhill Av. G71: Udd 3H 111
Greenoakhill Cres.
   G71: Udd 3G 111
Greenoakhill Pl. G71: Udd 3G 111
Greenoakhill Rd. G71: Udd 3H 111
Greenock Av. G44: Glas 2F 123
Greenock Rd. PA3: Pais 3G 81
     (not continuous)
   PA4: Inch 3F 59
   PA7: B'ton 1B 40
Greenrig G71: Udd 1D 128
Greenrigg St. G33: Glas 6F 67
   G71: Udd 1D 128
Green Rd. G73: Ruth 5C 108
   PA2: Pais 2D 100
GREENS, THE 6C 32
Greens Av. G66: Kirk 6C 32
Greens Cres. G66: Kirk 6C 32
Greens Health & Fitness
   Anderston 6E 5 (4C 86)
   Giffnock 3C 122
Greenshields Rd. G69: Bail 6H 91
Greenside G76: Crmck 1A 140
Greenside Cres. G33: Glas 6G 67
Greenside Pl. G61: Bear 5C 26
Greenside Rd. G81: Hard 6D 24
   ML1: Chap, N'hse 6C 116
   ML2: Wis 1A 166
Greenside St. G33: Glas 6G 67
   ML1: N'hill 3F 133
   ML5: Coat 2D 94
Greens Rd. G67: Cumb 1H 57
Green St. G40: Glas 6A 88
   G71: Both 5F 129
   G81: Clyd 4C 44
Greentree Dr. G69: Bail 2F 111
Greenview St. G43: Glas 5A 106
Greenway La. G72: Blan 3H 143
Greenways Av. PA2: Pais 3E 101
Greenways Ct. PA2: Pais 3E 101
Greenwood Av. G69: Mood 5D 54
   G72: Camb 1E 127
Greenwood Ct. G76: Clar 2C 138
Greenwood Cres. ML5: Coat 6E 95
Greenwood Dr. G61: Bear 3G 47
   PA5: John 5D 98
Greenwood Quad. G81: Clyd 6F 45
Greenwood Rd. G76: Clar 2B 138
Greenyards Interchange
   G67: Cumb 4C 38
Greer Quad. G81: Clyd 3D 44
Grenada Pl. G75: E Kil 2C 156
Grenadier Gdns. ML1: Moth 6F 147
Grenadier Pk. G72: Camb 3A 126
Grenville Dr. G72: Camb 3H 125
Gresham Vw. ML1: Moth 1B 164
Gretna St. G40: Glas 1D 108
Greyfriars Rd. G71: Udd 5A 112
Greyfriars St. G32: Glas 4H 89
Greystone Av. G73: Ruth 1E 125
Greystone Gdns. G73: Ruth 1E 125
Greywood St. G13: Glas 2E 63
Grier Path G31: Glas 6F 89
Grier Pl. ML9: Lark 3B 170
Grierson La. G33: Glas 3F 89
     (off Lomax St.)
Grierson St. G33: Glas 3F 89
Grieve Cft. G71: Both 6D 128

Grieve Rd. G67: Cumb 2A 38
Griffen Av. PA1: Pais 6B 80
Griffin Pl. ML4: Bell 5C 114
Griffiths Way ML8: Law 1F 173
Griqua Ter. G71: Both 5F 129
Grogarry Rd. G15: Glas 3A 46
Grosvenor Cinema 6B 64
     (off Ashton La.)
Grosvenor Cres. G12: Glas 6B 64
Grosvenor Cres. La.
   G12: Glas 6B 64
Grosvenor La. G12: Glas 6B 64
Grosvenor Ter. G12: Glas 6B 64
Grove, The G46: Giff 1H 137
   G78: Neil 3C 134
   PA7: B'ton 4G 41
   PA10: Kilb 1A 98
   PA11: Quarr V 5G 77
Groveburn Av. G46: T'bnk 3G 121
Grove Cres. ML9: Lark 3E 171
Grove Pk. G66: Lenz 3D 52
Grovepark Ct. G20: Glas 1E 87
Grovepark Gdns. G20: Glas 1E 87
Grovepark Pl. G20: Glas 6E 65
Grovepark St. G20: Glas 6E 65
Groves, The G64: B'rig 1E 67
Grove Way ML4: Bell 2B 130
Grove Wood G71: View 4H 113
Grovewood Bus. Cen.
   ML4: Bell 5A 114
Grove Wynd ML1: New S 4A 132
Grudie St. G34: Glas 3G 91
Gryfebank Av. PA6: C'lee 2E 79
Gryfebank Cl. PA6: C'lee 2E 79
Gryfebank Cres. PA6: C'lee 2E 79
Gryfebank Way PA6: C'lee 2E 79
Gryfewood Cres. PA6: C'lee 2E 79
Gryfewood Way PA6: C'lee 2E 79
Gryffe Av. PA4: Renf 4D 60
   PA11: Bri W 2E 77
Gryffe Castle PA11: Bri W 2E 77
Gryffe Cres. PA2: Pais 4D 100
Gryffe Gro. PA11: Bri W 3F 77
Gryffe Pl. PA11: Bri W 3F 77
Gryffe Rd. PA11: Bri W 4F 77
Guildford St. G33: Glas 2C 90
Gullane Ct. ML3: Ham 3F 161
Gullane Cres. G68: Cumb 5H 15
Gullane Dr. ML5: Coat 3A 114
Gullane St. G11: Glas 2H 85
Gullion Pk. G74: E Kil 5A 142
Gunn M. ML2: Wis 1F 165
Gunn Quad. ML4: Bell 4A 130
Gushet Ho. ML6: Air 4G 95
     (off Aitchison St.)
Guthrie Ct. ML1: Moth 3E 147
Guthrie Dr. G71: Tann 4E 113
Guthrie Pl. G64: Torr 5E 31
   G74: E Kil 1H 157
Guthrie St. G20: Glas 3B 64
   ML3: Ham 5H 145
Gyle Pl. ML2: Wis 6C 150

H

Haberlea Av. G53: Glas 4C 120
Haberlea Gdns. G53: Glas 5C 120
Haddington Way ML5: Coat 2A 114
     (not continuous)
Haddow Gro. G71: Tann 5E 113
Haddow St. ML3: Ham 6A 146
Hadrian Ter. ML1: Moth 1E 147
Hagart Rd. PA6: Hous 1B 78
Hagen Dr. ML1: Cle 6E 133
Hagg Cres. PA5: John 2E 99

Hagg Pl. PA5: John 2E **99**
Hagg Rd. PA5: John 3E **99**
HAGGS 1G **17**
Haggs La. G41: Glas 3A **106**
Haggs Rd. G41: Glas 4A **106**
Haggswood Av. G41: Glas 3A **106**
HAGHILL 4E **89**
Haghill Rd. G31: Glas 5E **89**
Hagmill Cres. ML5: Coat 3E **115**
Hagmill Rd. ML5: Coat 3C **114**
Haig Dr. G69: Bail 1F **111**
Haig St. G21: Glas 5C **66**
Hailes Av. G32: Glas 6D **90**
Haining, The PA4: Renf 1F **83**
Haining Rd. PA4: Renf 6F **61**
HAIRMYRES 3B **156**
Hairmyres Dr. G75: E Kil 3B **156**
Hairmyres Pk. G75: E Kil 3B **156**
Hairmyres Rdbt. G75: E Kil 2B **156**
Hairmyres Station (Rail) 2B **156**
Hairmyres St. G42: Glas 3G **107**
Hairst St. PA4: Renf 5F **61**
Halbeath Av. G15: Glas 4H **45**
Halbert St. G41: Glas 4C **106**
Haldane La. G14: Glas 6D **62**
  (off Haldane St.)
Haldane Pl. G75: E Kil 4H **157**
Haldane St. G14: Glas 6D **62**
Halfmerk Nth. G74: E Kil 1A **158**
Halfmerk Sth. G74: E Kil 1A **158**
HALFWAY 3D **126**
Halgreen Av. G15: Glas 4G **45**
Haliburton Cres. G34: Glas 3F **91**
Halidon Av. G67: Cumb 6H **37**
Halifax Way PA4: Renf 2E **83**
  (off Tiree Av.)
Halkirk Ga. G72: Blan 5A **144**
Hallbrae St. G33: Glas 1G **89**
Hallcraig Pl. ML8: Carl 3B **174**
Hallcraig St. ML6: Air 3A **96**
Halley Dr. G13: Glas 2G **61**
Halley Pl. G13: Glas 2G **61**
Halley Sq. G13: Glas 2H **61**
Halley St. G13: Glas 2G **61**
Hallforest St. G33: Glas 1B **90**
Hallhill Cres. G33: Glas 5E **91**
Hallhill Rd. G32: Glas 6B **90**
  G33: Glas 5C **90**
  G69: Bail 5G **91**
  PA5: John 6C **98**
Halliburton Ter. G34: Glas 4G **91**
Hallidale Cres. PA4: Renf 1H **83**
Hallinan Gdns. ML2: Wis 2F **165**
Hall Pl. G33: Step 4F **69**
HALLSIDE 3F **127**
Hallside Av. G72: Camb 2E **127**
Hallside Blvd. G72: Flem 4F **127**
Hallside Ct. G72: Flem 4E **127**
Hallside Cres. G72: Camb 2E **127**
Hallside Dr. G72: Camb 2E **127**
Hallside Gdns. ML2: Wis 5C **150**
Hallside Pl. G5: Glas 1G **107**
Hallside Rd. G72: Flem 3F **127**
  (Hallside Blvd.)
  G72: Flem 3E **127**
  (Newton Sta. Rd.)
Hall St. G81: Clyd 6C **44**
  ML1: New S 3A **132**
  ML3: Ham 2H **161**
Hallydown Dr. G13: Glas 4C **62**
Halpin Cl. ML4: Bell 2H **129**
Halton Gdns. G69: Bail 1F **111**
Haltons Path G71: Udd 1E **129**
Hamburg Cotts. ML8: Carl 3A **174**
Hamersley Pl. G75: E Kil 4D **156**
Hamilcomb Rd. ML4: Bell 4C **130**

Hamill Dr. G65: Kils 3B **14**
HAMILTON 6A **146**
Hamilton Academical FC 4G **145**
Hamilton Av. G41: Glas 2H **105**
Hamilton Bus. Pk.
  ML3: Ham 4H **145**
Hamilton Central Station (Rail)
  . . . . .6A **146**
Hamilton Ct. PA2: Pais 3A **102**
Hamilton Cres. G61: Bear 6E **27**
  G72: Camb 3C **126**
  ML5: Coat 6C **94**
  PA4: Renf 4F **61**
  PA7: B'ton 4F **41**
Hamilton Dr. G12: Glas 6C **64**
  G46: Giff 5B **122**
  G71: Both 6F **129**
  G72: Blan 4H **143**
  G72: Camb 2A **126**
  ML1: Moth 5H **147**
  ML6: Air 2B **96**
  PA8: Ersk 4D **42**
HAMILTON FARM 5G **109**
HAMILTONHILL 5F **65**
Hamiltonhill Cres. G22: Glas 5F **65**
Hamiltonhill Gdns. G22: Glas . . .5F **65**
Hamiltonhill Rd. G22: Glas 6F **65**
HAMILTON INTERCHANGE 5C **146**
Hamilton Intl. Technology Pk.
  . . . . .4A **144**
  (not continuous)
Hamilton Mausoleum 4B **146**
Hamilton Pk. Av. G12: Glas 6C **64**
Hamilton Pk. Nth.
  ML3: Ham 3H **145**
Hamilton Pk. Racecourse 3G **145**
Hamilton Pk. Sth.
  ML3: Ham 3H **145**
Hamilton Pl. G75: E Kil 4G **157**
  G78: Neil 2F **135**
  ML1: New S 3B **132**
  ML1: N'hill 3C **132**
  ML3: Ham 5H **161**
Hamilton Retail Pk.
  ML3: Ham 4G **145**
Hamilton Rd. G32: Glas 2B **110**
  G71: Both 6F **129**
  G71: Udd 3F **111**
  G72: Blan 4F **143**
  G72: Camb, Flem 1A **126**
  G73: Ruth 5D **108**
  G74: E Kil 4C **142**
  ML1: Moth 4D **146**
  ML4: Bell 4B **130**
  ML9: Lark 6H **163**
HAMILTON SERVICE AREA 3A **146**
Hamilton St. G42: Glas 4G **107**
  G81: Clyd 2F **61**
  G82: Dumb 3G **19**
  ML8: Carl 4D **174**
  ML9: Lark 1C **170**
  PA3: Pais 6B **82**
Hamilton Ter. G81: Clyd 2F **61**
Hamilton Twr. G71: Both 3B **128**
Hamilton Vw. G71: Tann 6E **113**
Hamilton Water Palace 5H **145**
Hamilton West Station (Rail)
  . . . . .5G **145**
Hamlet G74: E Kil 4C **142**
Hampden Dr. G42: Glas 6F **107**
Hampden La. G42: Glas 5F **107**
Hampden Pk. 6F **107**
Hampden Ter. G42: Glas 5F **107**
Hampden Way PA4: Renf 2F **83**
Handel Pl. G5: Glas 1G **107**
HANGINGSHAW 5G **107**
Hangingshaw Pl. G42: Glas 5G **107**

Hannay St. PA1: Pais 6G **81**
  (off Well St.)
Hanover Cl. G42: Glas 5E **107**
Hanover Ct. G1: Glas 4E **7** (3G **87**)
  G11: Glas 1G **85**
  PA1: Pais 6C **82**
  PA5: John 2F **99**
Hanover Gdns. G64: B'rig 6C **50**
  PA1: Pais 1G **101**
  (off Wilson St.)
Hanover Pl. G11: Glas 1G **85**
Hanover St. G1: Glas 5D **6** (4G **87**)
Hanson Pk. G31: Glas 3B **88**
Hanson St. G31: Glas 4B **88**
Hapland Av. G53: Glas 3C **104**
Hapland Rd. G53: Glas 3C **104**
Harbour La. PA3: Pais 6A **82**
Harbour Pl. G11: Glas 2G **85**
Harbour Rd. PA3: Pais 4A **82**
Harburn Pl. G23: Glas 6C **48**
Harbury Pl. G14: Glas 3H **61**
Harcourt Dr. G31: Glas 3D **88**
HARDGATE 1E **45**
Hardgate Dr. G51: Glas 3C **84**
Hardgate Gdns. G51: Glas 3C **84**
Hardgate Path G51: Glas 3C **84**
Hardgate Pl. G51: Glas 3C **84**
Hardgate Rd. G51: Glas 3C **84**
Hardie Av. G73: Ruth 5E **109**
Hardie St. G72: Blan 2B **144**
  ML1: Moth 1G **147**
  ML3: Ham 1F **161**
Hardmuir Gdns. G66: Kirk 4E **33**
Hardmuir Rd. G66: Kirk 4E **33**
Hardridge Av. G52: Glas 3E **105**
Hardridge Pl. G52: Glas 3E **105**
Hardridge Rd. G52: Glas 3D **104**
Harefield Dr. G14: Glas 4B **62**
Harelaw Av. G44: Glas 3C **122**
  G78: Barr 6F **119**
  G78: Neil 3D **134**
Harelaw Cres. PA2: Pais 6G **101**
HARELEESHILL 3D **170**
Hareleeshill Rd. ML9: Lark 3D **170**
Hareleeshill Sports Barn 4E **171**
HARESTANES 3H **33**
Harestanes Gdns. G66: Kirk 4G **33**
Harestone Cres. ML2: Wis 6A **150**
Harestone Rd. ML2: Wis 1A **166**
Harhill St. G51: Glas 4F **85**
Harkins Av. G72: Blan 2A **144**
Harkness Av. G66: Milt C 6B **10**
Harland Cotts. G14: Glas 6C **62**
Harland St. G14: Glas 6C **62**
Harlaw Gdns. G64: B'rig 5F **51**
Harley St. G51: Glas 5A **86**
Harmetray St. G22: Glas 3H **65**
Harmony Pl. G51: Glas 4G **85**
Harmony Row G51: Glas 4G **85**
  (not continuous)
Harmony Sq. G51: Glas 4G **85**
Harmsworth St. G11: Glas 1E **85**
Harper Cres. ML2: Wis 5C **150**
Harport St. G46: T'bnk 2E **121**
Harriet Pl. G43: Glas 1H **121**
Harriet St. G73: Ruth 6C **108**
Harrington Rd. G74: E Kil 2G **157**
Harris Cl. G77: Newt M 3B **136**
Harris Cres. G60: Old K 2F **43**
Harris Dr. G60: Old K 2F **43**
Harris Gdns. G60: Old K 2G **43**
Harrison Dr. G51: Glas 5H **85**
Harris Pl. ML6: Air 6C **96**
Harris Quad. ML2: Wis 4C **150**
Harris Rd. G23: Glas 6C **48**
  G60: Old K 2F **43**
Harrow Ct. G15: Glas 4H **45**

Harrow Pl. G15: Glas 4H 45
Hartfield Ct. G82: Dumb 3G 19
Hartfield Cres. G78: Neil 2E 135
Hartfield Gdns. G82: Dumb 3G 19
Hartfield Ter. PA2: Pais 3B 102
Hartlaw Cres. G52: Glas 5A 84
Hartree Av. G13: Glas 1G 61
Hartstone Pl. G53: Glas 6B 104
Hartstone Rd. G53: Glas 6B 104
Hartstone Ter. G53: Glas 6B 104
Hart St. G31: Glas 6G 89
    G81: Faif 6F 25
    PA3: Lin 6H 79
Hartwood Gdns.
    G77: Newt M 1D 152
Harvest Dr. ML1: Moth 5F 147
Harvey St. G4: Glas 1G 87
Harvey Way ML4: Bell 6E 115
Harvie Av. G77: Newt M 4C 136
Harvie St. G51: Glas 5B 86
Harwood Gdns. G69: Mood 4E 55
Harwood St. G32: Glas 4G 89
Hastie St. G3: Glas 2B 4 (2B 86)
Hastings G75: E Kil 4D 156
Hatchard Gdns. PA3: Lin 5H 79
Hatfield Dr. G12: Glas 4F 63
Hathaway Dr. G46: Giff 5H 121
Hathaway La. G20: Glas 4C 64
Hathaway St. G20: Glas 4C 64
Hathersage Av. G69: Bail 6H 91
Hathersage Dr. G69: Bail 6H 91
Hathersage Gdns. G69: Bail 6H 91
Hatton Gdns. G52: Glas 1A 104
Hattonhill ML1: Carf 5C 132
Hatton Path *G52: Glas* *1A 104*
                            (off Hatton Gdns.)
Hatton Pl. ML1: Carf 5C 132
HATTONRIGG 1D 130
Hattonrigg Rd. ML4: Bell 6C 114
Hatton Ter. ML1: Carf 5C 132
Haughburn Pl. G53: Glas 6B 104
Haughburn Rd. G53: Glas 6B 104
Haughburn Ter. G53: Glas 6C 104
HAUGHHEAD 1C 8
Haughhead G66: Cam G 1B 8
Haughhead Bri. G71: Udd 5A 112
Haugh Pl. ML3: Ham 2A 162
Haugh Rd. G3: Glas 3B 4 (3B 86)
    G65: Kils 3G 13
Haughton Av. G65: Kils 3A 14
Haughview Rd. ML1: Moth 3D 146
Haughview Ter. G5: Glas 2H 107
Havelock La. *G11: Glas* *1A 86*
                            (off Havelock St.)
Havelock Pk. G75: E Kil 2C 156
Havelock St. G11: Glas 1A 86
Haven Pk. G75: E Kil 5B 156
Havoc Rd. G82: Dumb 4B 18
Hawbank Rd. G74: E Kil 6C 140
Hawick Av. PA2: Pais 4F 101
Hawick Cres. ML9: Lark 3C 170
Hawick Dr. ML5: Coat 2F 115
Hawick St. G13: Glas 3G 61
    ML2: Wis 4A 150
Hawkbank Rdbt. G74: E Kil 1D 156
HAWKHEAD 3E 103
Hawkhead Av. PA2: Pais 3D 102
Hawkhead Rd. PA1: Pais 1D 102
    PA2: Pais 1D 102
Hawkhead Station (Rail) 1D 102
Hawksland Wlk. ML3: Ham 2A 162
Hawkwood G75: E Kil 6F 157
Hawkwood Rd. ML6: Glenm 5H 73
Hawthorn Av. G61: Bear 6G 27
    G64: B'rig 1D 66
    G66: Lenz 2C 52
    G72: Camb 2F 125

Hawthorn Av. G82: Dumb 2B 18
    ML2: Newm 3G 151
    PA5: John 4G 99
    PA8: Ersk 1A 60
Hawthorn Ct. G22: Glas 4G 65
    G76: Busby 3C 138
Hawthorn Cres. PA8: Ersk 1A 60
Hawthornden Gdns. G23: Glas . . .5C 48
Hawthorn Dr. FK4: Bank 1E 17
    G78: Barr 6F 119
    ML1: New S 4B 132
    ML2: Wis 1A 166
    ML5: Coat 6F 95
    ML6: Air 4D 96
Hawthorn Gdns. G72: Flem 3E 127
    G76: Busby 3C 138
    ML4: Bell 3E 131
    ML9: Lark 3E 171
Hawthorn Gro. ML8: Law 5D 166
Hawthorn Hill ML3: Ham 2A 162
Hawthornhill Rd. G82: Dumb 2B 18
Hawthorn Quad. G22: Glas 4G 65
Hawthorn Rd. G67: Cumb 1F 39
    G76: Busby 3C 138
    PA8: Ersk 1A 60
Hawthorn St. G22: Glas 4G 65
    G64: Torr 4E 31
    G81: Clyd 3C 44
Hawthorn Ter. G71: View 6F 113
    G75: E Kil 5D 156
Hawthorn Wlk. G72: Camb 2F 125
Hawthorn Way G66: Milt C 6C 10
    G72: Camb 2G 125
    G82: Dumb 3B 18
    PA8: Ersk 1A 60
Hay Av. PA7: B'ton 4A 42
Hayburn Ct. *G11: Glas* *1G 85*
                            (off Hayburn St.)
Hayburn Cres. G11: Glas 6G 63
Hayburn Ga. G11: Glas 1H 85
Hayburn La. G11: Glas 6G 63
    G12: Glas 6G 63
Hayburn Pl. *G11: Glas* *1H 85*
                            (off Hayburn St.)
Hayburn St. G11: Glas 2G 85
Hayfield Ct. G5: Glas 1H 107
Hayfield St. G5: Glas 1H 107
Hayhill Rd. G74: T'hall 4F 155
Hayle Gdns. G69: Mood 4D 54
Haylynn St. G14: Glas 1E 85
Haymarket St. G32: Glas 4G 89
Haystack Pl. G66: Lenz 3D 52
HAYSTON 5A 32
Hayston Ct. G66: Kirk 5B 32
Hayston Cres. G22: Glas 4F 65
Hayston Rd. G66: Kirk 5A 32
    G68: Cumb 1G 37
Hayston St. G22: Glas 4F 65
Hayward Av. ML8: Carl 5G 175
Hayward Ct. ML8: Carl 5G 175
Haywood St. G22: Glas 3F 65
Hazel Av. G44: Glas 3D 122
    G61: Bear 6G 27
    G66: Lenz 1D 52
    G82: Dumb 2B 18
    PA5: John 4G 99
Hazel Bank G66: Milt C 1B 32
Hazelbank ML1: Holy 2B 132
    ML6: Plain *6F 75*
                            (off Arondale Rd.)
Hazelbank Wlk. ML6: Air 3F 95
Hazeldean Cres. ML2: Wis 4A 150
Hazel Dene G64: B'rig 6D 50
Hazeldene La. *ML9: Lark* *4E 171*
                            (off Keir Hardie Rd.)
Hazelden Gdns.
    G44: Glas 3C 122

Hazelden Pk. G44: Glas 3C 122
Hazelden Rd.
    G77: Newt M 4C 152
Hazelfield Gro. ML6: Chap 4E 117
Hazel Gdns. ML1: Moth 6G 147
Hazel Gro. G66: Lenz 1D 52
    ML8: Law 5D 166
Hazelhead G74: E Kil 1B 158
Hazellea Dr. G46: Giff 3C 122
Hazel Pk. ML3: Ham 1A 162
Hazel Path ML1: Cle 6H 133
Hazel Rd. FK4: Bank 1E 17
    G67: Cumb 2D 38
Hazel Ter. G71: View 6F 113
Hazelton ML1: Moth 4F 147
Hazel Wood ML2: Wis 4B 150
Hazelwood Av. G77: Newt M 5E 137
    PA2: Pais 6C 100
    PA11: Bri W 4F 77
Hazelwood Dr. G72: Blan 1A 144
Hazelwood Gdns. G73: Ruth 3E 125
Hazelwood Gro. G69: Barg 5E 93
Hazelwood La. PA11: Bri W 4F 77
Hazelwood Rd. G41: Glas 1A 106
    PA11: Bri W 4F 77
Hazlitt Gdns. G20: Glas 3E 65
Hazlitt Pl. G20: Glas 3E 65
Hazlitt St. G20: Glas 3F 65
Headhouse Ct. G75: E Kil 3F 157
Headhouse Grn. G75: E Kil 3G 157
Headsmuir Av. ML8: Carl 3B 174
Heath Av. G64: B'rig 1D 66
    G66: Lenz 3C 52
Heathcliffe Av. G72: Blan 6A 128
Heathcot Av. G15: Glas 5G 45
Heathcot Pl. G15: Glas 5F 45
Heather Av. G61: Bear 5D 26
    G78: Barr 2C 118
    G81: Hard 6C 24
    ML1: Holy 2A 132
Heatherbank Av. G69: G'csh 6A 70
Heatherbank Dr. G69: G'csh 6A 70
Heatherbank Gro. G69: G'csh 6A 70
Heatherbank Wlk. ML6: Air 3F 95
HEATHERBELL 6H 71
Heatherbrae G64: B'rig 6A 50
Heather Dr. G66: Lenz 3A 52
Heather Gdns. G66: Lenz 3A 52
    G71: View 6G 113
Heather Gro. *G75: E Kil* *4G 157*
                            (off Heathery Knowe)
Heather Pl. G66: Lenz 2A 52
    PA5: John 3G 99
Heather Row ML8: Carl 1C 174
Heather Vw. G66: Len 2G 9
Heather Way ML1: New S 3A 132
Heatheryford Gdns.
    ML6: Plain 6G 75
Heathery Knowe G75: E Kil 4G 157
Heatheryknowe Rd.
    G69: Barg 4C 92
                            (not continuous)
Heathery Lea Pl. ML5: Coat 2F 115
Heathery Rd. ML2: Wis 6F 149
Heathfield ML2: Wis 4G 165
Heathfield Av. G69: Mood 5D 54
Heathfield Dr. G62: Miln 2H 27
Heathfield St. G33: Glas 3C 90
Heath Rd. ML9: Lark 2D 170
Heathside Rd. G46: Giff 4B 122
Heathwood Dr. G46: T'bnk 4G 121
Hecla Av. G15: Glas 4H 45
Hecla Pl. G15: Glas 4H 45
Hecla Sq. G15: Glas 5H 45
Hector Rd. G41: Glas 5B 106
Helena Pl. G76: Clar 1C 138
Helena Ter. G81: Dun 1C 44

Helensburgh Dr. G13: Glas 3D 62
Helenslea G72: Camb 3D 126
Helenslea Pl. ML4: Bell 3B 130
Helenslee Ct. G82: Dumb 4D 18
Helenslee Cres. G82: Dumb 4D 18
Helenslee Rd. G82: Dumb 4D 18
Helen St. G51: Glas 4G 85
G52: Glas 6F 85
HELEN STREET INTERCHANGE
........................6F 85
Helenvale Ct. G31: Glas 6F 89
Helenvale St. G31: Glas 1E 109
Helen Wynd ML9: Lark 3C 170
Helmsdale Av. G72: Blan 4A 128
Helmsdale Cl. G72: Blan 5B 144
Helmsdale Ct. G72: Camb 2D 126
Helmsdale Dr. PA2: Pais 3D 100
Hemlock St. G13: Glas 2F 63
Hemmingen Ct. ML8: Carl 2C 174
Henderland Dr. G61: Bear 5E 47
Henderland Rd. G61: Bear 5E 47
Henderson Av. G72: Camb 1D 126
Henderson Ct. ML1: Moth 2F 147
Henderson St. G20: Glas 6D 64
G81: Clyd 1G 61
ML5: Coat 5B 94
ML6: Air 3B 96
PA1: Pais 6H 81
Henrietta St. G14: Glas 6C 62
Henry Bell Grn. G75: E Kil 3H 157
(off Muirhouse La.)
Henry Quad. ML1: N'hill 2G 133
Henry St. G78: Barr 4D 118
Henry Wood Hall, The ... 3E 5 (3C 86)
Hepburn Hill ML3: Ham 3F 161
Hepburn Rd. G52: Hill 4B 84
Herald Av. G13: Glas 6D 46
Herald Gro. ML1: Moth 5F 147
Herald Way PA4: Renf 2E 83
Herbertson Gro. G72: Blan 6A 128
Herbertson St. G5: Glas 6F 87
G72: Blan 2C 144
Herbert St. G20: Glas 6D 64
Herbison Ct. ML9: Lark 1D 170
Hercules Way PA4: Renf 2F 83
Heriot Av. PA2: Pais 5C 100
Heriot Cres. G64: B'rig 4C 50
Heriot Rd. G66: Lenz 4C 52
Heriot Way PA2: Pais 5D 100
(off Heriot Av.)
Heritage Ct. G77: Newt M 4E 137
Heritage Ga. ML5: Coat 5C 94
Heritage Vw. ML5: Coat 3B 94
Heritage Way ML5: Coat 4B 94
Herma St. G23: Glas 1C 64
Hermes Way ML4: Moss 2H 131
Hermiston Av. G32: Glas 5C 90
Hermiston Pl. G32: Glas 5C 90
ML1: Holy 2A 132
(off Windsor Rd.)
Hermiston Rd. G32: Glas 4B 90
Hermitage Av. G13: Glas 2C 62
Hermitage Cres. ML5: Coat 2D 114
Herndon Ct. G77: Newt M 3G 137
Heron Ct. G81: Hard 2D 44
Heron Pl. PA5: John 6D 98
Heron St. G40: Glas 1B 108
Heron Way PA4: Renf 2E 83
Herries Rd. G41: Glas 4A 106
Herriet St. G41: Glas 2D 106
Herriot St. ML5: Coat 3A 94
Herschell St. G13: Glas 3F 63
Hertford Av. G12: Glas 3H 63
Hewett Cres. PA6: C'lee 2C 78
Hexham Gdns. G41: Glas 4B 106
Heys St. G78: Barr 5E 119
Hickman St. G42: Glas 4F 107

Hickman Ter. G42: Glas 3G 107
Hickory Cres. G71: View 4G 113
Hickory St. G22: Glas 4A 66
High Avon St. ML9: Lark 1B 170
HIGH BALMALLOCH 2G 13
High Barholm PA10: Kilb 2A 98
High Barrwood Rd. G65: Kils ...3A 14
High Beeches G76: Crmck 1A 140
HIGH BLANTYRE 4A 144
High Blantyre Rd. ML3: Ham ...4D 144
Highburgh Dr. G73: Ruth 2D 124
Highburgh Rd. G12: Glas 6A 64
HIGH BURNSIDE 3E 125
High Burnside Av. ML5: Coat ...6A 94
High Calside PA2: Pais 2H 101
High Cleughearn Rd.
G75: E Kil 6D 168
High Coats ML5: Coat 4D 94
High Comn. Rd. G74: E Kil 4B 158
G75: E Kil 4B 158
Highcraig Av. PA5: John 4D 98
High Craigends G65: Kils 3H 13
High Craighall Rd. G4: Glas ...1F 87
Highcroft Av. G44: Glas 2H 123
Highcross Av. ML5: Coat 1H 113
HIGH CROSSHILL 2D 124
Higherness Way ML5: Coat 2H 113
Highfield Av. G66: Kirk 4E 33
PA2: Pais 6H 101
Highfield Ct. G66: Kirk 5F 33
Highfield Cres. ML1: Moth 1A 148
PA2: Pais 6H 101
Highfield Dr. G12: Glas 3H 63
G73: Ruth 4E 125
G76: Clar 2B 138
Highfield Gro. G66: Kirk 4E 33
Highfield Pl. G12: Glas 3H 63
G74: E Kil 6H 141
Highfield Rd. G66: Kirk 4E 33
ML9: Lark 2D 170
High Flender Rd. G76: Clar 3A 138
HIGH GALLOWHILL 2B 52
Highgrove Ct. PA4: Renf 6G 61
Highgrove Rd. PA4: Renf 6G 61
High Kirk Vw. PA5: John 3F 99
HIGH KNIGHTSWOOD 1D 62
Highland Av. G72: Blan 1A 144
Highland La. G51: Glas 3A 86
HIGHLAND PARK 1G 13
Highland Pk. G65: Kils 2G 13
Highland Pl. G65: Kils 1G 13
Highland Rd. G62: Miln 3G 27
High Mains Av. G82: Dumb 2C 20
High Mair PA4: Renf 1E 83
High Mdw. ML8: Carl 5G 175
(not continuous)
High Mill Rd. ML8: Carl 3E 175
High Murray Gro. G72: Camb ...2C 126
High Parksail PA8: Ersk 1G 59
High Parks Cres. ML3: Ham 5H 161
High Patrick St. ML3: Ham 1A 162
High Pleasance ML9: Lark 2C 170
High Rd. ML1: Moth 2F 147
PA2: Pais 2G 101
High How Cotts. G64: B'rig 2D 50
Highstonehall Rd. ML3: Ham ...4C 160
High St. G1: Glas 6F 7 (4H 87)
G4: Glas 6F 7 (4H 87)
G66: Kirk 4C 32
G73: Ruth 5C 108
G78: Neil 2D 134
G82: Dumb 4E 19
ML1: N'hill 3E 133
ML6: Air 3H 95
ML8: Carl 3D 174
PA1: Pais 1H 101
(not continuous)

High St. PA4: Renf 5F 61
PA5: John 2E 99
High Street Station (Rail)
.....................6G 7 (4H 87)
High Whitehills Rd.
G75: E Kil 6F 157
High Wood Gdns.
ML4: Bell 2A 130
Hilary Dr. G69: Bail 6F 91
Hilda Cres. G33: Glas 5G 67
Hillary Av. G73: Ruth 1F 125
Hill Av. G77: Newt M 5C 136
Hillbrae St. G51: Glas 5D 84
Hill Cres. G76: Busby 3C 138
Hillcrest G69: Chry 1B 70
G76: Crmck 1H 139
Hillcrest Av. G32: Carm 5B 110
G44: Glas 3C 122
G67: Cumb 5G 37
G81: Dun 6C 24
ML2: Wis 6E 149
ML5: Coat 5E 95
PA2: Pais 6G 101
Hillcrest Ct. G67: Cumb 4H 37
Hillcrest Dr. G77: Newt M 4G 137
Hillcrest Rd. G32: Carm 4C 110
G61: Bear 3F 47
G65: Queen 3C 12
G71: Tann 6E 113
Hillcrest St. G62: Miln 3G 27
Hillcrest Ter. G71: Both 4F 129
Hillcrest Vw. ML9: Lark 3D 170
Hillcroft Ter. G64: B'rig 1B 66
Hillend Cotts. G66: Lenz 1C 52
Hillend Cres. G76: Clar 3A 138
G81: Dun 1B 44
Hillend Rd. G22: Glas 2E 65
G73: Ruth 2D 124
G76: Clar 3A 138
Hillfoot PA6: C'lee 3D 78
Hillfoot Av. G61: Bear 2F 47
G73: Ruth 6C 108
G82: Dumb 1C 20
ML2: Wis 2B 150
Hillfoot Cres. ML2: Wis 2B 150
Hillfoot Dr. G61: Bear 2F 47
ML2: Wis 2B 150
ML5: Coat 5H 93
Hillfoot Gdns. G71: Tann 5C 112
ML2: Wis 2B 150
Hillfoot Rd. ML6: Air 5A 96
Hillfoot Station (Rail) 2G 47
Hillfoot St. G31: Glas 4C 88
Hillfoot Ter. ML8: Carl 4E 175
Hill Gro. G69: Barg 5E 93
HILLHEAD
G12 ....6B 64
G66 ....4D 32
Hillhead Av. FK4: Bank 1E 17
G69: Mood 5D 54
G73: Ruth 3D 124
ML1: Carf 5A 132
ML8: Carl 3E 175
Hillhead Cres. ML1: Carf 5A 132
ML3: Ham 6C 144
Hillhead Dr. ML1: Carf 6A 132
ML6: Air 5A 96
Hillhead Pl. G73: Ruth 3D 124
Hillhead Rd. G21: Glas 2F 67
G66: Kirk 4D 32
Hillhead Station (Und.) 6B 64
Hillhead St. G12: Glas 1B 86
G62: Miln 3G 27
Hillhead Ter. ML3: Ham 6C 144
HILLHOUSE 6D 144
Hillhouse Bus. Cen.
ML3: Ham 5E 145

Hillhouse Cres. ML3: Ham 6D **144**
Hillhouse Ga. ML8: Carl 5G **175**
Hillhouse Pk. Ind. Est.
   ML3: Ham 6D **144**
Hillhouse Rd. G72: Blan 4H **143**
   ML3: Ham 4H **143**
Hillhouse St. G21: Glas 5C **66**
Hillhouse Ter. ML3: Ham 6D **144**
HILLINGTON 6A **84**
Hillington East Station (Rail)
   ....5B **84**
Hillington Gdns. G52: Glas 1C **104**
HILLINGTON INDUSTRIAL ESTATE
   ....3H **83**
Hillington Ind. Est. G52: Hill 3G **83**
              (Buccleuch Av.)
   G52: Hill 4A **84**
              (Carnegie Rd.)
   G52: Hill 4A **84**
             (Hillington Rd.)
HILLINGTON INTERCHANGE 2H **83**
Hillington Pk. Cir. G52: Glas 6C **84**
Hillington Quad. G52: Glas 6A **84**
Hillington Rd. G52: Hill 2H **83**
            (not continuous)
Hillington Rd. Sth. G52: Glas 5A **84**
Hillington Shop. Cen.
   G52: Hill 3H **83**
Hillington Ter. G52: Glas 6A **84**
Hillington West Station (Rail)
   ....4H **83**
Hillkirk Pl. G21: Glas 5B **66**
Hillkirk St. G21: Glas 5B **66**
Hillkirk St. La. G21: Glas 5B **66**
           (off Hillkirk St.)
Hillman Cres. PA1: Pais 1C **100**
Hillman Rd. PA1: Pais 1C **100**
Hillneuk Av. G61: Bear 2F **47**
Hillneuk Dr. G61: Bear 2G **47**
Hillpark Av. PA2: Pais 4H **101**
Hillpark Dr. G43: Glas 1H **121**
Hill Pl. ML1: Carf 5C **132**
   ML4: Bell 4B **130**
Hillrigg Av. G67: Cumb 1D **74**
Hillrigg Av. ML6: Air 3C **96**
Hill Rd. G65: Kils 1H **13**
   G67: Cumb 3G **37**
Hillsborough La. G12: Glas 6C **64**
Hillsborough Rd. G69: Bail 6F **91**
HILLSIDE 5B **118**
Hillside G65: Croy 6B **14**
   PA6: C'lee 3E **79**
Hillside Av. G61: Bear 2F **47**
   G76: Clar 2B **138**
Hillside Cotts. ML5: Glenb 3A **72**
Hillside Ct. G46: T'bnk 4F **121**
Hillside Cres. G78: Neil 2D **134**
   ML1: N'hill 3D **132**
   ML3: Ham 1H **161**
   ML5: Coat 1B **114**
Hillside Dr. G61: Bear 2G **47**
   G64: B'rig 5C **50**
   G78: Barr 4C **118**
Hillside Gdns. La. G11: Glas 6H **63**
          (off Nth. Gardner St.)
Hillside Gro. G78: Barr 5C **118**
Hillside La. ML3: Ham 1G **161**
Hillside Pk. G81: Hard 1D **44**
Hillside Pl. ML1: N'hill 4D **132**
Hillside Quad. G43: Glas 2H **121**
Hillside Rd. G43: Glas 2H **121**
   G78: Barr 5B **118**
   G78: Neil 2D **134**
   PA2: Pais 3C **102**
Hillside Ter. G60: Old K 2G **43**
   G66: Milt C 6B **10**
   ML3: Ham 1G **161**

Hill St. G3: Glas 2H **5** (2E **87**)
   G82: Dumb 4D **18**
   ML2: Wis 1G **165**
   ML3: Ham 6D **144**
   ML6: Chap 3D **116**
   ML9: Lark 3C **170**
Hillsview G69: Chry 1H **69**
Hillswick Cres. G22: Glas 1F **65**
Hill Ter. ML1: Carf 5C **132**
Hilltop Av. ML4: Bell 6C **114**
Hilltop Ter. G69: Mood 5D **54**
Hill Vw. G75: E Kil 3G **157**
   G82: Milt 4F **21**
Hillview Av. G65: Kils 4H **13**
   G66: Len 3G **9**
Hillview Cotts. G65: Twe 1D **34**
Hillview Ct. G81: Clyd 4B **44**
Hillview Cres. G71: Tann 5C **112**
   ML4: Bell 5C **114**
   ML9: Lark 3D **170**
Hillview Dr. G72: Blan 5A **128**
   G76: Clar 2B **138**
Hillview Gdns. G64: B'rig 1F **67**
   G81: Clyd 4B **44**
Hillview Pl. G76: Clar 2C **138**
   G77: Newt M 5D **136**
Hillview Rd. PA5: Eld 3H **99**
   PA11: Bri W 4G **77**
Hillview St. G32: Glas 6H **89**
Hillview Ter. G60: Old K 1F **43**
Hiltonbank St. ML3: Ham 5F **145**
Hilton Ct. G64: B'rig 4C **50**
   ML3: Ham 1A **162**
        (off Silvertonhill Av.)
Hilton Gdns. G13: Glas 1F **63**
Hilton Gdns. La. G13: Glas 2F **63**
Hilton Pk. G64: B'rig 3B **50**
Hilton Rd. G62: Miln 3E **27**
   G64: B'rig 4B **50**
Hilton Ter. G13: Glas 2E **63**
   G64: B'rig 3B **50**
   G72: Camb 4G **125**
Hilton Vw. ML4: Bell 5C **114**
Hindsland Rd. ML9: Lark 4D **170**
Hinshaw St. G20: Glas 6E **65**
Hinshelwood Dr. G51: Glas 5G **85**
Hinshelwood Pl. G51: Glas 6H **85**
Hirsel Pl. G71: Both 5F **129**
Hobart Cres. G81: Clyd 2H **43**
Hobart Quad. ML2: Wis 6C **150**
Hobart Rd. G75: E Kil 4D **156**
Hobart St. G22: Glas 5F **65**
Hobden St. G21: Glas 6C **66**
Hoddam Av. G45: Glas 4B **124**
Hoddam Ter. G45: Glas 4C **124**
Hoey Dr. ML2: Over 4A **166**
Hogan Ct. G81: Dun 1B **44**
Hogan Way ML1: Cle 6E **133**
Hogarth Av. G32: Glas 4F **89**
Hogarth Cres. G32: Glas 4F **89**
Hogarth Dr. G32: Glas 4F **89**
Hogarth Gdns. G32: Glas 4F **89**
HOGGANFIELD 1B **90**
Hogganfield Ct. G33: Glas 1F **89**
Hogganfield Pk. Local Nature Reserve
   ....6A **68**
Hogganfield St. G33: Glas 1F **89**
Hogg Av. PA5: John 4E **99**
Hogg Rd. ML6: Chap 1D **116**
Hogg St. ML6: Air 4A **96**
Holeburn La. G43: Glas 1A **122**
Holeburn Rd. G43: Glas 1A **122**
HOLEHILLS 2B **96**
Holehills Dr. ML6: Air 1B **96**
Holehills Pl. ML6: Air 1B **96**
HOLEHOUSE 2C **134**
Holehouse Brae G78: Neil 2C **134**

Holehouse Dr. G13: Glas 3A **62**
Holehouse Rd. G76: Eag 6C **154**
Holehouse Ter. G78: Neil 2C **134**
Hollandbush Av. FK4: Bank 1E **17**
Hollandbush Cres.
   FK4: Bank 1F **17**
Hollandbush Gro. ML3: Ham 3H **161**
Hollandhurst Rd. ML5: Coat 2B **94**
Holland St. G2: Glas 4H **5** (3E **87**)
Hollinwell Rd. G23: Glas 1B **64**
Hollowglen Rd. G32: Glas 5B **90**
Hollows, The G46: Giff 6H **121**
            (off Ayr Rd.)
Hollows Av. PA2: Pais 6D **100**
Hollows Cres. PA2: Pais 6D **100**
Holly Av. G66: Milt C 6B **10**
Hollybank Pl. G72: Camb 3B **126**
Hollybank St. G21: Glas 2C **88**
Hollybrook Pl. G42: Glas 3F **107**
         (off Jamieson St.)
Hollybrook St. G42: Glas 3F **107**
         (not continuous)
Hollybush Av. PA2: Pais 6F **101**
Hollybush Rd. G52: Glas 6H **83**
Holly Dr. G21: Glas 6C **66**
   G82: Dumb 2B **18**
Holly Gro. FK4: Bank 1F **17**
   ML4: Moss 2H **131**
Hollyhill Gro. G69: Barg 5E **93**
Hollymount G61: Bear 5F **47**
Holly Pl. PA5: John 5G **99**
Holly St. G81: Clyd 3C **44**
   ML6: Air 4C **96**
Hollytree Gdns. G66: Len 3E **9**
Hollywood Bowl
   Glasgow 1F **113**
Holm Av. G71: Udd 6C **112**
   PA2: Pais 3B **102**
Holmbank Av. G41: Glas 6B **106**
Holmbrae Av. G71: Tann 5D **112**
Holmbrae Rd. G71: Tann 6D **112**
Holmbyre Ct. G45: Glas 6F **123**
Holmbyre Rd. G45: Glas 6F **123**
Holmbyre Ter. G45: Glas 5G **123**
Holmes Av. PA4: Renf 2E **83**
Holmes Quad. ML4: Bell 4C **130**
Holmfauldhead Dr. G51: Glas 3E **85**
Holmfauld Rd. G51: Glas 3E **85**
Holmfield G66: Kirk 6E **33**
Holm Gdns. ML4: Bell 3E **131**
Holmhead Cres. G44: Glas 1E **123**
Holmhead Pl. G44: Glas 1E **123**
Holmhead Rd. G44: Glas 2E **123**
Holmhill Av. G72: Camb 3A **126**
Holmhills Dr. G72: Camb 4H **125**
Holmhills Gdns. G72: Camb 3H **125**
Holmhills Gro. G72: Camb 3H **125**
Holmhills Pl. G72: Camb 3H **125**
Holmhills Rd. G72: Camb 3H **125**
Holmhills Ter. G72: Camb 3H **125**
Holm La. G74: E Kil 2G **157**
Holmlea Rd. G42: Glas 6E **107**
   G44: Glas 1E **123**
HOLMPARK 4H **41**
Holmpark PA7: B'ton 4G **41**
Holm Pl. ML9: Lark 3A **170**
   PA3: Lin 4H **79**
Holms Cres. PA8: Ersk 5D **42**
Holms Pl. G69: G'csh 2C **70**
Holm St. G2: Glas 6A **6** (4E **87**)
   ML1: New S 4A **132**
   ML8: Carl 3C **174**
Holmswood Av. G72: Blan 1B **144**
Holmwood Av. G71: Udd 6D **112**
Holmwood Gdns. G71: Udd 6D **112**
Holmwood House 3F **123**
Holyknowe Cres. G66: Len 3G **9**

Holyknowe Rd. G66: Len 4G **9**
Holyrood Cres. G20: Glas 1D **86**
Holyrood Quad. *G20: Glas 1D 86*
(off Holyrood Cres.)
Holyrood Sports Cen. 4G **107**
Holyrood St. ML3: Ham 4E **145**
HOLYTOWN 2A **132**
Holytown Crematorium
ML1: N'hse 2C **132**
Holytown Rd. ML1: Holy 2G **131**
ML4: Moss 2G **131**
Holytown Station (Rail) 4A **132**
Holywell St. G31: Glas 6D **88**
Homeblair Ho. G46: Giff 2A **122**
Home Farm Ct. ML5: Coat 4H **93**
Homefield Pl. G51: Glas 3E **85**
Homer Pl. ML4: Moss 2G **131**
Homeston Av. G71: Both 4E **129**
Honeybank Cres. ML8: Carl 2D **174**
Honeybog Rd. G52: Glas 5G **83**
Honeywell Av. G33: Step 5G **69**
Honeywell Ct. G33: Step 5F **69**
Honeywell Cres.
ML6: Chap 4E **117**
Honeywell Dr. G33: Step 5F **69**
Honeywell Gro. G33: Step 4G **69**
Honeywell Pl. G33: Step 5G **69**
Hood St. G81: Clyd 5E **45**
Hooper Pl. ML4: Bell 1D **130**
Hope Av. PA11: Q'riers 1A **76**
Hope Cres. ML9: Lark 2D **170**
Hopefield Av. G12: Glas 4A **64**
Hopehill Gdns. G20: Glas 6E **65**
Hopehill Rd. G20: Glas 6E **65**
(not continuous)
Hopeman PA8: Ersk 4E **43**
Hopeman Av. G46: T'bnk 3E **121**
Hopeman Dr. G46: T'bnk 3E **121**
Hopeman Path G46: T'bnk 2E **121**
Hopeman Rd. G46: T'bnk 3E **121**
Hopeman St. G46: T'bnk 3E **121**
Hope St. G2: Glas 6D **6** (4F **87**)
ML1: Moth 2G **147**
ML2: Newm 5E **151**
ML3: Ham 6A **146**
ML4: Moss 2E **131**
ML8: Carl 3E **175**
Hopetoun Pl. G23: Glas 6C **48**
Hopetoun Ter. G21: Glas 6C **66**
Hopkins Brae G66: Kirk 4D **32**
Horatius St. ML1: Moth 6D **130**
Hornal Rd. G71: Udd 3D **128**
Hornbeam Dr. G81: Clyd 3C **44**
Hornbeam Rd. G67: Cumb 6E **17**
G71: View 5F **113**
Horndean Ct. G64: B'rig 3C **50**
Horne St. G22: Glas 4A **66**
Hornock Cotts. ML5: Coat 3B **94**
Hornock Rd. ML5: Coat 2B **94**
Hornshill Dr. ML1: Cle 5H **133**
Hornshill Farm Rd.
G33: Step 3E **69**
HORNSHILL INTERCHANGE 1E **69**
Hornshill St. G21: Glas 5C **66**
Horsbrugh Av. G65: Kils 2H **13**
Horse Shoe La. G61: Bear 3F **47**
Horse Shoe Rd. G61: Bear 2E **47**
Horsewood Rd. PA11: Bri W 4E **77**
Horslethill Rd. G12: Glas 5A **64**
Horslet St. ML5: Coat 1G **113**
Horsley Brae ML2: Over 2A **172**
Hospital Rd. ML2: Wis 3H **165**
(not continuous)
Hospital St. ML5: Coat 1C **114**
Hotspur St. G20: Glas 4C **64**
Houldsworth Ct. ML2: Wis 1A **166**
Houldsworth La. G3: Glas 4E **5**

Houldsworth St.
G3: Glas 4E **5** (3C **86**)
House for an Art Lover 1G **105**
Househillmuir Cres.
G53: Glas 1C **120**
Househillmuir La. *G53: Glas 6C 104*
(off Househillmuir Rd.)
Househillmuir Pl. G53: Glas 6C **104**
Househillmuir Rd. G53: Glas 2A **120**
HOUSEHILLWOOD 6B **104**
Househillwood Cres.
G53: Glas 6B **104**
Househillwood Rd.
G53: Glas 1A **120**
Housel Av. G13: Glas 2B **62**
HOUSTON 1A **78**
Houston Ct. *PA4: Renf 5F 61*
(off Houston St.)
Houstonfield Quad. PA6: Hous . . .1A **78**
Houstonfield Rd. PA6: Hous 1A **78**
Houston Pl. G5: Glas 5D **86**
PA5: Eld 3A **100**
Houston Rd. PA4: Inch 1E **59**
PA6: C'lee, Hous . . .1B **78** & 6A **58**
(not continuous)
PA7: B'ton 5C **40**
PA11: Bri W 3F **77**
Houston St. G5: Glas 6D **86**
ML2: Wis 1B **166**
ML3: Ham 2H **161**
PA4: Renf 5F **61**
Houston Ter. G74: E Kil 1F **157**
Houstoun Ct. *PA5: John 2F 99*
(off Houston Sq.)
Houstoun Sq. PA5: John 2F **99**
Howard Av. G74: E Kil 4A **142**
Howard Ct. G74: E Kil 4A **142**
Howard St. G1: Glas 6C **6** (5F **87**)
ML9: Lark 4E **171**
PA1: Pais 6C **82**
Howatshaws Rd. G82: Dumb 1H **19**
Howat St. G51: Glas 3G **85**
Howcraigs Ct. *G81: Clyd 2F 61*
(off Clydeholm Ter.)
Howden Av. ML1: N'hse 5D **116**
Howden Dr. PA3: Lin 6G **79**
Howden Pl. ML1: Holy 2A **132**
Howe Gdns. G71: Tann 6E **113**
Howe Rd. G65: Kils 4H **13**
Howes St. ML5: Coat 1D **114**
Howe St. PA1: Pais 1D **100**
Howford Rd. G52: Glas 1B **104**
Howgate Av. G15: Glas 4H **45**
Howgate Rd. ML3: Ham 3F **161**
Howie Bldgs. ML3: Clar 2C **138**
Howieshill Av. G72: Camb 2B **126**
Howieshill Rd. G72: Camb 3B **126**
Howie St. ML9: Lark 4D **170**
Howletnest Rd. ML6: Air 5C **96**
Howlet Pl. ML3: Ham 2A **162**
Howson Lea ML1: Moth 5B **148**
Howson Vw. ML1: Moth 2D **146**
Howth Dr. G13: Glas 1F **63**
Howth Ter. G13: Glas 1F **63**
HOWWOOD ROAD 4E **99**
Hoylake Pk. G71: Both 5D **128**
Hoylake Pl. G23: Glas 6C **48**
Hozier Cres. G71: Tann 5D **112**
Hozier Loan *ML9: Lark 1D 170*
(off Duncan Graham St.)
Hozier Pl. G71: Both 4F **129**
Hozier St. ML5: Coat 6C **94**
ML8: Carl 3D **174**
Hudson Ter. G75: E Kil 3D **156**
Hudson Way G75: E Kil 3E **157**
Hughenden Ct. *G12: Glas 5H 63*
(off Hughenden Rd.)

Hughenden Dr. G12: Glas 5H **63**
Hughenden Gdns. G12: Glas 5G **63**
Hughenden La. G12: Glas 5H **63**
Hughenden Rd. G12: Glas 5H **63**
Hughenden Ter. G12: Glas 5H **63**
Hugh Fraser Ct.
G77: Newt M 4D **136**
Hugo St. G20: Glas 4D **64**
Humbie Ct. G77: Newt M 1E **153**
Humbie Ga. G77: Newt M 1E **153**
Humbie Gro. G77: Newt M 6E **137**
Humbie Lawns G77: Newt M 1E **153**
Humbie Rd. G76: Water, Eag 2F **153**
G77: Eag, Newt M, Water 1E **153**
(not continuous)
Hume Dr. G71: Both 4E **129**
G71: Udd 6C **112**
Hume Pl. G75: E Kil 3F **157**
Hume Rd. G67: Cumb 2A **38**
Humphrey St. G81: Clyd 6D **44**
Hunter Dr. G77: Newt M 6B **136**
Hunterfield Dr. G72: Camb 2G **125**
HUNTERHILL 3C **102**
Hunterhill Av. PA2: Pais 2B **102**
Hunterhill Rd. PA2: Pais 2B **102**
Hunter House Mus. 5C **142**
Hunterian Gallery 1B **86**
Hunterian Mus. 1B **86**
Hunter Pl. G62: Miln 4E **27**
PA10: Kilb 3A **98**
Hunter Rd. G62: Miln 3E **27**
G73: Ruth 4E **109**
ML3: Ham 3F **145**
Hunter's Av. G82: Dumb 2D **20**
Hunters Cres. G74: E Kil 6C **142**
Huntersfield Rd. PA5: John 4C **98**
Hunters Gro. G74: E Kil 6C **142**
Hunters Hill Ct. G21: Glas 3B **66**
Hunters Ho. G64: B'rig 1B **66**
Huntershill Ho. G64: B'rig 1B **66**
Huntershill Rd. G64: B'rig 1B **66**
Huntershill Village 1B **66**
Huntershill Village Bus. Cen.
G64: B'rig 2B **66**
Huntershill Way G64: B'rig 2B **66**
Hunters Pl. G74: E Kil 6C **142**
Hunter St. G4: Glas 6H **7** (5A **88**)
(not continuous)
G74: E Kil 1H **157**
ML4: Bell 2C **130**
ML6: Air 2H **95**
PA1: Pais 6A **82**
Hunt Hill G68: Cumb 4G **35**
Hunthill La. G72: Blan 3H **143**
Hunthill Pl. G76: Busby 4E **139**
Hunthill Rd. G72: Blan 2H **143**
Hunt Hill Rdbt. G68: Cumb 4G **35**
Huntingdon Rd. G21: Glas 1A **88**
Huntingdon Sq. G21: Glas 1A **88**
Hunting Lodge Gdns.
ML3: Ham 1C **162**
Huntingtower Rd. G69: Bail 1F **111**
Huntly Av. G46: Giff 5B **122**
ML4: Bell 1C **130**
Huntly Ct. G64: B'rig 1C **66**
Huntly Dr. G61: Bear 6E **27**
G72: Camb 3B **126**
ML5: Coat 1H **113**
Huntly Gdns. G12: Glas 6B **64**
G72: Blan 6B **144**
Huntly Ga. G46: Giff 4B **122**
Huntly Path G69: Mood 5E **55**
Huntly Quad. ML2: Wis 4H **149**
Huntly Rd. G12: Glas 6A **64**
G52: Hill 3H **83**
Huntly Ter. PA2: Pais 4C **102**
Huntshill St. G21: Glas 3A **66**
Hurlawcrook Rd. G75: E Kil 5F **169**

HURLET 6H 103
Hurlet Cotts. G53: Glas 1H 119
Hurlethill Ct. G53: Glas 6H 103
Hurlet Rd. G53: Glas 4E 103
   PA2: Pais 4E 103
Hurlford Av. G13: Glas 2H 61
Hurly Hawkin G64: B'rig 1F 67
Hutcheson Rd.
   G46: T'bnk, Giff 5G 121
Hutchesons' Hall 5E 7
Hutcheson St. G1: Glas . . .6E 7 (4G 87)
HUTCHESONTOWN 1H 107
Hutchesontown Ct. G5: Glas 1G 107
Hutchinson Pl. G72: Flem 4E 127
Hutchison Ct. G46: Giff 6A 122
Hutchison Dr. G61: Bear 5G 47
Hutchison Pl. ML5: Coat 5B 94
Hutchison St. ML2: Over 4B 166
   ML3: Ham 3H 161
Hutton G12: Glas 3G 63
Hutton Av. PA6: C'lee 3C 78
Hutton Dr. G51: Glas 3E 85
   G74: E Kil 5H 141
Huxley Pl. G20: Glas 3D 64
Hyacinth Way ML8: Carl 5D 174
Hydepark St. G3: Glas 6F 5 (4D 86)
Hyndal Av. G53: Glas 4C 104
HYNDLAND 6H 63
Hyndland Av. G11: Glas 1H 85
Hyndland Rd. G12: Glas 6H 63
Hyndland Station (Rail) 5G 63
Hyndland St. G11: Glas 1A 86
   G12: Glas 1A 86
Hyndlee Dr. G52: Glas 6C 84
Hyndshaw Rd. ML2: Newm 3G 167
   ML8: Carl 2D 174
Hyndshaw Vw. ML8: Law 1G 173
Hyslop Pl. G81: Clyd 4C 44
Hyslop St. ML6: Air 3G 95

I

Iain Dr. G61: Bear 1C 46
Iain Nicholson Recreation Cen.
   . . . . .1C 70
Iain Rd. G61: Bear 2C 46
Ian Smith St. G81: Clyd 1F 61
IBROX .6H 85
Ibrox Community Complex 5H 85
Ibroxholm Av. G51: Glas 6H 85
Ibroxholm Oval G51: Glas 5H 85
Ibroxholm Pl. G51: Glas 6H 85
Ibrox Ind. Est. G51: Glas 5H 85
Ibrox Stadium 5G 85
Ibrox Station (Und.) 5H 85
Ibrox St. G51: Glas 5A 86
Ibrox Ter. G51: Glas 5H 85
Ibrox Ter. La. G51: Glas 5H 85
Ida Quad. ML4: Bell 2B 130
Iddesleigh Av. G62: Miln 3G 27
Ilay Av. G61: Bear 1F 63
Ilay Ct. G61: Bear 1G 63
Ilay Rd. G61: Bear 1G 63
IMAX Cinema
   Glasgow 6B 4 (4B 86)
Imlach Pl. ML1: Moth 4F 147
Imperial Dr. ML6: Air 6H 95
Imperial Pl. G71: Both 5E 129
Imperial Way G71: Both 5E 129
Inchbrae Rd. G52: Glas 1C 104
Inchcolm Gdns. G69: Mood 4E 55
Inchcolm Pl. G74: E Kil 1E 157
Inchcruin Pl. G15: Glas 3G 45
Inchfad Cres. G15: Glas 4G 45
Inchfad Dr. G15: Glas 4G 45
Inchfad Pl. G15: Glas 4G 45

Inch Garvie G74: E Kil 2D 158
Inchgower Pl. ML1: New S 5A 132
Inchgower Rd. G33: Step 3E 69
INCHINNAN 2H 59
Inchinnan Dr. PA4: Inch 6F 59
Inchinnan Ind. Est.
   PA4: Inch 5G 59
Inchinnan Rd. ML4: Bell 6B 114
   PA3: Glas A, Pais 4A 82
   PA4: Renf 5D 60
Inch Keith G74: E Kil 2D 158
Inchkeith Pl. G32: Glas 4B 90
Inchlaggan Pl. G15: Glas 3G 45
Inchlee St. G14: Glas 1E 85
Inch Marnock G74: E Kil 3C 158
Inchmoan Pl. G15: Glas 3G 45
Inch Murrin G74: E Kil 2D 158
Inchmurrin Av. G66: Kirk 5H 33
Inchmurrin Dr. G73: Ruth 5F 125
Inchmurrin Gdns. G73: Ruth 5F 125
Inchmurrin Pl. G73: Ruth 5F 125
Inchneuk Path ML5: Glenb 3H 71
Inchneuk Rd. ML5: Glenb 3A 72
Inchnock Av. G69: G'csh 3D 70
Inchoch Gro. G33: Glas 1E 91
Inchoch St. G33: Glas 1E 91
Incholm La. G11: Glas 1E 85
   (off Incholm St.)
Incholm St. G11: Glas 1E 85
Inchrory Pl. G15: Glas 3G 45
Inchwood Ct. G68: Cumb 6B 36
Inchwood Pl. G68: Cumb 6B 36
Inchwood Rd. G68: Cumb 6B 36
Incle St. PA1: Pais 6B 82
India Dr. PA4: Inch 3G 59
India St. G2: Glas 3H 5 (3E 87)
Industry St. G66: Kirk 6D 32
   (not continuous)
Inga St. G20: Glas 2C 64
Ingerbreck Av. G73: Ruth 3F 125
Ingleby Ct. PA11: Bri W 3F 77
Ingleby Dr. G31: Glas 4D 88
   (Cumbernauld Rd.)
   G31: Glas 4C 88
   (Whitehill St.)
Ingleby Pl. G78: Neil 2E 135
Inglefield Ct. ML6: Air 4A 96
Inglefield St. G42: Glas 3F 107
Ingleneuk Av. G33: Mille 4B 68
Ingleside G66: Lenz 1C 52
Inglestone Av. G46: T'bnk 5G 121
Inglewood Cres. G75: E Kil 3C 156
   PA2: Pais 3D 100
Inglis Pl. G75: E Kil 4H 157
Inglis St. G31: Glas 5C 88
   ML2: Wis 1D 164
Ingliston Dr. PA7: B'ton 4F 41
Ingram St. G1: Glas 5D 6 (4G 87)
Inishail Rd. G33: Glas 2C 90
Inkerman Rd. G52: Glas 6H 83
Inkwood Way ML1: Carf 5B 132
Innellan Gdns. G20: Glas 2H 63
Innellan Pl. G20: Glas 2H 63
Inner City Trad. Est. G4: Glas 2F 7
Innerleithen Dr. ML2: Wis 3A 150
Innermanse Quad.
   ML1: N'hill 2F 133
Innerwick Dr. G52: Glas 6B 84
Innes Ct. G74: E Kil 5G 141
Innes St. ML6: Air 3E 97
Innspark G65: Kils 2H 13
International Av. G72: Blan 5B 144
International Stock Exchange 5C 6
Inveraray Dr. G64: B'rig 3D 50
Inveraray Gdns. ML1: Carf 5C 132
Inverarish PA8: Ersk 2G 59
Inverary Dr. G69: G'csh 5C 70

Inveravon Dr. ML1: Moth 4D 146
Inverbervie PA8: Ersk 5E 43
Invercanny Dr. G15: Glas 3H 45
Invercanny Pl. G15: Glas 3A 46
Invercargill G75: E Kil 4C 156
Invercloy Ct. G75: E Kil 1B 168
Inverclyde Dr. G52: Glas 6B 84
Inverclyde Gdns. G73: Ruth 4F 125
Invercree Wlk. ML5: Glenb 3G 71
   (off Dinyra Pl.)
Inveresk Pl. ML5: Coat 3C 94
Inveresk Quad. G32: Glas 5A 90
Inveresk St. G32: Glas 5H 89
Inverewe Av. G46: T'bnk 5D 120
Inverewe Dr. G46: T'bnk 5D 120
Inverewe Gdns. G46: T'bnk 5D 120
Inverewe Pl. G46: T'bnk 4D 120
Inverewe Way G77: Newt M 4A 136
Invergarry Av. G46: T'bnk 5E 121
Invergarry Ct. G46: T'bnk 5E 121
Invergarry Dr. G46: T'bnk 5D 120
Invergarry Gdns.
   G46: T'bnk 6D 120
Invergarry Gro. G46: T'bnk 5D 120
Invergarry Pl. G46: T'bnk 5E 121
Invergarry Quad. G46: T'bnk 5E 121
Invergarry Vw. G46: T'bnk 5E 121
Inverglas Av. PA4: Renf 2H 83
Invergordon Av. G43: Glas 6D 106
Invergordon Pl. ML6: Air 5A 96
Invergyle Dr. G52: Glas 6B 84
Inverkar Dr. PA2: Pais 3E 101
Inverlair Av. G43: Glas 1D 122
Inverleith St. G32: Glas 5F 89
Inverlochy St. G33: Glas 2D 90
Inverness St. G51: Glas 5D 84
Invernia Sq. G81: Clyd 5D 44
Inveroran Dr. G61: Bear 3H 47
Inver Rd. G33: Glas 4E 91
Invershiel Rd. G23: Glas 6B 48
Invershin Dr. G20: Glas 4B 64
Inverurie St. G21: Glas 6H 65
Invervale Av. ML6: Air 5F 97
Inzievar Ter. G32: Carm 4B 110
Iona Av. G74: E Kil 5A 142
Iona Ct. G51: Glas 4H 85
Iona Cres. G60: Old K 2G 43
Iona Dr. PA2: Pais 6H 101
Iona Gdns. G60: Old K 2G 43
Iona La. G69: Mood 5E 55
Iona Path G72: Blan 2A 144
Iona Pl. G60: Old K 2G 43
   ML5: Coat 2H 93
Iona Quad. ML2: Wis 4C 150
Iona Ridge ML3: Ham 2C 160
Iona Rd. G73: Ruth 4G 125
   ML2: Newm 3D 150
   PA4: Renf 2E 83
Iona St. G51: Glas 4H 85
   ML1: Moth 6F 131
Iona Wlk. ML5: Coat 1A 114
Iona Way G33: Step 5E 69
   G66: Kirk 5G 33
Iris Av. G45: Glas 4C 124
Irongray St. G31: Glas 4E 89
Irvine Ct. G40: Glas 2D 108
   ML3: Wis 2B 166
Irvine Cres. ML5: Coat 4E 95
Irvine Dr. PA3: Lin 4F 79
Irvine Gdns. G66: Milt C 6B 10
Irvine Pl. G65: Kils 2F 13
Irvine St. G40: Glas 2D 108
   ML6: Glenm 5H 73
Irvine Ter. ML3: Ham 3H 161
Irving Av. G81: Hard 1D 44
Irving Ct. G81: Hard 1D 44

Irving Quad. G81: Hard 1D **44**
Isabella Gdns. ML3: Fern 2D **162**
Iser La. G41: Glas 5C **106**
Isla Av. ML2: Newm 3D **150**
Island Rd. G67: Cumb 5F **37**
Islay ML6: Air 5E **97**
Islay Av. G73: Ruth 4G **125**
Islay Ct. ML3: Ham 1D **160**
Islay Cres. G60: Old K 2G **43**
 PA2: Pais 6H **101**
Islay Dr. G60: Old K 2G **43**
 G77: Newt M 4B **136**
Islay Gdns. ML8: Carl 4A **174**
 ML9: Lark 2D **170**
Islay Quad. ML2: Wis 2E **165**
Islay Rd. G66: Kirk 5G **33**
Islay Way ML5: Coat 1H **113**
Ivanhoe G74: E Kil 5D **142**
Ivanhoe Ct. ML8: Carl 4B **174**
Ivanhoe Cres. ML2: Wis 6H **149**
Ivanhoe Dr. G66: Kirk 5E **33**
Ivanhoe Pl. ML1: Holy 2B **132**
Ivanhoe Rd. G13: Glas 1D **62**
 G67: Cumb 5G **37**
 PA2: Pais 4D **100**
Ivanhoe Way PA2: Pais 5D **100**
Ivybank Av. G72: Camb 3C **126**
Ivy Gro. ML5: Coat 5D **94**
Ivy Leaf Pl. G66: Len 3E **9**
Ivy Pl. G72: Blan 1A **144**
 ML1: New S 4A **132**
Ivy Rd. G71: View 5G **113**
Ivy Ter. ML1: Holy 2A **132**
Ivy Way ML6: Chap 2E **117**

J

Jackson Ct. ML5: Coat 5D **94**
Jackson Dr. G33: Step 4F **69**
Jackson Pl. G61: Bear 4E **47**
 ML8: Carl 2C **174**
Jackson St. ML5: Coat 4D **94**
Jack's Rd. G71: Udd 2E **129**
Jack St. ML1: Moth 5B **148**
 ML3: Ham 3H **161**
Jackton Bus. Cen. G75: E Kil 4G **155**
Jackton Rd.
 G75: E Kil . . . . .5G **155** & 1A **168**
Jacobite Pl. ML4: Bell 3F **131**
Jacob's Ladder ML2: Over 5B **166**
Jacob's Ladder Way
 ML2: Over 4A **166**
Jade Ter. ML4: Bell 3C **130**
Jagger Gdns. G69: Bail 1F **111**
Jamaica Dr. G75: E Kil 2C **156**
Jamaica St. G1: Glas 6C **6** (5F **87**)
James Blyth St. G4: Glas 5G **7**
James Boyle Sq. G66: Milt C 5C **10**
James Dempsey Ct.
 ML5: Coat 5B **94**
James Dempsey Gdns.
 ML5: Coat 5B **94**
James Dunlop Gdns.
 G64: B'rig 2D **66**
James Goold Hall G4: Glas 5G **7**
James Gray St. G41: Glas 5C **106**
James Hamilton Dr.
 ML4: Bell 2D **130**
James Hamilton Heritage Pk.
 . . . . .5F **141**
James Healy Dr. ML3: Ham 4G **161**
James Hemphill Ct. G66: Len 3G **9**
James Leeson Ct. G66: Milt C 5C **10**
James Morrison St. G1: Glas 5H **87**
James Nisbet St. G21: Glas 2B **88**
Jameson Gdns. G71: Udd 1C **128**

James St. FK4: Hag 1G **17**
 G40: Glas 1A **108**
 ML1: Moth 2F **147**
 ML4: Bell 1A **130**
 ML8: Carl 4D **174**
James Vw. ML1: New S 4H **131**
James Watt Av. G75: E Kil 3H **157**
James Watt La.
 G2: Glas 6A **6** (4E **87**)
James Watt Pl. G74: E Kil 6D **140**
James Watt Rd. G62: Miln 2F **27**
James Watt St.
 G2: Glas 6A **6** (4E **87**)
James Young Hall G4: Glas 5H **7**
Jamieson Ct. G42: Glas 3F **107**
 G81: Hard 6D **24**
Jamieson Dr. G74: E Kil 1A **158**
Jamieson Path G42: Glas 3F **107**
Jamieson St. G31: Glas 6D **88**
 (not continuous)
 G42: Glas 3F **107**
 (Batson St.)
 . . . . .3C **126**
 (Cathcart Rd.)
Janebank Av. G72: Camb 3C **126**
Jane Ct. ML9: Lark 3C **170**
Janefield Av. PA5: John 3E **99**
Janefield Pl. G66: Len 2F **9**
 G72: Blan 3A **144**
Janefield St. G31: Glas 6D **88**
 (not continuous)
Jane Pl. G5: Glas 1G **107**
Jane Rae Gdns. G81: Clyd 1F **61**
Jane's Brae G67: Cumb 5H **37**
Jane's Brae Interchange
 G67: Cumb 5H **37**
Janesmith St. ML2: Wis 5C **148**
Janetta St. G81: Clyd 4C **44**
Jardine St. G20: Glas 6D **64**
Jardine Ter. G69: G'csh 4D **70**
Jarvie Av. ML6: Plain 1G **97**
Jarvie Cres. G65: Kils 4H **13**
Jarvie Way PA2: Pais 5C **100**
Jasmine Pl. G67: Cumb 6D **36**
Jasmine Way ML8: Carl 5C **174**
Java St. ML1: Moth 6E **131**
Jean Armour Dr. G81: Clyd 4E **45**
Jeanette Av. ML3: Ham 4H **161**
Jean Maclean Pl. G64: B'rig 3D **50**
Jedburgh Av. G73: Ruth 6D **108**
Jedburgh Dr. PA2: Pais 4E **101**
Jedburgh Gdns. G20: Glas 6D **64**
Jedburgh Pl. G74: E Kil 1H **157**
 ML5: Coat 2B **114**
Jedburgh St. G72: Blan 2B **144**
 ML2: Wis 4A **150**
Jedworth Ct. G61: Bear 2E **47**
 (off Manse Rd.)
Jedworth Pl. G15: Glas 4C **46**
Jedworth Rd. G15: Glas 4B **46**
Jeffrey Pl. G65: Kils 2G **13**
Jellicoe St. G81: Clyd 4A **44**
JELLYHILL .3C **50**
Jennie Lee Dr. ML2: Over 4H **165**
JENNY LIND 5D **120**
Jenny Lind Ct. G46: T'bnk 5E **121**
Jennys Well Ct. PA2: Pais 3E **103**
Jennys Well Rd. PA2: Pais 3D **102**
Jervis Ter. G75: E Kil 4D **156**
Jerviston Ct. ML1: Carf 6A **132**
Jerviston Rd. G33: Glas 1C **90**
 ML1: Carf 5A **132**
Jerviston St. ML1: Moth 1H **147**
 ML1: New S 4A **132**
 (not continuous)
Jerviswood ML1: Carf 6A **132**
Jessie St. G42: Glas 3H **107**
Jessiman Sq. PA4: Renf 2D **82**

Jimmy Sneddon Way
 ML1: Moth 5F **131**
 (not continuous)
Joanna Ter. G72: Blan 1B **144**
Jocelyn Sq. G1: Glas 5G **87**
Jock Stein Sports Barn 5C **144**
John Bassy Dr. FK4: Bank 1D **16**
John Bowman Gdns.
 ML4: Bell 1D **130**
John Brannan Way
 ML4: Bell 1H **129**
John Brown Pl. G69: Chry 1A **70**
John Burnside Dr. G81: Faif 6E **25**
John Ewing Gdns. ML9: Lark 1C **170**
John Hendry Rd. G71: Udd 3E **129**
John Jarvie Sq. G65: Kils 2H **13**
John Knox La. ML3: Ham 5B **144**
John Knox St. G4: Glas 5H **7** (4A **88**)
 G81: Clyd 1E **61**
John Lang St. PA5: John 2G **99**
John McEwan Way G64: Torr 5D **30**
John Marshall Dr.
 G64: B'rig 1A **66**
John Murray Ct. ML1: Moth 6G **147**
John Neilson Av. PA1: Pais 1E **101**
John Pl. ML9: Lark 6D **170**
Johnsburn Dr. G53: Glas 1B **120**
Johnsburn Rd. G53: Glas 1B **120**
Johnshaven PA8: Ersk 5E **43**
Johnshaven St. G43: Glas 6A **106**
John Smith Ct. ML3: Ham 3H **161**
 (off Hollandbush Gro.)
 ML6: Air 3H **95**
John Smith Gdns.
 ML5: Coat 6F **95**
John Smith Ga. G78: Barr 3E **119**
John Smith Swimming Pool 4H **95**
Johnson Dr. G72: Camb 2A **126**
Johnston Av. G65: Kils 4H **13**
 G81: Clyd 1F **61**
JOHNSTONE 2F **99**
Johnstone Av. G52: Hill 3B **84**
Johnstone By-Pass
 PA3: Lin 3D **98**
 PA5: John 3D **98**
 PA9: How 6A **98**
JOHNSTONE CASTLE 4G **99**
Johnstone Castle 4G **99**
 (off Tower Pl.)
Johnstone Dr. G73: Ruth 6C **108**
Johnstone La. ML8: Carl 4F **175**
 (off Ramage Rd.)
Johnstone Rd. ML3: Ham 1A **162**
Johnstone Station (Rail) 3G **99**
Johnstone St. ML4: Moss 2E **131**
Johnstone Swimming Pool 2F **99**
Johnstone Ter. G65: Twe 2D **34**
Johnston Rd. G69: G'csh 3D **70**
Johnston St. ML6: Air 3B **96**
 PA1: Pais 1A **102**
John St. G1: Glas 5E **7** (4G **87**)
 G66: Kirk 4D **32**
 G72: Blan 2C **144**
 G78: Barr 4D **118**
 ML2: Wis 5C **148**
 ML3: Ham 4A **146**
 ML4: Bell 2C **130**
 ML8: Carl 4D **174**
 ML9: Lark 3C **170**
John Wilson Dr. G65: Kils 2F **13**
John Wright Sports Cen. 1A **158**
Jones Wynd ML1: Cle 6E **133**
Jonquil Way ML8: Carl 5D **174**
Joppa St. G33: Glas 4G **89**
JORDANHILL 4E **63**
Jordanhill Cres. G13: Glas 4D **62**
Jordanhill Dr. G13: Glas 4C **62**

Jordanhill La. G13: Glas 4E **63**
    (off Munro Rd.)
Jordanhill Station (Rail) 5F **63**
Jordan St. G14: Glas 1D **84**
Jordanvale Av. G14: Glas 1D **84**
Jowitt Av. G81: Clyd 6F **45**
Jubilee Bank G66: Lenz 4C **52**
Jubilee Ct. G52: Hill 4H **83**
    ML9: Lark 1C **170**
Jubilee Gdns. G61: Bear 3F **47**
Jubilee Ter. PA5: John 3D **98**
Julian Av. G12: Glas 5A **64**
Julian Ct. *G12: Glas* *5A 64*
    (off Julian Av.)
Julian La. G12: Glas 5A **64**
Juniper Av. G75: E Kil 5F **157**
Juniper Ct. G66: Lenz 2B **52**
Juniper Dr. G66: Milt C 1B **32**
    ML3: Ham 4D **160**
Juniper Gro. ML3: Ham 1B **162**
Juniper Pl. G32: Glas 1E **111**
    G71: View 5H **113**
    PA5: John 5G **99**
Juniper Rd. G71: View 6H **113**
Juniper Ter. G32: Glas 1E **111**
Juniper Wynd *ML1: Holy* *2B 132*
    (off Dornoch Rd.)
Juno St. ML1: Moth 6F **131**
Jupiter St. ML1: Moth 6F **131**
Jura G74: E Kil 4B **158**
Jura Av. PA4: Renf 2F **83**
Jura Ct. G52: Glas 6E **85**
Jura Dr. G60: Old K 2G **43**
    G66: Kirk 5G **33**
    G72: Blan 4A **128**
    G77: Newt M 3B **136**
Jura Gdns. G60: Old K 2G **43**
    ML3: Ham 1E **161**
    ML8: Carl 5E **175**
    ML9: Lark 2E **171**
Jura Pl. G60: Old K 2G **43**
Jura Quad. ML2: Wis 2E **165**
Jura Rd. G60: Old K 2G **43**
    PA2: Pais 6H **101**
Jura St. G52: Glas 6F **85**
Jura Wynd ML5: Glenb 3G **71**

K

Kaim Dr. G53: Glas 1C **120**
Karadale Gdns.
    ML9: Lark 3C **170**
Karol Path G4: Glas 1E **87**
Katewell Av. G15: Glas 3G **45**
Katewell Pl. G15: Glas 3G **45**
Katherine St. ML6: Air 3E **97**
Katrine Av. G64: B'rig 6D **50**
    ML4: Bell 1H **129**
Katrine Ct. *G20: Glas* *1E 87*
    (off Cedar St.)
Katrine Cres. ML6: Air 2H **95**
Katrine Dr. G77: Newt M 5H **137**
    PA2: Pais 3D **100**
Katrine Pl. G72: Camb 1A **126**
    ML5: Coat 1H **93**
Katrine Way G71: Both 4E **129**
Katrine Wynd *ML1: Holy* *2A 132*
    (off Glencoe Dr.)
Katriona Path
    ML9: Lark *4E 171*
    (off Trinity Way)
Kay Gdns. ML1: Moth 3D **146**
Kaystone Rd. G15: Glas 6A **46**
Kay St. G21: Glas 5B **66**
Keal Av. G15: Glas 1A **62**
Keal Cres. G15: Glas 1A **62**

Keal Dr. G15: Glas 1A **62**
Keal Pl. G15: Glas 1A **62**
Keane Path *ML1: Moth* *6B 148*
    (off Muirhouse Rd.)
Kearn Av. G15: Glas 6B **46**
Kearn Pl. G15: Glas 6B **46**
Keats Pk. G71: Both 4F **129**
Keir Cres. ML2: Wis 5H **149**
Keir Dr. G64: B'rig 5B **50**
Keir Hardie Av. ML1: Holy 2B **132**
Keir Hardie Ct. G64: B'rig 6C **50**
Keir Hardie Dr. G65: Kils 4H **13**
    ML4: Bell 3B **130**
Keir Hardie Pl. ML4: Bell 3B **130**
Keir Hardie Rd. ML9: Lark 4D **170**
Keir Hardie Sports Cen. 1A **132**
Keir St. G41: Glas 2D **106**
Keir's Wlk. G72: Camb 1A **126**
Keith Av. G46: Giff 4B **122**
Keith Ct. G11: Glas 2A **86**
Keith Quad. ML2: Wis 3H **149**
Keith St. G11: Glas 1A **86**
    ML3: Ham 5B **146**
    ML4: Bell 1C **130**
Kelbourne Cres. ML4: Bell 2B **130**
Kelbourne St. G20: Glas 5C **64**
Kelburne Ct. PA1: Pais 6C **82**
Kelburne Dr. PA1: Pais 6D **82**
Kelburne Gdns. G69: Bail 2G **111**
    PA1: Pais 6C **82**
Kelburne Oval PA1: Pais 6C **82**
Kelburn St. G78: Barr 6C **118**
Kelhead Av. G52: Glas 6H **83**
    (not continuous)
Kelhead Dr. G52: Glas 6H **83**
Kelhead Path G52: Glas 6H **83**
Kelhead Pl. G52: Glas 6H **83**
Kellas St. G51: Glas 4G **85**
Kellie Gro. G74: E Kil 6F **141**
Kells Pl. G15: Glas 3G **45**
Kelly's La. *ML8: Carl* *4F 175*
    (off Kelso Dr.)
Kelso Av. G73: Ruth 6D **108**
    PA2: Pais 4E **101**
    PA11: Bri W 4F **77**
Kelso Cres. ML2: Wis 3H **149**
Kelso Dr. G74: E Kil 6A **142**
    ML8: Carl 4F **175**
Kelso Gdns. G69: Mood 4D **54**
Kelso Pl. G14: Glas 3G **61**
Kelso Quad. ML5: Coat 3B **94**
Kelso St. G13: Glas 2H **61**
    G14: Glas 3G **61**
Kelton St. G32: Glas 1B **110**
KELVIN 6A **158**
Kelvin Av. G52: Hill 2H **83**
Kelvinbridge Rdbt. G64: Torr 5D **30**
Kelvinbridge Station (Rail) 1C **86**
Kelvin Ct. G12: Glas 4G **63**
    G66: Kirk 4C **32**
    G75: E Kil 4A **158**
Kelvin Cres. G61: Bear 5F **47**
    G75: E Kil 4A **158**
KELVINDALE 3H **63**
Kelvindale G64: Torr 4E **31**
Kelvindale Bldgs.
    G12: Glas 4A **64**
Kelvindale Gdns. G20: Glas 3A **64**
Kelvindale Pl. G20: Glas 3B **64**
Kelvindale Rd. G12: Glas 4H **63**
    G20: Glas 4H **63**
Kelvindale Station (Rail) 2H **63**
Kelvindale Pl. G20: Glas 3B **64**
Kelvin Dr. G20: Glas 5B **64**
    G64: B'rig 5C **50**
    G66: Kirk 5A **32**
    G69: Mood 5C **54**

Kelvin Dr. G75: E Kil 4H **157**
    G78: Barr 6F **119**
    ML6: Air 2B **96**
Kelvin Gdns. G65: Kils 4H **13**
    ML3: Ham 5C **144**
KELVINGROVE 1C **4** (2C **86**)
Kelvingrove Art Gallery & Mus.
    . . . . .1C **4** (2B **86**)
Kelvingrove St.
    G3: Glas 3D **4** (3C **86**)
Kelvin Hall International Sports Arena
    . . . . .1B **4** (2B **86**)
Kelvinhall Station (Und.) 1A **86**
KELVINHAUGH 2B **4** (3B **86**)
Kelvinhaugh Ga.
    G3: Glas 3B **4** (3B **86**)
Kelvinhaugh Pl.
    G3: Glas 3C **4** (3B **86**)
Kelvinhaugh St.
    G3: Glas 3A **4** (3A **86**)
KELVINHEAD 1H **15**
Kelvinhead Rd. G65: Bant 1G **15**
KELVINSIDE 4H **63**
Kelvinside Av. G20: Glas 5C **64**
Kelvinside Dr. G20: Glas 5D **64**
Kelvinside Gdns. G20: Glas 5C **64**
Kelvinside Gdns. E.
    G20: Glas 6D **64**
Kelvinside Gdns. La.
    G20: Glas 6C **64**
Kelvinside Ter. Sth. G20: Glas . . .6C **64**
Kelvinside Ter. W. G20: Glas 6C **64**
Kelvin Sth. Bus. Pk.
    G75: E Kil 1F **169**
Kelvin St. ML5: Coat 6E **95**
Kelvin Ter. G65: Twe 3D **34**
Kelvinvale G66: Kirk 4D **32**
Kelvin Vw. G64: Torr 5E **31**
    G65: Twe 3D **34**
Kelvinview Av. FK4: Bank 1E **17**
Kelvin Way G3: Glas 2C **4** (2B **86**)
    G12: Glas 2C **4** (2B **86**)
    G65: Kils 2G **13**
    G66: Kirk 5A **32**
    G71: Both 4E **129**
Kemp Av. PA3: Pais 2C **82**
Kemp Ct. ML3: Ham 6A **146**
Kempock St. G40: Glas 1E **109**
Kempsthorn Cres.
    G53: Glas 4B **104**
Kempsthorn Path *G53: Glas* *4B 104*
    (off Kempsthorn Cres.)
Kempsthorn Pl. G53: Glas 4B **104**
Kempsthorn Rd. G53: Glas 4A **104**
Kemp St. G21: Glas 5A **66**
    ML3: Ham 6H **145**
Kenbank Cres. PA11: Bri W 3F **77**
Kenbank Rd. PA11: Bri W 3F **77**
Kendal Av. G12: Glas 3G **63**
    G46: Giff 4A **122**
Kendal Dr. G12: Glas 3G **63**
Kendal Rd. G75: E Kil 5B **156**
Kendoon Av. G15: Glas 4G **45**
Kenilburn Av. ML6: Air 1B **96**
Kenilburn Cres. ML6: Air 1B **96**
Kenilworth G74: E Kil 5D **142**
Kenilworth Av. G41: Glas 5B **106**
    ML2: Wis 6H **149**
    PA2: Pais 5D **100**

Kenilworth Ct. G67: Cumb 5G 37
ML1: Holy 2B 132
(off Catriona Way)
ML1: Holy 2B 132
(off Rowantree Ter.)
ML8: Carl 4C 174
Kenilworth Cres. G61: Bear . . .1C 46
ML3: Ham 5D 144
ML4: Bell 1C 130
Kenilworth Dr. ML6: Air 3C 96
Kenilworth Rd. G66: Kirk 5E 33
Kenilworth Way PA2: Pais . . .4D 100
Kenley Pl. PA4: Renf 6H 61
Kenmar Gdns. G71: Tann 5C 112
Kenmar Rd. ML3: Ham 4F 145
Kenmar Ter. ML3: Ham 4F 145
Kenmore Gdns. G61: Bear 2H 47
Kenmore Rd. G67: Cumb 3B 38
Kenmore St. G32: Glas 6A 90
Kenmore Way ML5: Coat 2E 115
ML8: Carl 2D 174
Kenmuiraid Pl. ML4: Bell 4B 130
Kenmuir Av. G32: Glas 2E 111
Kenmuirhill Gdns. G32: Glas . . .3D 110
Kenmuirhill Ga. G32: Glas 3D 110
Kenmuirhill Rd. G32: Glas 3D 110
Kenmuir Rd. G32: Carm, Glas . . .5C 110
(not continuous)
G71: Udd 3E 111
Kenmuir St. ML5: Coat 1F 113
Kenmure Av. G64: B'rig 6A 50
Kenmure Cres. G64: B'rig 6B 50
Kenmure Dr. G64: B'rig 6B 50
Kenmure Gdns. G64: B'rig 6A 50
Kenmure La. G64: B'rig 6B 50
Kenmure Rd. G46: Giff 3H 137
Kenmure St. G41: Glas 2D 106
Kenmure Way G73: Ruth 4D 124
Kennedar Dr. G51: Glas 3E 85
Kennedy Av. G65: Twe 2E 35
Kennedy Ct. G46: Giff 3A 122
Kennedy Dr. ML6: Air 4G 95
Kennedy Gdns. ML2: Over 4H 165
Kennedy Path G4: Glas 3F 7 (3H 87)
Kennedy St. G4: Glas 3E 7 (3G 87)
ML2: Wis 6A 150
Kennelburn Rd. ML6: Chap . . .4D 116
Kenneth Rd. ML1: Moth 4E 147
Kennihill ML6: Air 1A 96
Kennihill Quad. ML6: Air 2A 96
KENNISHEAD 2E 121
Kennishead Av. G46: T'bnk . . .2E 121
Kennishead Path G46: T'bnk . . .2E 121
(off Kennisholme Av.)
Kennishead Pl. G46: T'bnk 3E 121
Kennishead Rd. G43: Glas 2E 121
G46: T'bnk 3F 121
(Main St.)
G46: T'bnk 3B 120
(Nitshill Rd.)
G53: Glas 3B 120
Kennishead Station (Rail) 2E 121
Kennisholm Av. G46: T'bnk . . .2E 121
Kennisholm Path G46: T'bnk . . .2E 121
(off Kennisholme Av.)
Kennisholm Pl. G46: T'bnk 2E 121
Kennoway Dr. G11: Glas 1F 85
Kennoway La. G11: Glas 1F 85
(off Thornwood Av.)
Kennyhill Sq. G31: Glas 3D 88
(not continuous)
Kenshaw Av. ML9: Lark 5C 170
Kenshaw Pl. ML9: Lark 5C 170
Kensington Ct. G12: Glas 5A 64
(off Kingsborough Gdns.)
Kensington Dr. G46: Giff 6B 122
Kensington Ga. G12: Glas 5A 64

Kensington Ga. La.
G12: Glas 5A 64
Kensington Rd. G12: Glas 5A 64
Kentallen Rd. G33: Glas 5E 91
Kent Dr. G73: Ruth 2F 125
Kentigern Ter. G64: B'rig 1D 66
Kentmere Cl. G75: E Kil 5C 156
Kentmere Dr. G75: E Kil 5C 156
Kentmere Pl. G75: E Kil 5C 156
Kent Pl. G75: E Kil 5B 156
Kent Rd. G3: Glas 3E 5 (3C 86)
ML4: Bell 1H 129
Kent St. G40: Glas 5A 88
Keppel Dr. G44: Glas 6A 108
Keppochhill Dr. G21: Glas 6H 65
Keppochhill Pl. G21: Glas 1H 87
Keppochhill Rd. G21: Glas 6G 65
G22: Glas 6G 65
Keppochhill Way
G21: Glas 1H 87
Keppoch St. G21: Glas 6H 65
Kerfield La. G15: Glas 3G 45
(off Kerfield Pl.)
Kerfield Pl. G15: Glas 3G 45
Kerr Cres. ML3: Ham 2G 161
Kerr Dr. G40: Glas 6B 88
ML1: Moth 3E 147
Kerrera Pl. G33: Glas 5D 90
Kerrera Rd. G33: Glas 5D 90
Kerr Gdns. G71: Tann 5E 113
Kerr Grieve Ct. ML1: Moth 4G 147
Ker Rd. G62: Miln 2E 27
Kerr Pl. G40: Glas 6B 88
Kerr St. G40: Glas 6B 88
G66: Kirk 5C 32
G72: Blan 1C 144
G78: Barr 5C 118
PA3: Pais 6H 81
Kerrycroy Av. G42: Glas 6H 107
Kerrycroy Pl. G42: Glas 5H 107
Kerrycroy St. G42: Glas 5H 107
Kerrydale St. G40: Glas 1D 108
Kerrylamont Av. G42: Glas 6A 108
Kershaw St. ML2: Over 4A 166
Kerry Pl. G15: Glas 4G 45
Kersland Dr. G62: Miln 3H 27
Kersland La. G12: Glas 6B 64
(off Kersland St.)
G62: Miln 3H 27
Kersland St. G12: Glas 6B 64
Kessington Dr. G61: Bear 3G 47
Kessington Rd. G61: Bear 4G 47
Kessington Sq. G61: Bear 4H 47
Kessock Dr. G22: Glas 6F 65
Kessock Pl. G22: Glas 6F 65
Kestrel Ct. G81: Hard 2C 44
Kestrel Pl. PA5: John 6D 98
Kestrel Rd. G13: Glas 3C 62
Kestrel Vw. ML4: Bell 4A 114
Keswick Dr. ML3: Ham 5G 161
Keswick Rd. G75: E Kil 5B 156
Kethers La. ML1: Moth 2E 147
Kethers St. ML1: Moth 2E 147
Kew Gdns. G71: Tann 6F 113
Kew La. G12: Glas 6B 64
Kew Ter. G12: Glas 6B 64
Keynes Sq. ML4: Bell 3F 131
Keystone Av. G62: Miln 5G 27
Keystone Quad. G62: Miln 5F 27
Keystone Rd. G62: Miln 5G 27
Kibbleston Rd.
PA10: Kilb . . . . . .2A 98 & 5A 98
Kidston Pl. G5: Glas 1G 107
Kidston Ter. G5: Glas 1G 107
Kierhill Rd. G68: Cumb 3E 37
Kilallan Av. PA11: Bri W 2F 77
KILBARCHAN 2A 98

Kilbarchan Rd. PA5: John 4D 98
PA10: John, Kilb 3C 98
(not continuous)
PA11: Bri W 4G 77
Kilbarchan St. G5: Glas 6F 87
Kilbeg Ter. G46: T'bnk 4D 120
Kilberry St. G21: Glas 2C 88
Kilbirnie Pl. G5: Glas 1E 107
Kilbirnie St. G5: Glas 1E 107
KILBOWIE 4D 44
Kilbowie Ct. G81: Clyd 4D 44
Kilbowie Pl. ML6: Air 5D 96
Kilbowie Retail Pk. G81: Clyd . . .5E 45
Kilbowie Rd. G67: Cumb 4A 38
G81: Clyd, Hard 2D 44
Kilbreck Gdns. G61: Bear 5C 26
Kilbreck La. ML1: N'hill 3C 132
Kilbrennan Dr. ML1: Moth 2D 146
Kilbrennan Rd. PA3: Lin 5H 79
Kilbride St. G5: Glas 3H 107
Kilbride Ter. G5: Glas 2H 107
Kilbride Vw. G71: Tann 6E 113
Kilburn Gro. G72: Blan 6B 128
Kilburn Pl. G13: Glas 3B 62
Kilchattan Dr. G44: Glas 6G 107
Kilchoan Rd. G33: Glas 1C 90
Kilcloy Av. G15: Glas 3A 46
Kildale Way G73: Ruth 5B 108
Kildary Av. G44: Glas 2E 123
Kildary Rd. G44: Glas 2E 123
Kildermorie Path G34: Glas 3G 91
Kildermorie Rd. G34: Glas 3F 91
Kildonan Ct. ML2: Newm 2D 150
Kildonan Dr. G11: Glas 1G 85
Kildonan Pl. ML1: Moth 2E 147
Kildonan St. ML5: Coat 4D 94
Kildrostan St. G41: Glas 3D 106
KILDRUM 2B 38
Kildrummy Dr. G69: G'csh 5D 70
Kildrummy Pl. G74: E Kil 6F 141
Kildrum Rd. G67: Cumb 2B 38
Kildrum Sth. Rdbt.
G67: Cumb 4B 38
Kilearn Rd. PA3: Pais 4D 82
Kilearn Sq. PA3: Pais 4D 82
Kilearn Way PA3: Pais 4D 82
(not continuous)
Kilfinan St. G22: Glas 2F 65
Kilgarth St. ML5: Coat 1F 113
Kilgraston Rd. PA11: Bri W 5E 77
Kilkerran Ct. G77: Newt M 5B 136
Kilkerran Dr. G33: Glas 3H 67
Kilkerran Pk. G77: Newt M 5B 136
Kilkerran Way G77: Newt M 5B 136
Killearn Cres. ML6: Plain 6G 75
Killearn Dr. PA1: Pais 1H 103
Killearn St. G22: Glas 5F 65
(not continuous)
Killermont Av. G61: Bear 5G 47
Killermont Ct. G61: Bear 4H 47
Killermont Mdws. G71: Both 4C 128
Killermont Rd. G61: Bear 4F 47
Killermont St. G2: Glas . . .3D 6 (3G 87)
Killermont Vw. G20: Glas 5G 47
Killiegrew Rd. G41: Glas 3B 106
Killin Ct. ML5: Coat 2D 114
Killin Dr. PA3: Lin 6F 79
Killin St. G32: Glas 2B 110
Killoch Av. PA3: Pais 6E 81
Killoch Dr. G13: Glas 2A 62
G78: Barr 6F 119
Killoch La. PA3: Pais 6E 81
Killoch Rd. PA3: Pais 6E 81
Killoch Way PA3: Pais 6E 81
Kilmacolm Rd. PA6: Hous 1B 78
PA11: Bri W 1C 76
Kilmailing Rd. G44: Glas 2F 123

Kilmair Pl. G20: Glas 4B 64
Kilmaluag Ter. G46: T'bnk 4D 120
Kilmannan Gdns. G62: Miln 2D 26
Kilmany Dr. G32: Glas 6H 89
Kilmany Gdns. G32: Glas 6H 89
Kilmardinny Art Cen. 1G 47
Kilmardinny Av. G61: Bear 2F 47
Kilmardinny Cres. G61: Bear 1F 47
Kilmardinny Dr. G61: Bear 1F 47
Kilmardinny Ga. G61: Bear 2F 47
Kilmardinny Gro. G61: Bear 1F 47
Kilmari Gdns. G15: Glas 3G 45
Kilmarnock Rd. G41: Glas 2B 122
         G43: Glas 2B 122
Kilmartin La. ML8: Carl 2D 174
Kilmartin Pl. G46: T'bnk 3E 121
         G71: Tann 4E 113
         ML6: Air 5D 96
Kilmaurs Dr. G46: Giff 4C 122
Kilmaurs St. G51: Glas 5F 85
Kilmeny Cres. ML2: Wis 4A 150
Kilmichael Av. ML2: Newm 3E 151
Kilmore Cres. G15: Glas 3G 45
Kilmore Gro. ML5: Coat 1B 114
Kilmorie Dr. G73: Ruth 6A 108
Kilmory Av. G71: Tann 6E 113
Kilmory Ct. G75: E Kil 1C 168
Kilmory Dr. G77: Newt M 3E 137
Kilmory Gdns. ML8: Carl 2D 174
Kilmory Rd. ML8: Carl 5F 175
Kilmuir Cres. G46: T'bnk 3D 120
Kilmuir Dr. G46: T'bnk 3E 121
         (not continuous)
Kilmuir Rd. G46: T'bnk 4D 120
         G71: Tann 4D 112
Kilmun St. G20: Glas 2A 64
Kilnburn Rd. ML1: Moth 2E 147
Kilncadzow Rd. ML8: Carl 4F 175
Kilncroft La. PA2: Pais 4A 102
Kilnside La. PA1: Pais 6B 82
Kilnside Rd. PA1: Pais 6B 82
Kilnwell Quad. ML1: Moth 2F 147
Kiloran Gro. G77: Newt M 5A 136
Kiloran Pl. G77: Newt M 4A 136
Kiloran St. G46: T'bnk 3F 121
Kilpatrick Av. PA2: Pais 3F 101
Kilpatrick Ct. G33: Step 4F 69
         G60: Old K 1E 43
Kilpatrick Cres. PA2: Pais 4H 101
Kilpatrick Dr. G33: Step 4E 69
         G61: Bear 5C 26
         G75: E Kil 2B 168
         PA4: Renf 3D 82
         PA8: Ersk 4F 43
Kilpatrick Gdns. G76: Clar 1H 137
Kilpatrick Station (Rail) 1F 43
Kilpatrick Vw. G82: Dumb 3H 19
Kilpatrick Way G71: Tann 5E 113
KILSYTH 3H 13
Kilsyth Gdns. G75: E Kil 2A 168
Kilsyth Heritage Mus. & Library . . .3A 14
         (off Burngreen)
Kilsyth Rd. FK4: Bank 1C 16
         G65: Queen 4C 12
         G66: Kirk 4D 32
Kilsyth Swimming Pool 3G 13
Kiltarie Cres. ML6: Air 4F 97
Kiltearn Rd. G33: Glas 4F 91
Kiltongue Cotts. ML6: Air 3F 95
         (off Monkscourt Av.)
Kilvaxter Dr. G46: T'bnk 3E 121
Kilwinning Cres. ML3: Ham 2C 160
         ML6: Air 2B 96
Kilwynet Way PA3: Pais 4C 82
Kimberley Gdns. G75: E Kil 3E 157
Kimberley St. G81: Clyd 2H 43
         ML2: Wis 5C 148

Kinalty Rd. G44: Glas 2E 123
Kinarvie Cres. G53: Glas 6H 103
Kinarvie Gdns. G53: Glas 6H 103
Kinarvie Pl. G53: Glas 6H 103
Kinarvie Rd. G53: Glas 6H 103
Kinarvie Ter. G53: Glas 6H 103
Kinbuck Pas. G22: Glas 5G 65
Kinbuck St. G22: Glas 5G 65
Kincaid Dr. G66: Len 2E 9
Kincaid Fld. G66: Milt C 6C 10
Kincaid Gdns. G72: Camb 1A 126
Kincaid Way G66: Milt C 6B 10
Kincardine Dr. G64: B'rig 1D 66
Kincardine Pl. G64: B'rig 2E 67
         G74: E Kil 6C 142
Kincardine Sq. G33: Glas 2D 90
Kincath Av. G73: Ruth 4F 125
Kinclaven Av. G15: Glas 4A 46
Kinclaven Gdns. G15: Glas 4B 46
Kinclaven Pl. G15: Glas 4B 46
Kincraig St. G51: Glas 5D 84
Kinellan Rd. G61: Bear 6F 47
Kinellar Dr. G14: Glas 3A 62
Kinfauns Dr. G15: Glas 3H 45
         G77: Newt M 4F 137
Kingarth St. G42: Glas 3E 107
         ML3: Ham 3H 161
King Cl. ML1: Moth 2F 147
King Edward La. G13: Glas 4E 63
         (off King St.)
King Edward Rd. G13: Glas 4F 63
Kingfisher Dr. G13: Glas 2H 61
Kingfisher Gdns. G13: Glas 2A 62
King George Ct. PA4: Renf 2G 83
King George Gdns. PA4: Renf 1G 83
King George Pk. Av. PA4: Renf . . .2G 83
King George Pl. PA4: Renf 2G 83
King George Way PA4: Renf 2G 83
Kinghorn Dr. G44: Glas 1G 123
Kinghorn La. G44: Glas 6G 107
Kinglas Ho. G82: Dumb 1H 19
Kinglas Rd. G61: Bear 5C 46
King Pl. G69: Barg 6E 93
Kingsacre Rd. G44: Glas 6G 107
         G73: Ruth 1A 124
Kings Av. G72: Camb 2B 126
Kingsbarns Dr. G44: Glas 6F 107
Kingsborough Gdns. G12: Glas . . .6H 63
Kingsborough Ga. G12: Glas 6H 63
Kingsborough La. G12: Glas 6H 63
Kingsborough La. E. G12: Glas . . .6H 63
Kingsbrae Av. G44: Glas 6G 107
King's Bri. G5: Glas 1H 107
Kingsbridge Cres. G44: Glas 1H 123
Kingsbridge Dr. G44: Glas 1H 123
         G73: Ruth 1H 123
Kingsbridge Pk. Gdns.
         G44: Glas 1H 123
Kingsburgh Dr. PA1: Pais 6D 82
Kingsburn Dr. G73: Ruth 1C 124
Kingsburn Gro. G73: Ruth 1B 124
Kingscliffe Av. G44: Glas 1G 123
Kings Ct. G1: Glas 5H 87
         (off King St.)
         ML3: Ham 5B 146
         (off Castle St.)
Kingscourt Av. G44: Glas 6H 107
Kings Cres. G72: Camb 2B 126
         ML8: Carl 3E 175
         PA5: Eld 2A 100
Kingsdale Av. G44: Glas 6G 107
Kings Dr. G40: Glas 1A 108
         G68: Cumb 5H 15
         G77: Newt M 6F 137
         ML1: New S 4H 131
Kingsdyke Av. G44: Glas 6G 107
Kingsford Av. G44: Glas 3C 122

Kingsford Ct. G77: Newt M 3B 136
King's Gdns. G77: Newt M 6G 137
Kingsgate Retail Pk.
         G74: Ners 3A 142
Kingsheath Av. G73: Ruth 1A 124
Kingshill Av. G68: Cumb 4A 36
Kingshill Dr. G44: Glas 1G 123
Kingshill Vw. ML8: Law 1G 173
Kingshouse Av. G44: Glas 6G 107
Kingshurst Av. G44: Glas 6G 107
Kings Inch Dr. G51: Glas 1A 84
Kings Inch Rd. PA4: Renf 4G 61
Kingsland Cres. G52: Glas 5B 84
Kingsland Dr. G52: Glas 5B 84
Kingsland La. G52: Glas 5C 84
Kingslea Rd. PA6: Hous 1B 78
Kingsley Av. G42: Glas 4F 107
Kingsley Ct. G71: Tann 6E 113
Kingslynn Dr. G44: Glas 1H 123
Kingslynn La. G44: Glas 1H 123
Kingsmuir Dr. G68: Cumb 3B 36
         G73: Ruth 1A 124
King's Pk. G64: Torr 4E 31
Kings Pk. Av. G44: Glas 1F 123
         G73: Ruth 1A 124
Kings Pk. La. G44: Glas 1F 123
King's Pk. Rd. G44: Glas 6F 107
King's Park Station (Rail) 1G 123
King's Pl. G22: Glas 3F 65
King's Rd. PA5: Eld 3H 99
King's Theatre 3H 5
KINGSTON
         G5 .6E 87
         PA7 . . . . .4A 42
Kingston Av. G71: Tann 5E 113
         G78: Neil 3D 134
         ML6: Air 3C 96
Kingston Bri. G5: Glas 5D 86
Kingston Flats G65: Kils 2H 13
Kingston Gro. PA7: B'ton 4H 41
Kingston Ind. Est. G5: Glas 6D 86
Kingston Pl. G81: Clyd 3H 43
Kingston St. G5: Glas 5E 87
         G78: Neil 5C 134
         PA7: B'ton 5H 41
         (not continuous)
Kingston St. G5: Glas 5E 87
King St. G1: Glas 5G 87
         G65: Kils 3H 13
         G73: Ruth 5C 108
         G81: Clyd 1F 61
         ML2: Newm 4D 150
         ML2: Wis 1H 165
         ML3: Ham 4D 144
         ML5: Coat 5A 94
         ML9: Lark 2C 170
         PA1: Pais 6G 81
         PA3: Pais 6G 81
King St. La. G65: Kils 3H 13
         (off King St.)
         G73: Ruth 5C 108
Kings Vw. G68: Cumb 5H 15
         G73: Ruth 6B 108
King's Way G82: Dumb 2C 18
Kingsway G14: Glas 4A 62
         G65: Kils 2H 13
         G66: Kirk 3H 33
         G74: E Kil 4A 142
Kingsway Ct. G14: Glas 4A 62
Kingsway Rd. G13: Glas 4A 62
Kingswood Dr. G44: Glas 1G 123
Kingswood Rd. PA7: B'ton 3F 41
Kingussie Dr. G44: Glas 1G 123
Kiniver Dr. G15: Glas 6A 46
Kinkell Gdns. G66: Kirk 4H 33

Kinloch Av. G72: Camb 3B **126**
  PA3: Lin 6G **79**
Kinloch Dr. ML1: Moth 5F **131**
Kinloch Rd. G77: Newt M 3C **136**
  PA4: Renf 3D **82**
Kinloch St. G40: Glas 1E **109**
Kinloss Pl. G74: E Kil 1H **157**
Kinmount Av. G44: Glas 6F **107**
Kinmount La. G44: Glas 6G **107**
Kinnaird Av. G77: Newt M 4G **137**
Kinnaird Cres. G61: Bear 3H **47**
Kinnaird Dr. PA3: Lin 5H **79**
Kinnaird Pl. G64: B'rig 2D **66**
Kinnear Rd. G40: Glas 2C **108**
Kinneil Ho. ML3: Ham 4A **146**
Kinneil Pl. ML3: Ham 1D **160**
Kinnell Av. G52: Glas 2C **104**
Kinnell Cres. G52: Glas 2C **104**
Kinnell Path G52: Glas 2C **104**
Kinnell Pl. G52: Glas 2D **104**
Kinnell Sq. G52: Glas 2C **104**
KINNING PARK 1C **106**
Kinning Pk. Ind. Est.
  G5: Glas 6D **86**
Kinning Park Station (Und.) 6B **86**
Kinning St. G5: Glas 6E **87**
Kinnoul Gdns. G61: Bear 6D **26**
Kinnoul La. G12: Glas 6A **64**
Kinnoull Pl. G72: Blan 2B **144**
Kinpurnie Rd. PA1: Pais 6F **83**
Kinross Av. G52: Glas 1B **104**
Kinross Pk. G74: E Kil 6D **142**
Kinsail Dr. G52: Glas 5H **83**
Kinstone Av. G14: Glas 4A **62**
Kintail Gdns. G66: Kirk 4H **33**
Kintessack Pl. G64: B'rig 5F **51**
Kintillo Dr. G13: Glas 3B **62**
Kintore Pk. ML3: Ham 4F **161**
Kintore Rd. G43: Glas 1D **122**
Kintore Twr. G72: Camb 4G **125**
Kintra St. G51: Glas 5H **85**
  (not continuous)
Kintyre Av. PA3: Lin 6G **79**
Kintyre Cres. G77: Newt M 3C **136**
  ML5: Coat 1A **114**
  ML6: Plain 6F **75**
Kintyre Dr. ML5: Coat 1A **114**
Kintyre Gdns. G66: Kirk 4H **33**
Kintyre Rd. G72: Blan 1A **144**
Kintyre St. G21: Glas 2C **88**
Kintyre Wynd ML8: Carl 2D **174**
Kipland Wlk. ML5: Coat 6F **95**
Kippen Dr. G76: Busby 4E **139**
Kippen St. G22: Glas 3H **65**
  ML6: Air 5F **95**
Kipperoch Rd. G82: Dumb 1B **18**
Kippford Pl. ML6: Chap 4F **117**
Kippford St. G32: Glas 1C **110**
Kipps Av. ML6: Air 3G **95**
Kippsbyre Ct. ML6: Air 4F **95**
  (off Monkscourt Av.)
Kirkaig Av. PA4: Renf 1H **83**
Kirkandrews Pl. ML6: Chap 4F **117**
Kirkbean Av. G73: Ruth 3C **124**
Kirkburn Av. G72: Camb 3A **126**
Kirkcaldy Rd. G41: Glas 3B **106**
Kirkconnel Av. G13: Glas 3H **61**
  G68: Cumb 4A **36**
Kirkconnel Dr. G73: Ruth 2B **124**
Kirk Cres. G60: Old K 6E **23**
Kirkcudbright Pl. G74: E Kil 6D **142**
Kirkdale Dr. G52: Glas 1E **105**
Kirkdene Av. G77: Newt M 4H **137**
Kirkdene Bank G77: Newt M 4H **137**
Kirkdene Cres.
  G77: Newt M 4H **137**
Kirkdene Gro. G77: Newt M 5H **137**

Kirkdene Pl. G77: Newt M 4H **137**
Kirkfieldbank Way ML3: Ham 6E **145**
Kirkfield Gdns. PA4: Renf 6D **60**
Kirkfield Rd. G71: Both 4E **129**
Kirkford Rd. G69: Mood 5C **54**
Kirkgate ML2: Newm 5D **150**
Kirk Glebe G78: Neil 2E **135**
Kirkhall Rd. ML1: N'hill 3D **132**
KIRKHILL
  G72 .2B **126**
  G77 .5H **137**
Kirkhill Av. G72: Camb 4A **126**
Kirkhill Bowling Club 3H **125**
Kirkhill Cres. G78: Neil 1E **135**
Kirkhill Dr. G20: Glas 4B **64**
Kirkhill Gdns. G72: Camb 4A **126**
Kirkhill Ga. G77: Newt M 5H **137**
Kirkhill Gro. G72: Camb 4A **126**
Kirkhill Pl. G20: Glas 4B **64**
  ML2: Wis 1C **164**
Kirkhill Rd. G69: G'csh 4D **70**
  G71: Tann 5C **112**
  G77: Newt M 4H **137**
  ML2: Wis 2B **164**
Kirkhill Station (Rail) 2A **126**
Kirkhill St. ML2: Wis 2C **164**
Kirkhill Ter. G72: Camb 4A **126**
Kirkhope Dr. G15: Glas 6B **46**
Kirkinner Pl. PA11: Bri W 3F **77**
  (off Main Rd.)
Kirkinner Rd. G32: Glas 2D **110**
KIRKINTILLOCH 4C **32**
Kirkintilloch Ind. Est.
  G66: Kirk 3C **32**
Kirkintilloch Rd. G64: B'rig 2B **66**
  G64: B'rig, Kirk 1F **51**
  G66: Kirk 2H **31**
  (Campsie Rd.)
  G66: Kirk 1F **51**
  (Torrence Rd.)
  G66: Lenz 2C **52**
Kirkland Gro. PA5: John 2F **99**
KIRKLANDNEUK 5D **60**
Kirklandneuk Cres. PA4: Renf 5C **60**
Kirklandneuk Rd. PA4: Renf 5C **60**
Kirklands PA4: Renf 6D **60**
Kirklands Cres. G65: Kils 4H **13**
  G71: Both 4E **129**
Kirklands Dr. G77: Newt M 1D **152**
Kirklands Pl. G77: Newt M 1D **152**
Kirklands Rd. G77: Newt M 1D **152**
Kirkland St. G20: Glas 6D **64**
  ML1: Moth 2F **147**
Kirk La. G43: Glas 6A **106**
  G61: Bear 2E **47**
Kirklea Gdns. PA3: Pais 6E **81**
Kirkle Dr. G77: Newt M 4H **137**
Kirklee Cir. G12: Glas 5A **64**
Kirklee Gdns. G12: Glas 4B **64**
Kirklee Gdns. La. G12: Glas 4B **64**
Kirklee Ga. G12: Glas 4B **64**
Kirklee Pl. G12: Glas 5B **64**
Kirklee Quad. G12: Glas 5B **64**
Kirklee Quad. La. G12: Glas 5B **64**
Kirklee Rd. G12: Glas 5A **64**
  ML1: New S 6G **131**
  ML4: Bell 3F **131**
Kirklee Ter. G12: Glas 5A **64**
Kirklee Ter. La. G12: Glas 5B **64**
Kirklee Ter. Rd. G12: Glas 5A **64**
Kirkliston St. G32: Glas 5H **89**
Kirkmaiden Way G72: Blan 6B **144**
Kirk M. G72: Camb 2A **126**
Kirkmichael Av. G11: Glas 6G **63**
Kirkmichael Gdns.
  G11: Glas 6G **63**
Kirkmuir Dr. G73: Ruth 4D **124**

Kirkness St. ML6: Air 3A **96**
Kirknethan ML2: Wis 2C **164**
Kirknewton St. G32: Glas 5B **90**
Kirkoswald G74: E Kil 6D **142**
Kirkoswald Dr. G81: Clyd 4E **45**
Kirkoswald Rd. G43: Glas 1B **122**
  ML1: N'hill 3E **133**
Kirkpatrick St. G40: Glas 6C **88**
Kirk Pl. G61: Bear 2E **47**
  G67: Cumb 6C **36**
  G71: Udd 2C **128**
Kirkriggs Gdns. G73: Ruth 2D **124**
Kirkriggs Gdns. G73: Ruth 2D **124**
Kirkriggs Vw. G73: Ruth 2D **124**
Kirkriggs Way G73: Ruth 2D **124**
  (off Kirkriggs Gdns.)
Kirk Rd. G61: Bear 2E **47**
  G76: Crmck 2H **139**
  ML1: N'hse 6D **116**
  ML2: Wis 6H **149**
  ML8: Carl 3C **174**
  ML9: Dals 3B **172**
  PA6: Hous 1B **78**
Kirkshaw Ct. PA5: John 2F **99**
  (off Walkinshaw St.)
KIRKSHAWS 2A **114**
Kirkshaws Av. ML5: Coat 2A **114**
Kirkshaws Pl. ML5: Coat 2B **114**
Kirkshaws Rd. ML5: Coat 2H **113**
Kirkstall Gdns. G64: B'rig 3D **50**
Kirkstone G77: Newt M 4H **137**
Kirkstone Cl. G75: E Kil 5B **156**
Kirk St. G62: Miln 3E **27**
  ML1: Moth 2G **147**
  ML5: Coat 5B **94**
  (not continuous)
  ML8: Carl 3C **174**
Kirkstyle Av. ML8: Carl 4C **174**
Kirkstyle Cotts. ML5: Coat 2H **113**
Kirkstyle Cres. G78: Neil 2D **134**
  ML6: Air 1H **95**
Kirkstyle La. G78: Neil 2E **135**
Kirkstyle Pl. ML6: Glenm 5F **73**
Kirksyde Av. G66: Kirk 6D **32**
KIRKTON 3E **135**
Kirkton G60: Old K 6E **23**
  PA8: Ersk 4E **43**
Kirkton Av. G13: Glas 3A **62**
  G72: Blan 4A **144**
  G78: Barr 5D **118**
  ML8: Carl 3C **174**
Kirkton Ct. G76: Eag 6D **154**
  ML8: Carl 4C **174**
Kirkton Cres. G13: Glas 3A **62**
  G66: Milt C 6C **10**
  ML5: Coat 2F **115**
Kirkton Dr. G76: Eag 6C **154**
Kirktonfield Cres. G78: Neil 2F **135**
Kirktonfield Dr. G78: Neil 2F **135**
Kirktonfield Pl. G78: Neil 2F **135**
Kirktonfield Rd. G78: Neil 2E **135**
Kirkton Ga. G74: E Kil 1G **157**
KIRKTONHILL 4D **18**
Kirktonholme Cres.
  G74: E Kil 1F **157**
Kirktonholme Rd. G74: E Kil 1D **156**
Kirkton Ho. G72: Blan 3B **144**
Kirkton Moor Rd. G76: Eag 6F **153**
Kirkton Pk. G74: E Kil 1H **157**
Kirkton Pl. G72: Blan 3B **144**
  G74: E Kil 1H **157**
  (not continuous)
  ML5: Coat 1F **115**
Kirkton Rd. G72: Camb 2B **126**
  G78: Neil 3D **134**
  G82: Dumb 4D **18**
Kirktonside G78: Barr 6D **118**

Kirkton St. ML8: Carl 4D 174
Kirkton Ter. G66: Cam G 1B 8
Kirkvale St. G77: Newt M 4H 137
   ML2: Wis 6H 149
   (off Kirk Rd.)
Kirkvale Cres.
   G77: Newt M 4H 137
Kirkvale Dr. G77: Newt M 4H 137
Kirkview G67: Cumb 1C 56
Kirkview Ct. G67: Cumb 1C 56
Kirkview Cres.
   G77: Newt M 6E 137
Kirkview Gdns. G71: Tann 5D 112
Kirkville Pl. G15: Glas 6B 46
Kirkwall G67: Cumb 6A 16
Kirkwall Av. G72: Blan 5A 128
Kirkwell Rd. G44: Glas 2F 123
KIRKWOOD 1G 113
Kirkwood Av. G33: Step 4F 69
   G81: Clyd 6F 45
Kirkwood Pl. ML5: Coat 6A 94
Kirkwood Quad. G81: Clyd 6F 45
Kirkwood Rd. G71: Tann 5D 112
Kirkwood Sports Barn 1F 113
Kirkwood Station (Rail) 6H 93
Kirkwood St. G51: Glas 6A 86
   G73: Ruth 5C 108
   ML5: Coat 5A 94
Kirn St. G20: Glas 1A 64
Kirriemuir G74: E Kil 4H 142
Kirriemuir Av. G52: Glas 2C 104
Kirriemuir Gdns. G64: B'rig ...5E 51
Kirriemuir Pl. G52: Glas 1C 104
Kirriemuir Rd. G64: B'rig 6E 51
Kirtle Dr. PA4: Renf 1G 83
Kirtle Pl. G75: E Kil 4A 156
Kishorn Pl. G33: Glas 2C 90
Kitchener St. ML2: Wis 6G 149
Kittoch Pl. G74: E Kil 1H 157
KITTOCHSIDE 4C 140
Kittochside Rd.
   G76: Crmck 2A 140
Kittoch St. G74: E Kil 1G 157
Klondike Ct. ML1: New S 4B 132
Knapdale St. G22: Glas 2E 65
Knightsbridge St. G13: Glas ...2D 62
Knightscliffe Av. G13: Glas ...1D 62
Knights Ga. G71: Both 2C 128
KNIGHTSWOOD 2D 62
Knightswood Ct. G13: Glas 3D 62
Knightswood Cross G13: Glas ...2D 62
Knightswood Rd. G13: Glas 6C 46
Knightswood Swimming Pool
   ....3B 62
Knightswood Ter. G72: Blan ...6C 128
Knivysbridge Pl. ML4: Bell ...4B 130
Knockburnie Rd. G71: Both 3E 129
Knockhall St. G33: Glas 1D 90
Knockhill Dr. G44: Glas 6F 107
Knockhill La. G44: Glas 6F 107
Knockhill Rd. PA4: Renf 2D 82
Knockmilly Pl. G69: Mood 4E 55
Knockside Av. PA2: Pais 6H 101
Knock Way PA3: Pais 4C 82
Knollpark Dr. G76: Clar 2B 138
Knowe Cres. ML1: N'hill 3D 132
Knowehead Dr. G71: Udd 1C 128
Knowehead Gdns.
   G41: Glas 2C 106
   G71: Udd 1C 128
Knowehead Rd. ML2: Wis 1A 166
Knowehead Ter. G41: Glas 2C 106
Knowenoble St. ML1: Cle 5B 133
Knowe Rd. G69: Chry 1A 70
   PA3: Pais 4D 82
Knowes Av. G77: Newt M 4F 137
Knowes Rd. G77: Newt M 4F 137

Knowe St. G62: Miln 3F 27
Knowes Vw. G81: Hard 6E 25
Knowetap St. G20: Glas 2C 64
KNOWETOP 5H 147
Knowetop Av. ML1: Moth 4H 147
Knowetop Cres.
   G82: Dumb 2C 18
KNOWNOBLE 5H 133
Knox Av. PA11: Bri W 4E 77
Knoxland Sq. G82: Dumb 5G 19
Knoxland St. G82: Dumb 5G 19
Knox Pl. G77: Newt M 5B 136
Knox St. ML6: Air 3B 96
   PA1: Pais 1F 101
Koko's 4C 94
Kronborg Way G75: E Kil 6F 157
Kyleakin Dr. G72: Blan 5H 127
Kyleakin Rd. G46: T'bnk 4D 120
Kyleakin Ter. G46: T'bnk 4D 120
Kyle Ct. G72: Camb 1A 126
Kyle Dr. G46: Giff 4C 122
Kyle Gro. ML1: New S 4A 132
Kylemore Cres. ML1: Moth 5E 131
KYLEPARK 6B 112
Kylepark Av. G71: Udd 1B 128
Kylepark Cres. G71: Udd 6B 112
Kylepark Dr. G71: Udd 6B 112
Kyle Quad. ML1: N'hill 3C 132
   ML2: Wis 2E 165
Kylerhea Rd. G46: T'bnk 4D 120
Kyle Rd. G67: Cumb 2B 38
Kyle Sq. G73: Ruth 2B 124
Kyle St. G4: Glas 2E 7 (2G 87)
   ML1: Moth 2D 146
Kyle Ter. G82: Dumb 2B 18

L

La Belle Allee G3: Glas 2E 5
La Belle Pl. G3: Glas 2E 5 (2C 86)
Laberge Gdns.
   ML1: New S 4B 132
Laburnum Av. G72: Flem 4E 127
   G75: E Kil 5E 157
Laburnum Ct. G75: E Kil 5E 157
Laburnum Cres. ML2: Wis 4H 149
Laburnum Dr. G66: Milt C 6B 10
Laburnum Gdns. G66: Lenz 2B 52
Laburnum Gro. G66: Lenz 2B 52
   ML5: Coat 6D 94
Laburnum Lea ML3: Ham 2A 162
Laburnum Pl. PA5: John 5G 99
Laburnum Rd. FK4: Bank 1E 17
   G41: Glas 1A 106
   G67: Cumb 3D 38
   G71: View 4G 113
Lachlan Cres. PA8: Ersk 6C 42
La Crosse Ter. G12: Glas 6C 64
Lacy St. PA1: Pais 6C 82
Ladder Ct. G75: E Kil 1B 168
Ladeside Cl. G77: Newt M 3C 136
Ladeside Dr. G65: Kils 2A 14
   PA5: John 3D 98
Lade Ter. G52: Glas 1A 104
Ladhope Pl. G13: Glas 1G 61
Ladyacres PA4: Inch 3H 59
Ladyacres Way PA4: Inch 3H 59
Lady Ann Cres. ML6: Air 5C 96
Lady Anne St. G14: Glas 4H 61
Ladybank G68: Cumb 5H 15
Ladybank Ct. G74: E Kil 1G 157
Ladybank Dr. G52: Glas 1E 105
Ladybank Gdns.
   G74: E Kil 1G 157
Ladybank Pl. G74: E Kil 1G 157
Ladyburn St. PA1: Pais 1C 102

Ladyhill Dr. G69: Bail 1G 111
Lady in Leisure Health & Fitness Cen.
   ....5C 6
Lady Isle Cres. G71: Udd 1C 128
Lady Jane Ga. G71: Both 3B 128
Ladykirk Cres. G52: Glas 5B 84
   PA2: Pais 2B 102
Ladykirk Dr. G52: Glas 5B 84
Ladykirk Way G74: E Kil 5H 141
Lady La. PA1: Pais 1H 101
Ladyloan Av. G15: Glas 3G 45
Ladyloan Ct. G15: Glas 3H 45
Ladyloan Gdns. G15: Glas 3H 45
Ladyloan Gro. G15: Glas 3H 45
Ladyloan Pl. G15: Glas 3G 45
Lady Mary Wlk. ML3: Ham 2A 162
Ladymuir Circ. PA8: Ersk 6D 42
Ladymuir Cres. G53: Glas 3C 104
Ladysmith Av. PA10: Kilb 3B 98
Ladysmith Dr. G75: E Kil 1A 168
Ladysmith St. ML2: Wis 5C 148
Lady Watson Gdns.
   ML3: Ham 1E 161
Ladywell Rd. ML1: Moth 3D 146
Ladywell St. G4: Glas ...5H 7 (4A 88)
Lady Wilson St. ML6: Air 5B 96
Ladywood G62: Miln 3H 27
Lady Watson — see Lady Watson Gdns
Lagan Rd. ML8: Carl 4D 174
Laggan Quad. ML6: Air 2G 95
Laggan Rd. G43: Glas 2C 122
   G64: B'rig 6D 50
   G77: Newt M 2D 136
   ML6: Air 2H 95
Laggan Ter. PA4: Renf 5D 60
Laggan Way ML2: Newm 2D 150
Lagholm Dr. PA3: Lin 6A 80
Lagoon Leisure Cen. 1B 102
Laidlaw Av. ML1: New S 4H 131
Laidlaw Gdns. G71: Tann 4D 112
Laidlaw St. G5: Glas 6E 87
   (not continuous)
Laidon Rd. ML6: Air 2H 95
Laidon Wlk. ML2: Newm 3D 150
   (off Murdostoun Vw.)
Laighcartside St. PA5: John ...2G 99
Laigh Kirk La. PA1: Pais 1A 102
   (off Causeyside St.)
Laighlands Rd. G71: Both 5F 129
Laighmuir St. G71: Udd 2D 128
LAIGH PARK 5A 82
Laighpark Av. PA7: B'ton 4H 41
Laighpark Vw. PA3: Pais 4A 82
Laigh Rd. G77: Newt M 4H 137
LAIGHSTONEHALL 1F 161
Laighstonehall Rd. ML3: Ham ..1F 161
Laightoun Ct. G67: Cumb 1C 56
Laightoun Dr. G67: Cumb 1C 56
Laightoun Gdns. G67: Cumb ...1C 56
Lainshaw St. G45: Glas 5E 123
Laird Gro. G71: Tann 5E 113
Laird Pl. G40: Glas 1B 108
Lairds Ga. G71: Both 2B 128
Lairds Hill G67: Cumb 3G 37
Laird's Hill Ct. G65: Kils 3E 13
Laird's Hill Pl. G65: Kils 3E 13
Lairdsland Rd. G66: Kirk 5D 32
Laird St. ML5: Coat 4D 94
Lairg Dr. G72: Blan 5A 128
Lairhills Rd. G75: E Kil 4G 157
Lamberton Dr. G52: Glas 5B 84
LAMBHILL 2E 65
Lambhill Quad. G41: Glas 6C 86
Lambhill St. G41: Glas 6B 86
Lambie Cres. G77: Newt M 4C 136
Lamb St. G22: Glas 3F 65
   ML3: Ham 6A 146
Lamerton Rd. G67: Cumb 3C 38

Lamington Rd. G52: Glas 1B **104**
Lamlash Cres. G33: Glas 3B **90**
Lamlash St. G33: Glas 3B **90**
  G75: E Kil 1B **168**
  ML1: Moth 2E **147**
Lamlash Sq. G33: Glas 3C **90**
Lammermoor G74: E Kil 5E **143**
Lammermoor Av. G52: Glas 1C **104**
Lammermoor Cres. G66: Kirk ..5F **33**
Lammermoor Dr. G67: Cumb ...6G **37**
Lammermoor Gdns.
  G66: Kirk 5F **33**
Lammermoor Rd. G66: Kirk 5F **33**
Lammermoor Ter. ML2: Wis ...6H **149**
Lammermuir Ct. PA2: Pais 5A **102**
Lammermuir Dr. PA2: Pais 5H **101**
Lammermuir Gdns. G61: Bear ..6C **26**
Lammermuir Pl. *ML1: Holy* ...*3B* **132**
    (off Cherry Pl.)
Lammermuir Way ML6: Chap ...4F **117**
Lammermuir Wynd
  ML9: Lark 6H **163**
Lammer Wynd *ML9: Lark* *4E* **171**
    (off Pitlochry Dr.)
Lamont Av. PA7: B'ton 4A **42**
Lamont Rd. G21: Glas 3D **66**
Lanark Av. ML6: Air 1H **115**
Lanark Rd. ML8: Carl 4D **174**
  ML8: Crsfd, Rose 3A **172**
  ML9: Dals, Lark 4H **163**
Lanark Rd. End ML9: Lark 4G **163**
Lanarkshire Ice Rink 4A **146**
Lanark St. G1: Glas 5H **87**
Lancaster Av. ML6: Chap 4D **116**
Lancaster Cres. G12: Glas 5A **64**
Lancaster Cres. La. G12: Glas ..5A **64**
Lancaster Rd. G64: B'rig 3D **50**
Lancaster Ter. G12: Glas 5A **64**
Lancaster Ter. La. G12: Glas ...5A **64**
Lancaster Way PA4: Renf 2E **83**
Lancefield Quay
  G3: Glas 6D **4** (4C **86**)
Lancefield St. G3: Glas ...6F **5** (4D **86**)
Landemer Ct. G73: Ruth 1C **124**
Landemer Dr. G73: Ruth 1B **124**
Landemer Gait G73: Ruth 1C **124**
Landressy Pl. G40: Glas 1B **108**
Landressy St. G40: Glas 6B **88**
Landsdowne Gdns.
  ML3: Ham 6B **146**
Landsdowne Rd. ML9: Lark 3E **171**
Lane, The G68: Dull 5F **15**
Lanfine Rd. PA1: Pais 1D **102**
Langa Gro. *G20: Glas* *2C* **64**
    (off Lochburn Cres.)
Langa St. G20: Glas 2C **64**
Lang Av. PA4: Renf 1E **83**
  PA7: B'ton 4A **42**
Langbank St. G5: Glas 6F **87**
Langbar Cres. G33: Glas 4E **91**
Langbar Gdns. G33: Glas 4F **91**
Langbar Path *G33: Glas* *4D* **90**
    (off Langbar Cres.)
Langcraigs G82: Dumb 2G **19**
Langcraigs Ct. PA2: Pais 5G **101**
Langcraigs Dr. PA2: Pais 6G **101**
Langcraigs Ter. PA2: Pais 6G **101**
Langcroft Dr. G72: Camb 3C **126**
Langcroft Pl. G51: Glas 4C **84**
Langcroft Rd. G51: Glas 4C **84**
Langcroft Ter. G51: Glas 4D **84**
Langdale G74: E Kil 6E **141**
  G77: Newt M 4H **137**
Langdale Av. G33: Glas 6G **67**
Langdale Rd. G69: Mood 5D **54**
Langdales Av. G68: Cumb 3F **37**
Langdale St. G33: Glas 6G **67**

Langfaulds Cres. G81: Faif 6F **25**
Langford Dr. G53: Glas 4A **120**
Langford Pl. G53: Glas 4B **120**
Langhaul Av. G53: Glas 4H **103**
Langhaul Ct. G53: Glas 4H **103**
Langhaul Pl. G53: Glas 4H **103**
Langhaul Rd. G53: Glas 4H **103**
Langhill Dr. G68: Cumb 2F **37**
Langholm G75: E Kil 5B **156**
Langholm Ct. G69: Mood 5D **54**
Langholm Path G72: Blan 2A **144**
Langlands Av. G51: Glas 4D **84**
  G75: E Kil 1F **169**
Langlands Ct. G51: Glas 3F **85**
  G75: E Kil 1F **169**
Langlands Dr. G51: Glas 3C **84**
  G75: E Kil 1F **169**
Langlands Ga. G75: E Kil 2F **169**
Langlands Path *G51: Glas* *4E* **85**
    (off Langlands Rd.)
Langlands Pl. G75: E Kil 1F **169**
Langlands Rd. G51: Glas 4D **84**
  G75: E Kil 4C **168**
Langlands-Seafar Interchange
  G67: Cumb 5G **37**
Langlands Sq. G75: E Kil 1F **169**
Langlands Ter. G82: Dumb 1H **19**
Langlea Av. G72: Camb 3F **125**
Langlea Ct. G72: Camb 3G **125**
Langlea Dr. G72: Camb 2G **125**
Langlea Gdns. G72: Camb 2G **125**
Langlea Gro. G72: Camb 3G **125**
Langlea Rd. G72: Camb 3G **125**
Langlea Way G72: Camb 2G **125**
Langlees Av. G77: Newt M 4H **137**
Langley Av. G13: Glas 1B **62**
LANGLOAN 6A **94**
Langloan Cres. ML5: Coat 6A **94**
Langloan Pl. ML5: Coat 5A **94**
Langloan St. ML5: Coat 6A **94**
Langlook Cres. G53: Glas 5H **103**
Langlook Pl. G53: Glas 5H **103**
Langlook Rd. G53: Glas 5H **103**
LANGMUIR 4H **33**
Langmuir Av. G66: Kirk 4E **33**
Langmuirhead Rd. G66: Auch ..1H **67**
Langmuir Rd. G66: Kirk 4G **33**
  G69: Barg 6E **93**
Langmuir Way G69: Barg 6E **93**
Langness Rd. G33: Glas 3B **90**
Langoreth Av. ML3: Ham 1D **160**
Lang Pl. PA5: John 2F **99**
Langrig Rd. G21: Glas 4C **66**
  G77: Newt M 6C **136**
Langshaw Cres. ML8: Carl 3D **174**
Langshot St. G51: Glas 6B **86**
LANGSIDE 5D **106**
Langside Av. G41: Glas 4C **106**
  G71: View 1G **129**
Langside Ct. G71: Both 6F **129**
Langside Dr. G43: Glas 3C **122**
  PA10: Kilb 3A **98**
Langside Gdns. G42: Glas 6E **107**
Langside La. G42: Glas 4E **107**
Langside Pk. PA10: Kilb 3A **98**
Langside Pl. G41: Glas 5D **106**
Langside Rd. G42: Glas 5D **106**
    (not continuous)
  G71: Both 6F **129**
Langside Station (Rail) 1C **122**
Langside St. G81: Faif 1G **45**
Langstile Pl. G52: Glas 6H **83**
Langstile Rd. G52: Glas 6H **83**
Lang St. PA1: Pais 1C **102**
Langton Cres. G53: Glas 4C **104**
  G78: Barr 6F **119**

Langton Gdns. G69: Bail 1F **111**
Langton Ga. G77: Newt M 4C **136**
Langton Pl. G77: Newt M 4C **136**
Langton Rd. G53: Glas 4C **104**
Langtree Av. G46: Giff 6G **121**
LANRIGG 6A **54**
Lanrig Pl. G69: Chry 1A **70**
Lanrig Rd. G69: Chry 6A **54**
Lansbury Gdns. PA3: Pais 4H **81**
Lansbury Ter. ML9: Lark 4E **171**
Lansdowne Cres. G20: Glas 1D **86**
Lansdowne Cres. La.
  G20: Glas *1D* **86**
    (off Holyrood Cres.)
Lansdowne Dr. G68: Cumb 6H **15**
Lantana Gro. ML1: Moth 1F **147**
Lanton Dr. G52: Glas 6B **84**
Lanton Path ML6: Chap 4E **117**
Lanton Rd. G43: Glas 2C **122**
Lappin St. G81: Clyd 1F **61**
Lapwing Cres. PA4: Renf 4G **61**
Lapwing Dr. PA4: Renf 4G **61**
Lapwing Rd. PA4: Renf 5G **61**
Larbert St. G4: Glas 2C **6** (2F **87**)
Larch Av. G64: B'rig 1D **66**
  G66: Lenz 1C **52**
Larch Cl. G72: Flem 4E **127**
Larch Ct. G67: Cumb 1D **38**
  G72: Blan 1A **144**
  G72: Flem 4F **127**
  G75: E Kil 6D **156**
Larch Cres. G66: Lenz 1C **52**
Larch Dr. FK4: Bank 1E **17**
  G75: E Kil 6D **156**
Larches, The G69: Mood 3E **55**
Larchfield Av. G14: Glas 5B **62**
  G77: Newt M 5E **137**
Larchfield Ct. G77: Newt M 5D **136**
Larchfield Cres. ML2: Wis 3A **150**
Larchfield Dr. G73: Ruth 3D **124**
Larchfield Gdns. ML2: Wis 3B **150**
Larchfield Gro. ML2: Wis 2B **150**
Larchfield Pl. G14: Glas 5B **62**
  ML2: Wis 3B **150**
Larchfield Rd. G61: Bear 6F **47**
  G69: Mood 5D **54**
Larch Gro. G66: Milt C 6B **10**
  G67: Cumb 1D **38**
  ML1: Holy 2B **132**
  ML3: Ham 1A **162**
Larchgrove Av. G32: Glas 5C **90**
Larchgrove Pl. G32: Glas 4C **90**
Larchgrove Rd. G32: Glas 4C **90**
Larch Pl. G67: Cumb 1D **38**
  G71: View 5H **113**
  G72: Flem 4E **127**
  G75: E Kil 6D **156**
  PA5: John 5F **99**
Larch Rd. G41: Glas 1H **105**
  G67: Cumb 1D **38**
Larch Sq. G72: Flem 4E **127**
Larchwood Ter. G78: Barr 6F **119**
Largie Rd. G43: Glas 2D **122**
Largo La. G72: Blan 6B **144**
Largo Pl. G51: Glas 4E **85**
Larkfield Ct. G72: Blan 3A **144**
Larkfield Dr. G72: Blan 3B **144**
Larkfield Rd. G66: Lenz 1E **53**
Larkfield St. G42: Glas 2F **107**
LARKHALL 2C **170**
Larkhall Ind. Est. ML9: Lark ...5D **170**
LARKHALL INTERCHANGE 5A **164**
Larkhall Leisure Cen. 3B **170**
Larkin Gdns. PA3: Pais 4H **81**
Larkin Way ML4: Bell 6B **114**
Larksfield Dr. ML8: Carl 5E **175**
Larkspur Dr. G74: E Kil 5E **141**

Larkspur Way ML8: Carl 5D 174
Lark Way ML4: Bell 5B 114
Lashley Gro. ML2: Over 4A 166
Lasswade St. G14: Glas 3G 61
Latherton Dr. G20: Glas 4B 64
Latimer Gdns. G52: Glas 1A 104
Latimer Path G52: Glas 1A 104
(off Hatton Gdns.)
Latta St. G82: Dumb 3G 19
Lauchlin Pl. G66: Kirk 6H 33
Lauchope Rd. ML1: N'hse 6D 116
Lauchope St. ML6: Chap 3E 117
Lauder Cres. ML2: Wis 3H 149
Lauderdale Dr. G77: Newt M 6C 136
Lauderdale Gdns. G12: Glas 6H 63
Lauderdale La. G12: Glas 6H 63
Lauder Dr. G73: Ruth 1F 125
PA3: Lin 6H 79
Lauder Gdns. G72: Blan 5A 128
ML5: Coat 2F 115
Lauder Grn. G74: E Kil 5B 142
Lauder La. ML3: Ham 6C 144
Lauder St. G5: Glas 1E 107
Laughland Dr. ML1: N'hill 4D 132
Laundry La. G33: Step 4C 68
Lauranne Pl. ML4: Bell 2A 130
Laurel Av. G66: Lenz 1D 52
G81: Clyd 3H 43
Laurel Bank ML3: Ham 3G 161
Laurelbank ML5: Coat 3C 94
Laurelbank Rd. G32: Carm 5C 110
G69: Chry 2H 69
Laurel Ct. G72: Flem 3E 127
G75: E Kil 6F 157
Laurel Dr. G75: E Kil 6E 157
ML2: Wis 5D 148
ML9: Lark 3E 171
Laurel Gait G72: Flem 4E 127
ML6: Chap 3E 117
Laurel Gdns. G71: Tann 5D 112
Laurel La. G72: Flem 4E 127
ML9: Lark 4E 171
(off Donaldson Rd.)
Laurel Pk. Cl. G13: Glas 4C 62
Laurel Pk. Gdns. G13: Glas 3C 62
Laurel Pk. Sports Club 3D 62
Laurel Pl. G11: Glas 1G 85
G75: E Kil 6F 157
Laurels, The G77: Newt M 4D 136
ML1: Carf 5B 132
Laurel Sq. FK4: Bank 1E 17
Laurel St. G11: Glas 1G 85
Laurel Wlk. G73: Ruth 4E 125
Laurel Way G78: Barr 4D 118
Laurel Wynd G72: Flem 4F 127
Laurence Ct. G15: Glas 4G 45
Laurence Dr. G15: Glas 4G 45
G61: Bear 1D 46
Laurence Gdns. G15: Glas 4G 45
Laurenstone Ter. G74: E Kil 6B 142
(off Capelrig Dr.)
Lauren Vw. ML6: Air 4H 95
Lauren Way PA2: Pais 4D 100
Laurie Ct. G71: Tann 6E 113
LAURIESTON 6F 87
Laurieston Cres. ML6: Chap 4D 116
Laurieston Pl. ML5: Coat 2F 115
Laurieston Rd. G5: Glas 1F 107
Laurieston Way G73: Ruth 3D 124
Lauriston Gro. G77: Newt M 4B 136
Lavelle Dr. ML5: Coat 4E 95
Lavender Ct. G71: View 6G 113
Lavender Dr. G75: E Kil 6F 157
Lavender La. ML8: Carl 5C 174
Laverock Av. ML3: Ham 1C 162
Laverockhall St. G21: Glas 6B 66
Laverock Rd. ML6: Air 6B 74

Laverock Ter. G69: Mood 6D 54
LAW 6D 166
Law Dr. ML1: N'hill 3C 132
Lawers Dr. G61: Bear 1C 46
Lawers La. ML1: N'hill 3C 132
Lawers Rd. G43: Glas 2H 121
PA4: Renf 2E 83
Lawfield Av. G77: Newt M 4H 137
LAW HILL 1G 173
Lawhill Av. G45: Glas 3H 123
Lawhill Rd. ML8: Carl, Law 6D 166
Lawhope Mill Rd.
ML6: Chap 2F 117
LAWN PARK 4A 28
Lawn Pk. G62: Miln 4A 28
(not continuous)
Lawn St. PA1: Pais 6B 82
LAW OF MAULDSLIE 1F 173
Law Pl. G74: E Kil 5G 141
Lawrence Av. G46: Giff 6A 122
Lawrence St. G11: Glas 1A 86
Lawrie Pl. ML1: Cle 6E 133
Lawrie St. G11: Glas 1H 85
ML2: Newm 4D 150
Lawrie Way ML9: Lark 4E 171
Law Rdbt. G74: E Kil 5G 141
Lawson Av. ML1: Moth 6G 147
Law St. G40: Glas 6C 88
Law Vw. ML2: Over 5A 166
Laxford Av. G44: Glas 3E 123
Laxford Pl. ML5: Coat 6F 95
Laxford Rd. PA8: Ersk 6C 42
Laxford Way ML1: N'hill 3C 132
Laxton Dr. G66: Lenz 3E 53
Laymoor Av. PA4: Renf 6H 61
Laymoor Wlk. PA4: Renf 6H 61
Lea Av. G78: Neil 2D 134
Leabank Av. PA2: Pais 5A 102
Leadburn Rd. G21: Glas 5E 67
Leadburn St. G32: Glas 4G 89
Leader St. G33: Glas 2F 89
Leaend Rd. ML6: Air 2G 95
Leander Cres. ML4: Moss 2G 131
PA4: Renf 1G 83
Learig Rd. ML6: Plain 6H 75
Learmont Pl. G62: Miln 3F 27
Leathem Pl. ML2: Wis 2C 164
Leathen Pl. PA8: Ersk 6C 42
Leckethill Av. G68: Cumb 6B 36
Leckethill Ct. G68: Cumb 6B 36
Leckethill Pl. G68: Cumb 6A 36
Leckethill Vw. G68: Cumb 6B 36
Leckie Ct. ML3: Ham 5G 145
Leckie Dr. ML3: Ham 5G 145
Leckie St. G43: Glas 5A 106
Ledaig Pl. G31: Glas 4E 89
Ledaig St. G31: Glas 4E 89
Ledard Rd. G42: Glas 5D 106
Ledcameroch Cres.
G61: Bear 3D 46
Ledcameroch Pk. G61: Bear 3D 46
Ledcameroch Rd. G61: Bear 3D 46
Ledgate G66: Kirk 4D 32
Ledgowan Pl. G20: Glas 1B 64
Ledi Dr. G61: Bear 6B 26
Ledi Path ML1: N'hill 4C 132
Ledi Rd. G43: Glas 2A 122
Ledmore Dr. G15: Glas 3H 45

Lednock Rd. G33: Step 4C 68
G52: Glas 6A 84
Ledvinka Cres. ML3: Ham 3E 145
Leebank Dr. G44: Neth 6D 122
Leeburn Av. PA6: Hous 2C 78
Leeburn Gdns. PA6: Hous 2C 78
Leechlee Rd. ML3: Ham 6A 146
Lee Cres. G64: B'rig 1C 66
Leefield Dr. G44: Neth 5D 122
Leehill Rd. G21: Glas 2A 66
Leemuir Av. ML8: Carl 5F 175
Lee Pl. ML4: Bell 3F 131
Leesburn Pl. G74: E Kil 5H 141
Lee's Ct. ML5: Coat 6C 94
Leeside Rd. G21: Glas 2A 66
Leesland G71: Tann 5E 113
Leeward Circ. G75: E Kil 2C 156
Leewood Dr. G44: Neth 5E 123
Le Froy Gdns. G75: E Kil 3E 157
Le Froy La. G75: E Kil 3E 157
Lefroy St. ML5: Coat 4A 94
Legbrannock Av. ML1: N'hse 6D 116
Legbrannock Cres.
ML1: N'hill 3D 132
Legbrannock Rd. ML1: N'hse 1E 133
Leggate Way ML4: Bell 5C 114
Leggatson Rd. G53: Glas 4C 120
Legion Pl. ML9: Lark 2C 170
Leglen Wood Cres.
G21: Glas 3F 67
Leglen Wood Dr. G21: Glas 3F 67
Leglen Wood Gdns. G21: Glas . . .3F 67
Leglen Wood Pl. G21: Glas 3G 67
Leglen Wood Rd. G21: Glas 3F 67
Leicester Av. G12: Glas 4H 63
Leighton St. G20: Glas 3C 64
ML2: Wis 1H 165
Leisuredome Bishopbriggs
Sports Cen., The 3A 50
Leitchland Rd. PA2: Pais 5B 100
PA5: Eld 5B 100
Leithland Av. G53: Glas 4B 104
Leithland Rd. G53: Glas 4B 104
Leith St. G33: Glas 3F 89
Leman Dr. PA6: C'lee 3D 78
Leman Gro. PA6: C'lee 3D 78
Lembert Dr. G76: Clar 1B 138
Lendale La. G64: B'rig 3C 50
Lendalfoot Gdns. ML3: Ham 1B 160
Lendal Pl. G75: E Kil 5A 156
Lendel Pl. G51: Glas 5B 86
Lenihall Dr. G45: Glas 5A 124
Lenihall Ter. G45: Glas 5A 124
Lennox Av. G14: Glas 6C 62
G62: Miln 4G 27
ML5: Coat 4A 94
PA7: B'ton 4H 41
Lennox Ct. G66: Kirk 5E 33
(off Highfield Rd.)
Lennox Cres. G64: B'rig 1B 66
Lennox Dr. G61: Bear 1F 47
G77: Newt M 1E 153
G81: Faif 6E 25
Lennox Gdns. G14: Glas 5D 62
Lennox Ho. G67: Cumb 3H 37
Lennox La. E. G14: Glas 6D 62
Lennox La. W. G14: Glas 6C 62
(off Earlbank Av.)
G14: Glas 5D 62
(off Norse La. Nth.)
Lennoxmill La. G66: Len 3E 9
Lennox Pl. G66: Len 3F 9
G81: Clyd 4A 44
Lennox Rd. G66: Len 2E 9
G67: Cumb 3H 37
G82: Dumb 4H 19

Lennox Rd. G82: Milt 4E 21
Lennox Sq. G66: Len 3F 9
(off Service St.)
Lennox St. G20: Glas 2A 64
G82: Dumb 4G 19
ML2: Wis 5C 150
Lennox Ter. PA3: Pais 3C 82
LENNOXTOWN 3F 9
Lennox Vw. G81: Clyd 4D 44
Lentran St. G34: Glas 4A 92
Leny St. G20: Glas 5D 64
LENZIE 2C 52
LENZIEMILL 5A 38
Lenziemill Rd. G67: Cumb 6H 37
Lenzie Pl. G21: Glas 3B 66
Lenzie Rd. G33: Step 2D 68
G66: Kirk 6D 32
Lenzie Station (Rail) 3C 52
Lenzie St. G21: Glas 4B 66
Lenzie Ter. G21: Glas 3A 66
Lenzie Way G21: Glas 3A 66
Leonard Gro. ML1: Cle 6E 133
Lesley Quad. ML4: Bell 5B 130
Leslie Av. G77: Newt M 2E 137
PA7: B'ton 4H 41
Leslie Rd. G41: Glas 3C 106
Leslie St. G41: Glas 2D 106
ML1: Moth 2H 147
Lesmuir Dr. G14: Glas 4H 61
Lesmuir Pl. G14: Glas 4H 61
Letham Ct. G43: Glas 2C 122
Letham Dr. G43: Glas 2C 122
G64: B'rig 1E 67
Letham Grange G68: Cumb 1H 37
Lethamhill Cres. G33: Glas 2H 89
Lethamhill Pl. G33: Glas 2G 89
Lethamhill Rd. G33: Glas 2G 89
Letham Oval G64: B'rig 1F 67
Lethbridge Pl. G75: E Kil 3E 157
Letherby Dr. G42: Glas 6F 107
Letheron Dr. ML2: Wis 4H 149
Lethington Av. G41: Glas 5C 106
Lethington Pl. G41: Glas 5D 106
Lethington Rd. G46: Giff 2G 137
Letterfearn Dr. G23: Glas 6C 48
Letterickhills Cres.
G72: Flem 4E 127
Lettoch St. G51: Glas 4G 85
Leven Av. G64: B'rig 6D 50
Leven Ct. G78: Barr 2D 118
G82: Dumb 2G 93
Leven Dr. G61: Bear 3F 47
ML3: Ham 3F 161
Levenford Ter. G82: Dumb 4E 19
Levengrove Ct. G82: Dumb 4E 19
Levengrove Ter. G82: Dumb 4E 19
Leven Path ML1: Holy 2A 132
(off Graham St.)
Leven Pl. PA8: Ersk 6C 42
Leven Quad. ML6: Air 1H 95
Leven Rd. ML5: Coat 2G 93
Leven Sq. PA4: Renf 5D 60
Leven St. G41: Glas 2D 106
G82: Dumb 4G 19
ML1: Moth 4G 147
Leven Ter. ML1: Carf 5C 132
Leven Valley Ent. Cen.
G82: Dumb 3D 18
Leven Vw. G81: Clyd 4D 44
Leven Way G67: Cumb 4H 37
(in The Cumbernauld Shop. Cen.)
G75: E Kil 5B 156
PA2: Pais 4C 100
Levern Bri. Ct. G53: Glas 6H 103
Levern Bri. Gro. G53: Glas 6H 103
Levern Bri. Pl. G53: Glas 1H 119
Levern Bri. Rd. G53: Glas 1H 119

Levern Bri. Way G53: Glas 1H 119
Levern Cres. G78: Barr 5D 118
Leverndale Ct. G53: Glas 4H 103
Leverndale Rd. G53: Glas 4H 103
Levern Gdns. G78: Barr 4D 118
Leverngrove Ct.
G53: Glas 1H 119
Levern Rd. G53: Glas 1G 119
Levernside Av. G53: Glas 5C 104
G78: Barr 5C 118
Levernside Cres.
G53: Glas 4B 104
Levernside Rd. G53: Glas 4C 104
Lewis Av. ML2: Wis 4C 150
PA4: Renf 2F 83
Lewis Cres. G60: Old K 2G 43
PA10: Kilb 3C 98
Lewis Dr. G60: Old K 2F 43
Lewis Gdns. G60: Old K 2G 43
G61: Bear 1B 46
Lewis Gro. G60: Old K 2G 43
Lewis Pl. G60: Old K 2G 43
G77: Newt M 3B 136
ML6: Air 5D 96
Lewiston Dr. G23: Glas 6B 48
(off Lewiston Rd.)
Lewiston Pl. G23: Glas 6B 48
(off Lewiston Rd.)
Lewiston Rd. G23: Glas 6B 48
Lexwell Av. PA5: Eld 2B 100
Leyden Ct. G20: Glas 4C 64
Leyden Gdns. G20: Glas 4D 64
Leyden St. G20: Glas 4C 64
Leyland Av. ML3: Ham 3E 161
Leyland Wynd ML3: Ham 4E 161
Leys, The G64: B'rig 6C 50
Leys Pk. ML3: Ham 5E 145
Libberton Way ML3: Ham 6E 145
Liberton St. G33: Glas 3F 89
Liberty Av. G69: Barg 6E 93
Liberty Path G72: Blan 2B 144
Liberty Rd. ML4: Bell 3C 130
Libo Av. G53: Glas 4D 104
Libo Pl. PA8: Ersk 5C 42
Library Gdns. G72: Camb 1H 125
Library La. G46: T'bnk 4F 121
Library Rd. ML2: Wis 6H 149
Lickprivick Rd. G75: E Kil 6D 156
Liddell Gro. G75: E Kil 4F 157
Liddells Ct. G64: B'rig 2C 66
Liddell St. G32: Glas 4C 110
Liddel Rd. G67: Cumb 4G 37
(Seafar Rd.)
G67: Cumb 4A 38
(Torbrex Rd.)
Liddesdale Av. PA2: Pais 6B 100
Liddesdale Pl. G22: Glas 2A 66
Liddesdale Rd. G22: Glas 2F 65
Liddesdale Sq. G22: Glas 2H 65
Liddesdale Ter. G22: Glas 2A 66
Liddesdale Pas. G22: Glas 2G 65
Liddoch Way G73: Ruth 5B 108
Liff Gdns. G64: B'rig 1F 67
Liff Pl. G34: Glas 2A 92
LIGHTBURN
G32 . . . . .4A 90
G72 . . . . .4E 127
Lightburn Pl. G32: Glas 4B 90
Lightburn Rd. G31: Glas 5E 89
G72: Camb, Flem 3D 126
Lighthouse, The 6C 6
Lilac Av. G67: Cumb 6E 17
G81: Clyd 2H 43
Lilac Ct. G67: Cumb 6E 17
Lilac Cres. G71: View 5F 113
Lilac Gdns. G64: B'rig 1D 66
Lilac Gro. ML2: Wis 2F 165

Lilac Hill G67: Cumb 6F 17
ML3: Ham 1B 162
Lilac Pl. G67: Cumb 6F 17
PA5: John 4H 99
Lilac Way ML1: Holy 2B 132
Lilac Wynd G72: Flem 3E 127
Lillie Art Gallery 3H 27
Lillyburn Pl. G15: Glas 3G 45
Lilybank Av. G69: Muirh 2A 70
G72: Camb 3B 126
ML6: Air 1B 96
Lilybank Gdns. G12: Glas 1B 86
Lilybank Gdns. La. G12: Glas 1B 86
(off Lilybank Gdns.)
Lilybank La. G12: Glas 1B 86
(off Lilybank Gdns.)
Lilybank St. ML3: Ham 5G 145
Lilybank Ter. G12: Glas 1B 86
Lilybank Ter. La. G12: Glas 1B 86
(off Gt. George St.)
Lily St. G40: Glas 2D 108
Limecraigs Av. PA2: Pais 6G 101
Limecraigs Cres. PA2: Pais 6G 101
Limecraigs Rd. PA2: Pais 6F 101
Lime Cres. G67: Cumb 2E 39
ML6: Air 4C 96
Lime Gro. G66: Lenz 2D 52
G72: Blan 6A 128
ML1: Moth 5G 147
Limegrove St. ML4: Bell 6C 114
Limekilns Rd. G67: Cumb 1H 57
Limekilns St. G81: Faif 6F 25
Lime La. G14: Glas 6D 62
(off Dumbarton Rd.)
Lime Loan ML1: Holy 3B 132
Lime Rd. G82: Dumb 3F 19
Limes, The G44: Glas 3F 123
Limeside Av. G73: Ruth 6D 108
Limeside Gdns. G73: Ruth 6E 109
Lime St. G14: Glas 6D 62
Limetree Av. G71: View 5F 113
Limetree Ct. ML3: Ham 4E 145
Limetree Cres. G77: Newt M 5D 136
Limetree Dr. G81: Clyd 3C 44
Limetree Quad. G71: View 5G 113
Limetree Wlk. G66: Milt C 1B 32
Limeview Av. PA2: Pais 6F 101
Limeview Cres. PA2: Pais 6F 101
Limeview Rd. PA2: Pais 6F 101
Limeview Way PA2: Pais 6F 101
Limewood Pl. G69: Barg 5E 93
Linacre Dr. G32: Glas 6C 90
Linacre Gdns. G32: Glas 6D 90
LINBURN 6D 42
Linburn Pl. G52: Glas 5A 84
Linburn Rd. G52: Glas 4G 83
PA8: Ersk 6C 42
Linclive Interchange PA3: Lin 6B 80
Linclive Spur PA3: Lin, Pais 6B 80
Linclive Ter. PA3: Lin 6B 80
Lincluden Path G41: Glas 1D 106
Lincoln Av. G13: Glas 2C 62
G71: Tann 4D 112
Lincoln Ct. ML5: Coat 3C 94
Lincuan Av. G46: Giff 6A 122
Lindams G71: Udd 2D 128
Lindcres Av. G73: Ruth 6D 108
Linden Av. ML2: Wis 3A 150
Linden Ct. G81: Hard 1C 44
Linden Dr. FK4: Bank 1E 17
G81: Hard 1C 44
Linden Lea G66: Milt C 6B 10
ML3: Ham 5F 145
Linden Pl. G13: Glas 2F 63
Lindens, The G71: Both 5E 129
Linden St. G13: Glas 2F 63
Linden Way G13: Glas 2F 63

Lindores Dr. G74: E Kil 2E 157
Lindores Pl. G74: E Kil 2E 157
Lindores St. G42: Glas 5F 107
Lindrick Dr. G23: Glas 6C 48
Lindsaybeg Ct. G69: Chry 1A 70
Lindsaybeg Rd. G66: Lenz 3D 52
   G69: Lenz 3D 52
Lindsay Dr. G12: Glas 3H 63
Lindsayfield Av. G75: E Kil 1B 168
Lindsayfield Rd. G75: E Kil 1A 168
Lindsay Gro. G74: E Kil 1H 157
Lindsay Pl. G12: Glas 3H 63
   G66: Lenz 4D 52
   G74: E Kil 2A 158
   PA5: John 2G 99
         (off John Lang St.)
Lindsay Rd. G74: E Kil 2H 157
Lindsay Ter. G66: Len 3G 9
Lindum Cres. ML1: Moth 1D 146
Lindum St. ML1: Moth 1D 146
Linfern Rd. G12: Glas 6A 64
Linghope Pl. ML2: Wis 3F 165
Lingley Av. ML6: Air 5A 96
Linhope Pl. G75: E Kil 4A 156
Links, The G68: Cumb 5B 16
Links Rd. G32: Glas 2D 110
   G44: Glas 3G 123
Links Vw. ML9: Lark 3E 171
Linksview Rd. ML1: Carf 6B 132
Linkwood Av. G15: Glas 4H 45
Linkwood Cres. G15: Glas 4A 46
Linkwood Dr. G15: Glas 4H 45
Linkwood Gdns. G15: Glas 4B 46
Linkwood Gro. G15: Glas 4B 46
Linkwood Pl. G15: Glas 4H 45
Linlithgow Gdns. G32: Glas 6D 90
Linlithgow Pl. G69: G'csh 5C 70
Linn Crematorium
   G45: Glas 5E 123
Linn Cres. PA2: Pais 6G 101
Linndale Dr. G45: Glas 6G 123
Linndale Gdns. G45: Glas 6G 123
Linndale Gro. G45: Glas 6G 123
Linndale Oval G45: Glas 5G 123
Linndale Rd. G45: Glas 6G 123
Linndale Way G45: Glas 5G 123
Linn Dr. G44: Neth 4D 122
Linnet Av. PA5: John 6C 98
Linnet Pl. G13: Glas 2H 61
Linnet Rd. ML4: Bell 3D 130
Linnet Way ML4: Bell 5B 114
Linn Gdns. G68: Cumb 3B 36
Linn Ga. G68: Cumb 3C 36
Linn Glen G66: Len 3H 9
Linnhead Dr. G53: Glas 1B 120
Linnhead Pl. G14: Glas 5B 62
Linnhe Av. G44: Glas 3E 123
   G64: B'rig 6D 50
   ML3: Ham 2E 161
Linnhe Ct. ML9: Lark 6H 163
Linnhe Cres. ML2: Wis 2H 165
Linnhe Dr. G78: Barr 2D 118
Linnhe Pl. G72: Blan 5A 128
   PA8: Ersk 6C 42
Linnpark Av. G44: Neth 5D 122
Linnpark Ct. G44: Neth 5D 122
Linn Pk. Gdns. PA5: John 3G 99
Linnpark Ind. Est. G45: Glas 4G 123
Linnvale Way G68: Dull 5E 15
Linn Valley Vw. G45: Glas 4H 123
Linnwell Cres. PA2: Pais 6H 101
Linside Av. PA1: Pais 1C 102
Lint Butts G72: Blan 2A 144
Lintfield Loan G71: Udd 2E 129
         (off Bellshill Rd.)
Linthaugh Rd. G53: Glas 3A 104
Linthaugh Ter. G53: Glas 4D 104

LINTHOUSE 3E 85
Linthouse Bldgs.
   G51: Glas 3E 85
Linthouse Rd. G51: Glas 2E 85
Lintie Rd. ML1: N'hill 3C 132
Lintlaw G72: Blan 5B 128
Lintlaw Dr. G52: Glas 5B 84
Lintmill Ter. G78: Neil 3C 134
Lint Mill Way G68: Cumb 3C 36
Linton Pl. ML5: Coat 2A 114
Linton St. G33: Glas 3G 89
Lintwhite Ct. PA11: Bri W 4G 77
         (off Lintwhite Cres.)
Lintwhite Cres. PA11: Bri W 3G 77
LINVALE 6G 45
LINWOOD 6A 80
Linwood Av. G74: E Kil 1B 156
   G76: Busby 2D 138
Linwood Ind. Est. PA3: Lin 1H 99
Linwood Rd. PA1: Pais 6C 80
   PA3: Lin 6B 80
Linwood Sports Complex 4G 79
Linwood Ter. ML3: Ham 5F 145
Lion Bank G66: Kirk 4D 32
Lismore G74: E Kil 3C 158
Lismore Av. ML1: Moth 1D 146
   PA4: Renf 2F 83
Lismore Dr. ML5: Coat 1H 113
   PA2: Pais 6H 101
   PA3: Lin 6F 79
Lismore Gdns. PA10: Kilb 3C 98
Lismore Hill ML3: Ham 6B 144
Lismore Pl. G69: Mood 4E 55
   G77: Newt M 4B 136
   ML6: Air 6C 96
Lismore Rd. G12: Glas 4H 63
Lister Gdns. G76: Busby 4E 139
Lister Hgts. G4: Glas 5H 7
Lister Pl. G52: Hill 4A 84
Lister Rd. G52: Hill 4H 83
         (not continuous)
Lister St. G4: Glas 2G 7 (2H 87)
Lister Twr. G75: E Kil 3H 157
         (off Sinclair Pl.)
Lister Wlk. ML4: Bell 6E 115
Lister Way G72: Blan 4A 144
Lithgow Av. G66: Kirk 6E 33
Lithgow Cres. PA2: Pais 3C 102
Lithgow Dr. ML1: Cle 6H 133
Lithgow Pl. G74: E Kil 1D 156
Little Corseford PA5: John 6C 98
         (off Corseford Av.)
Little Dovehill G1: Glas 5H 87
Lit. Drum Rd. G68: Cumb 5F 35
LITTLE EARNOCK 2E 161
Littlehill St. G21: Glas 5C 66
Littleholm Pl. G81: Clyd 3A 44
Lit. John Gdns. ML2: Newm 5D 150
Littlemill Av. G68: Cumb 4A 36
Littlemill Cres. G53: Glas 5A 104
Littlemill Dr. G53: Glas 5A 104
Littlemill Gdns. G53: Glas 5A 104
Littlemill La. G60: Bowl 5A 22
Littlemill Way ML1: Carf 6B 132
Littleston Gdns. PA8: Ersk 6D 42
Little St. G3: Glas 5F 5 (4D 86)
Littleton Dr. G23: Glas 6C 48
         (off Littleton St.)
Littleton St. G23: Glas 6B 48
Lively Pl. G72: Blan 2A 144
         (off Burnbrae Rd.)
Livery Wlk. PA11: Bri W 3F 77
         (off Main St.)
Livingston Dr. ML6: Plain 1G 97
Livingstone Av. G52: Hill 3A 84
Livingstone Blvd. G72: Blan 4A 144

Livingstone Cres. G72: Blan 6B 128
   G75: E Kil 4F 157
Livingstone Dr. G75: E Kil 3F 157
Livingstone Gdns.
   ML9: Lark 2D 170
Livingstone La. G71: Both 4E 129
   G72: Camb 4A 126
Livingstone Pk. G65: Kils 1F 13
Livingstone Pl. ML6: Air 4B 96
Livingstone St. G81: Clyd 6E 45
   ML3: Ham 5D 144
Lloyd Av. G32: Glas 3A 110
Lloyd Dr. ML1: Carf 6A 132
Lloyds St. ML5: Coat 6C 94
Lloyd St. G31: Glas 3C 88
   G73: Ruth 4D 108
   ML1: Carf 6A 132
Loan, The G62: Miln 1C 26
Loanbank Pl. G51: Glas 4G 85
Loanbank Quad. G51: Glas 4F 85
Loancroft Av. G69: Bail 2A 112
Loancroft Gdns. G71: Udd 2D 128
Loancroft Ga. G71: Udd 2C 128
Loancroft Ho. G69: Bail 2H 111
Loancroft Pl. G69: Bail 2H 111
Loanend Cotts. G72: Flem 6F 127
Loanfoot Av. G13: Glas 2A 62
   G78: Neil 3D 134
Loanfoot Rd. G72: Blan 4B 144
LOANHEAD 1E 83
Loanhead Av. ML1: N'hill 4D 132
   PA3: Lin 5G 79
   PA4: Renf 6F 61
Loanhead Cres. ML1: N'hill 4D 132
Loanhead La. PA3: Lin 5G 79
Loanhead Rd. ML1: N'hill 4C 132
   PA3: Lin 5G 79
Loanhead St. G32: Glas 4H 89
   ML5: Coat 2A 114
Loaning ML9: Lark 3E 171
         (off Hareleeshill)
Loaning, The G46: Giff 1G 137
   G61: Bear 2E 47
   G66: Kirk 6C 32
   ML1: Moth 2E 147
Loaninghead Dr. G82: Dumb 1H 19
Loan Lea Cres. ML9: Lark 4D 170
Lobnitz Av. PA4: Renf 6F 61
Lochaber Dr. G73: Ruth 3F 125
Lochaber Path G72: Blan 2B 144
Lochaber Pl. G74: E Kil 6H 141
Lochaber Rd. G61: Bear 5G 47
Lochaber Wlk. G66: Milt C 4C 10
Loch Achray Gdns. G32: Glas 1C 110
Loch Achray St. G32: Glas 1C 110
Lochaline Av. PA2: Pais 3E 101
Lochaline Dr. G44: Glas 3E 123
Lochalsh Cres. G66: Milt C 5C 10
Lochalsh Dr. PA2: Pais 3E 101
Lochalsh Pl. G72: Blan 5H 127
   ML6: Air 6C 96
Lochar Cres. G53: Glas 3D 104
Lochard Dr. PA2: Pais 4E 101
Lochar Pl. G75: E Kil 4A 156
Loch Assynt G74: E Kil 3B 158
Loch Awe G74: E Kil 3A 158
Loch Awe Pl. ML5: Coat 5B 94
Lochay St. G32: Glas 1C 110
Lochbrae Dr. G73: Ruth 3E 125
Lochbridge Rd. G34: Glas 4G 91
Lochbroom Dr. G77: Newt M 3F 137
   PA2: Pais 3E 101
Loch Brora Cres. ML5: Coat 5A 94
Lochbrowan Ct. G77: Newt M 3F 137
Lochbuie La. ML6: Glenm 5G 73
Lochburn Cres. G20: Glas 2C 64
Lochburn Gdns. G20: Glas 2D 64

Lochburn Ga. G20: Glas 2C **64**
Lochburn Gro. *G20: Glas* 2C **64**
(off Lochburn Cres.)
Lochburn Pas. G20: Glas 2C **64**
Lochburn Rd. G20: Glas 3B **64**
Lochdochart Path *G34: Glas* *4B 92*
(off Lentran St.)
Lochdochart Rd. G34: Glas 3A **92**
Lochearn Cres. ML6: Air 1H **95**
PA2: Pais 3E **101**
Lochearnhead Rd.
G33: Step 4B **68**
Lochend Av. G69: G'csh 2C **70**
Lochend Cres. G61: Bear 4D **46**
Lochend Dr. G61: Bear 4D **46**
Lochend Path G34: Glas 2H **91**
Lochend Rd. G34: Glas 2H **91**
G61: Bear 4E **47**
G69: G'csh 2D **70**
(Drumcavel Rd.)
G69: G'csh 2H **91**
(Dubton St.)
Lochend St. ML1: Moth 3H **147**
Locher Av. PA6: C'lee 2E **79**
Locherburn Av. PA6: C'lee 3D **78**
Locherburn Gro. PA6: C'lee 3D **78**
Locherburn Pl. PA6: C'lee 3D **78**
Locher Cres. PA6: C'lee 3E **79**
Locher Gait PA6: C'lee 3E **79**
Locher Gdns. PA6: C'lee 3E **79**
Locher Pl. ML5: Coat 2F **115**
Locher Rd. PA11: Bri W 6H **77**
Locher Wlk. ML5: Coat 2E **115**
Locher Way PA6: C'lee 3E **79**
Lochfauld Rd. G23: Glas 5E **49**
LOCHFIELD 4B **102**
Lochfield Cres. PA2: Pais 4B **102**
Lochfield Dr. PA2: Pais 4C **102**
Lochfield Gdns. G34: Glas 2B **92**
Lochfield Rd. PA2: Pais 4A **102**
Lochgarry Way ML5: Coat 1H **113**
Lochgilp St. G20: Glas 2A **64**
Loch Goil G74: E Kil 2A **158**
Lochgoin Av. G15: Glas 3G **45**
Lochgoin Gdns. G15: Glas 3G **45**
Lochgreen Pl. ML3: Ham 3F **161**
ML5: Coat 1G **93**
Lochgreen St. G33: Glas 6F **67**
Lochhead Av. PA3: Lin 6H **79**
Lochiel Ct. *ML6: Air* *4F 95*
(off Monkscourt Av.)
Lochiel Dr. G66: Milt C 5C **10**
Lochiel La. G73: Ruth 3F **125**
Lochiel Rd. G46: T'bnk 3F **121**
Lochinch Pl. G77: Newt M 4A **136**
Lochinvar Rd. G67: Cumb 6F **37**
Lochinver Cres. G72: Blan 6A **144**
PA2: Pais 3E **101**
Lochinver Dr. G44: Glas 3E **123**
Lochinver Gro. G72: Camb 2B **126**
Loch Laidon Ct. G32: Glas 1C **110**
Loch Laidon St. G32: Glas 1D **110**
Loch Laxford G74: E Kil 3B **158**
Loch Lea G66: Kirk 3F **33**
Lochlea G74: E Kil 5D **142**
Lochlea Av. G81: Clyd 4F **45**
Lochlea Loan *ML9: Lark* *3E 171*
(off Catrine St.)
Lochlea Rd. G43: Glas 1B **122**
G67: Cumb 2B **38**
G73: Ruth 2B **124**
(Carrick Rd.)
G73: Ruth 2G **125**
(Langlea Dr.)
G76: Busby 4C **138**
Lochlea Way ML1: N'hill 3E **133**
Lochleven La. G42: Glas 6E **107**

Lochleven Rd. G42: Glas 6E **107**
LOCHLIBO 6C **118**
Lochlibo Av. G13: Glas 3H **61**
Lochlibo Cres. G78: Barr 6C **118**
Lochlibo Rd.
G78: Barr, Neil 3A **134**
Lochlibo Ter. G78: Barr 6C **118**
Loch Long G74: E Kil 3A **158**
Loch Loyal G74: E Kil 3B **158**
Lochmaben Rd. G52: Glas 1H **103**
G69: G'csh 5D **70**
Lochmaddy Av. G44: Glas 3E **123**
Loch Maree G74: E Kil 3B **158**
Loch Meadie G74: E Kil 3B **158**
Lochnagar Dr. G61: Bear 6B **26**
Lochnagar Rd. ML1: Moth 6C **148**
Lochnagar Way
ML9: Lark *3E 171*
(off Keir Hardie Way)
Loch Naver G74: E Kil 3B **158**
Lochore Av. PA3: Pais 4B **82**
Loch Pk. ML2: Wis 6A **150**
Loch Pk. Av. ML8: Carl 5C **174**
Lochpark Pl. ML9: Lark 4C **170**
Lochpark Stadium 5D **174**
Loch Pl. PA11: Bri W 3F **77**
Lochranza Ct. ML1: Carf 5B **132**
Lochranza Dr. G75: E Kil 1B **168**
Lochranza La. G75: E Kil 1C **168**
Loch Rd. G33: Step 4D **68**
G62: Miln 2H **27**
G66: Kirk 6D **32**
ML6: Chap 3D **116**
PA11: Bri W 3F **77**
Loch Shin G74: E Kil 3B **158**
Lochside G61: Bear 4F **47**
G69: G'csh 3D **70**
Lochside Cres. ML6: Air 6A **74**
Lochside St. G41: Glas 4C **106**
Lochsloy Ct. G22: Glas 5H **65**
Loch St. ML6: C'bnk 3B **116**
Loch Striven G74: E Kil 2A **158**
Loch Torridon G74: E Kil 3B **158**
Loch Vw. ML6: C'bnk 3B **116**
Lochview Cres. G33: Glas 6H **67**
Lochview Dr. G33: Glas 6H **67**
Lochview Gdns. G33: Glas 6H **67**
Lochview Ga. G33: Glas 6H **67**
Lochview Pl. G33: Glas 6H **67**
Lochview Quad. ML4: Bell 4B **130**
Lochview Rd. G61: Bear 4E **47**
ML5: Coat 2G **93**
Lochview Ter. G69: G'csh 4D **70**
Loch Voil St. G32: Glas 1D **110**
Lochwood Loan G69: Mood 4E **55**
Lochwood St. G33: Glas 1G **89**
Lochy Av. PA4: Renf 2H **83**
Lochy Gdns. G64: B'rig 6D **50**
Lochy Pl. PA8: Ersk 6C **42**
Lochy St. ML2: Wis 2G **165**
Locke Gro. ML1: Cle 6F **133**
Lockerbie Av. G43: Glas 1D **122**
Locket Yett Vw. ML4: Bell 2A **130**
Lockhart Av. G72: Camb 1D **126**
Lockhart Ct. G77: Newt M 1D **152**
Lockhart Dr. G72: Camb 1D **126**
G77: Newt M 1D **152**
Lockhart Pl. ML2: Wis 5C **150**
Lockhart St. G21: Glas 1D **88**
ML3: Ham 5G **161**
ML8: Carl 3D **174**
Lockhart Ter. G74: E Kil 1B **158**
Locksley Av. G13: Glas 1C **62**
G67: Cumb 1G **57**
Locksley Ct. G67: Cumb 1G **57**
Locksley Cres.
G67: Cumb 1G **57**

Locksley Pl. G67: Cumb 1G **57**
Locksley Rd. G67: Cumb 1G **57**
PA2: Pais 4D **100**
Locksley Way PA2: Pais 4D **100**
(Ivanhoe Rd.)
PA2: Pais 4D **100**
(off Amochrie Rd.)
Locks St. ML5: Coat 5F **95**
Lodge Twr. *ML1: Moth* *5A 148*
(off Glassford St.)
Logan Av. G77: Newt M 3C **136**
Logandale Av.
ML2: Newm 3D **150**
Logan Dr. G68: Cumb 6F **37**
PA3: Pais 5G **81**
Logan Gdns. ML1: Cle 1H **149**
Loganlea Dr. ML1: Carf 6A **132**
Logans Rd. ML1: Moth 2D **146**
Logan St. G5: Glas 3H **107**
G72: Blan 2C **144**
Loganswell Dr. G46: T'bnk 5E **121**
Loganswell Gdns.
G46: T'bnk 5E **121**
Loganswell Pl. G46: T'bnk 5E **121**
Loganswell Rd.
G46: T'bnk 5E **121**
Logan Twr. G72: Camb 3E **127**
Logie Pk. G74: E Kil 6A **142**
Logie Sq. G74: E Kil 6A **142**
Lomax St. G33: Glas 3F **89**
Lomond G75: E Kil 6G **157**
Lomond Av. PA4: Renf 2D **82**
Lomond Ct. G67: Cumb 6E **37**
G78: Barr 5E **119**
G82: Dumb 3E **19**
ML5: Coat 4F **95**
Lomond Cres. G67: Cumb 6E **37**
PA2: Pais 5H **101**
PA11: Bri W 3E **77**
Lomond Dr. G64: B'rig 4B **50**
G67: Cumb 6D **36**
G71: Both 4F **129**
G77: Newt M 2D **136**
G78: Barr 3D **118**
G82: Dumb 1H **19**
ML2: Wis 1G **165**
ML6: Air 2G **95**
Lomond Gdns. PA5: Eld 3A **100**
Lomond Gro. G67: Cumb 6E **37**
Lomond Pl. G33: Step 5D **68**
G67: Cumb 6D **36**
ML5: Coat 2A **94**
PA8: Ersk 6C **42**
(not continuous)
Lomond Rd. G61: Bear 5E **47**
G66: Lenz 2D **52**
G71: Tann 4D **112**
ML5: Coat 1G **93**
Lomondside Av. G76: Clar 1A **138**
Lomond St. G22: Glas 4F **65**
Lomondveiw Ind. Est.
PA5: John 2F **99**
(off High St.)
Lomond Vw. G67: Cumb 6E **37**
G72: Camb 6A **126**
G81: Clyd 4C **44**
ML3: Ham 1D **160**
Lomond Wlk. ML1: N'hill 3C **132**
ML9: Lark *1D 170*
(off Ashburn Loan)
ML9: Lark *1D 170*
(off Duncan Graham St.)
Lomond Way ML1: Holy 2A **132**
(off Graham St.)
London Dr. G32: Glas 3E **111**
London La. *G1: Glas* *5H 87*
(off St Andrews St.)

London Rd. G1: Glas 5H **87**
G31: Glas 1D **108**
G32: Glas 5H **87**
G40: Glas 6A **88**
London St. ML9: Lark 1C **170**
PA4: Renf 4F **61**
London Way G1: Glas 5H **87**
Lonend PA1: Pais 1B **102**
Longay Pl. G22: Glas 1G **65**
Longay St. G22: Glas 1G **65**
Long Calderwood Cotts.
G74: E Kil *5C **142***
(off Maxwellton Rd.)
Long Crags Vw.
G82: Dumb 1H **19**
LONGCROFT 1G **17**
Longcroft Dr. PA4: Renf 5E **61**
Longden St. G81: Clyd 1F **61**
Longford St. G33: Glas 3F **89**
Longlee G69: Bail 1H **111**
Longmeadow PA5: John 4D **98**
Longmorn Pl. ML1: Carf 6B **132**
Long Row G66: Kirk 6H **33**
G69: Bail 5A **92**
Longstone Pl. G33: Glas 3B **90**
Longstone Rd. G33: Glas 3B **90**
Longwill Ter.
G67: Cumb 1B **38**
Lonmay Dr. G33: Glas 3D **90**
Lonmay Pl. G33: Glas 3D **90**
Lonmay Rd. G33: Glas 3D **90**
Lonsdale Av. G46: Giff 4A **122**
Loom Wlk. PA10: Kilb 2A **98**
(not continuous)
Lora Dr. G52: Glas 1E **105**
Lord Way G69: Barg 6D **92**
Loretto Pl. G33: Glas 3H **89**
Loretto St. G33: Glas 3H **89**
Lorimer Cres. G75: E Kil 4F **157**
Lorn Av. G69: Chry 1B **70**
Lorne Ct. G20: Glas *1E **87***
(off Cedar St.)
Lorne Cres. G64: B'rig 5F **51**
Lorne Dr. ML1: Moth 5F **131**
PA3: Lin 6G **79**
Lorne Pl. ML5: Coat 6F **95**
Lorne Rd. G52: Hill 3H **83**
Lorne St. G51: Glas 5B **86**
ML3: Ham 5G **145**
Lorne Ter. G72: Camb 4H **125**
Lorn Pl. G66: Kirk 4A **34**
Lorraine Gdns. G12: Glas 5A **64**
Lorraine Gdns. La.
G12: Glas *5A **64***
(off Lorraine Gdns.)
Lorraine Rd. G12: Glas 5A **64**
Loskin Dr. G22: Glas 2F **65**
Lossie Cres. PA4: Renf 1H **83**
Lossie St. G33: Glas 2F **89**
Lothian Cres. PA2: Pais 4H **101**
Lothian Dr. G76: Clar 1B **138**
Lothian Gdns. G20: Glas 6C **64**
Lothian St. G52: Hill 3G **83**
(not continuous)
Lothian Way G74: E Kil 6C **142**
Louden Hill Dr. G33: Glas 3G **67**
Louden Hill Gdns.
G33: Glas 3G **67**
Louden Hill Pl. G33: Glas 3G **67**
Louden Hill Rd. G33: Glas 3G **67**
Louden Hill Way G33: Glas 3G **67**
Louden St. ML6: Air 4A **96**
Loudon G75: E Kil 6G **157**
Loudon Gdns. PA5: John 2G **99**
Loudonhill Av. ML3: Ham 3A **162**
Loudon Rd. G33: Mille 5B **68**
Loudon St. ML2: Wis 3H **149**

Loudon Ter. G12: Glas *6B **64***
(off Observatory Rd.)
G61: Bear *2D **26***
(off Grampian Way)
Louise Gdns. ML1: Holy 2H **131**
Louisville Av. ML2: Wis 4B **150**
LOUNSDALE 3E **101**
Lounsdale Av. PA2: Pais 2F **101**
Lounsdale Cres. PA2: Pais 3E **101**
Lounsdale Dr. PA2: Pais 3F **101**
Lounsdale Gro. PA2: Pais 2F **101**
Lounsdale Ho. PA2: Pais 4D **100**
Lounsdale Pl. G14: Glas 5B **62**
Lounsdale Rd. PA2: Pais 3F **101**
Lounsdale Way PA2: Pais 2F **101**
Lourdes Av. G52: Glas 1D **104**
Lourdes Ct. G52: Glas 1D **104**
Lovat Av. G61: Bear 6E **27**
Lovat Dr. G66: Kirk 5B **32**
Lovat Path ML9: Lark *3E **171***
(off Shawrigg Rd.)
Lovat Pl. G52: Hill 4G **83**
G73: Ruth 3F **125**
Love Av. PA11: Q'riers 1A **76**
Love Dr. ML4: Bell 1D **130**
Love St. PA3: Pais 5A **82**
Low Barholm PA10: Kilb 3B **98**
LOW BLANTYRE 6C **128**
Low Broadlie Rd. G78: Neil 1D **134**
Low Craigends G65: Kils 3A **14**
Low Cres. G81: Clyd 1G **61**
Lwr. Admiralty Rd. G60: Old K 2F **43**
Lwr. Auchingramont Rd.
ML3: Ham 5A **146**
Lwr. Bourtree Dr. G73: Ruth 3E **125**
Lower Millgate G71: Udd 1D **128**
Lwr. Mill Rd. G76: Busby 3D **138**
Low Flender Rd. G76: Clar 4B **138**
Lowland Ct. G33: Step 3E **69**
Low Moss Ind. Est. G64: B'rig 3E **51**
Lowndes St. G78: Barr 5E **119**
Low Parksail PA8: Ersk 1G **59**
Low Parks Mus. 5A **146**
Low Patrick St. ML3: Ham 6B **146**
Low Pleasance ML9: Lark 2D **170**
Low Quarry Gdns.
ML3: Ham 1H **161**
Low Rd. PA2: Pais 2G **101**
Lowther Av. G61: Bear 6C **26**
Lowther Ter. G12: Glas 5A **64**
LOW WATERS 2A **162**
Low Waters Rd. ML3: Ham 3H **161**
Loyal Av. PA8: Ersk 6D **42**
Loyal Gdns. G61: Bear 6B **26**
Loyal Pl. PA8: Ersk 6D **42**
Loyne Dr. PA4: Renf 1H **83**
Luath St. G51: Glas 3G **85**
Lubas Av. G42: Glas 6H **107**
Lubas Pl. G42: Glas 6H **107**
Lubnaig Dr. PA8: Ersk 6D **42**
Lubnaig Gdns. G61: Bear 6C **26**
Lubnaig Rd. G43: Glas 2C **122**
Lubnaig Wlk. ML1: Holy 2A **132**
Luckiesfauld G78: Neil 3D **134**
Luckingsford Av. PA4: Inch 2H **59**
Luckingsford Dr. PA4: Inch 2G **59**
Luckingsford Rd. PA4: Inch 2G **59**
Lucy Brae G71: Tann 5C **112**
Ludovic Sq. PA5: John 2F **99**
Luffness Gdns. G32: Glas 3B **110**
Lugar Dr. G52: Glas 1E **105**
Lugar Pl. G44: Glas 2B **124**
Lugar St. ML5: Coat 3D **94**
Luggiebank Pl. G69: Barg 1E **113**
Luggiebank Rd. G66: Kirk 5D **32**
(not continuous)

Luggieburn Wlk. ML5: Coat 6B **94**
Luggie Gro. G66: Kirk 6G **33**
Luggie Rd. ML8: Carl 3B **174**
Luggie Vw. G67: Cumb 6C **36**
Luing Rd. G6: Air 5E **97**
Luing Rd. G52: Glas 6E **85**
Luma Gdns. G51: Glas 4C **84**
LUMLOCH 1F **67**
Lumloch St. G21: Glas 5C **66**
Lumsden La. G3: Glas 2B **4**
Lumsden St. G3: Glas 3B **4** (3B **86**)
Lunan Dr. G64: B'rig 1E **67**
Lunan Pl. G51: Glas 4E **85**
Lunar Path ML6: Chap 4D **116**
Luncarty Pl. G32: Glas 2A **110**
Luncarty St. G32: Glas 2A **110**
Lunderston Cl. G53: Glas 1B **120**
Lunderston Dr. G53: Glas 6A **104**
Lunderston Gdns. G53: Glas 1B **120**
Lundie Gdns. G64: B'rig 1F **67**
Lundie St. G32: Glas 2G **109**
Luss Brae ML3: Ham 1C **160**
Lusset Glen G60: Old K 1F **43**
Lusset Rd. G60: Old K 1F **43**
Lusset Vw. G81: Clyd 4D **44**
Lusshill Ter. G71: Udd 3H **111**
Luss Rd. G51: Glas 4F **85**
Lybster Cres. G73: Ruth 4F **125**
Lybster Way G72: Blan 6A **144**
Lye Brae G67: Cumb 3B **38**
Lyell Gro. G74: E Kil 6G **141**
Lyell Pl. G74: E Kil 6G **141**
Lyle Cres. PA7: B'ton 3F **41**
Lyle Pl. PA2: Pais 3B **102**
Lyle Rd. ML6: Air 4F **97**
Lyle's Land PA6: Hous 1B **78**
Lylesland Ct. PA2: Pais 3A **102**
Lyle Sq. G62: Miln 3E **27**
(Hilton Rd.)
G62: Miln 3E **27**
(Kelvin Rd.)
Lyman Dr. ML2: Wis 2A **150**
Lymburn St. G3: Glas 3C **4** (3B **86**)
Lymekilns Rd. G74: E Kil 1F **157**
Lyndale Pl. G20: Glas 1B **64**
Lyndale Rd. G20: Glas 1B **64**
Lyndhurst Gdns. G20: Glas 6D **64**
Lyndhurst Gdns. La.
G20: Glas *6D **64***
(off Lothian Gdns.)
Lynebank Gro. G77: Newt M 1D **152**
Lynebank Pl. G77: Newt M 1D **152**
Lyne Cft. G64: B'rig 3C **50**
Lynedoch Cres. G3: Glas . . .1F **5** (2D **86**)
Lynedoch Cres. La. G3: Glas 1F **5**
Lynedoch Pl. G3: Glas 2G **5**
(Lynedoch St.)
G3: Glas 1F **5** (2D **86**)
(Woodlands Ter.)
Lynedoch St. G3: Glas 1F **5** (2D **86**)
Lynedoch Ter.
G3: Glas 2G **5** (2D **86**)
Lyne St. ML2: Wis 4G **149**
Lynnburn Av. ML4: Bell 1C **130**
Lynn Ct. ML9: Lark 3C **170**
Lynn Dr. G62: Miln 3A **28**
G76: Eag 5C **154**
Lynne Dr. G23: Glas 6C **48**
Lynnhurst G71: Tann 6D **112**
Lynn Wlk. G71: Udd *2E **129***
(off Bellshill Rd.)
Lynton Av. G46: Giff 6G **121**
Lynwood Rd. ML2: Newm 3G **151**
Lyoncross Av. G78: Barr 5F **119**
Lyoncross Cres.
G78: Barr 4F **119**
Lyoncross Rd. G53: Glas 2B **104**

Lyon Rd. PA2: Pais 4D **100**
  PA3: Lin 1H **99**
  PA8: Ersk 6C **42**
Lyons Quad. ML2: Wis 5D **148**
Lysander Way PA4: Renf 2F **83**
Lysa Va. Pl. ML4: Bell 2A **130**
Lytham Dr. G23: Glas 6C **48**
Lytham Mdws. G71: Both 5C **128**
Lyttleton G75: E Kil 5D **156**

M

M8 Food Pk. G21: Glas 1H **87**
Mabel St. ML1: Moth 4G **147**
Macadam Gdns. ML4: Bell 1C **130**
Macadam Pl. G75: E Kil 3G **157**
Macallan M. ML1: Carf 5B **132**
McAllister Av. ML6: Air 3D **96**
McAlpine St. G2: Glas 6H **5** (4E **87**)
  ML2: Wis 1H **165**
McArdle Av. ML1: Moth 2D **146**
McArron Way G67: Cumb 4H **37**
  (in The Cumbernauld Shop. Cen.)
Macarthur Av. ML6: Glenm 6F **73**
Macarthur Ct. G74: E Kil 6E **141**
Macarthur Cres. G74: E Kil 5E **141**
  (not continuous)
Macarthur Dr. G74: E Kil 6E **141**
Macarthur Gdns. G74: E Kil 6E **141**
McArthur Pk. G66: Kirk 6C **32**
McArthur St. G43: Glas 6A **106**
Macarthur Wynd
  G72: Camb 2C **126**
McAslin Ct. G4: Glas 3G **7** (3H **87**)
McAslin St. G4: Glas 3H **7** (3A **88**)
Macbeth G74: E Kil 4B **142**
Macbeth Pl. G31: Glas 1F **109**
Macbeth St. G31: Glas 1F **109**
McBride Av. G66: Kirk 6C **32**
McBride Path G33: Step 4E **69**
MacCabe Gdns. G66: Len 4H **9**
McCallum Av. G73: Ruth 6D **108**
McCallum Ct. G74: E Kil 5D **140**
MacCallum Dr. G72: Camb 2C **126**
McCallum Gdns. ML4: Bell 5B **130**
McCallum Gro. G74: E Kil 5D **140**
McCallum Pl. G74: E Kil 5D **140**
McCallum Rd. ML9: Lark 4D **170**
McCardle Way ML2: Newm 3E **151**
McCarrison Rd. ML2: Newm 3E **151**
McCash Pl. G66: Kirk 6C **32**
McCloy Gdns. G53: Glas 2H **119**
McClue Av. PA4: Renf 6D **60**
McClue Rd. PA4: Renf 5E **61**
McClurg Ct. ML1: Moth 4G **147**
McCormack Gdns.
  ML1: N'hill 3E **133**
McCourt Gdns. ML4: Moss 2E **131**
  (off Main St.)
McCracken Av. PA4: Renf 1D **82**
McCracken Dr. G71: View 5G **113**
McCreery St. G81: Clyd 1F **61**
MacCrimmon Pk. G74: E Kil 5D **140**
McCrorie Pl. PA10: Kilb 2A **98**
McCulloch Av. G71: View 1G **129**
McCulloch St. G41: Glas 1D **106**
McCulloch Way G78: Neil 2D **134**
McCulloghs Wlk. G66: Len 3F **9**
Macdairmid Dr. ML3: Ham 4F **161**
Macdonald Av. G74: E Kil 5C **140**
McDonald Av. PA5: John 4E **99**
Macdonald Cres. G65: Twe 2D **34**
McDonald Cres. G81: Clyd 1F **61**
Macdonald Gro. ML4: Bell 5B **130**
McDonald Pl. G78: Neil 2E **135**
  ML1: Holy 2A **132**

Macdonald St. G73: Ruth 6C **108**
  ML1: Moth 4H **147**
Macdougall Dr. G72: Camb 2C **126**
Macdougall St. G43: Glas 6A **106**
Macdougal Quad. ML4: Bell 5B **130**
Macdowall St. PA3: Pais 5H **81**
  PA5: John 2F **99**
Macduff PA8: Ersk 5E **43**
Macduff Pl. G31: Glas 1F **109**
Macduff St. G31: Glas 1F **109**
Macedonian Gro. ML1: N'hill . . .3C **132**
Mace Rd. G13: Glas 6C **46**
McEwan Gdns. G74: E Kil 5C **140**
Macfarlane Cres. G72: Camb . . .2C **126**
Macfarlane Rd. G61: Bear 4G **47**
McFarlane St. G4: Glas 5A **88**
  PA3: Pais 4G **81**
Macfie Pl. G74: E Kil 5D **140**
McGhee St. G81: Clyd 3D **44**
McGoldrick Rd. G33: Step 4F **69**
McGowan Pl. ML3: Ham 4E **145**
McGregor Av. ML6: Air 3D **96**
  PA4: Renf 1D **82**
Macgregor Ct. G72: Camb 2C **126**
McGregor Dr. G82: Dumb 1C **20**
McGregor Path ML5: Glenb 3G **71**
Macgregor Rd. G67: Cumb 4G **37**
McGregor St. G51: Glas 5F **85**
  G81: Clyd 1F **61**
  ML2: Wis 5D **148**
McGrigor Rd. G62: Miln 2F **27**
McGurk Way ML4: Bell 1H **129**
MACHAN 4C **170**
Machan Av. ML9: Lark 2C **170**
Machanhill ML9: Lark 2D **170**
Machanhill Vw. ML9: Lark 3D **170**
Machan Rd. ML9: Lark 3C **170**
Machrie Dr. G45: Glas 3B **124**
  G77: Newt M 3E **137**
Machrie Gdns. G75: E Kil 1B **168**
Machrie Rd. G45: Glas 3A **124**
Machrie St. G45: Glas 4A **124**
  ML1: Moth 2D **146**
McInnes Ct. ML2: Wis 1H **165**
Macinnes Dr. ML1: N'hill 2G **133**
Macinnes M. ML1: N'hill 3E **133**
McInnes Pl. ML2: Over 4H **165**
Macintosh Ct. G72: Camb 4A **126**
McIntosh Ct. G31: Glas 4B **88**
  (off McIntosh St.)
Macintosh Pl. G75: E Kil 4E **157**
McIntosh Pl. G31: Glas 4B **88**
McIntosh Quad. ML4: Bell 5B **130**
McIntosh St. G31: Glas 4B **88**
Macintosh Way G67: Cumb 4H **37**
  ML1: Moth 4E **147**
Macintyre Pl. PA2: Pais 3A **102**
Macintyre St. G3: Glas 5G **5** (4D **86**)
McIntyre Ter. G72: Camb 1A **126**
McIver St. G72: Camb 1D **126**
Macivor Cres. G74: E Kil 5C **140**
McKay Ct. G77: Newt M 5C **136**
McKay Cres. PA5: John 3G **99**
McKay Gro. ML4: Bell 2B **130**
McKay Pl. G74: E Kil 5C **140**
  G77: Newt M 5C **136**
Mackean St. PA3: Pais 5G **81**
McKechnie St. G51: Glas 3G **85**
Mackeith St. G40: Glas 1B **108**
McKenna Dr. ML6: Air 4G **95**
McKenzie Av. G81: Clyd 3D **44**
Mackenzie Dr. PA10: Kilb 4B **98**
Mackenzie Gdns. G74: E Kil 5C **140**
McKenzie Ga. G72: Camb 1E **127**
McKenzie St. PA3: Pais 5H **81**
Mackenzie Ter. ML4: Bell 6C **114**

McKeown Gdns. ML4: Bell 3F **131**
McKerrell St. PA1: Pais 6C **82**
Mackie's Mill Rd. PA5: Eld 5B **100**
Mackinlay Pl. G77: Newt M 5D **136**
Mackinnon Mills ML5: Coat 2C **114**
Mack St. ML6: Air 3A **96**
McLaren Ct. G46: Giff 6H **121**
McLaren Cres. G20: Glas 2C **64**
McLaren Dr. ML4: Bell 3F **131**
McLaren Gdns. G20: Glas 2C **64**
McLaren Gro. G74: E Kil 5C **140**
Maclaren Pl. G44: Neth 5D **122**
McLaurin Cres. PA5: John 4D **98**
Maclay Av. PA10: Kilb 3A **98**
McLean Av. PA4: Renf 2E **83**
Maclean Ct. G74: E Kil 5D **140**
McLean Dr. ML4: Bell 5B **130**
Maclean Gro. G74: E Kil 5D **140**
Maclean Pl. G74: E Kil 5D **140**
McLean Pl. G67: Cumb 6C **36**
  (off Airdrie Rd.)
  PA3: Pais 4H **81**
Maclean Sq. G51: Glas 5B **86**
Maclean St. G51: Glas 5B **86**
  G81: Clyd 1G **61**
McLees La. ML1: Moth 2D **146**
Maclehose Rd. G67: Cumb 2C **38**
McLelland Dr. ML6: Plain 1H **97**
Maclellan Rd. G78: Neil 3E **135**
Maclellan St. G41: Glas 6B **86**
McLennan St. G42: Glas 5F **107**
Macleod Pl. G74: E Kil 6B **142**
McLeod Rd. G82: Dumb 1C **20**
Macleod St. G4: Glas 5H **7** (4A **88**)
Macleod Way G72: Camb 2C **126**
McMahon Dr. ML2: Newm 3E **151**
McMahon Gro. ML4: Bell 1D **130**
Macmillan Gdns. G71: Tann 5E **113**
McMillan Rd. ML2: Wis 1D **164**
Macmillan St. ML9: Lark 3B **170**
McMillan Way ML8: Law 6D **166**
McNair St. G32: Glas 6A **90**
McNeil Av. G81: Clyd 6G **45**
McNeil Dr. ML1: Holy 6G **115**
McNeil Gdns. G5: Glas 1H **107**
Macneil Dr. G74: E Kil 5D **140**
Macneill Gdns. G74: E Kil 5C **140**
Macneill St. ML9: Lark 2B **170**
McNeil Pl. ML2: Over 4A **166**
McNeil St. G5: Glas 1H **107**
Macneish Way G74: E Kil 5D **140**
Macnicol Ct. G74: E Kil 5C **140**
Macnicol Pk. G74: E Kil 5C **140**
Macnicol Pl. G74: E Kil 5C **140**
McPhail Av. ML1: N'hill 2F **133**
McPhail St. G40: Glas 1A **108**
McPherson Cres.
  ML6: Chap 4E **117**
McPherson Dr. G71: Both 4F **129**
Macpherson Pk. G74: E Kil 6E **141**
McPherson St.
  G1: Glas 6F **7** (5H **87**)
  ML4: Moss 2F **131**
Macphie Rd. G82: Dumb 1C **20**
Macquisten Bri. G41: Glas 6B **106**
Macrae Ct. PA5: John 4E **99**
  (off Tannahill Cres.)
Macrae Gdns. G74: E Kil 6E **141**
Macrimmon Pl. G75: E Kil 3G **157**
Macrius Way ML1: Moth 1F **147**
McShane Ct. ML2: Newm 4F **151**
McShannon Gro. ML4: Bell 4C **130**
McSparran Rd. G65: Croy 1B **36**
Mactaggart Rd.
  G67: Cumb 5G **37**
Mcullock Way G33: Step 4E **69**

Madison Av. G44: Glas 2F 123
Madison La. G44: Glas 2F 123
Madison Path G72: Blan 2B 144
Madras Pl. G40: Glas 2B 108
   G78: Neil 2E 135
Madras St. G40: Glas 2B 108
Mafeking St. G51: Glas 5H 85
   ML2: Wis 5D 148
Mafeking Ter. G78: Neil 2C 134
Magdalen Way PA2: Pais 6B 100
Magna St. ML1: Moth 1D 146
Magnolia Dr. G72: Flem 4F 127
Magnolia Gdns.
   ML1: N'hill 4C 132
   ML9: Shaw 4G 171
Magnolia Pl. G71: View 5G 113
Magnolia St. ML2: Wis 4H 149
Magnolia Ter. G72: Flem 4F 127
Magnus Cres. G44: Glas 3F 123
Magnus Rd. PA6: C'lee 3C 78
Mahon Ct. G69: Mood 6D 54
Maidens G74: E Kil 6F 141
Maidens Av. G77: Newt M 4G 137
Maidland Rd. G53: Glas 5C 104
Mailerbeg Gdns.
   G69: Mood 4D 54
Mailie Wlk. ML1: N'hill 4C 132
Mailing Av. G64: B'rig 5D 50
Mainhead Ter. G67: Cumb 6B 16
Mainhill Av. G69: Bail 6B 92
Mainhill Dr. G69: Bail 6A 92
Mainhill Pl. G69: Bail 5B 92
Mainhill Rd. G69: Barg 6C 92
Main Rd. G67: Cumb 2B 56
   PA2: Pais 1H 101
   PA5: Eld 3H 99
Mains Av. G46: Giff 6H 121
Mains Castle 4F 141
Mainscroft PA8: Ersk 6G 43
Mains Dr. PA8: Ersk 6G 43
Mains Hill PA8: Ersk 6F 43
Mainshill Av. PA8: Ersk 6F 43
Mainshill Gdns. PA8: Ersk 6F 43
Mains Pl. ML4: Bell 4C 130
Mains River PA8: Ersk 6G 43
Mains Rd. G74: E Kil 6H 141
   G74: E Kil, Ners 4G 141
Main St. G40: Glas 2B 108
   G46: T'bnk 4F 121
   G62: Miln 4G 27
   (not continuous)
   G64: Torr 5D 30
   G65: Bant 1G 15
   G65: Kils 2H 13
   G65: Twe 1D 34
   G66: Len 3F 9
   G67: Cumb 6B 16
   G69: Bail 1H 111
   G69: Chry 1A 70
   G71: Both 5E 129
   G71: Udd 1D 128
   G72: Blan 3H 143
   (not continuous)
   G72: Camb 1A 126
   G73: Ruth 5C 108
   G74: E Kil 1H 157
   G76: Busby 3D 138
   G78: Barr 5D 118
   G78: Neil 2D 134
   ML1: Cle ....1H 149 & 6H 133
   ML1: Holy 2A 132
   ML2: Newm 5E 151
   ML2: Over 4H 149
   ML2: Wis 5F 149
   ML4: Bell, Moss 2B 130
   ML5: Coat 4C 94
   (not continuous)

Main St. ML5: Glenb 3H 71
   ML6: C'bnk 2C 116
   ML6: Chap 2E 117
   ML6: Plain 1G 97
   PA6: Hous 1A 78
   PA11: Bri W 3F 77
Mains Wood PA8: Ersk 6H 43
Mair St. G51: Glas 5C 86
Maitland Bank ML9: Lark 2E 171
Maitland Dr. G64: Torr 4D 30
Maitland Pl. PA4: Renf 1D 82
Maitland St. G4: Glas 1C 6 (2F 87)
Malcolm Gdns. G74: E Kil 1E 157
Malcolm St. ML1: Moth 3E 147
Mal Fleming's Brae G65: Kils ...4B 14
Malin Pl. G33: Glas 3H 89
Mallaig Path G51: Glas 4D 84
   (off Mallaig Rd.)
Mallaig Pl. G51: Glas 4D 84
Mallaig Rd. G51: Glas 4D 84
Mallard Cres. G75: E Kil 6C 156
Mallard La. G71: Both 4E 129
Mallard Pl. G75: E Kil 6C 156
Mallard Rd. G81: Hard 2D 44
Mallard Ter. G75: E Kil 6C 156
Mallard Way ML4: Bell 4B 114
Malleable Gdns. ML1: Moth 5E 131
Malleny Gro. G77: Newt M 6B 136
MALLETSHEUGH 5B 136
MALLETSHEUGH INTERCHANGE
   ....3A 152
Malletsheugh Rd.
   G77: Newt M 6A 136
   (not continuous)
Malloch Cres. PA5: Eld 3H 99
Malloch Pl. G74: E Kil 1B 158
Malloch St. G20: Glas 4C 64
Mallots Vw. G77: Newt M 6B 136
Malov Ct. G75: E Kil 6G 157
Malplaquet Ct. ML8: Carl 4F 175
Malta Ter. G5: Glas 1F 107
Maltbarns St. G20: Glas 6E 65
Malvaig La. G72: Blan 3A 144
Malvern Ct. G31: Glas 5C 88
Malvern Way PA3: Pais 3H 81
Mambeg Dr. G51: Glas 3E 85
Mamore Pl. G43: Glas 1A 122
Mamore St. G43: Glas 1A 122
Manchester Dr. G12: Glas 3G 63
M & D's Theme Pk. 6A 130
Mandela Pl. G2: Glas 5D 6 (4G 87)
Manderston Ct.
   G77: Newt M 5B 136
Manderston Mdw.
   G77: Newt M 5B 136
Mandora Ct. ML8: Carl 4F 175
Manitoba Cres. G75: E Kil 2D 156
Mannering G74: E Kil 5D 142
Mannering Ct. G41: Glas 5A 106
Mannering Rd. G41: Glas 5A 106
   PA2: Pais 6C 100
Mannering Way PA2: Pais 5C 100
Mannoch Pl. ML5: Coat 2F 115
Mannofield G61: Bear 3D 46
Manor Dr. ML5: Coat 4H 93
   ML6: Air 3G 95
Manor Ga. G71: Both 6F 129
   G77: Newt M 6F 137
Manor Pk. ML3: Ham 1H 161
Manor Pk. Av. PA2: Pais 4F 101
Manor Rd. G14: Glas 5E 63
   G15: Glas 6H 45
   G69: G'csh 4D 70
   PA2: Pais 4D 100
Manor Vw. ML6: C'bnk 3B 116
   ML9: Lark 3E 171
Manor Way G73: Ruth 3E 125

Manresa Pl. G4: Glas 1F 87
Manse Av. G61: Bear 2F 47
   G71: Both 5E 129
   ML5: Coat 1H 113
Manse Brae G44: Glas 1F 123
   G72: Flem 5F 127
   ML9: Ashg, Dals 6B 172
Manse Brn. ML8: Carl 4D 174
Manse Ct. G65: Kils 4H 13
   G78: Barr 4F 119
   ML8: Law 1G 173
Manse Cres. PA6: Hous 1B 78
Mansefield Av. G72: Camb 3A 126
Mansefield Cres. G60: Old K ...1E 43
   G76: Clar 3B 138
Mansefield Rd. G76: Clar 3C 138
   ML3: Ham 5H 161
Manse Gdns. G32: Glas 1D 110
Manse La. G74: E Kil 6H 141
Mansel St. G21: Glas 4B 66
Manse M. ML2: Newm 5E 151
Manse Pl. ML6: Air 4A 96
   (not continuous)
Manse Rd. G32: Glas 1D 110
   G60: Bowl 5B 22
   G61: Bear 2E 47
   G65: Kils 4H 13
   G69: Barg 5C 92
   G76: Crmck 2H 139
   G78: Neil 2D 134
   ML1: Moth 1G 163
   ML2: Newm 5D 150
Manse Rd. Gdns. G61: Bear ...2F 47
Manse St. ML5: Coat 5B 94
   PA4: Renf 5F 61
Manse Vw. G72: Blan 3H 143
   ML1: N'hill 3F 133
   ML9: Lark 3D 170
Manseview Ter. G76: Eag 6C 154
MANSEWOOD 2A 122
Mansewood Dr. G82: Dumb 2H 19
Mansewood Rd. G43: Glas 1H 121
Mansfield Dr. G71: Udd 1D 128
Mansfield Rd. G52: Hill 4H 83
   ML4: Bell 3B 130
Mansfield St. G11: Glas 1A 86
Mansion Ct. G72: Camb 1A 126
Mansionhouse Av.
   32: Carm 5C 110
Mansionhouse Dr. G32: Glas ...5C 90
Mansionhouse Gdns.
   G41: Glas 6C 106
Mansionhouse Gro.
   G32: Glas 2E 111
Mansionhouse Rd.
   G32: Glas 1E 111
   G41: Glas 6C 106
   PA1: Pais 6C 82
Mansion St. G22: Glas 4G 65
   G72: Camb 1A 126
Manson Pl. G75: E Kil 6B 158
Manswrae Steading
   PA11: Bri W 5H 77
Manus Duddy Ct. G72: Blan ...1B 144
Maple Av. G66: Milt C 6B 10
   G77: Newt M 5D 136
   G82: Dumb 2B 18
Maple Bank ML3: Ham 1B 162
Maple Ct. G67: Cumb 6F 17
Maple Cres. G72: Flem 4F 127
Maple Dr. G66: Lenz 2A 52
   G78: Barr 6F 119
   G81: Clyd 2B 44
   ML9: Lark 6A 164
   PA5: John 5F 99
Maple Gro. G69: Barg 5E 93
   G75: E Kil 6D 156

Maple Pl. FK4: Bank 1E **17**
  G71: View 5H **113**
  G75: E Kil 5D **156**
  PA5: John 5G **99**
Maple Quad. ML6: Air 5D **96**
Maple Rd. G41: Glas 1H **105**
  G67: Cumb 6F **17**
  ML1: Holy 2B **132**
Maple Ter. G75: E Kil 5D **156**
Maple Wlk. G66: Milt C 6B **10**
Maple Way G72: Blan 2A **144**
Maplewood ML2: Wis 2D **164**
Mar Av. PA7: B'ton 4H **41**
Marchbank Gdns. PA1: Pais 1F **103**
Marchburn Dr. PA3: Glas A 3H **81**
Marchfield G64: B'rig 4A **50**
Marchfield Av. PA3: Pais 3H **81**
Marchglen Pl. G51: Glas 4D **84**
Marchmont Gdns. G64: B'rig 4B **50**
Marchmont Ter. G12: Glas 6A **64**
         (off Observatory Rd.)
March St. G41: Glas 3D **106**
Mardale G74: E Kil 6E **141**
Mar Dr. G61: Bear 6F **27**
Maree Dr. G52: Glas 1E **105**
  G67: Cumb 6D **36**
Maree Gdns. G64: B'rig 6D **50**
Maree Rd. PA2: Pais 3E **101**
Maree Wlk. ML2: Newm 3D **150**
         (off Banavie Rd.)
Maree Way G72: Blan 1B **144**
Marfield St. G32: Glas 4G **89**
Mar Gdns. G73: Ruth 3F **125**
Margaret Av. FK4: Hag 1G **17**
Margaret Dr. ML1: Moth 6B **148**
Margaret Gdns. ML3: Ham 3F **145**
Margaret Macdonald Ho.
  G3: Glas 2A **6**
Margaret Pl. ML4: Bell 2A **130**
Margaret Rd. ML3: Ham 3F **145**
Margaret's Pl. ML9: Lark 2C **170**
Margaret St. ML5: Coat 1C **114**
Margaretta Bldgs. G44: Glas 1E **123**
Margaretvale Dr. ML9: Lark 3C **170**
Marguerite Av. G66: Lenz 1C **52**
Marguerite Dr. G66: Lenz 1C **52**
Marguerite Gdns. G66: Lenz 1C **52**
  G71: Both 5F **129**
Marguerite Gro. G66: Lenz 1C **52**
Marguerite Pl. Milt C 5B **10**
Mar Hall Dr. PA7: B'ton 2B **42**
Marian Dr. ML1: Carf 5C **132**
Maric La. ML6: Plain 1G **97**
Marigold Av. ML1: Moth 1G **147**
Marigold Way ML8: Carl 5D **174**
Marina Ct. ML4: Bell 4B **130**
Marine Cres. G51: Glas 5C **86**
Marine Gdns. G51: Glas 5C **86**
Mariner Ct. G81: Clyd 5C **44**
Mariners Wynd G41: Glas 5C **86**
Marion St. ML4: Moss 2F **131**
Mariscat Rd. G41: Glas 3C **106**
Maritime Ct. PA4: Inch 5F **59**
Marius Cres. ML1: Moth 6E **131**
Marjory Dr. PA3: Pais 4C **82**
Marjory Rd. PA4: Renf 2C **82**
Markdow Av. G53: Glas 4A **104**
Market Cl. G65: Kils 3H **13**
         (off Market St.)
Market Ct. G65: Kils 3H **13**
         (off Market St.)
Markethill Rd.
  G74: E Kil, Roger 3F **141**
Markethill Rdbt. G74: E Kil 6G **141**
Market Pl. G65: Kils 3H **13**
  G71: View 6G **113**
  ML8: Carl 3D **174**

Market Rd. G66: Kirk 6G **33**
  G71: View 6G **113**
  ML8: Carl 3D **174**
Market Sq. G65: Kils 3H **13**
Market St. G65: Kils 3H **13**
  G71: View 6G **113**
  ML6: Air 4A **96**
Marlach Pl. G53: Glas 5A **104**
Marlborough Av. G11: Glas 6F **63**
Marlborough La. Nth.
  G11: Glas 6F **63**
Marlborough La. Sth.
  G11: Glas 6F **63**
Marlborough Pk. G75: E Kil 4C **156**
Marldon La. G11: Glas 6F **63**
Marley Way G66: Milt C 5B **10**
Marlfield Gdns. ML4: Bell 6C **114**
Marlow St. G41: Glas 1C **106**
Marlow Ter. G41: Glas 1C **106**
Marmion Cres. ML1: Moth 5F **131**
Marmion Dr. G66: Kirk 5F **33**
Marmion Pl. G67: Cumb 6G **37**
Marmion Rd. G67: Cumb 6G **37**
  PA2: Pais 5C **100**
Marne St. G31: Glas 4D **88**
Marnoch Dr. ML5: Glenb 2H **71**
Marnoch Way G69: Mood 5D **54**
         (off Arnprior Gdns.)
MARNOCK 3G **71**
Marnock Ter. PA2: Pais 2C **102**
Marquis Av. ML3: Ham 3E **145**
Marquis Ga. G71: Both 2C **128**
Marrswood Grn. ML3: Ham 5E **145**
Marshall Gro. ML3: Ham 6F **145**
Marshall La. ML2: Wis 6G **149**
Marshall's La. PA1: Pais 1A **102**
Marshall St. ML2: Wis 1F **165**
  ML9: Lark 2C **170**
Martha Pl. ML9: Lark 3D **170**
Martha St. G1: Glas 4E **7** (3G **87**)
Martin Ct. ML3: Ham 6G **145**
Martin Cres. G69: Bail 6A **92**
Martin Pl. ML1: N'hill 4C **132**
Martinside G75: E Kil 6G **157**
Martin St. G40: Glas 2B **108**
  ML5: Coat 4F **95**
Martlet Dr. PA5: John 6C **98**
Mart St. G1: Glas 5G **87**
         (not continuous)
Martyn St. ML6: Air 4G **95**
Martyrs Pl. G64: B'rig 1C **66**
Martyrs School 3H **7**
Marwick St. G31: Glas 4D **88**
Mary Dr. ML4: Bell 4A **130**
Mary Fisher Cres.
  G82: Dumb 3C **20**
Mary Glen ML2: Wis 4B **150**
MARYHILL 1A **64**
Maryhill Rd. G20: Glas 3B **64**
  G61: Bear 5F **47**
Maryhill Shop. Cen.
  G20: Glas 4C **64**
Maryhill Station (Rail) 1A **64**
Maryknowe Rd. ML1: Carf 5C **132**
Maryland Dr. G52: Glas 6E **85**
Maryland Gdns. G52: Glas 6E **85**
Maryland Rd. G82: Dumb 1H **19**
Mary Rae Rd. ML4: Bell 4A **130**
Mary Sq. G69: Barg 6D **92**
Maryston St. G33: Glas 1F **89**
Mary St. ML3: Ham 1G **161**
  PA2: Pais 3A **102**
  PA5: John 2G **99**
Maryville Av. G46: Giff 5A **122**
Maryville Gdns. G46: Giff 5A **122**
MARYVILLE INTERCHANGE 5A **112**
Maryville La. G71: Tann 5B **112**

Maryville Vw. G71: Tann 4B **112**
Marywell Path G68: Cumb 3B **36**
Marywood Sq. G41: Glas 3D **106**
Mary Young Pl. G76: Busby 3D **138**
Masonfield Av. G68: Cumb 3F **37**
Mason La. ML1: Moth 3G **147**
         (not continuous)
Mason St. ML1: Moth 3G **147**
  ML9: Lark 4E **171**
Masterton Pl. G21: Glas 6G **65**
Masterton Way G71: Tann 4F **113**
Matherton Av. G77: Newt M 4H **137**
Mathieson Cres. G33: Step 4F **69**
Mathieson Rd. G73: Ruth 4E **109**
Mathieson St. PA1: Pais 6D **82**
Mathieson Ter. G5: Glas 1H **107**
Matilda Rd. G41: Glas 2C **106**
Matthew McWhirter Pl.
  ML9: Lark 1D **170**
Mauchline G74: E Kil 6D **142**
Mauchline Av. G66: Kirk 3G **33**
Mauchline Ct. G66: Kirk 3G **33**
  ML3: Ham 1B **160**
Mauchline St. G5: Glas 6E **87**
Maukinfauld Ct. G32: Glas 2F **109**
Maukinfauld Gdns.
  G31: Glas 1G **109**
Maukinfauld Rd. G32: Glas 2G **109**
Mauldslie Dr. ML8: Law 5D **166**
Mauldslie Pl. ML9: Ashg 5H **171**
Mauldslie Rd. ML8: Carl 2D **172**
Mauldslie St. G40: Glas 1D **108**
  ML4: Bell 3C **130**
  ML5: Coat 6C **94**
Maule Dr. G11: Glas 1G **85**
Mausoleum Dr. ML3: Ham 4A **146**
Mavis Bank G64: B'rig 1B **66**
  G72: Blan 2A **144**
         (off Moorfield Rd.)
Mavisbank Gdns. G51: Glas 5C **86**
  ML4: Bell 1C **130**
Mavisbank Rd. G51: Glas 4B **86**
Mavisbank St. ML2: Newm 4G **151**
  ML6: Air 3G **95**
Mavisbank Ter. PA1: Pais 2B **102**
  PA5: John 3F **99**
Mavis Valley Rd. G64: B'rig 3A **50**
Mavor Av. G74: E Kil 5H **141**
Mavor Rdbt. G74: E Kil 6H **141**
Maxton Av. G78: Barr 4C **118**
Maxton Cres. ML2: Wis 3A **150**
Maxton Gro. G78: Barr 5C **118**
Maxton Ter. G72: Camb 4H **125**
Maxwell Av. G41: Glas 1C **106**
  G61: Bear 4E **47**
  G69: Bail 1G **111**
Maxwell Ct. G41: Glas 1C **106**
  ML5: Coat 4D **94**
Maxwell Cres. G72: Blan 3B **144**
Maxwell Dr. G41: Glas 1A **106**
  G69: Bail 6F **91**
  G74: E Kil 1H **157**
  PA8: Ersk 4D **42**
Maxwell Gdns. G41: Glas 1B **106**
Maxwell Gro. G41: Glas 1B **106**
Maxwell La. G41: Glas 1C **106**
Maxwell Oval G41: Glas 1D **106**
Maxwell Park Station (Rail) 3B **106**
Maxwell Path ML9: Lark 3E **171**
         (off Keir Hardie Rd.)
Maxwell Pl. G41: Glas 2E **107**
  G65: Kils 2H **13**
  G71: Udd 1E **129**
  ML5: Coat 6B **94**
  PA11: Bri W 3F **77**
Maxwell Rd. G41: Glas 1D **106**
  PA7: B'ton 4H **41**

Maxwell St. G1: Glas 6D **6** (4G **87**)
(Argyle St.)
  G1: Glas 5G **87**
(Clyde St.)
  G69: Bail 1H **111**
  G81: Clyd 3B **44**
  PA3: Pais 6A **82**
Maxwell Ter. G41: Glas 1C **106**
Maxwellton Av. G74: E Kil 1A **158**
Maxwellton Ct. PA1: Pais 1G **101**
Maxwellton Pl. G74: E Kil 6B **142**
Maxwellton Rd. G74: E Kil 6B **142**
  PA1: Pais 1F **101**
Maxwellton St. PA1: Pais 1G **101**
Maxwelton Rd. G33: Glas 1F **89**
Maybank La. G42: Glas 4E **107**
Maybank St. G42: Glas 4E **107**
Mayberry Cres. G32: Glas 6D **90**
Mayberry Gdns. G32: Glas 6D **90**
Mayberry Gro. G32: Glas 6D **90**
Mayberry Pl. G72: Blan 1B **144**
Maybole Cres. G77: Newt M . . .5G **137**
Maybole Dr. ML6: Air 1A **116**
Maybole Gdns. ML3: Ham 1B **160**
Maybole Gro. G77: Newt M 5G **137**
Maybole Pl. ML5: Coat 2F **115**
Maybole St. G53: Glas 1H **119**
Mayfield Av. G76: Clar 2C **138**
Mayfield Gdns. ML8: Carl 6E **175**
Mayfield Pl. ML5: Coat 2C **114**
Mayfield Rd. ML3: Ham 5D **144**
Mayfield St. G20: Glas 4D **64**
May Gdns. ML2: Wis 5G **149**
  ML3: Ham 4G **145**
May Rd. PA2: Pais 6A **102**
May St. ML3: Ham 4H **145**
May Ter. G42: Glas 5F **107**
  G46: Giff 4A **122**
May Wynd ML3: Ham 4G **145**
Meadow Av. G72: Blan 3B **144**
Meadowbank La. G71: Udd 1C **128**
Meadowbank Pl.
  G77: Newt M 4D **136**
Meadowbank St. G82: Dumb . . .3E **19**
(not continuous)
Meadowburn G64: B'rig 3C **50**
Meadowburn Av. G66: Lenz 2E **53**
  G77: Newt M 4D **136**
Meadowburn Rd. ML2: Wis 6A **150**
Meadow Cl. G75: E Kil 1A **168**
Meadow Ct. G82: Dumb 2F **19**
  ML8: Carl 4G **175**
(off High Mdw.)
Meadowfield Pl.
  ML2: Newm 3G **151**
Meadowhead Av. G69: Mood . . .5D **54**
Meadowhead Rd ML2: Wis 5C **148**
(not continuous)
Meadowhead Rd. ML2: Wis 5C **148**
  ML6: Plain 6F **75**
MEADOWHILL 2D **170**
Meadowhill G77: Newt M 4D **136**
Meadowhill St. ML9: Lark 2D **170**
Meadow La. G71: Both 5F **129**
  PA4: Renf 4F **61**
Meadowpark St. G31: Glas 4D **88**
(not continuous)
Meadow Path ML6: Chap 4D **116**
Meadow Ri. G77: Newt M 4C **136**
Meadow Rd. G11: Glas 1G **85**
  G82: Dumb 3F **19**
  ML1: Moth 4H **147**
Meadows, The PA6: Hous 2D **78**
Meadows Av. ML9: Lark 2D **170**
  PA8: Ersk 6G **43**
Meadows Dr. PA8: Ersk 6G **43**

Meadow Side ML3: Ham 5H **161**
Meadowside Av. PA5: Eld 3B **100**
Meadowside Gdns. ML6: Air 4D **96**
Meadowside Ind. Est.
  PA4: Renf 3F **61**
Meadowside Pl. ML6: Air 4D **96**
Meadowside Quay Sq.
  G11: Glas 2G **85**
Meadowside Quay Wlk.
  G11: Glas 2G **85**
Meadowside Rd. G65: Queen 3C **12**
Meadowside St. PA4: Renf 4F **61**
Meadow St. ML5: Coat 1D **114**
Meadow Vw. G67: Cumb 1C **38**
  ML6: Plain 6G **75**
Meadow Wlk. ML5: Coat 5D **94**
Meadow Way G77: Newt M 4D **136**
Meadowwell St. G32: Glas 6B **90**
Meadside Av. PA10: Kilb 1A **98**
Meadside Rd. PA10: Kilb 1A **98**
Mealkirk St. G81: Faif 6E **25**
MEARNS 6E **137**
MEARNS CASTLE 6G **137**
Mearns Castle 6G **137**
Mearns Ct. ML3: Ham 4A **162**
Mearnscroft Gdns.
  G77: Newt M 6F **137**
Mearnscroft Rd.
  G77: Newt M 6F **137**
Mearnskirk Rd. G77: Newt M . . .1D **152**
Mearns Rd. G76: Clar 3H **137**
  G77: Newt M 5A **152**
  ML1: Moth 1E **147**
Mearns Way G64: B'rig 5F **51**
Mecca Bingo
  Hamilton 4G **145**
Medlar Ct. G72: Flem 4F **127**
Medlar Rd. G67: Cumb 3D **38**
Medrox Gdns. G67: Cumb 2B **56**
Medwin Ct. G75: E Kil 4A **156**
Medwin Gdns. G75: E Kil 4A **156**
Medwin St. G72: Camb 2D **126**
Medwyn St. G14: Glas 6D **62**
(not continuous)
Meek Pl. G72: Camb 2B **126**
Meetinghouse La. PA1: Pais 6A **82**
Megan Ga. G40: Glas 1B **108**
Megan St. G40: Glas 1B **108**
Meigle Rd. ML6: Air 1H **115**
Meikle Av. PA4: Renf 1E **83**
Meikle Bin Brae G66: Len 3G **9**
Meikle Cres. ML3: Ham 4G **161**
  ML6: Grng 1D **74**
Meikle Drumgray Rd.
  ML6: Grng 1D **74**
MEIKLE EARNOCK 4G **161**
Meikle Earnock Rd.
  ML3: Ham 5D **160**
Meiklehill Ct. G66: Kirk 4E **33**
(not continuous)
Meiklehill Rd. G66: Kirk 4E **33**
Meiklem St. ML4: Moss 2E **131**
Meiklerig Cres. G53: Glas 3C **104**
MEIKLERIGGS 3F **101**
Meikleriggs Ct. PA2: Pais 3F **101**
Meikleriggs Dr. PA2: Pais 4E **101**
Meikle Rd. G53: Glas 5C **104**
Meiklewood Rd G51: Glas 5D **84**
Melbourne Av. G75: E Kil 4E **157**
  G81: Clyd 2H **43**
Melbourne Ct. G46: Giff 4B **122**
Melbourne Grn. G75: E Kil 3E **157**
Melbourne St. G31: Glas 5B **88**
Meldon Pl. G51: Glas 4D **84**
Meldrum Gdns. G41: Glas 3B **106**
Meldrum Mains ML6: Glenm 5G **73**

Meldrum St. G81: Clyd 1F **61**
Melford Av. G46: Giff 5B **122**
  G66: Kirk 5B **32**
Melford Ct. G81: Clyd 5E **45**
Melford Rd. ML4: Bell 1H **129**
Melford Way PA3: Pais 3D **82**
Melfort Av. G41: Glas 1H **105**
  G81: Clyd 4D **44**
Melfort Gdns. G81: Clyd 5E **45**
Melfort Gdns PA10: Kilb 4C **98**
Melfort Path ML2: Newm 2D **150**
(off Kildonan Ct.)
Melfort Quad. ML1: N'hill 4D **132**
(off Glenmore Rd.)
Melfort Rd. ML3: Ham 6C **144**
Mellerstain Dr. G14: Glas 3G **61**
Mellerstain Gro. G14: Glas 3H **61**
Melness Pl. G51: Glas 4D **84**
Melrose Av. G69: Barg 6D **92**
  G73: Ruth 6D **108**
  ML1: Holy 1B **132**
  ML6: Chap 3D **116**
  PA2: Pais 4E **101**
  PA3: Lin 6H **79**
Melrose Ct. G73: Ruth 6D **108**
(off Dunard Rd.)
Melrose Cres. ML2: Wis 4G **149**
Melrose Gdns. G20: Glas 6D **64**
  G65: Twe 1C **34**
(off Glen Shirva Rd.)
  G71: Tann 4D **112**
Melrose Pl. G72: Blan 6A **128**
  ML5: Coat 4B **94**
  ML9: Lark 4C **170**
Melrose Rd. G67: Cumb 6G **37**
Melrose St. G4: Glas 1H **5**
  ML3: Ham 4F **145**
Melrose Ter. G74: E Kil 6H **141**
  ML3: Ham 3F **145**
Melvaig Pl. G20: Glas 4B **64**
Melvick Pl. G51: Glas 4D **84**
Melville Cl. G1: Glas 6E **7**
Melville Cres. ML1: Moth 3H **147**
Melville Dr. ML1: Moth 3G **147**
Melville Gdns. G64: B'rig 5C **50**
Melville Pk. G74: E Kil 6B **142**
Melville Pl. ML8: Carl 3C **174**
Melville St. G41: Glas 2D **106**
Memel St. G21: Glas 4A **66**
Memorial Way
  ML1: N'hse 1C **132**
Memus Av. G52: Glas 1C **104**
Mendip La. G75: E Kil 1A **168**
Mennock Ct. ML3: Ham 1C **160**
Mennock Dr. G64: B'rig 3C **50**
Mennock St. ML1: Cle 5H **133**
Menock Rd. G44: Glas 1F **123**
Menteith Av. G64: B'rig 6D **50**
Menteith Ct. ML1: Moth 3H **147**
(off Melville Cres.)
Menteith Dr. G73: Ruth 5F **125**
Menteith Gdns. G61: Bear 5C **26**
Menteith Loan ML1: Holy 2A **132**
Menteith Pl. G73: Ruth 5F **125**
Menteith Rd. ML1: Moth 2G **147**
Menzies Dr. G21: Glas 4C **66**
Menzies Pl. G21: Glas 4C **66**
Menzies Rd. G21: Glas 3D **66**
Merchant La. G1: Glas 5G **87**
Merchants Cl. PA10: Kilb 2A **98**
Merchiston Av. PA3: Lin 6F **79**
Merchiston Dr.
  PA5: Brkfld 6D **78**
Merchiston St. G32: Glas 4G **89**
Mere Ct. G68: Dull 5F **15**
Merkins Av. G82: Dumb 1H **19**
MERKLAND 4G **33**

Merkland Ct. G11: Glas 2H 85
  G66: Kirk 4F 33
Merkland Dr. G66: Kirk 4G 33
Merkland Pl. G66: Kirk 4F 33
Merkland Rd. ML5: Coat 1G 93
Merkland St. G11: Glas 1H 85
Merksworth Way
  PA3: Pais 4A 82
    (off Mosslands Rd.)
Merlewood Av. G71: Both 3F 129
Merlin Av. ML4: Bell 6C 114
Merlinford Av. PA4: Renf 6G 61
Merlinford Cres. PA4: Renf 6G 61
Merlinford Dr. PA4: Renf 6G 61
Merlinford Way PA4: Renf 6G 61
Merlin Way PA3: Pais 4D 82
Merrick Ct. ML6: Air 1B 96
Merrick Gdns. G51: Glas 6H 85
  G61: Bear 6C 26
Merrick Path G51: Glas 6H 85
    (off Merrick Gdns.)
Merrick Ter. G71: View 6F 113
Merrick Way G73: Ruth 4D 124
Merryburn Av. G46: Giff 2B 122
Merry Ct. G72: Blan 3C 144
Merrycrest Av. G46: Giff 3A 122
Merrycroft Av. G46: Giff 3B 122
Merryflats G65: Twe 1D 34
Merryland Pl. G51: Glas 4H 85
Merryland St. G51: Glas 4H 85
    (not continuous)
MERRYLEE 3B 122
Merrylee Cres. G46: Giff 2A 122
Merrylee Pk. Av. G46: Giff 3A 122
Merrylee Pk. M. G46: Giff 2A 122
Merrylee Rd. G43: Glas 2B 122
  G44: Glas 2B 122
Merrylees Rd. G72: Blan 2A 144
Merryston Ct. ML5: Coat 5A 94
Merrystone St. ML5: Coat 4B 94
Merry St. ML1: Carf 6B 132
  ML1: Moth 2G 147
    (not continuous)
Merryton Av. G15: Glas 4B 46
  G46: Giff 3A 122
Merryton Gdns. G15: Glas 4B 46
Merryton Rd. ML1: Moth 1B 164
  ML9: Lark 5H 163
Merryton St. ML9: Lark 6H 163
Merryton Twr. ML1: Moth 1B 164
Merryvale Av. G46: Giff 2B 122
Merryvale Pl. G46: Giff 2A 122
Merton Dr. G52: Glas 6A 84
Meryon Gdns. G32: Glas 3D 110
Meryon Rd. G32: Glas 2D 110
Methil St. G14: Glas 6C 62
Methil Way G72: Blan 1B 160
Methlan Pk. G82: Dumb 5E 19
Methlan Pk. Gdns.
  G82: Dumb 5D 18
Methlick Av. ML6: Air 1G 115
Methuen Rd. PA3: Pais 2B 82
Methven Av. G61: Bear 2H 47
Methven Pl. G74: E Kil 1E 157
Methven Rd. G46: Giff 3G 137
Methven St. G31: Glas 2F 109
  G81: Clyd 3B 44
Methven Ter. ML5: Coat 2D 94
Metropole La. G1: Glas 5G 87
Mews La. PA3: Pais 4B 82
Mey Ct. G77: Newt M 5A 136
Mey Pl. G77: Newt M 5A 136
Michael McParland Dr.
  G64: Torr 5D 30
Michael Ter. ML6: Chap 4D 116
Micklehouse Oval G69: Bail 5H 91

Micklehouse Pl. G69: Bail 5H 91
Micklehouse Rd. G69: Bail 5H 91
Micklehouse Wynd G69: Bail 5H 91
Midas Pl. ML4: Moss 2G 131
Mid Barrwood Rd. G65: Kils 4A 14
Mid Carbarns ML2: Wis 2D 164
Midcroft G64: B'rig 4A 50
Midcroft Av. G44: Glas 2H 123
Middlefield G75: E Kil 6G 157
Middlemuir Av. G66: Lenz 2D 52
Middlemuir Rd. G66: Lenz 1D 52
Middlerigg Rd. G68: Cumb 3F 37
Middlesex Gdns. G41: Glas 5C 86
Middlesex St. G41: Glas 6C 86
Middleton Av. ML9: Lark 5D 170
Middleton Dr. G62: Miln 3H 27
Middleton Pl. G68: Cumb 3B 36
Middleton Rd. PA3: Lin 5A 80
  PA3: Pais 4F 81
Middleton St. G51: Glas 5A 86
Middleward St. G81: Faif 6F 25
Midfaulds Av. PA4: Renf 1G 83
Midhope Dr. G5: Glas 2H 107
Midland St. G1: Glas 6B 6 (4F 87)
Midlem Dr. G52: Glas 6C 84
Midlem Oval G52: Glas 6C 84
Midlock St. G51: Glas 6A 86
Midlothian Dr.
  G41: Glas 4B 106
Mid Pk. G75: E Kil 3G 157
Mid Rd. G67: Cumb 1H 57
  G76: Eag 6C 154
Midton Rd. PA9: How 6B 98
Midton St. G21: Glas 6B 66
Mid Wharf St. G4: Glas 1E 7 (1G 87)
Migvie Pl. G20: Glas 4B 64
Milford G75: E Kil 4D 156
Milford Ct. G33: Glas 3A 90
Milford St. G33: Glas 3A 90
Millands Av. G72: Blan 6A 128
Millarbank St. G21: Glas 5A 66
Millard Av. ML1: Carf 5B 132
Millar Gro. ML3: Ham 5E 145
Millar Pk. ML3: Ham 5F 145
Millars Pl. G66: Lenz 3D 52
MILLARSTON 1E 101
Millarston Av. PA1: Pais 1E 101
Millarston Ct. PA1: Pais 1F 101
Millarston Dr. PA1: Pais 1E 101
Millarston Ind. Est.
  PA1: Pais 2E 101
Millar Ter. G73: Ruth 4D 108
Millbank Av. ML4: Bell 4D 130
Millbank St. ML5: Coat 2B 114
Millbank Rd. ML2: Wis 1F 165
Millbeg Cres. G33: Glas 5E 91
Millbeg Pl. G33: Glas 6E 91
Mill Brae PA11: Bri W 3F 77
Millbrae Av. G69: Chry 1B 70
Millbrae Ct. G42: Glas 6D 106
  ML5: Coat 6H 93
Millbrae Cres. G42: Glas 6C 106
  G81: Clyd 2F 61
Millbrae Gdns. G42: Glas 6D 106
Millbrae Rd. G42: Glas 6C 106
Millbrix Av. G14: Glas 4A 62
Millbrook G74: E Kil 1D 156
Millburn Av. G73: Ruth 1C 124
  G81: Clyd 1G 61
  PA4: Renf 6F 61
Millburn Ct. G75: E Kil 4A 156
Millburn Cres.
  G82: Dumb 4H 19
Millburn Dr. PA4: Renf 6G 61
Millburn Gdns. G75: E Kil 4A 156

Millburn Ga. ML9: Ashg 4H 171
Millburn La. ML9: Lark 3E 171
Millburn Pl. ML9: Lark 5D 170
Millburn Rd. G82: Dumb 4H 19
  ML9: Ashg, Dals 4H 171
  PA4: Renf 6F 61
Millburn St. G21: Glas 2C 88
  G66: Len 3F 9
  ML1: Moth 2G 147
Millburn Way G75: E Kil 4A 156
  PA4: Renf 6G 61
Mill Ct. G73: Ruth 5C 108
  ML3: Ham 1G 161
Mill Cres. G40: Glas 2B 108
  G64: Torr 4E 31
Millcroft Rd. G67: Cumb 4B 38
    (Sth. Carbrain Rd.)
  G67: Cumb 5G 57
    (Summerhill & Garngibbock Rd)
  G73: Ruth 3B 108
Milldam Rd. G81: Faif 6E 25
Millennium Ct. G34: Glas 3A 92
Millennium Gdns.
  G34: Glas 4A 92
Millennium Gro. G34: Glas 4A 92
Millennium Pk. 1G 5
    (off Ashley St.)
Miller Cl. G64: B'rig 1F 67
Miller Ct. G82: Dumb 3H 19
Miller Dr. G64: B'rig 1F 67
Millerfield Pl. G40: Glas 2D 108
  ML3: Ham 6B 146
Millerfield Rd. G40: Glas 2D 108
Miller Gdns. G64: B'rig 1F 67
  ML3: Ham 6B 146
Miller La. G81: Clyd 6D 44
Miller Pl. G64: B'rig 1F 67
Millerslea G82: Milt 4F 21
    (off Colquhoun Rd.)
MILLERSNEUK 3E 53
Millersneuk Av. G66: Lenz 3D 52
Millersneuk Ct. G66: Lenz 3D 52
Millersneuk Cres.
  G33: Mille 4A 68
Millersneuk Dr. G66: Lenz 3D 52
Millersneuk Rd. G66: Lenz 3D 52
    (not continuous)
Miller's Pl. ML6: Air 4B 96
MILLERSTON
  G33 . . . . .5A 68
  G76 . . . . .5C 138
Millerston St. G31: Glas 5C 88
Miller St. G1: Glas 6D 6 (4G 87)
  G69: Bail 1H 111
  G81: Clyd 6C 44
  G82: Dumb 3H 19
  ML2: Wis 6G 149
  ML3: Ham 6B 146
  ML5: Coat 6D 94
  ML8: Carl 3D 174
  ML9: Lark 2C 170
  PA5: John 2H 99
Miller Wlk. G64: B'rig 1F 67
Millfield Av. ML1: Moth 1H 147
  PA8: Ersk 6D 42
Millfield Cres. PA8: Ersk 6E 43
Millfield Dr. PA8: Ersk 1E 59
Millfield Gdns. PA8: Ersk 6E 43
Millfield Hill PA8: Ersk 6D 42
Millfield La. PA8: Ersk 6D 42
Millfield Mdws.
  PA8: Ersk 6D 42
Millfield Pl. PA8: Ersk 6D 42
Millfield Vw. PA8: Ersk 6D 42
Millfield Wlk. PA8: Ersk 1E 59
Millfield Wynd PA8: Ersk 6D 42
Millford Dr. PA3: Lin 6H 79

Millgate G71: Tann 5D **112**
Millgate Av. G71: Tann 5D **112**
Millgate Ct. G71: Udd 6D **112**
Millgate Rd. ML3: Ham 2G **161**
Millgate Ter. ML3: Ham 2G **161**
Mill Gro. G72: Camb 2D **126**
   ML3: Ham 1G **161**
MILLHEUGH 3A **170**
Millheugh ML9: Lark 3A **170**
Millheugh Brae ML9: Lark 3A **170**
Millheugh Pl. G72: Blan 3A **144**
Millheugh Rd. ML3: Ham 6A **170**
   ML9: Lark 3A **170**
Millholm Rd. G44: Glas 3F **123**
Millhouse Cres. G20: Glas 2A **64**
Millhouse Dr. G20: Glas 2H **63**
Millichen Rd. G23: Glas 3B **48**
Milliken Dr. PA10: Kilb 3C **98**
MILLIKENPARK 4C **98**
Milliken Pk. Rd. PA10: Kilb 4C **98**
Millikenpark Station (Rail) 5C **98**
Milliken Pl. PA10: Kilb 3C **98**
   (off Easwald Bank)
Milliken Rd. PA10: Kilb 3C **98**
Mill Loan ML6: Air 3A **96**
Mill of Gryffe La.
   PA11: Bri W 3F **77**
Mill of Gryffe Rd.
   PA11: Bri W 3F **77**
Mill Pk. ML3: Ham 1G **161**
Mill Pl. G71: Udd 1D **128**
   PA3: Lin 5G **79**
Millport Av. G44: Glas 6G **107**
Mill Rig G75: E Kil 6F **157**
Mill Ri. G66: Lenz 3D **52**
Mill Rd. G65: Queen 4C **12**
   G71: Both 6E **129**
   G72: Camb 3D **126**
      (Hamilton Rd.)
   G72: Camb 1C **126**
      (Westburn Rd.)
   G78: Barr 4D **118**
   G81: Clyd 2F **61**
   ML1: Moth 2H **147**
   ML2: Newm 6G **151**
      (not continuous)
   ML3: Ham 1G **161**
   ML6: Air 2A **96**
   ML8: Carl 4C **174**
Millroad Dr. G40: Glas 5A **88**
Millroad Gdns.
   G40: Glas 5B **88**
      (off Millroad Dr.)
Millroad St. G40: Glas 5A **88**
      (not continuous)
Millstream Ct. PA1: Pais 1B **102**
Mill St. G40: Glas 2B **108**
   G73: Ruth 6C **108**
      (not continuous)
   PA1: Pais 1B **102**
Mill St. Ind. Est.
   ML6: Air 3A **96**
Mill Vennel PA4: Renf 6F **61**
Millview G78: Barr 4F **119**
Millview Mdws. G78: Neil 2C **134**
Millview Pl. G53: Glas 3B **120**
Millview Ter. G78: Neil 2C **134**
Mill Wlk. G72: Camb 2D **126**
Mill Way G66: Kirk 6G **33**
Millwell Rd. G75: E Kil 5C **168**
Millwood St. G41: Glas 5C **106**
MILNBANK 3C **88**
Milnbank St. G31: Glas 3C **88**
Milncroft Pl. G33: Glas 2A **90**
Milncroft Rd. G33: Glas 2A **90**
Milne Ct. ML2: Wis 5C **150**
Milner La. G13: Glas 4E **63**

Milner Rd. G13: Glas 4E **63**
Milne Way G71: Udd 1E **129**
MILNGAVIE 3H **27**
Milngavie Rd. G61: Bear 4F **47**
Milngavie Station (Rail) 4H **27**
Milnpark Gdns. G41: Glas 6B **86**
Milnpark St. G41: Glas 6C **86**
MILNWOOD 3F **131**
Milnwood Dr. ML1: Moth 5E **131**
   ML4: Bell 3E **131**
Milovaig Av. G23: Glas 6B **48**
Milovaig St. G23: Glas 6B **48**
Milrig Rd. G73: Ruth 6B **108**
Milroy Gdns. ML4: Bell 5C **114**
MILTON 1F **113**
   G22 .1G **65**
   G82 .4F **21**
Milton Av. G72: Camb 2G **125**
Milton Brae G82: Milt 1F **21**
Milton Ct. G66: Kirk 5E **33**
      (off Highfield Rd.)
   G82: Milt 3F **21**
   ML6: Air 3A **96**
Milton Cres. ML8: Carl 4D **174**
Milton Douglas Rd.
   G81: Dun, Hard 2C **44**
Milton Dr. G64: B'rig 2B **66**
Milton Gdns. G71: Tann 5C **112**
Milton Hill G82: Milt 4F **21**
Milton Mains Rd.
   G81: Clyd 2C **44**
MILTON OF CAMPSIE 5C **10**
Milton Rd. G66: Kirk 3C **32**
   G66: Len 4G **9**
   G74: E Kil 1C **156**
   ML8: Carl 5H **173**
Milton St. G4: Glas 2C **6** (2F **87**)
   ML1: Moth 2G **147**
   ML3: Ham 5E **145**
   ML6: Air 3A **96**
   ML8: Carl 3C **174**
Milton Ter. ML3: Ham 4E **145**
Milverton Av. G61: Bear 1C **46**
Milverton Rd. G46: Giff 6G **121**
Mimosa Rd. PA11: Bri W 3F **77**
Mimosas, The
   PA11: Bri W 3F **77**
      (off Mimosa Rd.)
Minard Rd. G41: Glas 4C **106**
Minard Way G71: Tann 6E **113**
Mincher Cres.
   ML1: Moth 5G **147**
Minch Way ML6: Air 6C **96**
Minella Gdns. ML4: Bell 5C **114**
Minerva Ct. G3: Glas 4E **5**
Minerva St. G3: Glas 5D **4** (3C **86**)
Minerva Way G3: Glas 4C **4** (3B **86**)
Mingarry La. G20: Glas 5C **64**
Mingarry St. G20: Glas 5C **64**
Mingulay Cres. G22: Glas 1H **65**
Mingulay Pl. G22: Glas 1A **66**
Mingulay St. G22: Glas 1H **65**
Minister's Pk. G74: E Kil 5B **140**
Minmoir Rd. G53: Glas 6H **103**
Minster Wlk. G69: Barg 6D **92**
Minstrel Rd. G13: Glas 6D **46**
Minto Av. G73: Ruth 3F **125**
Minto Cres. G52: Glas 6F **85**
Minto Pk. ML2: Wis 3A **150**
Minto St. G52: Glas 6F **85**
Mireton St. G22: Glas 4F **65**
Mirin Dr. PA3: Pais 4A **82**
Mirren Ct. PA3: Pais 4B **82**
Mirren Dr. G81: Dun 6B **24**
Mirrlees Dr. G12: Glas 5A **64**
Mirrlees La. G12: Glas 5A **64**
Mission Gdns. ML2: Wis 4H **149**

Mission Pl. ML1: Moth 1F **147**
Mitchell Arc. G73: Ruth 5D **108**
Mitchell Av. G72: Camb 1E **127**
   PA4: Renf 1D **82**
Mitchell Ct. G74: E Kil 1E **157**
Mitchell Dr. G62: Miln 4A **28**
   G73: Ruth 1D **124**
Mitchell Gro. G74: E Kil 1E **157**
Mitchell Hill Rd.
   G45: Glas 5B **124**
Mitchell La. G1: Glas 5C **6** (4F **87**)
Mitchell Library, The 3G **5**
Mitchell Rd. G67: Cumb 3A **38**
Mitchell St. G1: Glas 6C **6** (4F **87**)
   ML5: Coat 1F **113**
   ML6: Air 3H **95**
Mitchell Theatre & Moir Hall
   . . . . .3G **5** (3D **86**)
Mitchison Rd. G67: Cumb 2A **38**
Mitre Ct. G11: Glas 5F **63**
Mitre Ga. G11: Glas 6F **63**
Mitre La. G14: Glas 5E **63**
Mitre La. W. G14: Glas 5D **62**
Mitre Rd. G11: Glas 5F **63**
   G14: Glas 5D **62**
Moat Av. G13: Glas 2C **62**
Mochrum Rd. G43: Glas 1C **122**
Moffat Ct. G75: E Kil 4A **156**
Moffat Gdns. G75: E Kil 4A **156**
Moffathill ML6: Gart 6E **97**
MOFFAT MILLS 5F **97**
Moffat Pl. G72: Blan 6B **128**
   G75: E Kil 4A **156**
   ML5: Coat 1F **115**
   ML6: Air 3F **97**
Moffat Rd. ML6: Air 4F **97**
Moffat St. G5: Glas 1H **107**
Moffat Vw. ML6: Plain 1G **97**
Mogarth Av. PA2: Pais 5D **100**
Moidart Av. PA4: Renf 5D **60**
Moidart Ct. G78: Barr 3D **118**
Moidart Cres. G52: Glas 6F **85**
Moidart Gdns. G66: Kirk 4H **33**
   G77: Newt M 3E **137**
Moidart Pl. G52: Glas 6F **85**
Moidart Rd. G52: Glas 6E **85**
Moir St. G1: Glas 5H **87**
Molendinar Ct. G33: Glas 1F **89**
Molendinar St. G1: Glas 5H **87**
Molendinar Ter. G78: Neil 3C **134**
MOLLINSBURN 3H **55**
MOLLINSBURN JUNC. 4G **55**
Mollinsburn Rd.
   G67: Anna, Cumb 3A **56**
   ML5: Anna, Glenb 6B **56**
   ML6: Glenm 3D **72**
Mollinsburn St. G21: Glas 6A **66**
Mollins Ct. G68: Cumb 2H **55**
Mollins Rd. G68: Cumb 1G **55**
Mollins Rdbt. G68: Mollin 3H **55**
Monach Rd. G33: Glas 3C **90**
Monar Dr. G22: Glas 6F **65**
Monar Pl. G22: Glas 6F **65**
Monar St. G22: Glas 6F **65**
Monart Pl. G20: Glas 4D **64**
Monar Way ML2: Newm 3D **150**
      (off Murdostoun Vw.)
Moncrieff Av. G66: Lenz 2C **52**
Moncrieffe Rd. ML6: Chap 1D **116**
Moncrieff Gdns. G66: Lenz 2D **52**
Moncrieff St. PA3: Pais 6A **82**
Moncur St. G40: Glas 5A **88**
Moness Dr. G52: Glas 1E **105**
Money Gro. ML1: Moth 5B **148**
Monieburgh Cres.
   G65: Kils 2A **14**
Monieburgh Rd. G65: Kils 2A **14**

Monifieth Av. G52: Glas 2D **104**
Monikie Gdns. G64: B'rig 6F **51**
Monkcastle Dr.
  G72: Camb 1A **126**
Monkdyke Ho. PA4: Renf 6F **61**
Monkland Av.
  G66: Kirk, Lenz 6D **32**
Monklands Ind. Est.
  ML5: Coat 3B **114**
Monkland St. ML6: Air 4B **96**
Monkland Ter. ML5: Glenb 3H **71**
Monkland Vw. G71: Tann 4E **113**
  ML6: C'bnk 3B **116**
Monkland Vw. Cres.
  G69: Barg 1D **102**
Monksbridge Av. G13: Glas 6C **46**
Monkscourt Av. ML6: Air 3G **95**
Monkscroft Av. G11: Glas 6G **63**
Monkscroft Ct. G11: Glas 1G **85**
Monkscroft Gdns. G11: Glas 6G **63**
Monks Rd. ML6: Air 6C **96**
Monkton Cres. ML5: Coat 1A **114**
Monkton Dr. G15: Glas 5B **46**
Monkton Gdns.
  G77: Newt M 5G **137**
Monmouth Av. G12: Glas 3G **63**
Monreith Av. G61: Bear 5D **46**
Monreith Rd. G43: Glas 1B **122**
Monreith Rd. E. G44: Glas 2E **123**
Monroe Dr. G71: Tann 4D **112**
Monroe Pl. G71: Tann 4D **112**
Montague La. G12: Glas 5H **63**
Montague St. G4: Glas 1D **86**
Montalto Av. ML1: Carf 6A **132**
Montclair Pl. PA3: Lin 5H **79**
Montego Grn. G75: E Kil 2C **156**
Monteith Dr. G76: Clar 1D **138**
Monteith Gdns. G76: Clar 1D **138**
Monteith Pl. G40: Glas 6A **88**
  G72: Blan 1C **144**
Monteith Row G40: Glas 5H **87**
Montford Av. G44: Glas 6H **107**
  G73: Ruth 6H **107**
Montfort Ga. G78: Barr 4G **119**
Montgarrie St. G51: Glas 5D **84**
Montgomery Av. ML5: Coat 4B **94**
  PA3: Pais 4D **82**
Montgomery Ct. PA3: Pais 4D **82**
Montgomery Cres. ML2: Wis 2E **165**
Montgomery Dr. G46: Giff 6A **122**
  PA10: Kilb 1A **98**
Montgomery Pl. G74: E Kil 1H **157**
  ML9: Lark 3D **170**
Montgomery Rd. PA3: Pais 3C **82**
Montgomery Sq. G76: Eag 6C **154**
Montgomery St. G40: Glas 1C **108**
  G72: Camb 2D **126**
  G74: E Kil 1H **157**
  G76: Eag 6C **154**
  ML9: Lark 1C **170**
Montgomery Ter. G66: Milt C 6B **10**
Montgomery Wynd
  G74: E Kil 1H **157**
    (off Montgomery St.)
Montrave St. G73: Ruth 4E **109**
Montrave Path G52: Glas 1D **104**
Montrave St. G52: Glas 1D **104**
Montreal Ho. G81: Clyd 1H **43**
Montreal Pk. G75: E Kil 2E **157**
Montrose Av. G32: Carm 4B **110**
  G52: Hill 3G **83**
Montrose Cres. ML3: Ham 5H **145**
Montrose Dr. G61: Bear 6E **27**
Montrose Gdns. G62: Miln 2H **27**
  G65: Kils 2G **13**
  G72: Blan 5A **128**
Montrose La. ML3: Ham 5G **145**

Montrose Pl. PA3: Lin 5G **79**
Montrose Rd. PA2: Pais 5D **100**
Montrose St. G81: Clyd 5D **44**
  ML1: Moth 6F **131**
Montrose Ter. G64: B'rig 2E **67**
  PA11: Bri W 4F **77**
Montrose Way PA2: Pais 5D **100**
Monument Dr. G33: Glas 4G **67**
Monymusk Gdns.
  G64: B'rig 5F **51**
Monymusk Pl. G15: Glas 2G **45**
MOODIESBURN 5D **54**
Moodiesburn St. G33: Glas 1F **89**
Moorburn Av. G46: Giff 4H **121**
Moorburn Pl. PA3: Lin 5E **79**
Moorcroft Dr. ML6: Air 4E **97**
Moorcroft Rd.
  G77: Newt M 6C **136**
Moore Dr. G61: Bear 4F **47**
Moore Gdns. ML3: Ham 4A **162**
Moore St. G31: Glas 5B **88**
  ML1: New S 4A **132**
Moorfield Cres. ML6: Air 4F **97**
Moorfield Rd. G72: Blan 3A **144**
Moorfoot G64: B'rig 5E **51**
Moorfoot Av. G46: T'bnk 4G **121**
  PA2: Pais 4H **101**
Moorfoot Dr. ML2: Wis 6F **149**
Moorfoot Gdns. G75: E Kil 2B **168**
Moorfoot Path PA2: Pais 5H **101**
Moorfoot St. G32: Glas 5G **89**
Moorfoot Way G61: Bear 5B **26**
Moorhill Cres.
  G77: Newt M 6C **136**
Moorhill Rd. G77: Newt M 5C **136**
Moorhouse Av. G13: Glas 3H **61**
  PA2: Pais 3F **101**
Moorhouse St. G78: Barr 5E **119**
Moorings, The PA2: Pais 2F **101**
Moorland Dr. ML6: Air 4F **97**
Moorlands Wlk. G71: Udd 2E **129**
MOORPARK 1D **82**
Moorpark Av. G52: Glas 5H **83**
  G69: Muirh 2A **70**
  ML6: Air 4E **97**
Moorpark Ct. PA4: Renf 1D **82**
Moorpark Dr. G52: Glas 5A **84**
Moorpark Pl. G52: Glas 5H **83**
Moorpark Sq. PA4: Renf 1D **82**
Moor Rd. G62: Miln 3H **27**
Moorside St. ML8: Carl 3E **175**
Morag Av. G72: Blan 6A **128**
Moraine Av. G15: Glas 6A **46**
Moraine Cir. G15: Glas 6A **46**
Moraine Dr. G15: Glas 6A **46**
  G76: Clar 1B **138**
Moraine Pl. G15: Glas 6B **46**
Morar Av. G81: Clyd 3D **44**
Morar Ct. G67: Cumb 5D **36**
  G81: Clyd 3D **44**
  ML3: Ham 2E **161**
  ML9: Lark 6H **163**
Morar Cres. G64: B'rig 5B **50**
  G81: Clyd 3D **44**
  ML5: Coat 2H **93**
  ML6: Air 1G **95**
  PA7: B'ton 5A **42**
Morar Dr. G61: Bear 4H **47**
  G67: Cumb 6D **36**
  G73: Ruth 4D **124**
  G81: Clyd 3D **44**
  PA2: Pais 3D **100**
  PA3: Lin 6G **79**
Morar Pl. G74: E Kil 6H **141**
  G77: Newt M 2D **136**
  G81: Clyd 3D **44**
  PA4: Renf 5D **60**

Morar Rd. G52: Glas 6E **85**
  G81: Clyd 3D **44**
Morar St. ML2: Wis 2G **165**
Morar Ter. G71: View 6F **113**
  G73: Ruth 4F **125**
Morar Way ML1: N'hill 4C **132**
Moravia Av. G71: Both 4E **129**
Moray Av. ML6: Air 6A **96**
Moray Ct. G73: Ruth 5C **108**
Moray Dr. G64: Torr 4D **30**
  G76: Clar 2D **138**
Moray Gdns. G68: Cumb 6H **15**
  G71: Tann 5D **112**
  G76: Clar 1D **138**
Moray Ga. G71: Both 3C **128**
Moray Pl. G41: Glas 3C **106**
  G64: B'rig 6E **51**
  G66: Kirk 4G **33**
  G69: Chry 1B **70**
  G72: Blan 3A **144**
  PA3: Lin 5G **79**
Moray Quad. ML4: Bell 2C **130**
Moray Way ML1: Holy 2A **132**
Mordaunt St. G40: Glas 2C **108**
Moredun Cres. G32: Glas 4C **90**
Moredun Dr. PA2: Pais 4F **101**
Moredun Rd. PA2: Pais 4F **101**
Moredun St. G32: Glas 4C **90**
Morefield Rd. G51: Glas 4D **84**
Morgan M. G42: Glas 2F **107**
Morgan St. ML3: Ham 1H **161**
  ML9: Lark 2B **170**
Morina Gdns. G53: Glas 4C **120**
Morion Rd. G13: Glas 1D **62**
Morison Ho. G67: Cumb 3A **38**
    (off Burns Rd.)
Moriston Ct. ML2: Newm 3D **150**
Morland G74: E Kil 5D **142**
Morley St. G42: Glas 6E **107**
Morna La. G14: Glas 1E **85**
    (off Glendore St.)
MORNINGSIDE 6G **151**
Morningside Rd.
  ML2: Newm 5F **151**
Morningside St. G33: Glas 3F **89**
Morrin Path G21: Glas 6A **66**
Morrin St. G21: Glas 5A **66**
Morris Cres. G72: Blan 2B **144**
  ML1: Cle 6E **133**
Morrishall Rd. G74: E Kil 5C **142**
Morrison Dr. G66: Len 4G **9**
Morrison Gdns. G64: Torr 5E **31**
Morrison Pl. PA11: Bri W 3F **77**
    (off Main St.)
Morrison Quad.
  G81: Clyd 6G **45**
Morrison St. G5: Glas 5E **87**
  G81: Dun 1B **44**
Morris Pl. G40: Glas 6A **88**
Morris St. ML3: Ham 2H **161**
  ML9: Lark 4E **171**
Morriston Cres. PA4: Renf 2H **83**
Morriston Pk. Dr.
  G72: Camb 1A **126**
Morriston St. G72: Camb 1A **126**
Morton Gdns. G41: Glas 4A **106**
Morton St. ML1: Moth 1G **147**
Morton Ter. PA11: Bri W 3E **77**
    (off Horsewood Rd.)
Morven Av. G64: B'rig 6E **51**
  G72: Blan 6A **128**
  PA2: Pais 5H **101**
Morven Dr. G76: Clar 1B **138**
  PA3: Lin 6G **79**
Morven Gait PA8: Ersk 1A **60**
Morven Gdns. G71: Tann 5D **112**
Morven La. G72: Blan 6A **128**

Morven Rd. G61: Bear 1E **47**
  G72: Camb 4H **125**
Morven St. G52: Glas 6E **85**
  ML5: Coat 3C **94**
Morven Way G66: Kirk 5H **33**
  G71: Both 4F **129**
Mosesfield St. G21: Glas 4B **66**
Mosgiel G75: E Kil 4D **156**
Mosque Av. G5: Glas 6G **87**
Mossacre Rd. ML2: Wis 5A **150**
Moss Av. PA3: Lin 5H **79**
Mossbank G72: Blan 3B **144**
  G75: E Kil 3B **156**
Mossbank Av. G33: Glas 5H **67**
Mossbank Cres.
  ML1: N'hill 3F **133**
Mossbank Dr. G33: Glas 5H **67**
Mossbank Rd. ML2: Wis 5A **150**
Mossbell Rd. ML4: Bell 1A **130**
Mossblown St. ML9: Lark 2B **170**
Mossburn Rd. ML2: Wis 6B **150**
Mossburn St. ML2: Wis 2B **166**
Mosscastle Rd. G33: Glas 1C **90**
Mossdale G74: E Kil 6E **141**
Mossdale Ct. ML4: Bell 2F **131**
Mossdale Gdns. ML3: Ham 1C **160**
Moss Dr. G78: Barr 2C **118**
  PA8: Ersk 2F **59**
Mossedge Ind. Est.
  PA3: Lin 5A **80**
MOSSEND 2E **131**
Mossend La. G33: Glas 3D **90**
Mossend St. G33: Glas 3D **90**
Mossgiel Av. G73: Ruth 2C **124**
Mossgiel Cres. G76: Busby 4D **138**
Mossgiel Dr. G81: Clyd 4E **45**
Mossgiel Gdns. G66: Kirk 4F **33**
  G71: Tann 5C **112**
Mossgiel La. *ML9: Lark 4E 171*
  (off Keir Hardie La.)
Mossgiel Pl. G73: Ruth 2C **124**
Mossgiel Rd. G43: Glas 1B **122**
  (Doonfoot Rd., not continuous)
  G43: Glas 6B **106**
  (Newlands Rd.)
  G67: Cumb 2B **38**
  (not continuous)
Mossgiel Ter. G72: Blan 5A **128**
Mossgiel Way ML1: N'hill 3C **132**
Mosshall Gro. ML1: N'hill 3F **133**
Mosshall Rd. ML1: N'hse 6D **116**
Mosshall St. ML1: N'hill 3F **133**
Mosshead Rd. G61: Bear 6F **27**
Moss Hgts. Av. G52: Glas 6D **84**
Mosshill Rd. ML4: Bell 5D **114**
Moss Knowe G67: Cumb 3C **38**
Mossland Dr. ML2: Wis 5A **150**
Mossland Rd. G52: Hill 3F **83**
  PA4: Renf 2H **83**
Mosslands Rd. PA3: Pais 3H **81**
Mosslingal G75: E Kil 6G **157**
Mossmulloch G75: E Kil 6G **157**
MOSSNEUK 4B **156**
Mossneuk Av. G75: E Kil 3A **156**
Mossneuk Cres. ML2: Wis 5B **150**
Mossneuk Dr. G75: E Kil 4B **156**
  ML2: Wis 5A **150**
  PA2: Pais 5G **101**
Mossneuk Pk. ML2: Wis 5A **150**
Mossneuk Rd. G75: E Kil 3B **156**
Mossneuk St. ML5: Coat 2B **114**
MOSSPARK 2E **105**
Mosspark Av. G52: Glas 2F **105**
  G62: Miln 2G **27**
Mosspark Blvd. G52: Glas 1E **105**
Mosspark Dr. G52: Glas 1C **104**
Mosspark La. G52: Glas 2E **105**

Mosspark Oval G52: Glas 2E **105**
Mosspark Rd. G62: Miln 2G **27**
  ML5: Coat 3H **93**
Mosspark Sq. G52: Glas 2E **105**
Mosspark Station (Rail) 2C **104**
Moss Path G69: Bail 2F **111**
Moss Rd. G51: Glas 3D **84**
  G66: Kirk 6H **33**
  G66: Lenz 1B **52**
  G67: Cumb 2E **39**
  G69: Muirh 2A **70**
  G75: E Kil 1C **168**
  ML2: Wis 6C **150**
  ML6: Air 5A **96**
  PA3: Lin 5H **79**
  PA6: Hous . . . . . . .6A **58** & 1H **79**
  PA11: Bri W 3G **77**
Moss Side Av. ML6: Air 3G **95**
Moss-side Av. ML8: Carl 3B **174**
Mossside Rd. G41: Glas 4B **106**
Moss St. PA1: Pais 6A **82**
Mossvale Cres. G33: Glas 1C **90**
Mossvale La. PA3: Pais 5H **81**
Mossvale Path G33: Glas 6C **68**
Mossvale Rd. G33: Glas 6B **68**
Mossvale Sq. G33: Glas 1B **90**
  PA3: Pais 5H **81**
Mossvale St. PA3: Pais 4H **81**
Mossvale Ter. G69: Mood 4E **55**
Mossvale Wlk. G33: Glas 1C **90**
Mossvale Way G33: Glas 1C **90**
Mossview Cres. ML6: Air 5A **96**
Mossview La. G52: Glas 6C **84**
Mossview Quad. G52: Glas 6D **84**
Mossview Rd. G33: Step 4E **69**
Mosswater Wynd
  G68: Cumb 3B **36**
Mosswell Rd. G62: Miln 2H **27**
Mossywood Ct. G68: Cumb 6B **36**
Mossywood Pl. G68: Cumb 6B **36**
Mossywood Rd. G68: Cumb 6B **36**
Mote Hill ML3: Ham 5A **146**
Mote Hill Ct. ML3: Ham 4A **146**
Mote Hill Gro. ML3: Ham 4A **146**
Motehill Rd. PA3: Pais 5C **82**
MOTHERWELL 2G **147**
Motherwell Bus. Cen.
  ML1: Moth 2H **147**
Motherwell Concert Hall &
  Theatre Complex 4H **147**
Motherwell FC 3H **147**
Motherwell Heritage Cen. 2F **147**
Motherwell Rd. ML1: Carf 6C **132**
  ML1: N'hse 2G **133**
  ML3: Ham 5C **146**
  ML4: Bell 2C **130**
Motherwell Station (Rail) 2G **147**
Motherwell St. ML6: Air 2C **96**
Moulin Cir. G52: Glas 1A **104**
Moulin Pl. G52: Glas 1A **104**
Moulin Rd. G52: Glas 1A **104**
Moulin Ter. G52: Glas 1A **104**
Mount, The ML1: Moth 3F **147**
Mountainblue St.
  G31: Glas 6C **88**
Mt. Annan Dr. G44: Glas 6F **107**
MOUNTBLOW 2G **43**
Mountblow Ho. G81: Clyd 2H **43**
Mountblow Rd.
  G81: Clyd, Dun 1H **43**
Mt. Cameron Dr. G74: E Kil 3C **158**
Mt. Cameron Dr. Nth.
  G74: E Kil 3A **158**
Mt. Cameron Dr. Sth.
  G74: E Kil 3A **158**
MOUNT ELLEN 2C **70**
MOUNT FLORIDA 5F **107**

Mount Florida Station (Rail)
  . . . . .5E **107**
Mountgarrie Path G51: Glas 4D **84**
Mountgarrie Rd. G51: Glas 4D **84**
Mt. Harriet Av. G33: Step 3E **69**
Mt. Harriet Dr. G33: Step 3D **68**
Mountherrick G75: E Kil 6G **157**
Mount Lockhart G71: Udd 3H **111**
Mt. Lockhart Gdns.
  G71: Udd 3H **111**
Mt. Lockhart Pl. G71: Udd 3H **111**
Mt. Pleasant Cres.
  G66: Milt C 5B **10**
Mt. Pleasant Dr. G60: Old K 6F **23**
Mt. Pleasant Ho.
  G60: Old K 1E **43**
Mt. Pleasant Pl. *G60: Old K 1F 43*
  (off Station Rd.)
Mt. Stewart St. ML8: Carl 3C **174**
Mount St. G20: Glas 6D **64**
Mt. Stuart St. G41: Glas 5C **106**
MOUNT VERNON 3D **110**
Mt. Vernon Av. G32: Glas 3E **111**
  ML5: Coat 4A **94**
Mount Vernon Station (Rail) 3F **111**
Mournian Way ML3: Ham 2H **161**
Mousa Pk. G72: Camb 4H **125**
Mowbray G74: E Kil 5C **142**
Mowbray Av. G69: G'csh 4D **70**
Moyne Rd. G53: Glas 3A **104**
Moy Path *ML2: Newm 3D 150*
  (off Murdostoun Vw.)
Moys St. *G11: Glas 1A 86*
  (off Church st.)
Muckcroft Rd. G66: Kirk, Lenz . . .3H **53**
  G69: Chry, Lenz 3H **53**
Mugdock Rd. G62: Miln 3G **27**
Mugdock Rd. Sth. G62: Miln 3G **27**
Muirbank Av. G73: Ruth 6B **108**
Muirbank Gdns. G73: Ruth 6B **108**
Muirbrae Rd. G73: Ruth 3D **124**
Muirbrae Way G73: Ruth 3D **124**
Muirburn Av. G44: Glas 3C **122**
Muir Ct. G44: Neth 5C **122**
  (not continuous)
Muircroft Dr. ML1: Cle 5H **133**
Muirdrum Av. G52: Glas 2D **104**
Muirdyke Rd. ML5: Coat 3H **93**
  ML5: Glenb 5B **72**
  ML6: Glenm 5B **72**
Muirdykes Av. G52: Glas 6A **84**
Muirdykes Rd. G52: Glas 6A **84**
Muiredge Ct. G71: Udd 1D **128**
Muiredge Mdws. G71: Both 5C **128**
Muiredge Ter. G69: Bail 1H **111**
MUIREND 3D **122**
Muirend Av. G44: Glas 3D **122**
Muirend Rd. G44: Glas 3C **122**
Muirend Station (Rail) 3D **122**
Muirfield Ct. G44: Glas 3D **122**
Muirfield Cres. G23: Glas 6C **48**
Muirfield Mdws. G71: Both 5C **128**
Muirfield Rd. G68: Cumb 6A **16**
MUIRHEAD
  G69, Baillieston 1H **111**
  G69, Muirhead 2A **70**
Muirhead-Braehead Interchange
  G67: Cumb 3A **38**
Muirhead Cotts. G66: Kirk 6H **33**
Muirhead Ct. G69: Bail 1A **112**
Muirhead Dr. ML1: N'hill 3F **133**
  ML8: Law 5E **167**
  PA3: Lin 6G **79**
Muirhead Gdns.
  G69: Bail 1A **112**
Muirhead Ga. G71: Tann 5F **113**
Muirhead Gro. G69: Bail 1A **112**
Muirhead Pl. G66: Kirk 6H **33**

Muirhead Rd. G69: Bail 2H 111
   G78: Neil 4A 134
Muirhead Rdbt. G67: Cumb 2B 38
Muirhead St. G66: Kirk 6C 32
Muirhead Ter. ML1: Moth 5G 147
Muirhead Way G64: B'rig 6F 51
Muirhill Av. G44: Glas 3C 122
Muirhill Ct. ML3: Ham 5A 146
Muirhill Cres. G13: Glas 2A 62
MUIRHOUSE 1B 164
Muirhouse Av. ML1: Moth 6B 148
   ML2: Newm 3F 151
Muirhouse Dr. ML1: Moth 1B 164
Muirhouse La. G75: E Kil 3H 157
Muirhouse Pk. G61: Bear 5D 26
Muirhouse Rd. ML1: Moth 1B 164
Muirhouse St. G41: Glas 2E 107
Muirhouse Twr. ML1: Moth 6B 148
Muirhouse Works
   G41: Glas 2E 107
Muirkirk Dr. G13: Glas 2F 63
   ML3: Ham 1B 160
Muirlee Rd. ML8: Carl 4F 175
Muirlees Cres. G62: Miln 3E 27
Muirmadkin Rd. ML4: Bell 2D 130
Muirpark Av. PA4: Renf 1E 83
Muirpark Dr. G64: B'rig 1C 66
Muirpark St. G11: Glas 1H 85
Muirpark Ter. G64: B'rig 1B 66
Muir Rd. G82: Dumb 1H 19
Muirshiel Av. G53: Glas 1C 120
Muirshiel Ct. G53: Glas 2C 120
Muirshiel Cres. G53: Glas 1C 120
Muirshot Rd. ML9: Lark 1D 170
Muirside Av. G32: Glas 2E 111
   G66: Kirk 5G 33
Muirside Pl. ML2: Newm 3D 150
Muirside Rd. G69: Bail 1H 111
Muirside St. G69: Bail 1H 111
Muirskeith Cres. G43: Glas ...1D 122
Muirskeith Pl. G43: Glas 1D 122
Muirskeith Rd. G43: Glas 1D 122
Muirskyhead Rd. ML8: Carl 6C 174
Muir St. G64: B'rig 6C 50
   G72: Blan 3B 144
   ML1: Moth 1F 147
   ML3: Ham 5H 145
   ML5: Coat 4A 94
   ML8: Law 5D 166
   ML9: Lark 2C 170
   PA4: Renf 5F 61
Muir Ter. PA3: Pais 4C 82
Muirton Dr. G64: B'rig 4B 50
Muiryfauld Dr. G31: Glas 1G 109
Muiryhall St. ML5: Coat 4C 94
Muiryhall St. E. ML5: Coat 4D 94
Mulben Cres. G53: Glas 6H 103
Mulben Pl. G53: Glas 6H 103
Mulben Ter. G53: Glas 6H 103
Mulberry Cres.
   ML6: Chap 2E 117
Mulberry Dr. G75: E Kil 6E 157
Mulberry Rd. G43: Glas 2B 122
   G71: View 4G 113
Mulberry Way G75: E Kil 6E 157
Mulberry Wynd G72: Flem 4F 127
MULL 6D 96
Mull G74: E Kil 3C 158
Mullardoch St. G23: Glas 6B 48
   (off Rothes Dr.)
Mull Av. PA2: Pais 6A 102
   PA4: Renf 2E 83
Mull Ct. ML3: Ham 2D 160
Mullen Ct. G33: Step 4F 69
Mull Quad. ML2: Wis 4C 150
Mull St. G21: Glas 1D 88
Mulvey Cres. ML6: Air 4G 95

Mungo Pk. G75: E Kil 3F 157
Mungo Pl. G71: Tann 4E 113
Munlochy Rd. G51: Glas 4D 84
Munro Ct. G81: Dun 1B 44
Munro Dr. G66: Milt C 6B 10
Munro La. G13: Glas 4E 63
Munro La. E. G13: Glas 4E 63
Munro Pl. G13: Glas 2E 63
   G74: E Kil 6B 142
Munro Rd. G13: Glas 4E 63
Murano Pl. G20: Glas 5D 64
Murano St. G20: Glas 5D 64
Murchison G12: Glas 3G 63
Murchison Dr. G75: E Kil 4D 156
Murchison Rd. PA6: C'lee 2C 78
Murdoch Ct. PA5: John 4E 99
   (off Tannahill Cres.)
Murdoch Dr. G62: Miln 5B 28
Murdoch Pl. ML1: New S 4H 131
Murdoch Rd. G75: E Kil 3G 157
Murdoch Sq. ML4: Bell 6E 115
Murdostoun Gdns. ML2: Wis ...4H 149
Murdostoun Rd.
   ML2: Newm 1G 151
Murdostoun Vw. ML2: Newm ...3D 150
Muriel La. G78: Barr 4E 119
Muriel St. G78: Barr 4E 119
MURRAY, THE 4G 157
Murray Av. G65: Kils 4H 13
Murray Bus. Area PA3: Pais 5H 81
Murray Ct. ML3: Ham 6E 145
Murray Cres. G72: Blan 3C 144
   ML2: Newm 2E 151
Murrayfield Dr. G61: Bear 6E 47
Murrayfield St. G32: Glas 4G 89
Murray Gdns. G66: Milt C 5C 10
Murray Gro. G61: Bear 5B 26
Murray Hall G4: Glas 4G 7
Murrayhill G75: E Kil 3F 157
Murray Path G71: Udd 1C 128
Murray Pl. G78: Barr 3F 119
   G82: Dumb 1C 20
   ML4: Bell 6A 114
Murray Rd. G71: Both 4E 129
   ML8: Law 1F 173
Murray Rd., The G75: E Kil ...3E 157
Murray Rdbt., The
   G74: E Kil 3H 157
Murray Sq., The G75: E Kil ...4G 157
Murray St. PA3: Pais 5G 81
   PA4: Renf 6E 61
Murray Ter. ML1: Moth 2D 146
Murray Wlk. G72: Blan 3C 144
Murrin Av. G64: B'rig 6F 51
Murroch Av. G82: Dumb 1H 19
Murroes Rd. G51: Glas 4D 84
Museum Bus. Pk.
   G53: Glas 2H 119
Mus. of 602 (City of Glasgow) Squadron
   ....4G 83
Mus. of Piping 2C 6
Musgrove Pl. G75: E Kil 3E 157
Muslin St. G40: Glas 1B 108
Muttonhole Rd. ML3: Ham 3H 159
Mybster Pl. G51: Glas 4D 84
Myers Ct. ML4: Bell 1H 129
Myers Cres. G71: Udd 2E 129
Myreside Pl. G32: Glas 5F 89
Myreside St. G32: Glas 5F 89
Myres Rd. G53: Glas 5D 104
Myrie Gdns. G64: B'rig 5D 50
Myroch Pl. G34: Glas 2A 92
Myrtle Av. G66: Lenz 2C 52
Myrtle Dr. ML1: Holy 2B 132
   ML2: Wis 5D 148
Myrtle Hill La. G42: Glas 5G 107

Myrtle La. ML9: Lark 4D 170
Myrtle Pk. G42: Glas 4F 107
Myrtle Pl. G42: Glas 5G 107
Myrtle Rd. G71: View 5F 113
   G81: Clyd 3H 43
Myrtle Sq. G64: B'rig 1C 66
Myrtle St. G72: Blan 6B 128
Myrtle Vw. Rd. G42: Glas 5G 107
Myrtle Wlk. G72: Camb 1H 125
Myvot Av. G67: Cumb 1D 56
Myvot Rd. G67: Cumb 3A 56
   (Mollinsburn Rd.)
   G67: Cumb 1D 56
   (Myvot Av.)

N

Naburn Ga. G5: Glas 1G 107
Nagle Gdns. ML1: Cle 1F 149
Nairn Av. G72: Blan 5A 128
   ML4: Bell 1C 130
Nairn Cres. ML6: Air 6A 96
Nairn Pl. G74: E Kil 6C 142
   G81: Clyd 4B 44
Nairn Quad. ML2: Wis 4H 149
Nairnside Rd. G21: Glas 2E 67
Nairn St. G3: Glas 2B 4 (2B 86)
   G72: Blan 3A 144
   G81: Clyd 4B 44
   ML9: Lark 3B 170
Nairn Way G68: Cumb 6A 16
Naismith St. G32: Carm 5C 110
Naismith Wlk. ML4: Bell 6E 115
Nansen St. G20: Glas 6E 65
Napier Ct. G60: Old K 2G 43
   G68: Cumb 3D 16
Napier Cres. G82: Dumb 4C 18
Napier Dr. G51: Glas 3H 85
Napier Gdns. PA3: Lin 5A 80
Napier Hill G75: E Kil 3G 157
Napier La. G75: E Kil 3G 157
Napier Pk. G68: Cumb 4C 16
Napier Pl. G51: Glas 3H 85
   G60: Old K 2G 43
   G68: Cumb 3C 16
Napier Rd. G51: Glas 3H 85
   G52: Hill 2H 83
   G68: Cumb 4C 16
Napiershall La. G20: Glas 1D 86
   (off Napiershall St.)
Napiershall Pl. G20: Glas 1D 86
Napiershall St. G20: Glas 1D 86
Napier Sq. ML4: Bell 6D 114
Napier St. G51: Glas 3H 85
   G81: Clyd 2E 61
   PA3: Lin 5A 80
   PA5: John 2E 99
Napier Ter. G51: Glas 3H 85
Napier Way G68: Cumb 4C 16
Naproch Pl. G77: Newt M 4A 138
Naseby Av. G11: Glas 6F 63
Naseby La. G11: Glas 6F 63
Nasmyth Av. G61: Bear 5B 26
   G75: E Kil 4H 157
Nasmyth Pl. G52: Hill 4A 84
Nasmyth Rd. G52: Hill 4A 84
Nasmyth Rd. Nth.
   G52: Hill 4A 84
   (not continuous)
Nasmyth Rd. Sth. G52: Hill ...4A 84
Nassau Pl. G75: E Kil 2C 156
National Bank La.
   G1: Glas 5C 6 (4F 87)
National Mus. of Rural Life
   ....5B 140
Navar Pl. PA2: Pais 3C 102

Naver St. G33: Glas 2G 89
Naylor La. ML6: Air 3B 96
Naysmyth Bank G75: E Kil 4H 157
Needle Grn. ML8: Carl 3D 174
Neidpath G69: Bail 1G 111
Neidpath Av. ML5: Coat 2D 114
Neidpath E. G74: E Kil 1F 157
Neidpath Pl. ML5: Coat 2C 114
Neidpath Rd. ML8: Carl 2C 174
Neidpath Rd. E. G46: Giff 3G 137
Neidpath Rd. W.
    G46: Giff 2G 137
Neidpath W. G74: E Kil 1F 157
Neilsland Dr. ML1: Moth 3D 146
    ML3: Ham 4G 161
Neilsland Oval G53: Glas 5D 104
Neilsland Rd. ML3: Ham 2F 161
Neilsland Sq. G53: Glas 4D 104
    ML3: Ham 2G 161
Neilsland St. ML3: Ham 2G 161
Neilson Ct. ML3: Ham 1A 162
Neilson St. ML4: Bell 2C 130
NEILSTON 2D 134
Neilston Av. G53: Glas 2C 120
Neilston Ct. G53: Glas 2C 120
Neilston Leisure Cen. 2E 135
Neilston Pl. G65: Kils 2F 13
Neilston Rd.
    G78: Barr, Neil 1E 135
    PA2: Pais 2A 102
Neilston Station (Rail) 2D 134
Neilston Wlk G65: Kils 3E 13
    (not continuous)
Neil St. PA4: Renf 4F 61
Neilvaig Dr. G73: Ruth 4D 124
Neistpoint Dr. G33: Glas 3A 90
Nelson Av. ML5: Coat 1A 114
Nelson Cres. ML1: Moth 5B 148
Nelson Mandela Pl.
    G2: Glas 4D 6 (3G 87)
Nelson Pl. G69: Bail 1H 111
Nelson St. G5: Glas 5E 87
    G69: Bail 1H 111
Nelson Ter. G74: E Kil 3A 158
Neptune St. G51: Glas 4H 85
Neptune Way ML4: Moss 2G 131
NERSTON 3A 142
Nerston Rd.
    G74: Ners, Roger 3G 141
Ness Av. PA5: John 5C 98
Ness Dr. G72: Blan 6C 128
    G74: E Kil 2B 158
Ness Gdns. G64: B'rig 6D 50
    ML9: Lark 5C 170
Ness Rd. PA4: Renf 5D 60
Ness St. G33: Glas 2G 89
    ML2: Wis 3H 165
Ness Ter. ML3: Ham 2E 161
Ness Way ML1: Holy 2A 132
Nethan Av. ML2: Wis 1C 164
Nethan Ga. ML3: Ham 6G 145
Nethan Pl. ML3: Ham 5H 161
Nethan St. G51: Glas 3G 85
    ML1: Moth 5E 131
Nether Auldhouse Rd.
    G43: Glas 1H 121
Netherbank Rd. ML2: Wis 1D 164
Netherbog Av. G82: Dumb 3H 19
Netherbog Rd. G82: Dumb 3H 19
Netherburn Av. G44: Neth 5D 122
    PA6: C'lee 3E 79
Netherburn Gdns. PA6: C'lee . . .3E 79
Netherburn Rd. ML9: Ashg 5A 172
Netherby Dr. G41: Glas 1B 106
Nethercairn Pl.
    G77: Newt M 4A 138
Nethercairn Rd. G43: Glas 3A 122

Nethercliffe Av. G44: Neth 5D 122
Nethercommon Ind. Est.
    PA3: Pais 3A 82
    (not continuous)
Nethercraigs Ct. PA2: Pais 6F 101
Nethercraigs Dr. PA2: Pais 5G 101
Nethercraigs Rd. PA2: Pais 6F 101
Nethercroy Rd. G65: Croy 6A 14
Netherdale G77: Newt M 4H 137
Netherdale Cres. ML2: Wis 1C 164
Netherdale Dr. PA1: Pais 1H 103
Netherdale Rd. ML2: Wis 1E 165
Nethergreen Cres. PA4: Renf . . .6D 60
Nethergreen Wynd
    PA4: Renf 6D 60
Netherhill Av. G44: Neth 6D 122
Netherhill Cotts. PA3: Pais 4C 82
    (off Netherhill Rd.)
Netherhill Cres. PA3: Pais 5C 82
Netherhill Rd. G69: Mood 6D 54
    PA3: Pais 5B 82
Netherhill Way PA3: Pais 4D 82
Netherhouse Av. G66: Lenz 3E 53
    ML5: Coat 2B 114
Netherhouse Pl. G34: Glas 3C 92
Netherhouse Rd. G34: Glas 4B 92
    G69: Barg 4B 92
NETHER KIRKTON 1E 135
Nether Kirkton Av. G78: Neil 1E 135
Nether Kirkton Vw. G78: Neil 1E 135
Nether Kirkton Way
    G78: Neil 1E 135
Nether Kirkton Wynd
    G78: Neil 1E 135
NETHERLEE 5D 122
Netherlee Pl. G44: Glas 3E 123
Netherlee Rd. G44: Glas 2E 123
Nethermains Rd. G62: Miln 5G 27
Netherpark Av. G44: Neth 6D 122
NETHERPLACE 3A 136
Netherplace Cres. G53: Glas 5B 104
    G77: Newt M 5C 136
Netherplace Rd. G53: Glas 5B 104
    G77: Newt M 5A 136
    (not continuous)
NETHERTON
    G13 . . . . .1E 63
    ML2 . . . . .2E 165
Netherton Av. G13: Glas 2E 63
Netherton Ct. G45: Glas 5B 124
    G77: Newt M 3F 137
Netherton Dr. G78: Barr 5F 119
Netherton Farm La. G61: Bear . .1F 63
Netherton Hill G66: Len 3C 8
Netherton Ind. Est. ML2: Wis . . .1E 165
    (not continuous)
Netherton Oval G66: Len 3D 8
Netherton Rd. G13: Glas 1E 63
    G75: E Kil 1A 168
    (Mallard Cres.)
    G75: E Kil 5E 157
    (Owen Av.)
    G77: Newt M 3F 137
    ML2: Wis 1C 164
Netherton St. ML2: Wis 1F 165
Nethervale Av. G44: Neth 6D 122
Netherview Rd. G44: Neth 6C 123
Netherway G44: Neth 6D 122
Netherwood Av. G68: Cumb 5C 36
Netherwood Ct. G68: Cumb 5C 36
    ML1: Moth 1B 164
    (off Muirhouse Rd.)
Netherwood Gro. G68: Cumb 5C 36
Netherwood Pl. G68: Cumb 5B 36
Netherwood Rd. G68: Cumb 5B 36
    ML1: Moth 6B 148

Netherwood Twr. ML1: Moth 1B 164
Netherwood Way G68: Cumb 5C 36
Nethy Way PA4: Renf 2H 83
Neuk, The ML2: Wis 6E 149
Neuk Av. G69: Muirh 2A 70
    PA6: Hous 2C 78
Neuk Cres. PA6: Hous 1C 78
Neuk Way G32: Carm 5C 110
    PA6: Hous 2C 78
Neva Pl. PA11: Bri W 3F 77
    (off Main St.)
Neville G74: E Kil 5C 142
Nevis Av. ML3: Ham 1E 161
Nevis Ct. G78: Barr 6E 119
    ML1: Moth 5G 147
    ML5: Coat 2E 115
Nevis Dr. G64: Torr 4D 30
    ML1: Moth 6C 148
Nevison St. ML9: Lark 3D 170
Nevis Rd. G43: Glas 2H 121
    G61: Bear 6B 26
    PA4: Renf 2D 82
Nevis Way PA3: Glas A 2A 82
Newark Dr. G41: Glas 2B 106
    ML2: Wis 3A 150
    PA2: Pais 5G 101
Newark Pl. ML2: Wis 3B 150
NEWARTHILL 3E 133
Newarthill Rd. ML1: Carf 5C 132
New Ashtree St. ML2: Wis 6E 149
New Athenaeum Theatre 2C 6
Newbank Ct. G31: Glas 1G 109
Newbank Gdns. G31: Glas 1F 109
Newbank Rd. G31: Glas 1G 109
Newbarns St. ML8: Carl 2D 174
Newbattle Av. ML6: C'bnk 3B 116
Newbattle Ct. G32: Glas 3B 110
Newbattle Gdns. G32: Glas 3B 110
Newbattle Pl. G32: Glas 3B 110
Newbattle Rd. G32: Glas 3A 110
Newbold Av. G21: Glas 2A 66
NEWBRIDGE END 5D 174
New Broomfield Stadium 5C 96
Newburgh PA8: Ersk 4E 43
Newburgh St. G43: Glas 6B 106
Newcastleton Dr. G23: Glas 6C 48
New City Rd. G4: Glas 1A 6 (1E 87)
    (not continuous)
Newcraigs Dr. G76: Crmck 2H 139
Newcroft Dr. G44: Glas 2H 123
New Cross ML6: Air 4A 96
    (off Stirling St.)
New Cross Cen. ML3: Ham 6A 146
New Douglas Pk. 4F 145
Newdyke Av. G66: Kirk 5E 33
Newdyke Rd. G66: Kirk 5E 33
New Edinburgh Rd.
    G71: Tann, View 6C 112
    ML4: Bell 1E 129
Newfield Cres. ML3: Ham 5F 145
Newfield La. G71: Both 4F 129
Newfield Pl. G46: T'bnk 5F 121
    G73: Ruth 6A 108
Newfield Sq. G53: Glas 1A 120
Newford Gro. G76: Busby 4D 138
Newgrove Gdns.
    G72: Camb 1A 126
Newhall St. G40: Glas 2B 108
Newhaven Rd. G33: Glas 3B 90
Newhaven St. G32: Glas 4A 90
Newhills Rd. G33: Glas 4E 91
NEWHOUSE 6G 117
Newhouse Ind. Est.
    ML1: N'hse 6C 116
    (Greenside Pl.)
    ML1: N'hse 5D 116
    (York Rd.)

NEWHOUSE INTERCHANGE 5G 117
Newhousemill Rd. G72: Blan 4C 158
   G74: E Kil 4C 158
   ML3: Ham 3H 159
Newhut Rd. ML1: Moth 6F 131
New Inchinnan Rd.
   PA3: Pais 4A 82
Newington St. G32: Glas 5H 89
New Kirk Rd. G61: Bear 2E 47
New Lairdsland Rd.
   G66: Kirk 4C 32
Newlandcraigs Av. PA5: Eld 4B 100
Newlandcraigs Dr. PA5: Eld 3B 100
NEWLANDS 2C 122
Newlands Dr. ML3: Ham 3H 161
Newlandsfield Rd. G43: Glas 6B 106
Newlands Gdns. PA5: Eld 4A 100
NEWLANDSMUIR 6B 156
Newlandsmuir Rd.
   G75: E Kil 5B 156
Newlands Pl. G74: E Kil 2G 157
Newlands Rd. G43: Glas 6B 106
   G44: Glas 1E 123
   G71: Tann 5D 112
   G75: E Kil 6A 156
   (Jackton Rd.)
   G75: E Kil 4C 156
   (Palmerston)
Newlands Squash & Tennis Club
   . . . . .1D 122
Newlands St. ML5: Coat 1C 114
Newlands Ter. G66: Milt C 5C 10
   ML8: Carl 3D 174
New La. ML6: C'bnk 3B 116
New Line Pend G74: E Kil 1H 157
   (off Kittoch Pl.)
Newliston Dr. G5: Glas 2H 107
New Luce Dr. G32: Glas 2D 110
NEWMAINS
   ML2 .5E 151
   PA4 .2E 83
Newmains Av. PA4: Inch 4F 59
Newmains Rd. PA4: Renf 1D 82
Newmill Rd. G21: Glas 4E 67
Newmilns Gdns. G72: Blan 1B 160
Newmilns St. G53: Glas 1H 119
NEW MONKLAND 5G 73
Newnham Rd. PA1: Pais 1G 103
Newpark Cres. G72: Camb 6A 110
New Pk. St. ML3: Ham 4G 145
New Plymouth G75: E Kil 4C 156
New Rd. G72: Camb 3E 127
Newrose Av. ML4: Bell 6D 114
Newshot Ct. G81: Clyd 2F 61
   (off Clydeholm Ter.)
Newshot Dr. PA8: Ersk 5F 43
New Sneddon St.
   PA3: Pais 5A 82
   (not continuous)
Newstead Gdns.
   G23: Glas 6C 48
NEW STEVENSTON 3A 132
New Stevenston Rd.
   ML1: Carf 5B 132
   (not continuous)
New St. G72: Blan 2A 144
   G81: Dun 1C 44
   PA1: Pais 1A 102
   PA10: Kilb 2A 98
NEWTON 1G 127
Newton Av. G72: Camb 1D 126
   G78: Barr 6F 119
   PA3: Pais 4D 82
   PA5: Eld 2C 100
Newton Brae G72: Newt 1F 127
Newton Ct. G72: Camb 1D 126
   G77: Newt M 6D 136

Newton Dr. G71: Tann 6E 113
   ML2: Newm 4E 151
   PA5: Eld 2C 100
Newton Farm Rd. G72: Newt 6F 111
Newtongrange Av. G32: Glas 2B 110
Newtongrange Gdns.
   G32: Glas 3B 110
Newton Gro. G77: Newt M 6D 136
Newtonlea Av. G77: Newt M 5E 137
NEWTON MEARNS 5D 136
Newton Pl. G3: Glas 2F 5 (2D 86)
   G77: Newt M 6E 137
Newton Rd. G66: Lenz 3E 53
   PA7: B'ton 4F 41
Newton Station (Rail) 2E 127
Newton Sta. Rd.
   G72: Flem, Newt 3E 127
Newton St. G3: Glas 3H 5 (3E 87)
   PA1: Pais 1G 101
Newton Ter. G3: Glas 3F 5
   PA1: Pais 2D 100
Newton Ter. La. G3: Glas 3F 5
Newton Way PA3: Pais 4D 82
Newtown St. G65: Kils 3H 13
Newtyle Dr. G53: Glas 4H 103
Newtyle Pl. G53: Glas 4H 103
   G64: B'rig 6F 51
Newtyle Rd. PA1: Pais 1D 102
New Vw. Cres. ML4: Bell 4C 130
New Vw. Dr. ML4: Bell 4C 130
New Vw. Pl. ML4: Bell 4C 130
New Wynd G1: Glas 6E 7 (5G 87)
Next Generation Health Club
   Glasgow 1F 63
Niamh Ct. PA4: Inch 2G 59
Nicholas St. G1: Glas 5G 7 (4H 87)
Nicholson St. G5: Glas 6F 87
Nicklaus Way ML1: N'hse 6E 117
Nicolson St. G33: Step 4D 68
Nicol St. ML6: Air 2C 96
Niddrie Rd. G42: Glas 3D 106
Niddrie Sq. G42: Glas 3D 106
Niddry St. PA3: Pais 6B 82
Nigel Gdns. G41: Glas 4B 106
Nigel St. ML1: Moth 3F 147
Nigg Pl. G34: Glas 3G 91
Nightingale Pl. PA5: John 6D 98
Nikitas Av. ML9: Lark 6D 170
Nimmo Dr. G51: Glas 4E 85
Nimmo Pl. ML2: Wis 6A 150
   ML8: Carl 2C 174
Ninian Av. PA6: C'lee 3C 78
Ninian Rd. ML6: Air 6B 96
Ninian's Ri. G66: Kirk 6F 33
Nisbet St. G31: Glas 6F 89
Nisbett Pl. ML6: Chap 2E 117
Nisbett St. ML6: Chap 2E 117
Nissen Pl. G53: Glas 4H 103
Nith Dr. ML3: Ham 3B 161
   PA4: Renf 1G 83
Nith La. ML2: Newm 3D 150
   (off King St.)
Nith Path ML1: Cle 5H 133
Nith Pl. PA5: John 5C 98
Nith Quad. ML1: N'hill 4C 132
Nithsdale G74: E Kil 6D 142
Nithsdale Cres. G61: Bear 1C 46
Nithsdale Dr. G41: Glas 3D 106
Nithsdale Pl. G41: Glas 2D 106
Nithsdale Rd. G41: Glas 1H 105
   (Dumbreck Rd.)
   G41: Glas 3D 106
   (Pollokshaws Rd.)
Nithsdale St. G41: Glas 3D 106
Nith St. G33: Glas 2F 89
Nith Way PA4: Renf 1G 83
NITSHILL 2A 120

NITSHILL INTERCHANGE 5D 120
Nitshill Rd. G46: T'bnk 4D 120
   G53: Glas, T'bnk 1H 119
Nitshill Station (Rail) 2A 120
Niven St. G20: Glas 3A 64
Noble Rd. ML4: Bell 2C 130
Nobles Pl. ML4: Bell 3B 130
Nobles Vw. ML4: Bell 3B 130
Noldrum Av. G32: Carm 5C 110
Noldrum Gdns. G32: Carm 5C 110
Norbreck Dr. G46: Giff 3A 122
Norby Rd. G11: Glas 6F 63
Nordic Cres. G72: Blan 2C 144
Nordic Gdns. G72: Blan 2C 144
Nordic Gro. G72: Blan 2C 144
Noremac Way ML4: Bell 6B 114
Norfield Dr. G44: Glas 6F 107
Norfolk Ct. G5: Glas 6F 87
Norfolk Cres. G64: B'rig 4A 50
Norfolk St. G5: Glas 6F 87
Norham St. G41: Glas 4C 106
Norman St. G40: Glas 2B 108
Norse La. Nth. G14: Glas 5C 62
Norse La. Sth. G14: Glas 5C 62
Norse Pl. G14: Glas 5C 62
Norse Rd. G14: Glas 5C 62
Northall Quad. ML1: Carf 6A 132
Northampton Dr. G12: Glas 3H 63
Northampton La. G12: Glas 3H 63
   (off Northampton Dr.)
North and South Rd.
   ML1: Cle 1C 150
North Av. G72: Camb 1H 125
   G81: Clyd 4C 44
   ML8: Carl 3B 174
North Bank PA6: Hous 1B 78
Northbank Av. G66: Kirk 5C 32
   G72: Camb 1D 126
Nth. Bank Pl. G81: Clyd 1E 61
Northbank Rd. G66: Kirk 5C 32
Nth. Bank St. G81: Clyd 1E 61
Northbank St. G72: Camb 1D 126
NORTH BARR 4E 43
Nth. Barr Av. PA8: Ersk 4E 43
NORTH BARRWOOD 3A 14
Nth. Berwick Av. G68: Cumb 6H 15
Nth. Berwick Cres.
   G75: E Kil 5C 156
Nth. Berwick Gdns.
   G68: Cumb 6H 15
Nth. Biggar Rd. ML6: Air 3B 96
Nth. Birbiston Rd. G66: Len 3F 9
Northbrae Pl. G13: Glas 3B 62
North Bri. St. ML6: Air 3H 95
Nth. British Rd. G71: Udd 1D 128
Northburn Av. ML6: Air 2B 96
Northburn Pl. ML6: Air 1B 96
Northburn Rd. ML5: Coat 2E 95
Northburn St. ML6: Plain 1H 97
Nth. Bute St. ML5: Coat 1D 114
Nth. Caldeen Rd.
   ML5: Coat 6E 95
Nth. Calder Dr. ML6: Air 5D 96
Nth. Calder Gro. G71: Udd 3H 111
Nth. Calder Pl. G71: Udd 3G 111
Nth. Calder Rd. G71: View 4G 113
Nth. Campbell Av. G62: Miln 4F 27
Nth. Canal Bank G4: Glas 1G 87
Nth. Canal Bank St.
   G4: Glas 1D 6 (1G 87)
Nth. Carbrain Rd. G67: Cumb 5G 37
NORTH CARDONALD 4B 84
Nth. Claremont La.
   G62: Miln 3G 27
Nth. Claremont St.
   G3: Glas 2E 5 (2C 86)
Nth. Corsebar Rd. PA2: Pais 3G 101

North Ct. G1: Glas 5D **6** (4G **87**)
North Ct. La. G1: Glas 5D **6** (4G **87**)
Northcroft Rd. G69: Mood 5C **54**
North Cft. St. PA3: Pais 6B **82**
Nth. Dean Pk. Av.
 G71: Both 4E **129**
Nth. Douglas St. G81: Clyd 1E **61**
North Dr. G1: Glas 6C **6** (4F **87**)
 PA3: Lin 5H **79**
Nth. Dryburgh Rd. ML2: Wis 4G **149**
Nth. Dumgoyne Av. G62: Miln 2F **27**
Nth. Elgin Pl. G81: Clyd 2E **61**
Nth. Elgin St. G81: Clyd 2E **61**
Nth. Erskine Pk. G61: Bear 2D **46**
NORTHFIELD 2F **13**
Northfield G75: E Kil 4B **156**
Northfield Rd. G65: Kils 2F **13**
Northfield St. ML1: Moth 1G **147**
Northflat Pl. ML8: Carl 5G **175**
Nth. Frederick St.
 G1: Glas 5E **7** (4G **87**)
Nth. Gardner St. G11: Glas 1H **85**
Northgate Quad. G21: Glas 2E **67**
Northgate Rd. G21: Glas 2E **67**
Nth. Gower St. G51: Glas 6A **86**
Nth. Grange Rd. G61: Bear 1E **47**
Nth. Hanover St.
 G1: Glas 5E **7** (3G **87**)
Nth. Hillhead Rd.
 G77: Newt M 2A **152**
Northinch Ct. G14: Glas 1D **84**
Northinch St. G14: Glas 1D **84**
Nth. Iverton Pk. Rd. PA5: John . . .2G **99**
NORTH KELVIN 6C **64**
Nth. Kilmeny Cres.
 ML2: Wis 3A **150**
Northland Av. G14: Glas 4C **62**
Northland Dr. G14: Glas 4C **62**
Northland Gdns. G14: Glas 4C **62**
Northland La. G14: Glas 5C **62**
North La. PA3: Lin 5A **80**
NORTH LODGE 5F **147**
Nth. Lodge Av. ML1: Moth 5G **147**
Nth. Lodge Rd. PA4: Renf 5E **61**
NORTH MOTHERWELL 2E **147**
Northmuir Dr. ML2: Wis 5B **150**
Northmuir Rd. G15: Glas 3B **46**
Nth. Orchard St.
 ML1: Moth 2F **147**
North Pk. Av. G46: T'bnk 3F **121**
 G78: Barr 4D **118**
Northpark St. G20: Glas 5D **64**
North Pk. Vs. G46: T'bnk 4F **121**
Nth. Portland St.
 G1: Glas 5F **7** (4H **87**)
Nth. Porton Rd. PA7: B'ton 3A **42**
North Rd. G68: Cumb 5C **36**
 ML4: Bell 3C **114**
 ML5: Coat 3C **114**
 PA5: John 3E **99**
North Sq. ML5: Coat 3A **94**
North St. G3: Glas 2G **5** (2D **86**)
 ML1: Moth 1H **147**
 ML9: Lark 1C **170**
 PA3: Pais 5A **82**
 PA6: Hous 1A **78**
Northumberland St.
 G20: Glas 5C **64**
North Vw. G61: Bear 5D **46**
North Vw. PA11: Bri W 5H **77**
Nth. Wallace St.
 G4: Glas 2F **7** (2H **87**)
Northway G72: Blan 6A **128**
Northwood Dr. ML2: Newm 3E **151**
North Woodside Leisure Cen.
 . . . . .1E **87**

Nth. Woodside Rd.
 G20: Glas 6D **64**
 (not continuous)
Norval St. G11: Glas 1G **85**
Norwich Dr. G12: Glas 4H **63**
Norwood Av. G66: Kirk 5B **32**
Norwood Dr. G46: Giff 6G **121**
Norwood Pk. G61: Bear 4F **47**
Norwood Ter. G71: Tann 6E **113**
Nottingham Av. G12: Glas 3H **63**
Nottingham La. G12: Glas 3H **63**
 (off Northampton Dr.)
Novar Dr. G12: Glas 5G **63**
Novar Gdns. G64: B'rig 5A **50**
Novar St. ML3: Ham 1H **161**
Nuneaton St. G40: Glas 2C **108**
Nuneaton St. Ind. Est.
 G40: Glas 2C **108**
Nurseries Rd. G69: Bail 5F **91**
Nursery Av. PA7: B'ton 3C **42**
Nursery Dr. ML9: Ashg 5A **172**
Nursery La. G41: Glas 3D **106**
Nursery Pk. ML8: Carl 3C **174**
Nursery Pl. G72: Blan 3B **144**
Nursery St. G41: Glas 2E **107**
Nutberry Ct. G42: Glas 4F **107**

O

Oak Av. G61: Bear 6F **27**
 G75: E Kil 5D **156**
Oakbank Av. ML2: Wis 2E **165**
Oakbank Dr. G78: Barr 6F **119**
Oakbank Ind. Est.
 G20: Glas 6F **65**
Oakbank St. ML6: Air 4D **96**
Oakburn Av. G62: Miln 4F **27**
Oakburn Cres. G62: Miln 3F **27**
Oak Cres. G69: Bail 1G **111**
Oakdene Av. G71: Tann 6F **113**
 ML4: Bell 6C **114**
Oakdene Cres. ML1: N'hill 4C **132**
Oak Dr. G66: Lenz 2B **52**
 G72: Camb 3C **126**
Oak Fern Dr. G74: E Kil 5F **141**
Oak Fern Gro. G74: E Kil 5F **141**
Oakfield Av. G12: Glas 1C **86**
Oakfield Dr. ML1: Moth 3G **147**
Oakfield La. G12: Glas 1C **86**
 (off Gibson St.)
Oakfield Rd. ML1: Moth 3G **147**
Oakfield Twr. ML1: Moth 4G **147**
Oak Gro. ML6: Chap 2E **117**
Oakhill Av. G69: Bail 2F **111**
Oak Lea ML3: Ham 1B **162**
Oaklea Cres. G72: Blan 1A **144**
Oakley Dr. G44: Neth 4D **122**
Oakley Ter. G31: Glas 4B **88**
Oak Pk. G64: B'rig 6D **50**
 ML1: Moth 5F **147**
Oak Path ML1: Holy 2B **132**
Oak Pl. G71: View 6G **113**
 G75: E Kil 5D **156**
 ML5: Coat 6E **95**
Oakridge Cres. PA3: Pais 6F **81**
Oakridge Rd. G69: Barg 5E **93**
Oak Rd. G67: Cumb 1E **39**
 G81: Clyd 2B **44**
 PA2: Pais 4C **102**
Oaks, The G44: Glas 3F **123**
 PA5: John 3E **99**
Oakshaw Brae PA1: Pais 6H **81**
Oakshawhead PA1: Pais 6H **81**
Oakshaw St. E. PA1: Pais 6H **81**
Oakshaw St. W. PA1: Pais 6H **81**

Oakside Pl. ML3: Ham 4H **161**
Oak St. G2: Glas 5H **5** (4E **87**)
Oaktree Gdns. G45: Glas 3B **124**
 G82: Dumb 3C **20**
Oakwood Av. PA2: Pais 4F **101**
Oakwood Cres. G34: Glas 2B **92**
Oakwood Dr. G34: Glas 2B **92**
 G77: Newt M 5F **137**
 ML5: Coat 6H **93**
Oak Wynd G72: Flem 4F **127**
Oates Gdns. ML1: Moth 5B **148**
Oatfield St. G21: Glas 5D **66**
OATLANDS 3H **107**
Oatlands Dr. G5: Glas 2H **107**
Oatlands Sq. G5: Glas 2H **107**
Oban Ct. G20: Glas 5C **64**
Oban Dr. G20: Glas 5C **64**
Oban La. G20: Glas 5C **64**
Oban Pass G20: Glas 5C **64**
Oban Pl. ML6: Air 5D **96**
Oban Way ML1: Carf 5B **132**
Observatory La. G12: Glas 6B **64**
Observatory Rd.
 G12: Glas 6A **64**
Ocean Fld. G81: Clyd 1B **44**
Ochel Path ML6: Chap 4F **117**
Ochil Ct. G75: E Kil 1B **168**
Ochil Dr. G78: Barr 6D **118**
 PA2: Pais 5H **101**
Ochil Vw. Home
 G67: Cumb 2A **38**
 (off Seafar Rd.)
Ochil Pl. G32: Glas 1A **110**
Ochil Rd. G61: Bear 6B **26**
 G64: B'rig 5E **51**
 PA4: Renf 2D **82**
Ochil St. G32: Glas 1A **110**
 ML2: Wis 5F **149**
Ochiltree Av. G13: Glas 2F **63**
Ochiltree Cres. ML5: Coat 6A **94**
Ochiltree Dr. ML3: Ham 2C **160**
Ochil Vw. G71: Tann 5E **113**
Odense Ct. G75: E Kil 5G **157**
Odeon Cinema
 Clydebank 6D **44**
 East Kilbride 3H **157**
 Glasgow 5D **86**
Ogilvie Athletic Ground 5A **68**
Ogilvie Pl. G31: Glas 1F **109**
Ogilvie St. G31: Glas 1F **109**
Oki Way G68: Cumb 4C **16**
Old Aisle Rd. G66: Kirk 6F **33**
Old Anniesland 3E **63**
Old Avon Rd. ML3: Ham 1C **162**
OLD BALORNOCK 4D **66**
Old Bars Dr. G69: Mood 4E **55**
Old Biggar Rd. ML6: Rigg 1B **74**
Old Bore Rd. ML6: Air 3E **97**
Old Bothwell Rd. G71: Both 6F **129**
Old Bridgend ML8: Carl 4D **174**
Old Bri. of Weir Rd.
 PA6: Hous 1A **78**
Old Castle Gdns. G44: Glas 1F **123**
Old Castle Rd. G44: Glas 1E **123**
Old Church Gdns.
 G69: Barg 6E **93**
Old Coach Rd. G74: E Kil 6H **141**
Old Cross ML6: Air 3A **96**
Old Dalmarnock Rd.
 G40: Glas 1B **108**
Old Dalnottar Rd.
 G60: Old K 2F **43**
Old Dullatur Rd. G68: Dull 5F **15**
Old Dumbarton Rd.
 G3: Glas 1A **4** (2A **86**)
 (not continuous)
Old Duntiblae Rd. G66: Kirk 6G **33**

Old Edinburgh Rd.
G71: Tann, View 4B **112**
ML4: Bell 5E **113**
Old Farm Rd. G61: Bear 1F **63**
PA2: Pais 4F **103**
Old Ferry Rd. PA8: Ersk 3D **42**
Old Fruitmarket G1: Glas 6F **7**
Old Gartloch Rd. G69: G'csh . . .5D **70**
Old Glasgow Rd.
G67: Cumb 1H **37**
G71: Udd 6B **112**
(not continuous)
Old Govan Rd. PA4: Renf 6H **61**
Old Greenock Rd. PA4: Inch 6C **42**
(Linburn Rd.)
PA4: Inch 2G **59**
(Newshot Dr.)
PA7: B'ton 2A **40**
(not continuous)
PA8: Ersk 6C **42**
PA14: Lang 2A **40**
Oldhall Rd. PA1: Pais 6E **83**
OLDHILL 6G **83**
Old Howwood Rd. PA9: How 6C **98**
Old Humbie Rd.
G77: Newt M 1E **153**
Old Inns Interchange
G68: Cumb 5B **16**
Old Inns Rdbt. G68: Cumb 5B **16**
OLD KILPATRICK 1E **43**
Old Lanark Rd. ML8: Carl 4D **174**
(not continuous)
Old Manse Gdns. ML5: Coat 4C **94**
Old Manse Rd. G32: Glas 1D **110**
ML2: Wis 3E **165**
Old Mill Ct. G81: Dun 2C **44**
Old Mill Ga. G73: Ruth 1C **124**
(off Mill St.)
Old Mill La. G71: Udd 1D **128**
Old Mill Pk. Ind. Est.
G66: Kirk 4C **32**
Old Mill Rd. G71: Both 6E **129**
G71: Udd 2D **128**
(Bellshill Rd.)
G71: Udd 1D **128**
(Lower Millgate)
G72: Camb 2D **126**
G74: E Kil 1H **157**
Old Mill Rd. G81: Dun, Hard 1C **44**
PA2: Pais 2F **101**
Old Mill Vw. G65: Croy 1B **36**
OLD MONKLAND 1A **114**
Old Monkland Rd.
ML5: Coat 2H **113**
Old Playfield Rd.
G76: Crmck 1H **139**
Old Quarry Rd. G68: Cumb 2H **55**
Old Rd. PA5: Eld 2H **99**
Old Rutherglen Rd. G5: Glas 6G **87**
Old School Ct. ML5: Coat 1C **114**
Old Schoolhouse La.
PA6: Hous 1B **78**
Old School Sq. PA10: How 2A **98**
Old Shettleston Rd. G32: Glas . . .6H **89**
Old Sneddon St. PA3: Pais 6A **82**
Old Stable Row ML5: Coat 4D **94**
Old Station Ct. G71: Both 5E **129**
Old St. G81: Dun 1B **44**
Old Union St. ML6: Air 4B **96**
Old Vic Ct. G74: E Kil 5B **142**
(off Bosworth Rd.)
Old Wishaw Rd.
ML8: Carl 2C **174**
ML8: Law 6G **167**
Old Wood Rd. G69: Bail 2G **111**
Old Wynd G1: Glas 6E **7** (5G **87**)
Olifard Av. G71: Both 4F **129**

Oliphant Cres.
G76: Busby 4C **138**
PA2: Pais 5C **100**
Oliphant Oval PA2: Pais 5C **100**
Olive Bank G71: View 4G **113**
Olive Ct. ML1: Holy 2B **132**
(off Elm Rd.)
Olive St. G33: Glas 5F **67**
Ollach PA8: Ersk 2G **59**
Olympia G74: E Kil 2H **157**
Olympia, The G74: E Kil 3H **157**
(off Olympia Ct.)
Olympia Arc. G74: E Kil 3H **157**
(off Olympia Ct.)
Olympia Ct. G74: E Kil 2H **157**
Olympia St. G40: Glas 6B **88**
Olympia Way G74: E Kil 2H **157**
Omoa Rd. ML1: Cle 6G **133**
O'Neill Av. G64: B'rig 1D **66**
Onslow G75: E Kil 4E **157**
Onslow Dr. G31: Glas 4C **88**
Onslow Rd. G81: Clyd 5E **45**
Onslow Sq. G31: Glas 4C **88**
Ontario Pk. G75: E Kil 2D **156**
Ontario Pl. G75: E Kil 2D **156**
Onyx St. ML4: Bell 3C **130**
Oran Gdns. G20: Glas 4C **64**
Oran Ga. G20: Glas 4C **64**
Oran Pl. G20: Glas 5C **64**
Oran St. G20: Glas 4C **64**
ORBISTON 3C **130**
Orbiston Ct. ML1: Moth 4A **148**
Orbiston Dr. G81: Faif 6F **25**
ML4: Bell 4D **130**
Orbiston Gdns. G32: Glas 6A **90**
Orbiston Pl. G81: Faif 6F **25**
Orbiston Rd. ML4: Bell 5D **130**
(Community Rd.)
ML4: Bell 3B **130**
(Crofthead Cres.)
Orbiston Sq. ML4: Bell 4B **130**
Orbiston St. ML1: Moth 3H **147**
Orbital Ct. G74: E Kil 3A **156**
Orcades Dr. G44: Glas 3F **123**
Orchard Av. G71: Both 6F **129**
Orchard Brae
G66: Lenz 3E **53**
ML3: Ham 5H **145**
Orchard Ct. G32: Carm 5B **110**
G46: T'bnk 4G **121**
PA4: Renf 5C **61**
(off Orchard St.)
Orchard Dr. G46: Giff 4H **121**
(not continuous)
G72: Blan 1A **144**
ML3: Ham 5B **108**
Orchard Fld. G66: Lenz 3E **53**
Orchard Ga. ML9: Lark 3C **170**
Orchard Grn. G74: E Kil 5B **142**
Orchard Gro. G46: Giff 3H **121**
ML5: Coat 5D **94**
ORCHARD PARK
G46 . . . . .4H **121**
G66 . . . . .4E **53**
Orchard Pk. G46: Giff 4A **122**
Orchard Pk. Av.
G46: T'bnk 3G **121**
Orchard Pl. G66: Kirk 6G **33**
ML3: Ham 6H **145**
ML4: Bell 4B **130**
Orchard St. G69: Bail 2F **111**
ML1: Moth 2F **147**
ML2: Over 5H **165**
ML3: Ham 6H **145**
ML8: Carl 4D **174**
PA1: Pais 1A **102**
PA4: Renf 5F **61**

Orchardton Rd. G68: Cumb 1G **55**
(Mollins Rd.)
G68: Cumb 2H **55**
(Old Quarry Rd.)
Orchardton Woods Ind. Pk.
G68: Cumb 5G **35**
Orchid Pl. G66: Len 3E **9**
Orchill Dr. ML6: Plain 6H **75**
Orchy Av. G76: Clar 6D **122**
Orchy Ct. G81: Hard 2E **45**
Orchy Cres. G61: Bear 5D **46**
ML6: Air 6C **96**
PA2: Pais 4D **100**
Orchy Dr. G76: Clar 6D **122**
Orchy Gdns. G76: Clar 6D **122**
Orchy St. G44: Glas 1E **123**
Orchy Ter. G74: E Kil 2B **158**
Orefield Pl. G74: E Kil 6G **141**
Oregon Pl. G5: Glas 1G **107**
Orion Pl. ML4: Moss 2G **131**
Orion Way G72: Camb 1A **126**
ML8: Carl 3B **174**
Orkney Pl. G51: Glas 4H **85**
Orkney Quad. ML2: Wis 5B **150**
Orkney St. G51: Glas 4H **85**
Orlando G74: E Kil 4C **142**
Orleans Av. G14: Glas 6E **63**
Orleans La. G14: Glas 6E **63**
(off Victoria Pk. Dr. Nth.)
Orlington Ct. ML5: Coat 3B **94**
Ormiston Av. G14: Glas 5C **62**
Ormiston Dr. ML3: Ham 3G **161**
Ormiston La. G14: Glas 5C **62**
(off Norse La. Sth.)
Ormiston La. Nth. G14: Glas 5C **62**
(off Norse La. Nth.)
Ormonde Av. G44: Neth 4D **122**
Ormonde Ct. G44: Neth 4C **122**
Ormonde Cres. G44: Neth 4D **122**
Ormonde Dr. G44: Neth 4D **122**
Ornsay St. G22: Glas 2H **65**
Oronsay Ct. G60: Old K 1G **43**
Oronsay Cres. G60: Old K 1G **43**
G61: Bear 4H **47**
Oronsay Gdns. G60: Old K 1G **43**
Oronsay Pl. G60: Old K 1G **43**
ML2: Wis 2H **165**
Oronsay Rd. ML6: Air 6D **96**
Oronsay Sq. G60: Old K 1G **43**
Orr Church Sq. PA1: Pais 6H **81**
(off Orr St.)
Orr Sq. PA1: Pais 6A **82**
Orr St. G40: Glas 6B **88**
(not continuous)
PA1: Pais 6A **82**
PA2: Pais 2A **102**
Orr Ter. G78: Neil 3C **134**
Orton Pl. G51: Glas 5G **85**
Osborne Cres. G74: T'hall 6F **139**
Osborne St. G1: Glas 6D **6** (5G **87**)
G81: Clyd 4C **44**
Oskaig PA8: Ersk 2G **59**
Osprey Cres. ML2: Wis 5H **149**
PA3: Pais 3H **81**
Osprey Dr. G71: Tann 6E **113**
Osprey Ho. PA3: Pais 3A **82**
Osprey Rd. PA3: Pais 3H **81**
Osprey Vw. PA3: Pais 3H **81**
Ossian Av. PA1: Pais 6H **83**
Ossian Rd. G43: Glas 1C **122**
Oss Quad. ML1: Moth 1C **164**
Oswald St. G1: Glas 6B **6** (5F **87**)
Oswald Wlk. G62: Miln 5A **28**
Otago La. G12: Glas 1C **86**
Otago La. Nth.
G12: Glas 1C **86**
(off Otago St.)

Otago Pk. G75: E Kil 2C **156**
Otago Pl. G82: Dumb 3C **20**
Otago St. G12: Glas 1C **86**
Othello G74: E Kil 5B **142**
Ottawa Cres. G81: Clyd 3H **43**
Otterburn Dr. G46: Giff 6A **122**
Otterswick Pl. G33: Glas 1C **90**
Oudenarde Ct. ML8: Carl 4F **175**
Our Lady of Good Aid RC Cathedral
. . . . .2G **147**
Oval, The G76: Clar 6D **122**
  ML5: Glenb 3G **71**
Oval Path G52: Glas 2E **105**
Overbrae Gdns. G15: Glas 2H **45**
Overbrae Pl. G15: Glas 2H **45**
Overburn Av. G82: Dumb 3F **19**
Overburn Cres. G82: Dumb 2F **19**
Overburn Ter. G82: Dumb 2G **19**
Overcroy Rd. G65: Croy 1B **36**
Overdale Av. G42: Glas 5D **106**
Overdale Gdns. G42: Glas 5D **106**
Overdale Pl. ML2: Over 5A **166**
Overdale St. G42: Glas 5D **106**
Overjohnstone Dr. ML2: Wis 5D **148**
Overlea Av. G73: Ruth 1F **125**
Overlee Rd. G76: Busby 2D **138**
Overnewton Pl.
  G3: Glas 3C **4** (3B **86**)
Overnewton Sq.
  G3: Glas 2B **4** (2B **86**)
Overnewton St.
  G3: Glas 2B **4** (2B **86**)
Overton Cres. PA5: John 2H **99**
Overton Gro. G72: Camb 3E **127**
Overton Rd.
  G72: Camb, Flem 3D **126**
  PA5: John 3G **99**
Overtoun Dr. G82: Dumb 1C **20**
Overtoun Av. G82: Dumb 4H **19**
Overtoun Dr. G73: Ruth 6C **108**
  G81: Clyd 3B **44**
Overtoun Rd. G81: Clyd 3A **44**
OVERTOWN 5A **166**
Overtown Av. G53: Glas 1A **120**
Overtown Ct. G81: Clyd 4A **44**
Overtown Pl. G31: Glas 6C **88**
Overtown Rd.
  ML2: Newm, Wis 4B **166**
Overtown St. G31: Glas 6C **88**
Overwood Dr. G44: Glas 1G **123**
  G82: Dumb 3H **19**
Overwood Gro. G82: Dumb 3H **19**
Owen Av. G75: E Kil 4E **157**
Owendale Av. ML4: Bell 6D **114**
Owen Pk. G75: E Kil 4F **157**
Owen St. ML1: Moth 1G **147**
O'Wood Av. ML1: Holy 1B **132**
Oxford Dr. PA3: Lin 5H **79**
Oxford La. G5: Glas 6F **87**
  PA4: Renf 6E **61**
Oxford Rd. PA4: Renf 6E **61**
Oxford St. G5: Glas 5F **87**
  G66: Kirk 5C **32**
  ML5: Coat 5B **94**
OXGANG 6F **33**
Oxgang Pl. G66: Kirk 6E **33**
Oxhill Pl. G82: Dumb 4D **18**
Oxhill Rd. G82: Dumb 3D **18**
Oxton Dr. G52: Glas 6B **84**

P

Pacific Dr. G51: Glas 5A **86**
Paddock, The G69: Chry 6A **54**
  G76: Busby 4E **139**

Paddock, The ML3: Ham 3H **145**
Paddock St. ML5: Coat 1F **115**
Paidmyre Cres. G77: Newt M 6D **136**
Paidmyre Gdns.
  G77: Newt M 6D **136**
Paidmyre Rd. G77: Newt M 6C **136**
PAISLEY 1H **101**
Paisley Abbey 1B **102**
Paisley Arts Cen. 1A **102**
Paisley Canal Station (Rail) 2A **102**
Paisley Cen., The
  PA1: Pais 1A **102**
Paisley Gilmour Street Station (Rail)
. . . . .6A **82**
Paisley Mus. & Art Gallery 6H **81**
Paisley Rd. G5: Glas 5D **86**
  G78: Barr 2D **118**
  PA4: Renf 3C **82**
Paisley Rd. W. G51: Glas 6G **85**
  (not continuous)
  G52: Glas 1H **103**
Paisley St James Station (Rail)
. . . . .5G **81**
Palacecraig St. ML5: Coat 2C **114**
Palace Gdns. Retail Pk.
  ML3: Ham 5B **146**
Palace Grounds Rd.
  ML3: Ham 5B **146**
Palace of Art 6G **85**
Palacerigg Country Pk. 6E **39**
Palacerigg Country Pk. Vis. Cen.
. . . . .6F **39**
Paladin Av. G13: Glas 1B **62**
Palermo St. G21: Glas 5A **66**
Palladium Pl. G14: Glas 6D **62**
Palmer Av. G13: Glas 6D **46**
Palmerston G75: E Kil 4C **156**
Palmerston Pl.
  G3: Glas 3C **4** (3B **86**)
  PA5: John 5C **98**
Palm Pl. G71: View 4F **113**
Pandora Way G71: Tann 6E **113**
Pankhurst Pl. G74: E Kil 1H **157**
Panmure Cl. G22: Glas 5E **65**
Panmure Path G68: Cumb 3B **36**
Panmure Pl. G22: Glas 4E **65**
Panmure St. G20: Glas 5E **65**
Parcville Way G53: Glas 3H **119**
Parkandarroch Cres.
  ML8: Carl 4E **175**
Park Av. G3: Glas 1D **86**
  G62: Miln 4G **27**
  G64: B'rig 4C **50**
  G65: Twe 1D **34**
  G66: Kirk 5C **32**
  G78: Barr 6D **118**
  G82: Dumb 4H **19**
  ML1: Holy 2A **132**
  ML8: Carl 2D **174**
  PA2: Pais 4G **101**
  PA4: Renf 1G **83**
  PA5: Eld 3A **100**
Park Bank PA8: Ersk 6F **43**
Park Brae PA8: Ersk 1G **59**
Parkbrae Av. G20: Glas 3E **65**
Parkbrae Dr. G20: Glas 3E **65**
Parkbrae Gdns. G20: Glas 3E **65**
Parkbrae Ga. G20: Glas 3E **65**
Parkbrae La. G20: Glas 3E **65**
Parkbrae Pl. G20: Glas 3E **65**
Parkburn Av. G66: Kirk 1C **52**
Park Burn Ct. ML3: Ham 3D **144**
Park Burn Ind. Est.
  ML3: Ham 3E **145**
Parkburn Rd. G65: Kils 2H **13**
Park Cir. G3: Glas 1E **5** (2C **86**)
  ML8: Carl 2D **174**

Park Cir. La. G3: Glas 1E **5** (2C **86**)
Park Cir. Pl. G3: Glas 1F **5** (2D **86**)
Park Ct. G46: Giff 4H **121**
  G64: B'rig 4D **50**
  G81: Clyd 3A **44**
Park Cres. G61: Bear 2B **46**
  G64: B'rig 5C **50**
  G64: Torr 4E **31**
  G72: Blan 3A **144**
  G76: Eag 6C **154**
  G82: Dumb 2F **19**
  ML6: Air 3G **95**
  PA4: Inch 2G **59**
Parkdale Gro. G53: Glas 4A **120**
Parkdale Way G53: Glas 4A **120**
Park Dr. G3: Glas 1F **5** (1C **86**)
  G73: Ruth 6C **108**
  G74: T'hall 6G **139**
  ML2: Newm 4E **151**
  ML3: Fern 2E **163**
  ML4: Bell 3C **130**
  PA8: Ersk 1F **59**
Parker Pl. G65: Kils 3H **13**
  ML9: Lark 2D **170**
Parkfield G75: E Kil 6G **157**
Parkfoot St. G65: Kils 2H **13**
Park Gdns. G3: Glas 2E **5** (2C **86**)
Park Gdns. La. G3: Glas 2E **5**
  PA8: Ersk 1F **59**
Park Ga. G3: Glas 1E **5** (2C **86**)
Park Ga. Pl. ML4: Bell 2B **130**
Park Glade PA8: Ersk 1F **59**
Park Grn. PA8: Ersk 1F **59**
Park Gro. PA8: Ersk 1G **59**
Parkgrove Av. G46: Giff 3B **122**
Parkgrove Ter.
  G3: Glas 2D **4** (2C **86**)
Parkgrove Ter. La. G3: Glas 2D **4**
PARKHALL 2B **44**
Parkhall Rd. G81: Clyd 3B **44**
Parkhall St. G74: E Kil 1H **157**
Parkhall Ter. G81: Clyd 2B **44**
PARKHEAD 6F **89**
Parkhead Cross G31: Glas 6F **89**
Parkhead La. ML6: Air 3A **96**
Parkhead St. ML1: Moth 4H **147**
  ML6: Air 3A **96**
Park Hill PA8: Ersk 6F **43**
Parkhill Dr. G73: Ruth 6C **108**
Parkhill Rd. G43: Glas 5B **106**
Parkholm Av. G53: Glas 4H **119**
Parkholm Dr. G53: Glas 3H **119**
Park Holme Ct. ML3: Ham 4H **145**
Parkholm Gdns. G53: Glas 4A **120**
Parkholm La. G5: Glas 5D **86**
Parkholm Quad. G53: Glas 4A **120**
PARKHOUSE 3H **119**
Park Ho. ML3: Ham 4H **145**
Parkhouse Path G53: Glas 3B **120**
Parkhouse Rd. G53: Glas 3H **119**
  G78: Barr 3H **119**
Parkinch PA8: Ersk 1G **59**
Parklands Country Club 4E **137**
Parklands Oval G53: Glas 3H **103**
Parklands Rd. G44: Neth 4D **122**
Parklands Vw. G53: Glas 4H **103**
Park La. G40: Glas 6B **88**
  G65: Kils 3H **13**
  G72: Blan 1B **144**
  ML8: Carl 4C **174**
  PA3: Pais 1E **101**
Parklea G64: B'rig 4A **50**
Parklee Dr. G76: Crmck 2A **140**
PARK MAINS 2G **59**
Parkmanor Av. G53: Glas 3H **119**
Parkmanor Grn. G53: Glas 4H **119**

Parkmeadow Av. G53: Glas 4A **120**
Parkmeadow Way
   G53: Glas 4A **120**
Park Moor PA8: Ersk 1F **59**
PARKNEUK 1G **159**
Parkneuk Rd. G43: Glas 3H **121**
   G72: Blan 1G **159**
Parkneuk St. ML1: Moth 1F **147**
Parknook Way ML9: Lark 2D **170**
   (off Muirshot Rd.)
Park Pl. G74: T'hall 6G **139**
   ML4: Bell 4A **130**
   ML5: Coat 1F **115**
   PA3: Lin 5A **80**
   PA5: John 3F **99**
Park Quad. G3: Glas 1E **5** (2C **86**)
   ML2: Wis 2E **165**
Park Ridge PA8: Ersk 1F **59**
Park Rd. G4: Glas 1C **86**
   G32: Carm 5C **110**
   G46: Giff 5A **122**
   G62: Miln 4G **27**
   G64: B'rig 5C **50**
   G69: Barg 6D **92**
   G69: Chry 1A **70**
   G81: Clyd 4B **44**
   ML1: New S 4A **132**
   ML3: Ham 6H **145**
   ML4: Bell 3C **130**
   ML6: C'bnk 3B **116**
   PA2: Pais 5H **101**
   PA4: Inch 2H **59**
   PA5: John 3F **99**
   PA10: Kilb 4C **98**
   PA11: Bri W 2F **77**
Parksail PA8: Ersk 2G **59**
Parksail Dr. PA8: Ersk 1G **59**
Parkside Gdns. G20: Glas 3E **65**
Parkside Pl. G20: Glas 3E **65**
Parkside Rd. ML1: Moth 3D **146**
Park St. G66: Kirk 6H **33**
   G82: Dumb 4G **19**
   ML1: Cle 4H **133**
   ML1: Moth 2G **147**
   ML1: New S 4A **132**
   ML5: Coat 3D **94**
   ML6: Air 3G **95**
   ML8: Carl 4D **174**
Park St. Sth. G3: Glas 1E **5** (2C **86**)
Parks Vw. ML3: Ham 5H **161**
Park Ter. G3: Glas 1E **5** (2C **86**)
   G46: Giff 5A **122**
   G74: E Kil 2G **157**
Park Ter. E. La.
   G3: Glas 1E **5** (2D **86**)
Park Ter. La. G3: Glas 1E **5** (2C **86**)
Park Top PA8: Ersk 6G **43**
Parkvale Av. PA8: Ersk 1H **59**
Parkvale Cres. PA8: Ersk 1H **59**
Parkvale Dr. PA8: Ersk 1H **59**
Parkvale Gdns. PA8: Ersk 1H **59**
Parkvale Pl. PA8: Ersk 1H **59**
Parkvale Way PA8: Ersk 1H **59**
Park Vw. ML9: Lark 3D **170**
   PA2: Pais 3H **101**
   PA10: Kilb 1A **98**
Parkview G82: Milt 3F **21**
Parkview Av. G66: Kirk 6D **32**
Parkview Ct. G66: Kirk 6D **32**
Parkview Cres.
   ML2: Newm 5E **151**
Parkview Dr. G33: Step 3E **69**
   ML5: Coat 4A **94**
Parkville Dr. G72: Blan 3C **144**
   (not continuous)
Parkville Rd. ML4: Bell 6E **115**
Park Way G67: Cumb 1B **38**

Parkway G32: Carm 5C **110**
   PA8: Ersk 1F **59**
Parkway Ct. G69: Bail 4H **91**
   ML5: Coat 5A **94**
Parkway Pl. ML5: Coat 6A **94**
Park Winding PA8: Ersk 1G **59**
Park Wood PA8: Ersk 6G **43**
Parnell St. ML6: Air 6H **95**
Parnie St. G1: Glas 5G **87**
Parry Ter. G75: E Kil 2D **156**
Parsonage Row
   G1: Glas 6G **7** (4H **87**)
Parsonage Sq.
   G4: Glas 6G **7** (4H **87**)
   (not continuous)
Parson St. G4: Glas 3H **7** (3A **88**)
Paterson Ter. G75: E Kil 4F **157**
PATHER 2G **165**
Pather St. ML2: Wis 1H **165**
Pathhead Gdns. G33: Glas 3H **67**
Pathhead Rd. G76: Crmck 2H **139**
Patna Ct. ML3: Ham 2C **160**
Patna St. G40: Glas 2D **108**
Paton Ct. ML2: Wis 2D **165**
Paton St. G31: Glas 4D **88**
Patrickbank Cres. PA5: Eld 4A **100**
Patrickbank Gdns.
   PA5: Eld 4A **100**
Patrickbank Vw. PA5: Eld 4A **100**
Patrickbank Wynd PA5: Eld 4A **100**
Patrick Bri. St.
   G11: Glas 1A **4** (2A **86**)
Patrick St. PA2: Pais 2B **102**
Patrick Thomas Ct.
   G1: Glas 6F **7**
Patterson Dr. ML8: Law 5E **167**
PATTERTON 1D **136**
Patterton Dr. G78: Barr 6F **119**
Patterton Station (Rail) 1D **136**
Pattison St. G81: Clyd 4A **44**
Pavilion Theatre 3C **6**
Paxton Ct. G74: E Kil 5H **141**
Paxton Cres. G74: E Kil 5H **141**
Peace Av. PA11: Q'riers 1B **76**
Peacock Av. PA2: Pais 3D **100**
Peacock Ct. ML8: Carl 5F **175**
Peacock Cross ML3: Ham 5G **145**
Peacock Cross Ind. Est.
   ML3: Ham 5G **145**
Peacock Dr. ML3: Ham 5G **145**
   PA2: Pais 3D **100**
Peacock Loan ML8: Carl 2D **174**
   (off Carranbute Rd.)
Pearce La. G51: Glas 3G **85**
Pearce St. G51: Glas 3G **85**
Pear Gro. ML1: Carf 5D **132**
Pearl St. ML4: Bell 4D **130**
Pearson Dr. PA4: Renf 1F **83**
Pearson Pl. PA3: Lin 6H **79**
Peathill Av. G69: Chry 6H **53**
Peathill St. G21: Glas 6G **65**
Peat Pl. G53: Glas 2A **120**

Peat Rd. G53: Glas 2A **120**
   PA11: Bri W 4G **77**
Pedmyre La. G76: Crmck 2G **139**
Peebles Dr. G73: Ruth 6F **109**
Peebles Path ML5: Coat 2F **115**
Peel Av. ML1: Moth 5G **147**
Peel Ct. G72: Camb 1A **126**
Peel Brae G66: Kirk 4C **32**
Peel Glen Gdns. G15: Glas 2A **46**
Peel Glen Rd. G15: Glas 1A **46**
Peel La. G11: Glas 1H **85**
PEEL PARK 1A **156**
Peel Pk. Ind. Est. G74: E Kil 6A **140**
   (not continuous)
Peel Pk. Pl. G74: E Kil 2B **156**
Peel Pl. G71: Both 4E **129**
   ML5: Coat 6H **93**
Peel Rd. G74: T'hall 6F **139**
Peel St. G11: Glas 1H **85**
Peel Vw. G81: Clyd 4F **45**
Pegasus Av. ML8: Carl 3C **174**
   PA1: Pais 6B **80**
Pegasus Rd. ML4: Moss 2G **131**
Peinchorran PA8: Ersk 2G **59**
Peiter Pl. G72: Blan 2A **144**
   (off Burnbrae Rd.)
Pembroke G74: E Kil 5D **142**
Pembroke St. G3: Glas 4F **5** (3D **86**)
Pembury Cres. ML3: Ham 4D **160**
Pencaitland Dr. G32: Glas 2A **110**
Pencaitland Gro. G32: Glas 3A **110**
Pencaitland Pl. G23: Glas 6C **48**
Pendale Rd. G45: Glas 4H **123**
Pend Cl. PA5: John 4F **99**
Pendeen Cres. G33: Glas 6E **91**
Pendeen Pl. G33: Glas 5F **91**
Pendeen Rd. G33: Glas 6E **91**
Pendicle Cres. G61: Bear 4D **46**
Pendicle Rd. G61: Bear 4D **46**
Pendle Ct. G69: G'csh 3D **70**
Penfold Cres. G75: E Kil 3F **157**
Penicuik St. G32: Glas 5F **89**
PENILEE 5G **83**
Penilee Rd. G52: Glas, Hill 3F **83**
   PA1: Pais 6G **83**
Penilee Ter. G52: Glas 4G **83**
Peninver Dr. G51: Glas 3E **85**
Penman Av. G73: Ruth 5B **108**
Pennan PA8: Ersk 5E **43**
Pennan Pl. G14: Glas 4A **62**
Penneld Rd. G52: Glas 6H **83**
Penniecroft Av. G82: Dumb 2H **19**
Pennine Gro. ML6: Chap 4F **117**
Pennyroyal Ct. G74: E Kil 5F **141**
Penrioch Dr. G75: E Kil 1C **168**
Penrith Av. G46: Giff 4A **122**
Penrith Dr. G12: Glas 3G **63**
Penrith Pl. G75: E Kil 5B **156**
Penryn Gdns. G32: Glas 2D **110**
Penston Rd. G33: Glas 3D **90**
Pentland Av. PA3: Lin 6G **79**
Pentland Ct. G78: Barr 6D **118**
   ML5: Coat 2E **115**
   ML6: Air 1B **96**
Pentland Cres. ML9: Lark 6G **163**
   PA2: Pais 5H **101**
Pentland Dr. G64: B'rig 5F **51**
   G78: Barr 6D **118**
   PA4: Renf 3D **82**
Pentland Gdns. ML9: Lark 6H **163**
Pentland Pl. G61: Bear 6B **26**
Pentland Rd. G43: Glas 2A **122**
   G69: Chry 1B **70**
   G75: E Kil 2A **168**
   ML2: Wis 5E **149**
Pentland Way ML3: Ham 4E **161**
Penzance Way G69: Mood 4C **54**

Peockland Gdns.
PA5: John 2G **99**
Peockland Pl. PA5: John 2G **99**
People's Palace (Mus.) 6H **87**
Peploe Dr. G74: E Kil 4D **142**
Perchy Vw. ML2: Wis 2A **166**
Percy Dr. G46: Giff 6A **122**
Percy Rd. PA4: Renf 3C **82**
Percy St. G51: Glas 6B **86**
ML9: Lark 1C **170**
Perimeter Rd. PA3: Lin 6H **79**
Perran Gdns. G69: Mood 5C **54**
Perray Av. G72: Dumb 2B **18**
Perrays Ct. G82: Dumb 2A **18**
Perrays Cres. G82: Dumb 2A **18**
Perrays Dr. G82: Dumb 3A **18**
Perrays Gro. G82: Dumb 2A **18**
Perrays Way G82: Dumb 2A **18**
Perth Av. ML6: Air 1A **116**
Perth Cres. G81: Clyd 2H **43**
Perth St. G3: Glas 5G **5** (4D **86**)
Peter Coats Bldg. PA2: Pais 2A **102**
Peter D Stirling Rd.
G66: Kirk 4D **32**
PETERSBURN 5E **97**
Petersburn Pl. ML6: Air 5D **96**
Petersburn Rd. ML6: Air 6C **96**
PETERSHILL 6D **66**
Petershill Ct. G21: Glas 5D **66**
Petershill Dr. G21: Glas 5D **66**
Petershill Pl. G21: Glas 5D **66**
Petershill Rd. G21: Glas 6B **66**
Peterson Dr. G13: Glas 1G **61**
Peterson Gdns. G13: Glas 1G **61**
Petition Pl. G71: Udd 2E **129**
Pettigrew St. G32: Glas 6A **90**
Peveril Av. G41: Glas 4B **106**
G73: Ruth 2E **125**
Peveril Ct. G73: Ruth 3E **125**
Pharonhill St. G31: Glas 6G **89**
Philip Ct. ML4: Bell 3C **130**
Philip Murray Rd. ML4: Bell 1H **129**
PHILIPSHILL 5A **140**
Philipshill Ga. G74: E Kil 5A **140**
Philipshill Gro.
G76: Crmck 5A **140**
Philipshill Ind. Est.
G76: E Kil 6A **140**
Philipshill Rd. G76: Crmck 5A **140**
Phoenix Bus. Pk. PA1: Pais 6C **80**
Phoenix Ct. G74: E Kil 4D **142**
(off Bosworth Rd.)
Phoenix Ct. ML4: Bell 5A **114**
Phoenix Ind. Est. PA3: Pais 3A **82**
Phoenix Pl. ML1: New S 4A **132**
PA5: Eld 2B **100**
Phoenix Retail Pk. PA1: Pais 1D **100**
Phoenix Rd. G4: Glas 1H **5** (1E **87**)
ML4: Moss 2G **131**
Phyliss Jane Ct. ML2: Wis 1H **165**
Piazza Shop. Cen. PA1: Pais 6A **82**
Picadilly St. G3: Glas 6G **5** (4D **86**)
PICKERSTONHILL 2F **133**
Pickerston Hill ML1: N'hill 3E **133**
Picketlaw Dr. G76: Crmck 2H **139**
Picketlaw Farm Rd.
G76: Crmck 2G **139**
Piershill St. G32: Glas 4H **89**
Pikeman Rd. G13: Glas 3C **62**
Pillans Ct. ML3: Ham 3E **145**
Pilmuir Av. G44: Glas 3D **122**
Pilmuir Holdings G77: Newt M . . .1A **152**
Pilmuir Rd. G77: Newt M 2A **152**
Pilrig St. G32: Glas 4G **89**
Pilton Rd. G15: Glas 3A **46**
Pine Av. G72: Flem 4F **127**
Pine Cl. G67: Cumb 1E **39**

Pine Ct. G67: Cumb 1E **39**
G75: E Kil 6D **156**
Pine Cres. G67: Cumb 1E **39**
G75: E Kil 6D **156**
ML3: Ham 4E **161**
PA5: John 4G **99**
Pine Gro. G67: Cumb 1E **39**
G69: Barg 5E **93**
G71: View 5F **113**
ML1: Holy 2B **132**
ML6: C'bnk 3B **116**
PA6: C'lee 3C **78**
Pinelands G64: B'rig 3C **50**
Pine Lawn ML2: Wis 4B **150**
Pine M. ML1: Carf 5D **132**
Pine Pk. ML3: Ham 2A **162**
Pine Pl. G5: Glas 1G **107**
G67: Cumb 1E **39**
Pine Quad. ML6: Chap 2E **117**
Pine Rd. G67: Cumb 6E **17**
G81: Clyd 3H **43**
G82: Dumb 3F **19**
Pines, The G44: Glas 3F **123**
Pine St. G66: Len 3G **9**
ML6: Air 4D **96**
PA2: Pais 3C **102**
Pineview Ct. G15: Glas 4B **46**
Pinewood Av. G66: Lenz 2A **52**
Pinewood Ct. G66: Lenz 2A **52**
G82: Dumb 2H **19**
Pinewood Pl. G66: Lenz 2A **52**
Pinewood Sq. G15: Glas 4B **46**
Pinkerton Av. G73: Ruth 5A **108**
Pinkerton La. PA4: Renf 2F **83**
Pinkston Dr. G21: Glas 1G **7** (1H **87**)
Pinkston Rd. G4: Glas 6H **65**
G21: Glas 1G **7** (6H **65**)
Pinmore Pl. G53: Glas 2H **119**
Pinmore St. G53: Glas 2H **119**
Pinwherry Dr. G33: Glas 3H **67**
Pinwherry Pl. G71: Both 4E **129**
Piper Av. PA6: C'lee 3C **78**
Piper Rd. ML6: Air 6C **96**
PA6: C'lee 3C **78**
Pirnie Pl. G65: Kils 3H **13**
Pirnmill Av. G75: E Kil 1B **168**
ML1: Moth 2D **146**
Pitcairn Cres. G75: E Kil 3B **156**
Pitcairn Gro. G75: E Kil 3C **156**
Pitcairn Pl. G75: E Kil 3B **156**
Pitcairn St. G31: Glas 1G **109**
Pitcairn Ter. ML3: Ham 5E **145**
Pitcaple Dr. G43: Glas 1H **121**
Pitlochry Dr. G52: Glas 1B **104**
ML9: Lark 4E **171**
Pitmedden Rd. G64: B'rig 5F **51**
Pitmilly Rd. G15: Glas 3C **46**
Pitreavie Ct. ML3: Ham 3F **161**
Pitreavie Pl. G33: Glas 2C **90**
Pit Rd. G66: Kirk 6H **33**
ML4: Bell 1B **130**
Pittenweem Path
G72: Blan 2A **144**
Pitt St. G2: Glas 5A **6** (4E **87**)
Place of Paisley, The 1B **102**
(off Abbey Cl.)
Pladda Rd. PA4: Renf 2F **83**
Pladda St. ML1: Moth 2D **146**
PLAINS .1G **97**
Plaintrees Ct. PA2: Pais 4A **102**
Plane Pl. G71: View 4G **113**
Planetree Pl. PA5: John 4G **99**
Planetree Rd. G81: Clyd 2C **44**
PLANTATION 6C **4** (5B **86**)
Plantation Av. ML1: Holy 1B **132**
Plantation Pk. Gdns. G51: Glas . . .6B **86**
(not continuous)

PLANTATION ROAD INTERCHANGE
. . . . .6B **86**
Plantation Sq. G51: Glas 5C **86**
Plant St. G31: Glas 5E **89**
Platthorn Ct. G74: E Kil 2A **158**
Platthorn Dr. G74: E Kil 2H **157**
Platthorn Rd. G74: E Kil 2H **157**
Play Drome, The 6D **44**
Playfair St. G40: Glas 2C **108**
Plaza, The G74: E Kil 2G **157**
Pleaknowe Cres.
G69: Mood 5C **54**
Pleamuir Pl. G68: Cumb 4E **37**
Plean St. G14: Glas 4A **62**
Pleasance St. G43: Glas 5A **106**
Pleasance Way G43: Glas 6B **106**
Plotcock Rd. ML3: Ham 6A **170**
Plover Dr. G75: E Kil 6C **156**
Plover Pl. PA5: John 6C **98**
Plusgarten Loan
ML2: Newm 2D **150**
Pochard Way ML4: Bell 5B **114**
Poet's Vw. G66: Kirk 6F **33**
Poindfauld Ter. G82: Dumb 3G **19**
Pointhouse Rd.
G3: Glas 3A **4** (3A **86**)
Polbae Cres. G76: Eag 6B **154**
Polden Av. G75: E Kil 2A **168**
Polden Ct. G75: E Kil 2A **168**
Pollock Av. G76: Eag 6C **154**
ML3: Ham 6D **144**
Pollock Rd. G61: Bear 4G **47**
G77: Newt M 5C **136**
Pollock St. ML1: Moth 2G **147**
ML4: Bell 2E **131**
POLLOK .6C **104**
Pollok Av. G43: Glas 5H **105**
Pollok Country Pk. 4G **105**
Pollok Dr. G64: B'rig 5A **50**
Pollok House 5F **105**
Pollok La. G74: E Kil 6B **142**
Pollok Leisure Pool 6C **104**
Pollok Pl. G74: E Kil 6B **142**
POLLOKSHAWS 6A **106**
Pollokshaws East Station (Rail)
. . . . .6B **106**
Pollokshaws Rd. G41: Glas 5A **106**
(not continuous)
G43: Glas 6H **105**
Pollokshaws West Station (Rail)
. . . . .6H **105**
POLLOKSHIELDS 2C **106**
Pollokshields East Station (Rail)
. . . . .2E **107**
Pollokshields Sq.
G41: Glas 3C **106**
Pollokshields West Station (Rail)
. . . . .3D **106**
POLMADIE 4G **107**
Polmadie Ind. Est.
G5: Glas 3A **108**
Polmadie Rd. G5: Glas 4G **107**
G42: Glas 4G **107**
Polmadie St. G42: Glas 4G **107**
Polnoon Av. G13: Glas 3A **62**
Polnoon Dr. G76: Eag 6C **154**
Polnoon M. G76: Eag 6C **154**
Polnoon St. G76: Eag 6B **154**
Polquhap Ct. G53: Glas 5A **104**
Polquhap Gdns. G53: Glas 5A **104**
Polquhap Pl. G53: Glas 5A **104**
Polquhap Rd. G53: Glas 5A **104**
Polson Dr. PA5: John 3E **99**
Polsons Cres. PA2: Pais 3H **101**
Polwarth La. G12: Glas 6H **63**
Polwarth St. G12: Glas 6H **63**
Pomona Pl. ML3: Ham 1D **160**

Poplar Av. G11: Glas 5F **63**
  G77: Newt M 6D **136**
  PA5: John 4G **99**
  PA7: B'ton 5H **41**
Poplar Cres. PA7: B'ton 5H **41**
Poplar Dr. G66: Lenz 2A **52**
  G66: Milt C 6C **10**
  G81: Clyd 2B **44**
Poplar Gdns. G75: E Kil 6E **157**
Poplar Pl. G71: View 5H **113**
  G72: Blan 6A **128**
  ML1: Holy 3B **132**
Poplar Rd. G82: Dumb 3F **19**
Poplars, The G61: Bear 5D **26**
Poplar St. ML6: Air 4D **96**
Poplar Way G72: Flem 4F **127**
  ML1: Carf 5D **132**
Poplin St. G40: Glas 2B **108**
Porchester St. G33: Glas 1D **90**
Portal Rd. G13: Glas 1C **62**
Portcullis St. G66: Milt C 1H **33**
PORT DUNDAS 1G **87**
Port Dundas Ind. Est.
  G4: Glas 1G **87**
Port Dundas Pl. G2: Glas . . .3D **6** (3G **87**)
Port Dundas Rd.
  G4: Glas 1C **6** (2F **87**)
PORT EGLINGTON 1E **107**
PORTERFIELD 1D **82**
Porterfield Rd. PA4: Renf 6D **60**
Porters La. ML6: Chap 3D **116**
Porter St. G51: Glas 6A **86**
Porters Well G71: Udd 2C **128**
Portessie PA8: Ersk 5E **43**
Portia Pl. ML1: Moth 2G **147**
Portland Pk. ML3: Ham 1A **162**
Portland Pl. ML3: Ham 1A **162**
Portland Rd. G68: Cumb 6H **15**
  PA2: Pais 2D **102**
Portland Sq. ML3: Ham 1A **162**
Portland St. ML5: Coat 3D **94**
Portland Wynd ML9: Lark 1D **170**
  (off Muirshot Rd.)
Portlethern PA8: Ersk 5E **43**
Portman St. G41: Glas 6C **86**
Portmarnock Dr. G23: Glas 1C **64**
Porton Pl. PA7: B'ton 4G **41**
Portpatrick Rd. G60: Old K 6D **22**
Portreath Rd. G69: Mood 4D **54**
Portree Av. ML5: Coat 1A **114**
Portree Pl. G15: Glas 3G **45**
Portsoy PA8: Ersk 5E **43**
Portsoy Av. G13: Glas 1H **61**
Portsoy Pl. G13: Glas 1G **61**
Port St. G3: Glas 5F **5** (4D **86**)
Portugal St. G5: Glas 6F **87**
Portwell ML3: Ham 5A **146**
Possil Loch (Nature Reserve)
  . . . . .1E **65**
POSSIL PARK 4G **65**
Possilpark & Parkhouse Station (Rail)
  . . . . .3F **65**
Possil Pk. Millennium Cen. 5F **65**
Possil Pk. Trad. Cen.
  G22: Glas 4G **65**
Possil Rd. G4: Glas 1F **87**
Postgate ML3: Ham 5A **146**
Potassels Rd. G69: Muirh 2A **70**
Potrail Pl. ML3: Ham 6E **145**
Potter Cl. G32: Glas 2G **109**
Potter Gro. G32: Glas 2G **109**
POTTERHILL 4H **101**
Potterhill Av. PA2: Pais 5A **102**
Potterhill Rd. G53: Glas 3A **104**
Potter Path G32: Glas 2G **109**
Potter Pl. G32: Glas 2G **109**
Potter St. G32: Glas 2G **109**

Potts Way ML1: Moth 6E **131**
Powbrone G75: E Kil 6G **157**
POWBURN 5C **112**
Powburn Cres. G71: Udd 6B **112**
Powerdrome Bowl 5E **95**
Powerleague Soccer Cen.
  Blackhall 2C **102**
  Glasgow 2H **7** (3A **88**)
  Hamilton 3G **145**
Powfoot St. G31: Glas 6F **89**
Powforth Cl. ML9: Lark 2A **170**
Powrie St. G33: Glas 6C **68**
Prentice La. G71: Tann 5E **113**
Prentice Rd. ML1: Moth 4D **146**
Prestonfield G62: Miln 4E **27**
Preston Pl. G42: Glas 3F **107**
Preston St. G42: Glas 3F **107**
Prestwick Cit. G68: Cumb 1H **37**
Prestwick Pl. G77: Newt M 5G **137**
Prestwick St. G53: Glas 1A **120**
Pretoria Ct. G75: E Kil 1B **168**
Priestfield Ind. Est.
  G72: Blan 4B **144**
Priestfield St. G72: Blan 3A **144**
PRIESTHILL 1A **120**
Priesthill & Darnley Station (Rail)
  .2C **120**
Priesthill Av. G53: Glas 1C **120**
Priesthill Cres. G53: Glas 1C **120**
Priesthill Gdns. G53: Glas 1C **120**
Priesthill Rd. G53: Glas 1B **120**
Priestknowe Rdbt.
  G74: E Kil 2H **157**
Prieston Rd. PA11: Bri W 4E **77**
Primrose Av. ML4: Bell 6C **114**
  ML9: Lark 5C **170**
Primrose Ct. G14: Glas 6D **62**
Primrose Cres. ML1: Moth 4G **147**
Primrose Pl. G67: Cumb 6D **36**
  G71: View 5G **113**
Primrose St. G14: Glas 6C **62**
Primrose Way G66: Len 4G **9**
  ML8: Carl 5C **174**
Prince Albert Rd. G12: Glas 6H **63**
Prince Edward St. G42: Glas 3E **107**
Prince of Wales Gdns.
  G20: Glas 1A **64**
Prince Pl. ML2: Newm 3E **151**
Prince's Gdns. G12: Glas 6H **63**
Prince's Gdns. La. G12: Glas 6H **63**
Princes Ga. G71: Both 3C **128**
  G73: Ruth 5C **108**
Princes Mall G74: E Kil 2G **157**
  (off Olympia)
Princes Pk. PA7: B'ton 3C **42**
Prince's Pl. G12: Glas 6A **64**
Princess Anne Quad.
  ML1: Holy 2H **131**
  (off Sherry Av.)
Princess Cres. PA1: Pais 6D **82**
Princess Dr. G69: Barg 6D **92**
Princess Sq. G74: E Kil 2G **157**
  G78: Barr 4F **119**
Princess Sq. Shop. Cen.
  G1: Glas 6D **6**
Princess Rd. ML1: Newm S 3H **131**
Princess Sq. ML2: Newm 4D **150**
Princes St. G73: Ruth 5C **108**
  ML1: Moth 1G **147**
Prince's Ter. G12: Glas 6A **64**
Prince's Ter. La. G12: Glas 6A **64**
Printers Land G76: Busby 3E **139**
Printers Lea G66: Len 3E **9**
Priorscroft Bowling Club 1B **102**
  (off Cochran St.)
Priorwood Ct. G13: Glas 3D **62**
Priorwood Gdns. G13: Glas 3D **62**

Priorwood Ga. G77: Newt M 5A **136**
Priorwood Pl. G13: Glas 3D **62**
Priorwood Rd. G77: Newt M 5A **136**
Priorwood Way
  G77: Newt M 5A **136**
Priory Av. PA3: Pais 4C **82**
Priory Dr. G71: Udd 6B **112**
Priory Ga. ML2: Over 4H **165**
Priory Pl. G13: Glas 2D **62**
  G68: Cumb 4A **36**
Priory Rd. G13: Glas 2D **62**
Priory St. G72: Blan 1B **144**
Priory Ter. ML2: Wis 1C **164**
Pro Bowl 4D **32**
Procession Rd. PA2: Pais 1A **118**
Professors Sq. G12: Glas 1B **86**
Project Ability Art Gallery 6F **7**
Pro Lane Bowl 5A **158**
Pro Life Fitness Cen. 5A **82**
Prosen St. G32: Glas 2G **109**
Prospect Av. G71: Udd 1C **128**
  G72: Camb 1H **125**
Prospect Ct. G72: Blan 4B **144**
Prospect Dr. ML9: Ashg 5H **171**
Prospecthill Cir. G42: Glas 4H **107**
Prospecthill Cres.
  G42: Glas 5A **108**
Prospect Hill Dr. G42: Glas 5G **107**
Prospecthill Gro. G42: Glas 5E **107**
Prospecthill Pl. G42: Glas 5A **108**
Prospecthill Rd. G42: Glas 5E **107**
Prospecthill Sq. G42: Glas 4H **107**
Prospecthill Way G42: Glas 5E **107**
  (off Prospecthill Gro.)
Prospect Rd. G43: Glas 5B **106**
  G68: Dull 5E **15**
Provandhall Cres. G69: Bail 2H **111**
Provand's Lordship 4H **7**
Provan Hall 2F **91**
Provanhill St. G21: Glas 2B **88**
PROVAN INTERCHANGE 2E **89**
PROVANMILL 6G **67**
Provanmill Pl. G33: Glas 6F **67**
  (off Provanmill Rd.)
Provanmill Rd. G33: Glas 6F **67**
Provan Rd. G33: Glas 2E **89**
Provan Wlk. G34: Glas 2E **91**
Provost Cl. PA5: John 2F **99**
Provost Driver Ct. PA4: Renf 1F **83**
Provost Ga. ML9: Lark 2C **170**
Provost Way G5: Glas 2A **108**
Purdie G74: E Kil 4D **142**
Purdie St. ML3: Ham 4E **145**
Purdon St. G11: Glas 1H **85**
Pyatshaw Rd. ML9: Lark 4D **170**

Q

QE3 G51: Glas 6D **4** (5C **86**)
Quadrant, The G76: Clar 1C **138**
Quadrant Rd. G43: Glas 1C **122**
Quadrant Shop. Cen.
  ML5: Coat 4C **94**
Quantock Dr. G75: E Kil 1A **168**
QUARRELTON 3E **99**
Quarrelton Gro. PA5: John 4F **99**
Quarrelton Rd. PA5: John 3E **99**
QUARRIER'S VILLAGE 1A **76**
Quarry Av. G72: Camb 4D **126**
Quarrybank PA10: Kilb 3C **98**
Quarrybrae Av. G76: Clar 2B **138**
Quarrybrae Gdns.
  G71: View 1G **129**
Quarrybrae St. G31: Glas 6F **89**
Quarry Dr. G66: Kirk 5F **33**
Quarry Knowe G82: Dumb 2D **18**

Quarryknowe G73: Ruth 6B **108**
Quarry Knowe Pl. ML4: Bell 4B **130**
Quarryknowe St. G31: Glas 6G **89**
  G81: Faif 6F **25**
Quarry La. G66: Len 2F **9**
  G76: Eag 6B **154**
  G82: Dumb 4E **19**
Quarry Pk. G75: E Kil 3G **157**
Quarry Pl. G72: Camb 1G **125**
  G82: Dumb 2D **18**
  ML3: Ham 6A **146**
Quarry Rd. G75: E Kil 6F **157**
  G78: Barr 3D **118**
  ML6: Air 2H **95**
  ML8: Carl, Law 3F **173**
  ML9: Lark 3C **170**
  PA2: Pais 4B **102**
Quarryside St. ML6: Glenm 5G **73**
Quarry St. ML1: New S 3A **132**
  ML2: Wis 6G **149**
  ML3: Ham 6A **146**
  ML5: Coat 5F **95**
  ML9: Lark 4D **170**
  PA5: John 2F **99**
Quarrywood Av. G21: Glas 5E **67**
Quarrywood Rd. G21: Glas 5E **67**
Quay, The G5: Glas 5D **86**
Quay Pend G82: Dumb 4E **19**
Quay Rd. G73: Ruth 5C **108**
Quay Rd. Nth. G73: Ruth 4C **108**
Quay St. G82: Dumb 4F **19**
Quebec Dr. G75: E Kil 3E **157**
Quebec Grn. G75: E Kil 2E **157**
Quebec Ho. G81: Clyd 1H **43**
Quebec Wynd G32: Carm 5C **110**
Queen Elizabeth Av. G52: Hill . . .4G **83**
Queen Elizabeth Ct. G81: Clyd . .4C **44**
  ML1: Moth 2F **147**
Queen Elizabeth Gdns.
  G5: Glas 1G **107**
  G81: Clyd 4C **44**
Queen Margaret Ct. *G20: Glas* . .5C *64*
  (off Fergus Dr.)
Queen Margaret Dr. G12: Glas . .6B **64**
  G20: Glas 6B **64**
Queen Margaret Rd.
  G20: Glas 5C **64**
Queen Mary Av. G42: Glas 4E **107**
  G81: Clyd 5F **45**
Queen Mary Gdns. G81: Clyd . . .4C **44**
Queen Mary St. G40: Glas 1C **108**
Queen's Av. G72: Camb 1B **126**
Queensbank Av. G69: G'csh 2C **70**
Queensberry Av. G52: Hill 4H **83**
  G61: Bear 6E **27**
  G76: Clar 2C **138**
Queensborough Gdns.
  G12: Glas 5G **63**
Queen's Bldgs. *G66: Lenz* 3C *52*
  (off Kirkintilloch Rd.)
Queensby Av. G69: Bail 6H **91**
Queensby Dr. G69: Bail 5H **91**
Queensby Pl. G69: Bail 5A **92**
Queensby Rd. G69: Bail 5H **91**
Queen's Ct. G62: Miln 5G **27**
Queens Cres. G4: Glas . . . 1G **5** (1D **86**)
  G69: Barg 6D **92**
  ML1: New S 4H **131**
  ML4: Bell 3B **130**
  ML6: Chap 2D **116**
  ML8: Carl 3E **175**
Queensdale Av. ML9: Lark 5D **170**
Queensdale Rd. ML9: Lark 5D **170**
Queens Dr. G42: Glas 3D **106**
  G68: Cumb 5H **15**
  ML3: Ham 5H **161**
  PA7: B'ton 4H **41**

Queen's Dr. La. G42: Glas 4E **107**
Queensferry St. G5: Glas 3A **108**
Queen's Gdns. G12: Glas 6A **64**
Queen's Ga. G76: Clar 1C **138**
Queen's Ga. La. G12: Glas 6A **64**
Queens Gro. G66: Lenz 3C **52**
Queensland Ct. G52: Glas 5C **84**
Queensland Dr. G52: Glas 5C **84**
Queensland Gdns. G52: Glas 5C **84**
Queensland La. E. G52: Glas 5C **84**
Queensland La. W.
  G52: Glas 5C **84**
Queenslie Ind. Est.
  G33: Glas 3D **90**
Queenslie St. G33: Glas 1F **89**
Queen's Pk. Av. G42: Glas 4F **107**
Queen's Pk. FC 6F **107**
Queen's Park Station (Rail) 3E **107**
Queens Pl. G12: Glas 6A **64**
Queen Sq. G41: Glas 3D **106**
Queen's Rd. PA5: Eld 3A **100**
Queen's St. ML1: Cle 5H **133**
Queen St. G1: Glas 6D **6** (4G **87**)
  G66: Kirk 5C **32**
  G73: Ruth 5C **108**
  ML1: Moth 2G **147**
  ML2: Newm 3D **150**
  ML3: Ham 4E **145**
  PA1: Pais 1G **101**
  PA4: Renf 6F **61**
Queen Street Station (Rail)
  . . . . .4D **6** (3G **87**)
Queens Way G64: Torr 5D **30**
Queensway G74: E Kil 6B **140**
Queen Victoria Ct. G14: Glas . . .5C **62**
Queen Victoria Dr. G13: Glas . . .4C **62**
  G14: Glas 5C **62**
Queen Victoria Ga. G13: Glas . . .4C **62**
Queen Victoria St. ML6: Air 4H **95**
QUEENZIEBURN 3C **12**
Queenzieburn Ind. Est.
  G65: Queen 4E **13**
Quendale Dr. G32: Glas 2H **109**
Quentin St. G41: Glas 4C **106**
Quinton Gdns. G69: Bail 6G **91**

R

Raasay Cres. ML6: Air 5E **97**
Raasay Dr. PA2: Pais 6H **101**
Raasay Gdns. G77: Newt M 4B **136**
Raasay Pl. G22: Glas 1G **65**
Raasay St. G22: Glas 1G **65**
Racecourse Vw. ML3: Ham 4A **146**
RADNOR PARK 3C **44**
Radnor St. G3: Glas 2C **4** (2B **86**)
  G81: Clyd 4C **44**
  (not continuous)
Raeberry St. G20: Glas 6D **64**
Raebog Cres. ML6: Air 1H **95**
Raebog Rd. ML6: Glenm 5G **73**
Raeburn Av. G74: E Kil 5B **142**
  PA1: Pais 1B **102**
Raeburn Cres. ML3: Ham 6C **144**
Raeburn Pl. G74: E Kil 5B **142**
Raeburn Wlk. ML4: Bell 6D **114**
Raeside Av. G77: Newt M 6D **136**
Raes Rd. ML8: Carl 5H **173**
Raeswood Dr. G53: Glas 5H **103**
Raeswood Gdns. G53: Glas 5H **103**
Raeswood Pl. G53: Glas 5H **103**
Raeswood Rd. G53: Glas 5H **103**
Raewell Cres. ML4: Bell 4B **130**
Rafford St. G51: Glas 4G **85**
Raglan St. G4: Glas 1E **87**

Railway Ct. G66: Len 3F **9**
Railway Rd. ML6: Air 4F **95**
Raith Av. G45: Glas 3H **123**
Raithburn Av. G45: Glas 3G **123**
Raithburn Rd. G45: Glas 4G **123**
Raith Dr. G68: Cumb 4H **35**
  ML4: Bell 3D **130**
RAITH INTERCHANGE 5G **129**
RALSTON 1F **103**
Ralston Av. G52: Glas 1H **103**
  PA1: Pais 2H **103**
Ralston Ct. G52: Glas 1H **103**
Ralston Dr. G52: Glas 1H **103**
Ralston Path G52: Glas 1H **103**
Ralston Pl. G52: Glas 1H **103**
Ralston Rd. G61: Bear 2E **47**
  G78: Barr 5E **119**
Ralston St. ML6: Air 4G **95**
  PA1: Pais 1C **102**
Ramage Rd. ML8: Carl 5F **175**
Ramillies Ct. G81: Clyd 5E **45**
  ML8: Carl 4E **175**
Rampart Av. G13: Glas 1A **62**
Ramsay Av. PA5: John 4E **99**
Ramsay Ct. G77: Newt M 6E **137**
Ramsay Cres. PA10: Kilb 3B **98**
Ramsay Hill G74: E Kil 6A **142**
Ramsay Ind. Est. G66: Kirk 4B **32**
Ramsay Pl. ML5: Coat 6G **93**
  PA5: John 4E **99**
Ramsay St. G81: Clyd 4B **44**
Ramsey Wynd ML4: Bell 6D **114**
Ramshorn Theatre 5F **7**
Ram St. G32: Glas 6H **89**
Ranald Gdns. G73: Ruth 4F **125**
Randolph Av. G76: Clar 6E **123**
Randolph Dr. G76: Clar 6D **122**
Randolph Gdns. G76: Clar 6D **122**
Randolph Ga. G11: Glas 5F **63**
Randolph La. G11: Glas 6D **62**
Randolph Rd. G11: Glas 5F **63**
RANFURLY 5G **77**
Ranfurly Ct. PA11: Bri W 4F **77**
Ranfurly Dr. G68: Cumb 1G **37**
Ranfurly Pl. PA11: Bri W 4F **77**
Ranfurly Rd. G52: Glas 6H **83**
  PA11: Bri W 5F **77**
Range Av. ML1: Moth 5C **148**
Range Pl. ML3: Ham 2A **162**
Rangerhouse Rd. G75: E Kil 6H **157**
Range Rd. ML1: Moth 5B **148**
Range Rd. Ind. Est.
  ML1: Moth 6C **148**
  (Range Av.)
  ML1: Moth 5B **148**
  (Range Rd.)
Rangers FC 5G **85**
Rangers FC Training Cen. &
  Youth Academy 5A **28**
Range St. ML1: Moth 5B **148**
Rankin Ct. G69: Muirh 1B **70**
Rankin Dr. G77: Newt M 3C **136**
Rankine Av. G75: E Kil 4A **158**
Rankine Pl. G75: E Kil 4A **158**
  PA5: John 2F **99**
Rankine St. PA5: John 2F **99**
Rankin Gait Cen. *ML8: Carl* 3D *174*
  (off High St.)
Rankin Rd. ML2: Wis 5C **150**
Rankin St. ML8: Carl 3D **174**
Rankin Way G78: Barr 4G **119**
Rannoch Av. G64: B'rig 6D **50**
  G77: Newt M 2D **136**
  ML3: Ham 2E **161**
  ML5: Coat 2H **93**
Rannoch Ct. G67: Cumb 1D **56**
  G72: Blan 4D **144**

Rannoch Dr. G61: Bear 2H **47**
G66: Kirk 4H **33**
G67: Cumb 1D **56**
ML2: Wis 2H **165**
PA4: Renf 5E **61**
Rannoch Gdns.
G64: B'rig 6E **51**
Rannoch Grn. G74: E Kil 6H **141**
Rannoch La. G69: Mood 5E **55**
Rannoch Pl. PA2: Pais 2C **102**
Rannoch Rd. G71: Tann 4C **112**
ML6: Air 2H **95**
PA5: John 4E **99**
Rannoch St. G44: Glas 1E **123**
Rannoch Ter. ML9: Lark 4E **171**
Rannoch Way G71: Both 4E **129**
Rannoch Wynd G73: Ruth 5F **125**
RAPLOCH 2B **170**
Raploch Av. G14: Glas 5B **62**
Raploch La. G14: Glas 5B **62**
Raploch Rd. ML9: Lark 2B **170**
Raploch St. ML9: Lark 2B **170**
RASHIEBURN 5E **43**
Rashieburn PA8: Ersk 5E **43**
Rashieglen PA8: Ersk 5E **43**
Rashiehill PA8: Ersk 5E **43**
Rashielee Av. PA8: Ersk 5F **43**
Rashielee Dr. PA8: Ersk 5F **43**
Rashielee Rd.
PA8: Ersk 5E **43**
Rashiewood PA8: Ersk 5F **43**
Rathlin St. G51: Glas 3G **85**
Rathlin Ter. G82: Dumb 2C **18**
Ratho Dr. G21: Glas 5A **66**
G68: Cumb 6F **15**
Ratho Pk. ML3: Ham 4F **161**
Rattray PA8: Ersk 4E **43**
Rattray St. G32: Glas 2G **109**
Ravel Row G31: Glas 6F **89**
Ravelston Rd. G61: Bear 5E **47**
(not continuous)
Ravelston St. G32: Glas 5F **89**
Ravel Wynd G71: Tann 5F **113**
Ravenscliffe Dr. G46: Giff 4H **121**
Ravens Ct. G64: B'rig 1B **66**
Ravenscourt G74: T'hall 1G **155**
Ravenscraig Av.
PA2: Pais 4G **101**
Ravenscraig Ct. ML4: Bell 2D **130**
Ravenscraig Dr. G53: Glas 1B **120**
Ravenscraig Ter.
G53: Glas 2C **120**
Ravenshall ML1: Cle 1H **149**
Ravenshall Rd. G41: Glas 5A **106**
Ravenshill Dr. ML1: Cle 6H **133**
Ravenstone Dr. G46: Giff 2A **122**
Ravenswood Av. PA2: Pais 6C **100**
Ravenswood Dr. G41: Glas 4B **106**
Ravenswood Rd. G69: Bail 6A **92**
Raven Wynd ML2: Wis 5H **149**
RAWYARDS 2C **96**
Rawyards Av. ML6: Air 1B **96**
Raymond Pl. G75: E Kil 2E **157**
Rayne Pl. G15: Glas 3B **46**
Ream Av. ML6: Air 5F **97**
Reay Av. G74: E Kil 1D **156**
Reay Gdns. G74: E Kil 1D **156**
Redan St. G40: Glas 6B **88**
Redbrae Pl. G66: Kirk 4E **33**
Redbrae Rd. G66: Kirk 4D **32**
Red Bri. Ct. ML5: Coat 3C **94**
Redburn Av. G46: Giff 1H **137**
Redburn Ct. G67: Cumb 5F **17**
Redburn Pl. G67: Cumb 6F **17**
Redburn Rd. ML4: Cumb 5F **17**
Redcastle Sq. G33: Glas 2E **91**
Redcliffe Dr. G75: E Kil 3D **156**

Red Deer Rd. G75: E Kil 3E **157**
Rederech Cres.
ML3: Ham 1D **160**
Redford St. G33: Glas 3F **89**
Redgate Pl. G14: Glas 5B **62**
Redgrave G74: E Kil 4C **142**
Redhill Rd. G68: Cumb 2F **37**
Redhills Vw. G66: Len 4G **9**
Redholme ML9: Lark 4D **170**
(off Keir Hardie Rd.)
Redhouse La. ML8: Carl 2D **174**
Redhurst Cres. PA2: Pais 6F **101**
Redhurst La. PA2: Pais 6G **101**
Redhurst Way PA2: Pais 6F **101**
Redlands La. G12: Glas 5A **64**
(off Kirklee Rd.)
Redlands Rd. G12: Glas 5A **64**
Redlands Ter. G12: Glas 5A **64**
Redlands Ter. La. G12: Glas 5A **64**
Redlawood Pl. G72: Newt 1G **127**
Redlawood Rd. G72: Newt 1G **127**
Redmoss Rd. G66: Milt C 6B **10**
G81: Dun 1B **44**
Redmoss St. G22: Glas 4F **65**
Rednock St. G22: Glas 5G **65**
Redpath Dr. G52: Glas 5B **84**
G72: Camb 1D **126**
Red Rd. G21: Glas 5D **66**
Red Rd. Ct. G21: Glas 6D **66**
Red Road Recreation Cen. 6E **67**
Redshank Av. PA4: Renf 5G **61**
Redshank Way PA4: Renf 4G **61**
Redwing Cres. ML5: Coat 3G **115**
Redwing Gdns. ML2: Wis 2G **165**
Redwood Av. G74: E Kil 2A **156**
G74: T'hall 3A **156**
Redwood Cl. ML3: Ham 4D **160**
Redwood Ct. G74: E Kil 2A **156**
Redwood Cres.
G71: View 5G **113**
G72: Flem 3F **127**
G74: E Kil 6A **140**
ML3: Ham 4D **160**
PA7: B'ton 4A **42**
Redwood Dr. G21: Glas 6C **66**
G74: T'hall 3A **156**
Redwood Gro. ML5: Coat 5D **94**
Redwood La. ML3: Ham 4E **161**
Redwood Pl. G66: Lenz 2B **52**
G71: View 5G **113**
G74: E Kil 1A **156**
Redwood Rd. G67: Cumb 3D **38**
ML1: Holy 2C **132**
Redwood Way G72: Flem 4F **127**
Reelick Av. G13: Glas 1G **61**
Reelick Quad. G13: Glas 1G **61**
Reema Rd.
ML4: Bell, Moss 1D **130**
Reen Pl. G71: Both 3F **129**
Regency Ct. ML3: Ham 1C **162**
Regency Way ML1: New S 3H **131**
Regent Dr. G73: Ruth 5C **108**
Regent Moray St.
G3: Glas 2B **4** (2B **86**)
Regent Pk. Sq.
G41: Glas 3D **106**
Regent Pl. G81: Clyd 3A **44**
Regents Ga. G71: Both 3B **128**
Regent Shop. Cen.
G66: Kirk 5C **32**
Regent Sq. G66: Lenz 3C **52**
Regent St. G66: Kirk 5C **32**
G81: Clyd 3A **44**
PA1: Pais 6D **82**
Regent Way ML3: Ham 6A **146**
Register Av. ML4: Bell 4C **130**
Register Rd. G65: Kils 3A **14**
Regwood St. G41: Glas 5B **106**

Reid Av. G61: Bear 1G **47**
PA3: Lin 6H **79**
Reid Ct. G73: Ruth 5D **108**
Reid Gro. ML1: Moth 5B **148**
Reidhouse St. G21: Glas 5B **66**
Reid Pl. G40: Glas 1B **108**
Reid St. G40: Glas 2B **108**
G73: Ruth 5D **108**
ML3: Ham 4D **144**
ML5: Coat 3C **94**
ML6: Air 2B **96**
Reidvale St. G31: Glas 5B **88**
Reilly Rd. PA6: Hous 6B **40**
Remus Pl. ML4: Moss 2G **131**
Renfield La. G2: Glas 5C **6** (4F **87**)
Renfield St. G2: Glas 5C **6** (4F **87**)
PA4: Renf 5F **61**
RENFREW 5F **61**
Renfrew Community Mus. 5F **61**
Renfrew Ct. G2: Glas 3D **6** (3G **87**)
Renfrew La. G2: Glas 3C **6** (3F **87**)
Renfrew Pl. ML5: Coat 1G **113**
Renfrew Rd. G51: Glas 3B **84**
PA3: Pais 5B **82**
PA4: Renf 1A **84**
Renfrew St. G2: Glas 2E **87**
G3: Glas 2H **5** (2E **87**)
ML5: Coat 1G **113**
Rennie Pl. G74: E Kil 6C **140**
Rennie Rd. G65: Kils 2F **13**
Renshaw Dr. G52: Glas 5B **84**
Renshaw Pl. ML1: Holy 5H **115**
Renshaw Rd. PA5: Eld 4A **100**
PA7: B'ton 4H **41**
Renton Rd. G82: Dumb 1D **18**
Renton St. G4: Glas 1D **6** (2G **87**)
Resipol Rd. G33: Step 4E **69**
Reston Dr. G52: Glas 5B **84**
Reuther Av. G73: Ruth 6D **108**
Revoch Dr. G13: Glas 2A **62**
Reynolds Av. G75: E Kil 4A **158**
Reynolds Dr. G33: Step 4F **69**
Reynolds Path ML2: Wis 2B **166**
Rhannan Rd. G44: Glas 2E **123**
Rhannan Ter. G44: Glas 2E **123**
Rhindhouse Pl. G69: Bail 6B **92**
Rhindhouse Rd. G69: Bail 6B **92**
Rhindmuir Av. G69: Bail 6A **92**
Rhindmuir Ct. G69: Bail 5A **92**
Rhindmuir Cres. G69: Bail 5B **92**
Rhindmuir Dr. G69: Bail 5A **92**
Rhindmuir Gdns. G69: Bail 5A **92**
Rhindmuir Ga. G69: Bail 5B **92**
Rhindmuir Gro. G69: Bail 5B **92**
Rhindmuir Path G69: Bail 5B **92**
Rhindmuir Pl. G69: Bail 5A **92**
Rhindmuir Rd. G69: Bail 5A **92**
Rhindmuir Vw. G69: Bail 5B **92**
Rhindmuir Wynd G69: Bail 5B **92**
Rhinds St. ML5: Coat 1F **113**
Rhinsdale Cres. G69: Bail 6A **92**
Rhumhor Gdns.
PA10: Kilb 3C **98**
Rhu Quad. ML2: Over 5A **166**
Rhymer St. G21: Glas 2A **88**
Rhymie Rd. G32: Glas 2D **110**
Rhynie Dr. G51: Glas 6H **85**
Riach Gdns. ML1: Moth 6E **131**
Ribblesdale G74: E Kil 6E **141**
Riccarton G75: E Kil 4D **156**
Riccarton Path ML3: Fern 2D **162**
Riccarton St. G42: Glas 3G **107**
Riccartsbar Av. PA2: Pais 2G **101**
Rice Way ML1: Moth 5B **148**
Richmond Av. G76: Clar 2C **138**
Richmond Ct. G73: Ruth 5E **109**

Richmond Dr. G64: B'rig 3D **50**
  G72: Camb 2G **125**
  G73: Ruth 6E **109**
  PA3: Lin 4G **79**
Richmond Gdns. G69: Chry 1H **69**
Richmond Gro. G73: Ruth 6E **109**
Richmond Pk. Gdns.
  G5: Glas 2A **108**
Richmond Pl. G73: Ruth 5E **109**
Richmond Rd. G73: Ruth 6F **109**
Richmond St. G1: Glas 5F **7** (4H **87**)
  G81: Clyd 6E **45**
Riddell St. G81: Clyd 4D **44**
  ML5: Coat 4E **95**
Riddon Av. G13: Glas 1G **61**
  G81: Clyd 1G **61**
Riddon Pl. G13: Glas 1G **61**
RIDDRIE 2F **89**
Riddrie Cres. G33: Glas 3G **89**
RIDDRIE KNOWES 3G **89**
Riddrie Knowes G33: Glas 3G **89**
Riddrievale Ct. G33: Glas 2G **89**
Riddrievale St. G33: Glas 2G **89**
Rigby St. G32: Glas 6G **89**
RIGGEND 1B **74**
Rigghead Av. G67: Cumb 6B **16**
Rigg Pl. G33: Glas 4E **91**
Riggs, The G62: Miln 2G **27**
Riggside Rd. G33: Glas 1C **90**
Righead Ga. G74: E Kil 2G **157**
        (off Princess Sq.)
Righead Ind. Est.
  ML4: Bell 6A **114**
Righead Rdbt. G74: E Kil 2F **157**
Riglands Ga. PA4: Renf 5E **61**
Riglands Way PA4: Renf 6E **61**
Riglaw Pl. G13: Glas 2A **62**
Rigmuir Rd. G51: Glas 4C **84**
Rimsdale St. G40: Glas 6B **66**
Ringford St. G21: Glas 6B **66**
Ringsdale Av. ML9: Lark 5C **170**
Ringsdale Ct. ML9: Lark 5C **170**
Ripon Dr. G12: Glas 3G **63**
Risk St. G81: Clyd 3B **44**
  G82: Dumb 4E **19**
Ristol Rd. G13: Glas 4B **62**
Ritchie Cres. PA5: Eld 2A **100**
Ritchie Pk. PA5: John 2H **99**
Ritchie Pl. G77: Newt M 5C **136**
Ritchie St. G5: Glas 1E **107**
  ML2: Wis 6D **148**
Ritz Pl. G5: Glas 2H **107**
Riverbank Dr. ML2: Bell 4E **131**
Riverbank St. G43: Glas 6A **106**
River Cart Wlk. PA1: Pais 1A **102**
River Ct. G76: Busby 3D **138**
Riverdale Gdns.
  ML3: Ham 2A **162**
River Dr. PA4: Inch 4H **59**
Riverford Rd. G43: Glas 6A **106**
  G73: Ruth 4E **109**
River Rd. G32: Carm 6B **110**
Riversdale La. G14: Glas 4A **62**
Riverside G62: Miln 3G **27**
  G66: Len 1C **8**
  PA6: Hous 2D **78**
Riverside Ct. G44: Neth 4D **122**
  G76: Water 2C **154**
Riverside Gdns.
  G76: Busby 4D **138**
  ML9: Lark 5C **170**
Riverside La. G82: Dumb 4E **19**
Riverside Pk. G44: Neth 5E **123**
Riverside Pl. G72: Camb 1E **127**
Riverside Rd. G43: Glas 6C **106**
  G76: Water 3C **154**
  ML9: Lark 5C **170**

Riverside Ter. G76: Busby 4D **138**
Riverside Wlk.
  ML1: Moth 1H **147**
Riverton Dr. G75: E Kil 3D **156**
        (off Tasman Dr.)
Riverview Dr. G5: Glas 5E **87**
Riverview Gdns. G5: Glas 5E **87**
Riverview Pl. G5: Glas 5E **87**
RNIB Springfield Cen.
  G64: B'rig 6D **50**
Roaden Av. PA2: Pais 6D **100**
Roaden Rd. PA2: Pais 6D **100**
Roadside G67: Cumb 6A **16**
Roadside Pl. ML6: Grng 1D **74**
Robb Ter. G66: Kirk 1G **53**
Robert Burns Av. G81: Clyd 4E **45**
  ML1: N'hill 3E **133**
Robert Burns Quad.
  ML4: Bell 2B **130**
Robert Dr. G51: Glas 4G **85**
Robert Gilson Gdns.
  ML5: Coat 6D **94**
Roberton St. ML6: Chap 2E **117**
Robert Smillie Cres.
  ML9: Lark 4C **170**
Robertson Av. G41: Glas 3A **106**
  PA4: Renf 6D **60**
Robertson Cl. PA4: Renf 6E **61**
Robertson Cres. G78: Neil 2D **134**
Robertson Dr. G74: E Kil 1B **158**
  ML1: Holy 2B **132**
      (off Rowantree Ter.)
  ML4: Bell 3C **130**
  PA4: Renf 6D **60**
Robertson La. G2: Glas 6A **6** (4F **87**)
Robertsons Gait
  PA1: Pais 2A **102**
  PA2: Pais 2A **102**
Robertson Sports Cen. 6B **102**
Robertson St. G2: Glas 6B **6** (5D **87**)
  G78: Barr 5D **118**
  ML3: Ham 4D **144**
  ML6: Air 4G **95**
Robertson Ter. G69: Bail 6A **92**
Roberts Quad. ML4: Bell 4D **130**
Roberts St. G81: Clyd 4A **44**
  ML2: Wis 6G **149**
Robert St. G51: Glas 4G **85**
Robert Templeton Dr.
  G72: Camb 2B **126**
Robert Wilson Ga.
  ML9: Lark 5C **170**
Robert Wynd ML2: Newm 3E **151**
Robin Pl. ML2: Wis 6H **149**
Robin Way G32: Carm 5C **110**
ROBROYSTON 3G **67**
Robroyston Av. G33: Glas 6G **67**
ROBROYSTON INTERCHANGE
  . . . . .4H **67**
Robroyston Oval G33: Glas 4G **67**
Robroyston Rd. G33: Glas 5F **67**
  G64: B'rig 6H **51**
  G66: Auch 6H **51**
Robroyston Way G33: Glas 4G **67**
Robshill Ct. G77: Newt M 5D **136**
Robslee Dr. G46: Giff 4H **121**
Robslee Rd.
  G46: Giff, T'bnk 5G **121**
Robson Gro. G42: Glas 2F **107**
Rocep Bus. Pk.
  PA4: Renf 1H **83**
Rocep Dr. PA4: Renf 1H **83**
Rocep Way PA4: Renf 1H **83**
Rochdale Pl. G66: Kirk 5C **32**
    (off New Lairdsland Rd.)
Rochsoles Cres. ML6: Air 1A **96**
Rochsoles Dr. ML6: Air 1H **95**

Rochsolloch Farm Cotts.
  ML6: Air 4G **95**
Rochsolloch Rd. ML6: Air 5F **95**
Rockall Dr. G44: Glas 3F **123**
Rockbank Cres. ML5: Glenb 3A **72**
Rockbank Pl. G40: Glas 6C **88**
  G81: Hard 1E **45**
Rockbank St. G40: Glas 6C **88**
Rockburn Cres. ML4: Bell 6C **114**
Rockburn Dr. G76: Clar 1A **138**
Rockcliffe St. G40: Glas 2B **108**
Rock Dr. PA10: Kilb 3B **98**
Rockfield Pl. G21: Glas 4E **67**
Rockfield Rd. G21: Glas 4E **67**
Rockhampton Av.
  G75: E Kil 4D **156**
Rockmount Av. G46: T'bnk 3G **121**
  G78: Barr 6F **119**
Rock St. G4: Glas 6F **65**
Rockwell Av. PA2: Pais 5G **101**
Roddinghead Rd. G46: Giff 3G **137**
Rodger Av. G77: Newt M 4C **136**
Rodger Dr. G73: Ruth 1C **124**
Rodger Pl. G73: Ruth 1C **124**
Rodil Av. G44: Glas 3G **123**
Rodney St. G4: Glas 1F **87**
Roebank Dr. G78: Barr 6E **119**
Roebank St. G31: Glas 3D **88**
      (not continuous)
Roffey Pk. Rd. PA1: Pais 6F **83**
Rogart St. G40: Glas 6B **88**
      (not continuous)
Rogerfield Rd. G69: Barg 4A **92**
ROGERTON 3F **141**
Rokeby La. G12: Glas 6C **64**
      (off South Pk. Ter.)
Roland Cres. G77: Newt M 6F **137**
Roman Av. G15: Glas 6A **46**
  G61: Bear 2F **47**
Roman Bath House
    Glasgow 2F **47**
Roman Ct. G61: Bear 2F **47**
  G81: Hard 1C **44**
Roman Cres. G60: Old K 6D **22**
Roman Dr. G61: Bear 2F **47**
  ML4: Bell 3D **130**
Roman Gdns. G61: Bear 2F **47**
Roman Hill Rd. G81: Hard 6D **24**
Roman Pl. ML4: Bell 4A **130**
Roman Rd. G61: Bear 2E **47**
  G66: Kirk 5B **32**
  G81: Hard 1C **44**
  ML1: Moth 1F **147**
      (not continuous)
Roman Way G71: View 1G **129**
Romney Av. G44: Glas 2G **123**
Romulus Ct. ML1: Moth 6E **131**
Ronaldsay Dr. G64: B'rig 5F **51**
Ronaldsay Pass G22: Glas 2H **65**
Ronaldsay Pl. G67: Cumb 5F **37**
Ronaldsay St. G22: Glas 2G **65**
Ronald St. ML5: Coat 3C **94**
Rona St. G21: Glas 1D **88**
Rona Ter. G72: Camb 4H **125**
Ronay St. G22: Glas 2H **65**
  ML2: Wis 4C **150**
Rooksdell Av. PA2: Pais 4G **101**
Ropework La. G1: Glas 5G **87**
Rorison Pl. ML9: Ashg 4H **171**
Rosaburn Av. G75: E Kil 1B **168**
ROSEBANK
  G66 .5G **33**
  ML8 . . . . .5C **172**
Rosebank Av. G66: Kirk 4E **33**
  G72: Blan 6C **128**
Rosebank Dr. G71: View 6G **113**
  G72: Camb 3C **126**

Rosebank Gdns. G71: Udd 3H 111
   PA5: John 3F 99
Rosebank La. G71: Both 4F 129
Rosebank Pl. G68: Dull 5E 15
   G71: Udd 3H 111
   ML3: Ham 6E 145
Rosebank Rd. ML2: Over 5A 166
   ML4: Bell 5D 114
Rosebank St. ML6: Air 3E 97
Rosebank Ter. G69: Barg 1D 112
Rosebank Twr. *G72: Camb* *1A 126*
              (off Main St.)
Roseberry La. ML6: Chap 2E 117
Roseberry Pl. G81: Clyd 6D 44
   ML3: Ham 5E 145
Roseberry Rd. ML6: Chap 1D 116
Roseberry St. G5: Glas 2A 108
Roseburn Ct. G67: Cumb 6F 17
Rose Cres. ML3: Ham 5D 144
Rose Dale G74: B'rig 1D 66
Rosedale G74: E Kil 6E 141
Rosedale Av. PA2: Pais 6B 100
Rosedale Dr. G69: Bail 1G 111
Rosedale Gdns. G20: Glas 1A 64
Rosedene Ter. ML4: Bell 1C 130
Rosefield Gdns. G71: Udd 6C 112
Rose Gdns. ML5: Coat 2B 114
Rosegreen Cres.
   ML4: Bell 5C 114
ROSEHALL 2D 114
Rosehall Av. ML5: Coat 1D 114
Rosehall Ind. Est.
   ML5: Coat 2C 114
Rosehall Rd. ML4: Bell 1B 130
Rosehall Ter. ML2: Wis 2E 165
Rosehill Cres. G53: Glas 1A 120
Rosehill Dr. G53: Glas 1A 120
   G67: Cumb 1C 56
Rosehill Pl. G67: Cumb 1C 56
Rosehill Rd. G64: Torr 5D 30
Rose Knowe Rd. G42: Glas 5H 107
Roslea Dr. G62: Miln 2H 27
Roslea Gdns. G13: Glas 2F 63
Roslea Pl. G72: Blan 6A 128
Roslea Rd. G71: Tann 5C 112
Roslea St. ML9: Lark 1D 170
Rosemary Cres.
   G74: E Kil 5F 141
Rosemary Pl. G74: E Kil 5F 141
Rosemount G68: Cumb 6H 15
Rosemount Av.
   G77: Newt M 1D 152
Rose Mt. Ct. ML6: Air 3C 96
Rosemount Ct.
   G77: Newt M 2D 152
   ML8: Carl 3E 175
Rosemount Gdns. ML6: Air 4A 96
Rosemount La. *ML9: Lark* *4E 171*
            (off Dickson St.)
   PA11: Bri W 5D 76
Rosemount Mdws.
   G71: Both 5D 128
Rosemount St. G21: Glas 2B 88
Rosendale Way G72: Blan 2C 144
Roseneath Ga. G74: E Kil 1E 157
Roseness Pl. G33: Glas 3A 90
Rosepark Av. G71: View 1G 129
Rosepark Cotts. ML5: Coat 2B 114
Rose St. G3: Glas 3B 6 (3F 87)
   G66: Kirk 5D 32
   G67: Cumb 6D 36
   ML1: Moth 4A 148
Rosevale Cres. ML3: Ham 1F 161
   ML4: Bell 3E 131
Rosevale Rd. G61: Bear 3E 47
Rosevale St. G11: Glas 1G 85
Rosewood ML2: Wis 2E 165

Rosewood Av. ML4: Bell 6D 114
   PA2: Pais 4F 101
Rosewood Path ML4: Bell 2A 130
Rosewood Pl. G69: Barg 5E 93
Rosewood St. G13: Glas 2E 63
Roslea Dr. G31: Glas 4C 88
Roslin Pl. ML6: Chap 3E 117
Roslin Twr. G72: Camb 4G 125
Roslyn Dr. G69: Barg 6D 92
Rosneath St. G51: Glas 3G 85
Ross Av. G66: Kirk 5F 33
   PA4: Renf 2C 82
Ross Cres. ML1: Moth 4E 147
Ross Dr. G71: View 4G 113
   ML1: Moth 4E 147
   ML6: Air 1G 115
Rossendale Ct. G43: Glas 5A 106
Rossendale Rd. G41: Glas 5A 106
   G43: Glas 5A 106
Ross Gdns. ML1: Moth 4E 147
ROSSHALL 2A 104
Rosshall Av. PA1: Glas 1E 103
Rosshall Pl. PA4: Renf 6F 61
Rosshill Av. G52: Glas 6H 83
Rosshill Rd. G52: Glas 6H 83
Rossie Cres. G64: B'rig 1E 67
Rossie Gro. G77: Newt M 4B 136
ROSSLAND 5A 42
Rossland Cres. PA7: B'ton 4G 41
Rossland Gdns. PA7: B'ton 4G 41
Rossland Pl. PA7: B'ton 5H 41
Rossland Vw. PA7: B'ton 4G 41
Rosslea Dr. G46: Giff 5A 122
Rosslee Cres. G46: Giff 4G 121
Rosslyn Av. G73: Ruth 6D 108
   G74: E Kil 6H 141
Rosslyn Ct. ML3: Ham 5E 145
Rosslyn Rd. G61: Bear 1B 46
   ML9: Ashg 5H 171
Rosslyn Ter. G12: Glas 5A 64
Ross Pl. G73: Ruth 3F 125
   G74: E Kil 6C 142
Ross St. G40: Glas 5H 87
   ML5: Coat 4C 94
   PA1: Pais 2C 102
Ross Ter. ML3: Fern 2E 163
Rostan Rd. G43: Glas 2A 122
Rosyth Rd. G5: Glas 3A 108
Rosyth St. G5: Glas 3A 108
Rotherwick Dr. PA1: Pais 1G 103
Rotherwood Av. G13: Glas 6C 46
   PA2: Pais 5D 100
Rotherwood La. G13: Glas 5C 46
Rotherwood Pl. G13: Glas 1D 62
Rotherwood Way PA2: Pais 5D 100
Rothesay Cres. ML5: Coat 1D 114
Rothesay Pl. ML5: Coat 1D 114
Rothesay St. G74: E Kil 2F 157
Rothes Dr. G23: Glas 6A 48
Rothes Pl. G23: Glas 6A 48
Rottenrow G1: Glas 4F 7 (3H 87)
   G4: Glas 5H 7 (4A 88)
Rottenrow E. G4: Glas . . .5G 7 (4H 87)
Roughcraig St. ML6: Air 1A 96
Roughrigg Rd. ML6: Air 5G 97
Roukenburn St. G46: T'bnk 3E 121
Rouken Glen Pk. 6F 121
Rouken Glen Rd.
   G46: Giff, T'bnk 5F 121
Roundel, The ML2: Wis 6A 150
Roundhill Dr. PA5: Eld 2C 100
Roundknowe Rd. G71: Udd 4A 112
Round Riding Rd.
   G82: Dumb 3G 19
Rowallan Gdns. G11: Glas 6G 63
Rowallan La. G11: Glas 6F 63
   G76: Clar 2C 138

Rowallan Rd. G46: T'bnk 5F 121
Rowallan Ter. G33: Mille 5B 68
Rowallen La. E. G11: Glas 6G 63
Rowan Av. G66: Milt C 6B 10
   PA4: Renf 5E 61
Rowanbank Pl. ML6: Air 3E 95
Rowan Ct. G72: Flem 3F 127
   ML2: Wis 1D 164
   PA2: Pais 3A 102
Rowan Cres. G66: Lenz 2C 52
   ML6: Chap 2E 117
Rowandale Av. G69: Bail 1G 111
Rowand Av. G46: Giff 5A 122
Rowanden Av. ML4: Bell 1C 130
Rowan Dr. FK4: Bank 1E 17
   G61: Bear 6F 27
   G81: Clyd 3B 44
   G82: Dumb 3A 18
Rowan Gdns. G41: Glas 1H 105
   ML9: Lark 3D 170
Rowan La. ML1: New S 4A 132
Rowanlea *ML6: Plain* *6F 75*
           (off Craiglea Ter.)
   PA5: John 3E 99
Rowanlea Av. PA2: Pais 6B 100
Rowanlea Dr. G46: Giff 3B 122
Rowanpark Dr. G78: Barr 2C 118
Rowan Pl. G72: Blan 1B 144
   ML5: Coat 1A 114
Rowan Ri. ML3: Ham 1A 162
Rowan Rd. G41: Glas 1H 105
   G67: Cumb 2D 38
   PA3: Lin 4F 79
Rowans, The G64: B'rig 5B 50
Rowans Gdns. G71: Both 3F 129
Rowans Ga. PA2: Pais 3B 102
Rowan St. ML2: Wis 4H 149
   PA2: Pais 3A 102
Rowantree Av. G71: View 6G 113
   G73: Ruth 2D 124
   ML1: N'hse 6C 116
Rowantree Gdns.
   G73: Ruth 2D 124
Rowantree Pl. G66: Len 4G 9
   ML9: Lark 3F 171
   PA5: John *4F 99*
         (off Rowantree Rd.)
Rowantree Rd. PA5: John 4F 99
Rowantree Ter. G66: Len 4G 9
   ML1: Holy 2B 132
Rowanwood Cres. ML5: Coat 6H 93
Rowchester St. G40: Glas 6C 88
Rowena Av. G13: Glas 6D 46
Roxburgh Dr. G61: Bear 6E 27
   ML5: Coat 1F 115
Roxburgh La. G12: Glas 6B 64
Roxburgh Pk. G74: E Kil 2H 157
Roxburgh Pl. *G72: Blan* *2B 144*
         (off Jedburgh St.)
Roxburgh Rd. PA2: Pais 6B 100
Roxburgh St. G12: Glas 6B 64
Royal Bank Pl. G1: Glas 5D 6
Royal Cres. G3: Glas 3D 4 (3C 86)
Royal Dr. ML3: Ham 1C 162
Royal Exchange Ct. G1: Glas 5D 6
Royal Exchange Sq.
   G1: Glas 5D 6 (4G 87)
Royal Gdns. G71: Both 5B 128
Royal Highland Fusiliers Mus.
   . . . . .2H 5 (2E 87)
Royal Inch Cres. PA4: Renf 4F 61
Royal Scottish Academy of
   Music & Drama 3B 6 (3F 87)
Royal Ter. G3: Glas 2D 4 (2C 86)
   ML2: Wis 2A 150
Royal Ter. La.
   G3: Glas 2D 4 (2C 86)

Royellen Av. ML3: Ham 1D **160**
ROYSTON 2B **88**
Roystonhill G21: Glas 2B **88**
Roystonhill Pl. G21: Glas 2B **88**
Royston Rd.
  G21: Glas 2H **7** (2A **88**)
  G33: Glas 6G **67**
Royston Sq. G21: Glas 2A **88**
Roy St. G21: Glas 6H **65**
Rozelle Av. G15: Glas 4B **46**
  G77: Newt M 5B **136**
Rozelle Dr. G77: Newt M 5B **136**
Rozelle Pl.
  G77: Newt M 5B **136**
Rubislaw Dr. G61: Bear 4E **47**
Ruby St. G40: Glas 1C **108**
Ruby Ter. ML4: Bell 3C **130**
RUCHAZIE 2B **90**
Ruchazie Pl. G33: Glas 3H **89**
Ruchazie Rd. G32: Glas 5H **89**
  G33: Glas 3H **89**
RUCHILL 4D **64**
Ruchill Pl. G20: Glas 4D **64**
Ruchill Sports Cen. 3D **64**
Ruchill St. G20: Glas 4C **64**
Ruel St. G44: Glas 6E **107**
Rufflees Av. G78: Barr 3F **119**
Rugby Av. G13: Glas 1B **62**
Rullion Pl. G33: Glas 3H **89**
Rumford St. G40: Glas 2B **108**
Runciman Pl. G74: E Kil 5B **142**
Rundell Dr. G66: Milt C 6C **10**
Rupert St. G4: Glas 1D **86**
Rushyhill St. G21: Glas 5C **66**
Ruskin La. G12: Glas 6C **64**
Ruskin Pl. G12: Glas 6C **64**
  G65: Kils 3H **13**
Ruskin Sq. G64: B'rig 6C **50**
Ruskin Ter. G12: Glas 6C **64**
  G73: Ruth 4D **108**
Russell Colt St. ML5: Coat ...3C **94**
Russell Dr. G61: Bear 1E **47**
Russell Gdns. G21: Tann 5E **113**
  G77: Newt M 5C **136**
Russell La. ML2: Wis 6G **149**
Russell Pl. G75: E Kil 4E **157**
  G76: Busby 4E **139**
  PA3: Lin 5F **79**
Russell Rd. G81: Dun 6A **24**
Russell St. ML2: Wis 1G **165**
  ML3: Ham 4D **144**
  ML4: Moss 2F **131**
  ML6: Chap 3E **117**
  PA3: Pais 4H **81**
  PA5: John 2G **99**
Rutherford Av. G61: Bear 5B **26**
  G66: Kirk 1H **53**
Rutherford Ct. G81: Clyd 5C **44**
Rutherford Grange
  G66: Lenz 1C **52**
Rutherford La. G75: E Kil 3H **157**
Rutherford Sq. G75: E Kil 3G **157**
RUTHERGLEN 5C **108**
Rutherglen Bri. G5: Glas 2B **108**
Rutherglen Ind. Est.
  G73: Ruth 4B **108**
  (not continuous)
Rutherglen Mus. 5D **108**
Rutherglen Rd. G5: Glas 5C **108**
  G73: Ruth 2A **108**
Rutherglen Station (Rail) 5D **108**
Rutherglen Swimming Pool
  ....6C **108**
Ruthven Av. G46: Giff 6B **122**
Ruthven La. G12: Glas 6A **64**
  ML5: Glenb 3G **71**
Ruthven Pl. G64: B'rig 1E **67**

Ruthven St. G12: Glas 6B **64**
Rutland Ct. *G51: Glas* *5C 86*
  (off Rutland Cres.)
Rutland Cres. G51: Glas 5C **86**
Rutland Pl. G51: Glas 5C **86**
Ryan Rd. G64: B'rig 6D **50**
Ryan Way G73: Ruth 4E **125**
Ryat Dr. G77: Newt M 3C **136**
Ryat Grn. G77: Newt M 3C **136**
  (not continuous)
Ryatt Linn PA8: Ersk 6D **42**
Rydal Gro. G75: E Kil 5B **156**
Rydal Pl. G75: E Kil 5B **156**
Ryden Mains Rd.
  ML6: Glenm 5F **73**
Ryde Rd. ML2: Wis 6A **150**
Ryebank Rd. G21: Glas 4E **67**
Rye Cres. G21: Glas 4D **66**
Ryecroft Dr. G69: Bail 6H **91**
Ryedale Pl. G15: Glas 3A **46**
Rye Dr. G21: Glas 4E **67**
Ryefield Av. ML5: Coat 4H **93**
  PA5: John 4D **98**
Ryefield Pl. PA5: John 4D **98**
Ryefield Rd. G21: Glas 4D **66**
Ryehill Pl. G21: Glas 4E **67**
Ryehill Rd. G21: Glas 4E **67**
Ryemount Rd. G21: Glas 4E **67**
Rye Rd. G21: Glas 4D **66**
Ryeside Rd. G21: Glas 4D **66**
Rye Way PA2: Pais 4C **100**
Ryewraes Rd. PA3: Lin 6H **79**
Rylands Dr. G32: Glas 1D **110**
Rylands Gdns. G32: Glas 1E **111**
Rylees Cres. G52: Glas 5G **83**
Rylees Pl. G52: Glas 5G **83**
Rylees Rd. G52: Glas 5G **83**
Rysland Av. G77: Newt M 4E **137**
Rysland Cres.
  G77: Newt M 4E **137**
Ryvra Rd. G13: Glas 3D **62**

S

Sachelcourt Av. PA7: B'ton ...5H **41**
Sackville Av. G13: Glas 4F **63**
Sackville La. G13: Glas 4F **63**
Saddell Rd. G15: Glas 3B **46**
Sadlers Wells Ct. *G74: E Kil* *5B 142*
  (off Bosworth Rd.)
Saffron Cres. ML2: Wis 2D **164**
Saffronhall Cres. ML3: Ham ..5H **145**
Saffronhall La. ML3: Ham 5H **145**
St Abb's Dr. PA2: Pais 4E **101**
St Aidan's Path ML2: Wis 3A **150**
St Andrews Av. G64: B'rig 5A **50**
  G71: Both 6E **129**
  PA3: Glas A 2G **81**
St Andrew's Brae
  G82: Dumb 1H **19**
St Andrew's Cl. G41: Glas 1D **106**
St Andrews Ct. G75: E Kil 5E **157**
  ML1: Holy 1A **132**
  ML4: Bell *2D 130*
  (off Anderson Ct.)
  ML8: Carl 3C **174**
St Andrew's Cres. G41: Glas ..1C **106**
  G82: Dumb 2H **19**
  PA3: Glas A 2G **81**
St Andrews Dr. G41: Glas 3A **106**
  G61: Bear 6D **26**
  G68: Cumb 5B **16**
  ML3: Ham 5B **144**
  ML5: Coat 5A **94**
  PA3: Glas A 3H **81**
  PA11: Bri W 4E **77**

St Andrew's Dr. W.
  PA3: Glas A 2G **81**
St Andrew's Gdns. ML6: Air ...3B **96**
St Andrew's Ga. ML4: Bell 2B **130**
St Andrew's La. *G1: Glas* *5H 87*
  (off Gallowgate)
St Andrews Oval
  PA3: Glas A 3G **81**
St Andrew's Parkway
  PA3: Glas A 3G **81**
St Andrew's Path *ML9: Lark* ...*4E 171*
  (off Glen Fruin Dr.)
St Andrews Pl. G65: Kils 2G **13**
St Andrew's RC Cathedral 5G **87**
St Andrew's Rd. G41: Glas ...1D **106**
  PA4: Renf 6E **61**
St Andrew's Sports Cen. 5F **157**
St Andrew's Sq. G1: Glas 5H **87**
St Andrews St. G1: Glas 5H **87**
  ML1: Holy 2A **132**
St Andrew's Way ML2: Wis ...3A **150**
  PA3: Glas A 3H **81**
St Anne's Av. PA8: Ersk 1H **59**
St Anne's Ct. ML3: Ham 3H **161**
St Anne's Wynd PA8: Ersk ...1H **59**
St Ann's Dr. G46: Giff 5A **122**
St Barchan's Rd. PA10: Kilb ..3B **98**
St Blanes Dr. G73: Ruth 1A **124**
St Boswell's Cres. PA2: Pais ...4E **101**
St Boswells Dr. ML5: Coat ...1F **115**
St Bride's Av. G71: View 6G **113**
St Bride's Rd. G43: Glas 6B **106**
St Brides Way G71: Both 3E **129**
St Bryde La. G74: E Kil 1H **157**
St Bryde St. G74: E Kil 1H **157**
St Catherine's Rd.
  G46: Giff 5A **122**
St Clair Av. G46: Giff 4A **122**
St Clair St. G20: Glas 1D **86**
St Columba Dr. G66: Kirk 6E **33**
St Cuthbert Way
  ML3: Ham 4D **144**
St Cyrus Gdns. G64: B'rig 6E **51**
St Cyrus Rd. G64: B'rig 6E **51**
St Davids Dr. ML6: Air 1C **116**
St David's Pl. ML9: Lark 2C **170**
St Denis Way ML5: Coat 3B **94**
St Edmunds Gro. G62: Miln ...2G **27**
St Edmunds La. G62: Miln 2G **27**
St Enoch Av. G71: View 5G **113**
St Enoch Pl. G1: Glas 6C **6** (4F **87**)
St Enoch Shop. Cen.
  G1: Glas 6C **6** (5G **87**)
St Enoch Sq. G1: Glas 6C **6**
St Enoch Station (Und.) ..6C **6** (5F **87**)
St Fillans Dr. PA6: Hous 1A **78**
St Fillans Rd. G33: Step 4C **68**
St Flanan Rd. G66: Kirk 4B **34**
St Francis Rigg G5: Glas 1H **107**
ST GEORGE'S CROSS INTERCHANGE
  ....1H **5** (2E **87**)
St Georges Cross Station (Und.)
  ....1H **5** (1E **87**)
St George's Pl. G20: Glas 1H **5**
St George's Rd.
  G3: Glas 2G **5** (2D **86**)
  G4: Glas 1H **5** (1E **87**)
St George's Ter. *PA11: Bri W* *3E 77*
  (off Horsewood Rd.)
St Germains G61: Bear 3E **47**
St Giles Pk. ML3: Ham 1F **161**
St Giles Way ML3: Ham 1F **161**
St Helena Cres. G81: Hard 1E **45**
St Helens Gdns. G41: Glas ...5D **106**
St Ives Rd. G69: Mood 4D **54**
St James Av. G75: E Kil 2A **156**
  PA3: Pais 4F **81**

St James Bus. Cen. PA3: Lin 1C **100**
St James Ct. ML5: Coat 1A **114**
ST JAMES EAST INTERCHANGE
. . . . .3G **81**
St James Rd.
G4: Glas 3F **7** (3H **87**)
St James' St. PA3: Pais 6A **82**
St James Way ML5: Coat 2A **114**
ST JAMES WEST INTERCHANGE
. . . . .3F **81**
St John's Blvd. G71: Udd 1E **129**
St John's Ct. G41: Glas 1C **106**
St John's Quad. G41: Glas 1C **106**
St John's Rd. G41: Glas 2C **106**
St John St. ML5: Coat 4C **94**
St Joseph's Ct. G21: Glas 2B **88**
St Joseph's Pl. G21: Glas 2B **88**
St Joseph's Vw. G21: Glas 2B **88**
St Kenneth Dr. G51: Glas 3D **84**
St Kilda Dr. G14: Glas 5E **63**
St Kilda Way ML2: Wis 4C **150**
St Lawrence Pk. G75: E Kil 2E **157**
ST LEONARDS 2C **158**
St Leonard's Dr. G46: Giff 4A **122**
St Leonards Rd. G74: E Kil 1B **158**
St Leonards Sq. G74: E Kil 2C **158**
St Leonards Wlk. ML5: Coat 2E **115**
St Lukes Av. ML8: Carl 5C **174**
St Lukes Bus. Cen. G5: Glas 6G **87**
(off St Lukes Pl.)
St Lukes Pl. G5: Glas 6G **87**
St Lukes Ter. G5: Glas 6G **87**
St Machan's Way G66: Len 2F **9**
St Machars Rd. PA11: Bri W 4G **77**
St Margarets Av. G65: Bant 1G **15**
PA3: Pais 4B **82**
St Margarets Ct. ML4: Bell 2D **130**
(off Dean St.)
PA3: Pais 4B **82**
(off Renfrew Rd.)
St Margarets Dr. ML2: Wis 2E **165**
St Margaret's Pl. G1: Glas 5G **87**
(off Bridgegate)
St Mark Gdns. G32: Glas 6H **89**
St Mark's Ct. ML2: Wis 3A **150**
St Mark St. G32: Glas 6G **89**
(not continuous)
St Marnock St. G40: Glas 6C **88**
St Martins Ga. ML5: Coat 1C **114**
St Mary's Cathedral 1D **86**
St Mary's Ct. G2: Glas 5C **6**
ML2: Wis 1H **165**
St Mary's Cres. G78: Barr 5E **119**
St Mary's Gdns. G78: Barr 5F **119**
St Mary's La. G2: Glas 5C **6**
St Mary's Rd. G64: B'rig 5A **50**
ML4: Bell 2A **130**
St Mary's Way G82: Dumb 4F **19**
St Maurice's Rdbt.
G68: Cumb 4C **36**
St Michael Rd. ML2: Wis 2C **164**
St Michaels Ct. G31: Glas 6E **89**
St Michaels La. G31: Glas 6E **89**
St Michael's Way
G82: Dumb 3D **18**
St Mirins RC Catherdral 6B **82**
St Mirren FC 5A **82**
St Mirren Fitness Cen. 5A **82**
St Mirren Pk. 5A **82**
St Mirren Sports & Leisure Complex
. . . . .5A **82**
St Mirren's Rd. G65: Kils 3A **14**
St Mirren St. PA1: Pais 1A **102**
St Monance St. G21: Glas 4B **66**
St Monicas Way ML5: Coat 1H **113**
St Mungo Av.
G4: Glas 3E **7** (3G **87**)

St Mungo Ct. PA11: Bri W 3G **77**
St Mungo Mus. of Religious Life & Art
. . . . .4H **7** (3A **88**)
St Mungo Pl. G4: Glas 3G **7** (3H **87**)
ML3: Ham 5B **144**
St Mungo's Cathedral 4H **7** (3A **88**)
St Mungo's Cres. ML1: Carf 5B **132**
St Mungo's Rd. G67: Cumb 4H **37**
St Mungo St. G64: B'rig 1B **66**
St Mungo's Wlk.
G67: Cumb 3H **37**
(in The Cumbernauld Shop. Cen.)
St Ninian's Cres. PA2: Pais 3B **102**
St Ninians Gro. ML2: Wis 3B **150**
St Ninian's Pl. ML3: Ham 6D **144**
St Ninian's Rd. ML3: Ham 6D **144**
PA2: Pais 3B **102**
St Ninian Ter. G5: Glas 6G **87**
St Oswald's Glebe
G44: Glas 1A **124**
St Peters Ct. G20: Glas 6G **101**
St Peters La. G2: Glas 5A **6** (4E **87**)
St Peter's Path G4: Glas 1E **87**
(off St Peter's St.)
St Peter's St. G4: Glas 1A **6** (1E **87**)
St Roberts Gdns. G53: Glas 2C **120**
St Rollox Brae G21: Glas 1A **88**
St Rollox Bus. & Retail Pk.
G21: Glas 1B **88**
St Ronans Dr. G41: Glas 4B **106**
G73: Ruth 1E **125**
ML3: Ham 3G **161**
St Stephen's Av. G73: Ruth 4F **125**
St Stephen's Ct. G81: Clyd 4B **44**
St Stephen's Cres.
G73: Ruth 4G **125**
St Valentine Ter. G5: Glas 1H **107**
St Vigean's Av.
G77: Newt M 6B **136**
St Vigeans Pl. G77: Newt M 6C **136**
St Vincent Cres.
G3: Glas 3C **4** (3B **86**)
St Vincent Cres. La.
G3: Glas 3C **4** (3B **86**)
St Vincent La. G2: Glas . . .4A **6** (3E **87**)
St Vincent Pl. G1: Glas 5D **6** (4G **87**)
G75: E Kil 3C **156**
ML1: Moth 2G **147**
St Vincent St. G2: Glas 4F **5** (3E **87**)
G3: Glas 4F **5** (3D **86**)
St Vincent Ter.
G3: Glas 4F **5** (3D **86**)
St Winifred's Way ML2: Wis 5G **149**
Salamanca St. G31: Glas 6F **89**
(not continuous)
Salasaig Ct. G33: Glas 4A **90**
Salen St. G52: Glas 6F **85**
Salford Pl. G66: Kirk 4C **32**
(off Glasgow Rd.)
Saline St. ML6: Air 5F **95**
Salisbury G74: E Kil 5D **142**
Salisbury Cres. ML1: Moth 1D **146**
Salisbury Pl. G81: Clyd 2H **43**
Salisbury St. G5: Glas 1F **107**
Salkeld St. G5: Glas 1E **107**
Salmona St. G22: Glas 5F **65**
Saltaire Av. G71: Udd 2E **129**
Salterland Rd. G53: Glas 2G **119**
G78: Barr 2G **119**
Saltire Cres. ML9: Lark 3E **171**
Saltmarket G1: Glas 5G **87**
Saltmarket Pl. G1: Glas 5G **87**
Saltoun La. G12: Glas 6B **64**
Saltoun St. G12: Glas 6A **64**
Salvia St. G72: Camb 1H **125**
Samson Cres. ML8: Carl 5G **175**
Sandaig Rd. G33: Glas 6E **91**

Sandale Path G72: Blan 3A **144**
Sandalwood ML2: Wis 2D **164**
Sandalwood Av. G74: E Kil 5F **141**
Sandalwood Ct. G74: E Kil 5F **141**
Sanda St. G20: Glas 5C **64**
Sanda Way PA2: Pais 6H **101**
Sandbank Av. G20: Glas 2B **64**
Sandbank Cres. G20: Glas 3B **64**
Sandbank Dr. G20: Glas 2B **64**
Sandbank St. G20: Glas 1B **64**
Sandbank Ter. G20: Glas 2B **64**
Sandend PA8: Ersk 4E **43**
Sandend Rd. G53: Glas 6A **104**
Sanderling Parkway
PA3: Pais 3G **81**
Sanderling Pl. G75: E Kil 6C **156**
PA5: John 6D **98**
Sanderling Rd. PA3: Glas A 3H **81**
Sanderson Av. G71: View 1H **129**
Sandfield Av. G62: Miln 2G **27**
Sandfield St. G20: Glas 4C **64**
Sandford Gdns. G69: Bail 6H **91**
Sandgate Av. G32: Glas 2D **110**
Sandhaven Pl. G53: Glas 6A **104**
Sandhaven Rd. G53: Glas 6A **104**
Sandhead Cres. ML6: Chap 4E **117**
Sandhead Ter. G72: Blan 1B **160**
Sandholes Rd. PA5: Brkfld 6C **78**
PA6: C'lee 6C **78**
Sandholes St. PA1: Pais 1G **101**
Sandholm Pl. G14: Glas 4H **61**
Sandholm Ter. G14: Glas 4H **61**
Sandiefield Rd. G5: Glas 1G **107**
Sandielands Av. PA8: Ersk 2H **59**
Sandilands Cres. ML1: Moth 4D **146**
Sandilands St. G32: Glas 6B **90**
Sandmill St. G21: Glas 2C **88**
Sandpiper Cres. ML5: Coat 2F **115**
Sandpiper Dr. G75: E Kil 6C **156**
Sandpiper Pl. G75: E Kil 6C **156**
Sandpiper Way ML4: Bell 5A **114**
Sandra Rd. G64: B'rig 5E **51**
Sandringham Av.
G77: Newt M 3G **137**
Sandringham Ct.
G77: Newt M 4G **137**
Sandringham Dr. PA5: Eld 4H **99**
Sandwood G52: Glas 6A **84**
Sandwood Cres. G52: Glas 6A **84**
Sandwood Path G52: Glas 6A **84**
Sandwood Rd. G52: Glas 1A **104**
Sandyfaulds St. G5: Glas 1H **107**
Sandyford Av. ML1: N'hse 5D **116**
Sandyford Pl. G3: Glas 3E **5**
ML1: N'hse 6D **116**
Sandyford Pl. La.
G3: Glas 3E **5** (3C **86**)
Sandyford Rd. ML1: N'hse 6D **116**
PA3: Pais 3C **82**
Sandyford St. G3: Glas 3A **4** (3A **86**)
SANDYHILLS 1D **110**
Sandyhills Cres. G32: Glas 2B **110**
Sandyhills Dr. G32: Glas 2B **110**
Sandyhills Gro. G32: Glas 3B **110**
Sandyhills Pl. G32: Glas 2B **110**
Sandyhills Rd. G32: Glas 2B **110**
Sandyknowes Rd. G67: Cumb . . .5A **38**
Sandy La. G11: Glas 1G **85**
Sandy Rd. G11: Glas 1G **85**
ML8: Carl 3D **174**
PA4: Renf 2E **83**
Sannox Dr. ML1: Moth 2D **146**
Sannox Gdns. G31: Glas 3D **88**
Sannox Pl. G75: E Kil 1B **168**
Sanquhar Dr. G53: Glas 5A **104**
Sanquhar Gdns. G53: Glas 5A **104**
G72: Blan 5H **127**

Sanquhar Pl. G53: Glas 5A **104**
Sanquhar Rd. G53: Glas 5A **104**
Sanson La. ML8: Carl 5G **175**
Sapphire Rd. ML4: Bell 4C **130**
Saracen Head La. G1: Glas 5A **88**
Saracen Pk. 4H **65**
Saracen St. G22: Glas 6G **65**
Sarazen Ct. ML1: Cle 1E **149**
Sardinia La. G12: Glas 6B **64**
Saskatoon Pl. G75: E Kil 2D **156**
Saturn Av. PA1: Pais 1C **100**
Saucel Cres. PA1: Pais 1A **102**
Saucel Hill Ter. PA2: Pais 2A **102**
Saucel Pl. PA1: Pais 1A **102**
Saucel St. PA1: Pais 1A **102**
Sauchenhall Path
  G69: Mood 4E **55**
Sauchiehall Cen. G2: Glas 3B **6**
Sauchiehall La.
  G2: Glas 3H **5** (3E **87**)
          (not continuous)
Sauchiehall St.
  G2: Glas 2C **4** (3E **87**)
  G3: Glas 2C **4** (2B **86**)
Sauchiesmoor Rd.
  ML8: Carl 5E **175**
Saughs Av. G33: Glas 3H **67**
Saughs Dr. G33: Glas 3H **67**
Saughs Ga. G33: Glas 3H **67**
Saughs Pl. G33: Glas 3H **67**
Saughs Rd. G33: Glas 3H **67**
  G33: Mille 3A **68**
Saughton St. G32: Glas 4G **89**
Saunders Ct. G78: Barr 4D **118**
Savoy Cen. G2: Glas 3B **6** (3F **87**)
Savoy St. G40: Glas 1B **108**
Sawmillfield St. G4: Glas 1F **87**
Sawmill Rd. G11: Glas 1F **85**
Saxon Rd. G13: Glas 2D **62**
Scadlock Rd. PA3: Pais 6F **81**
Scalloway Rd. G69: G'csh 5C **70**
  G72: Camb 4G **125**
Scalpay G74: E Kil 2C **158**
Scalpay Pass G22: Glas 2H **65**
Scalpay Pl. G22: Glas 2H **65**
Scalpay St. G22: Glas 2G **65**
Scapa St. G23: Glas 1C **64**
Scapa Way G33: Step 3E **69**
Scapesland Ter. G82: Dumb 3G **19**
Scaraway Dr. G22: Glas 1H **65**
Scaraway Pl. G22: Glas 1H **65**
Scaraway St. G22: Glas 1G **65**
Scaraway Ter. G22: Glas 1H **65**
Scarba Dr. G43: Glas 2H **121**
Scarba Quad. ML2: Wis 2E **165**
Scarffe Av. PA3: Lin 6F **79**
Scarhill Av. ML6: Air 6H **95**
Scarhill La. ML6: Air 6A **96**
Scarhill St. ML1: Cle 5H **133**
  ML5: Coat 2B **114**
Scarrel Dr. G45: Glas 3C **124**
Scarrel Gdns. G45: Glas 3C **124**
Scarrel Rd. G45: Glas 3C **124**
Scarrel Ter. G45: Glas 3C **124**
Scavaig Cres. G15: Glas 3G **45**
Schaw Ct. G61: Bear 1E **47**
Schaw Dr. G61: Bear 1D **46**
  G81: Faif 6G **25**
Schaw Rd. PA3: Pais 5C **82**
Scholar's Ga. G75: E Kil 5F **157**
School Av. G72: Camb 2B **126**
Schoolhouse La.
  G72: Blan 3A **144**
School La. G66: Len 3F **9**
  G66: Milt C 5C **10**
  G71: Both 6F **129**
  G72: Flem 3E **127**

School La. G82: Dumb 3D **18**
  ML8: Carl 4C **174**
School Quad. ML6: Air 1H **95**
School Rd. G33: Step 3E **69**
  G64: Torr 4E **31**
  G77: Newt M 5D **136**
  ML2: Newm 5E **151**
              (Main St.)
  ML2: Newm 6G **83**
         (Morningside Rd.)
School St. ML3: Ham 2H **161**
  ML5: Coat 1C **114**
  ML6: Chap 3D **116**
School Vw. ML1: Moth 4G **147**
School Wynd PA1: Pais 6A **82**
Scioncroft Av. G73: Ruth 6E **109**
Scone Pl. G74: E Kil 6F **141**
  G77: Newt M 5H **137**
Scone St. G21: Glas 6G **65**
Scone Wlk. G69: Bail 2G **111**
Sconser PA8: Ersk 2G **59**
Sconser St. G23: Glas 6C **48**
Scorton Gdns. G69: Bail 1F **111**
Scotkart Indoor Kart Racing
  Cambuslang 1C **126**
  Clydebank 1E **61**
Scotia Cres. ML9: Lark 4C **170**
Scotia Gdns. ML3: Ham 4G **161**
Scotia St. ML1: Moth 2E **147**
Scotland St. G5: Glas 6D **86**
Scotland Street School Mus.
  . . . . .6D **86**
Scotland St. W. G41: Glas 6B **86**
Scotsblair Av. G66: Kirk 1C **52**
Scotsburn Rd. G21: Glas 5E **67**
SCOTSTOUN 5B **62**
Scotstoun Athletic Track 5C **62**
SCOTSTOUNHILL 3B **62**
Scotstoun Leisure Cen. 5D **62**
Scotstoun St. G14: Glas 6C **62**
Scotstoun Way ML5: Coat 6E **95**
Scott Av. G60: Bowl 5B **22**
  G66: Milt C 5C **10**
  PA5: John 5E **99**
Scott Cres. G67: Cumb 6F **37**
Scott Dr. G61: Bear 1C **46**
  G67: Cumb 6F **37**
Scott Gro. ML3: Ham 1H **161**
Scott Hill G74: E Kil 6A **142**
Scott Ho. G67: Cumb 2A **38**
Scottish Ent. Technology Pk.
  G75: E Kil 4A **158**
Scottish Exhibition & Conference Cen.
  . . . . .5C **4** (3B **86**)
Scottish Mask & Puppet Theatre
  . . . . .4A **64**
Scottish National Football Mus.
  . . . . .6F **107**
Scott Pl. ML4: Bell 6D **114**
  PA5: John 5E **99**
Scott Rd. G52: Hill 3H **83**
Scott's Pl. ML6: Air 3B **96**
Scott's Rd. PA2: Pais 2D **102**
Scott's Statue 4C **6**
Scott St. G3: Glas 3A **6** (3E **87**)
  G4: Glas 1A **6** (2E **87**)
  G69: Bail 1H **111**
  G81: Clyd 3A **44**
  ML1: Moth 2G **147**
  ML3: Ham 2H **161**
  ML9: Lark 3D **170**
SEAFAR 3G **37**
Seafar Rd. G67: Cumb 5G **37**
Seafar Rdbt. G67: Cumb 5G **37**
Seafield Av. G61: Bear 6F **27**

Seafield Cres.
  G68: Cumb 4A **36**
Seafield Dr. G73: Ruth 4F **125**
Seaforth Cres. G78: Barr 2D **118**
Seaforth La. G69: Mood 5E **55**
Seaforth Pl. ML4: Bell 4B **130**
Seaforth Rd. G52: Hill 4A **84**
  G81: Clyd 6D **44**
Seaforth Rd. Nth.
  G52: Hill 4A **84**
Seaforth Rd. Sth.
  G52: Hill 4A **84**
Seagrove St. G32: Glas 5F **89**
Seamill Gdns. G74: E Kil 1F **157**
Seamill St. G53: Glas 2H **119**
Seamore St. G20: Glas 1D **86**
Seath Av. ML6: Air 4G **95**
Seath Rd. G73: Ruth 4C **108**
Seath St. G42: Glas 3G **107**
Seaton Ter. ML3: Ham 5E **145**
Seaward La. G41: Glas 5C **86**
Seaward Pl. G41: Glas 6D **86**
Seaward St. G41: Glas 6C **86**
          (not continuous)
SEAWARD STREET INTERCHANGE
  . . . . .6C **86**
Second Av. G33: Mille 4B **68**
  G44: Glas 1F **123**
  G61: Bear 4F **47**
  G66: Auch 6C **52**
  G71: Tann 4C **112**
  G81: Clyd 4B **44**
  G82: Dumb 3C **20**
  PA4: Renf 2E **83**
Second Av. La. G44: Glas 1F **123**
Second Gdns. G41: Glas 1G **105**
Second Rd. G72: Blan 4C **144**
Second St. G71: Tann 5D **112**
SEEDHILL 1C **102**
Seedhill PA1: Pais 1B **102**
Seedhill Rd. PA1: Pais 1B **102**
Seed La. ML3: Ham 1B **162**
Seggielea La. G13: Glas 3D **62**
        (off Helensburgh Dr.)
Seggielea Rd. G13: Glas 3D **62**
Seil Dr. G44: Glas 3F **123**
Selborne Pl. G13: Glas 4E **63**
Selborne Pl. La.
  G13: Glas 4E **63**
Selborne Rd. G13: Glas 4E **63**
Selby Gdns. G32: Glas 6D **90**
Selby Pl. ML5: Coat 1H **93**
Selby St. ML5: Coat 1H **93**
Selkirk Av. G52: Glas 1C **104**
  PA2: Pais 4E **101**
Selkirk Dr. G73: Ruth 6E **109**
Selkirk Pl. G74: E Kil 6D **142**
  ML3: Ham 1A **162**
Selkirk St. G72: Blan 2B **144**
  ML2: Wis 4A **150**
  ML3: Ham 1A **162**
Selkirk Way ML4: Bell 6D **114**
  ML5: Coat 2G **115**
Sella Rd. G64: B'rig 5F **51**
Selvieland Rd. G52: Glas 6H **83**
Semphill Gdns.
  G74: E Kil 1B **158**
Sempie St. ML3: Ham 5D **144**
Sempill Av. PA8: Ersk 5D **42**
Semple Av. PA7: B'ton 4H **41**
Semple Pl. PA3: Lin 4H **79**
Senate Pl. ML1: Moth 6E **131**
Senga Cres. ML4: Bell 6C **114**
Seres Rd. G76: Clar 1B **138**
Sergeantlaw Rd.
  PA2: Pais 6E **101**

Service St. G66: Len 2E 9
Seton Ter. G31: Glas 4B 88
Settle Gdns. G69: Bail 1F 111
Seven Sisters G66: Lenz 2E 53
Seventh Av. G71: Tann 5D 112
Seventh Rd. G72: Blan 4C 144
Severn Rd. G75: E Kil 4B 156
Seymour Grn. G75: E Kil 3D 156
Seyton Av. G46: Giff 6A 122
Seyton Ct. G46: Giff 6A 122
Seyton La. G74: E Kil 6G 141
Shaftesbury Ct.
    G74: E Kil 4C 142
Shaftesbury St.
    G3: Glas 4G 5 (3D 86)
                         (not continuous)
    G81: Clyd 5B 44
Shafton Pl. G13: Glas 1E 63
Shafton Rd. G13: Glas 1E 63
Shaftsbury Cres.
    ML1: N'hill 4D 132
Shakespeare Av. G81: Clyd 3B 44
Shakespeare St. G20: Glas 4C 64
Shamrock St. G4: Glas 1A 6 (2E 87)
    G66: Kirk 5D 32
Shand La. ML8: Carl 2D 174
Shandon Cres. ML4: Bell 6C 114
Shandon Ter. ML3: Ham 6D 144
Shand Pl. ML8: Carl 2D 174
Shand St. ML2: Wis 6H 149
Shandwick Sq. G34: Glas 3G 91
Shandwick St. G34: Glas 3G 91
Shanks Av. G78: Barr 5E 119
Shanks Cres. PA5: John 3E 99
Shanks Pk Ind. Est.
    G78: Barr 3E 119
Shanks St. G20: Glas 4C 64
    ML6: Air 2A 96
Shanks Way G78: Barr 2E 119
Shannon St. G20: Glas 4D 64
Shapinsay St. G22: Glas 1H 65
Sharmanka Kinetic Gallery & Theatre
    . . . . .5G 87
                          (off Trongate)
Sharp Av. ML5: Coat 1G 113
Sharp St. ML1: Moth 2D 146
Shaw Av. PA7: B'ton 4A 42
Shawbridge Arc. G43: Glas 5A 106
Shawbridge Ind. Est.
    G43: Glas 6H 105
Shawbridge St. G43: Glas 6H 105
Shawburn Cres. ML3: Ham 5F 145
Shawburn St. ML3: Ham 5F 145
Shaw Ct. G77: Newt M 5F 137
    PA8: Ersk 4D 42
Shaw Cres. ML2: Wis 2D 164
SHAWFIELD 3B 108
Shawfield Cres. ML8: Law 6D 166
Shawfield Dr. G5: Glas 3A 108
Shawfield Ind. Est.
    G73: Ruth 3B 108
Shawfield Rd. G73: Ruth 3B 108
Shawfield Stadium 3A 108
Shawfoot Rd. ML1: Holy 4H 115
Shawgill Ct. ML8: Law 1F 173
SHAWHEAD 2B 114
Shawhead Av. ML5: Coat 1D 114
Shawhead Cotts. ML5: Coat 3D 114
Shawhead Ind. Est.
    ML5: Coat 2E 115
Shawhill Cres.
    G77: Newt M 6E 137
Shawhill Rd. G41: Glas 5B 106
    G43: Glas 5B 106
Shawholm Cres. G43: Glas 6H 105
                         (not continuous)
SHAWLANDS 5C 106

Shawlands Arc. G41: Glas 5B 106
Shawlands Station (Rail) 5B 106
Shawmoss Rd. G41: Glas 4A 106
Shawpark St. G20: Glas 3C 64
Shaw Pl. PA3: Lin 6H 79
Shawrigg Rd. ML9: Lark 3E 171
Shaw Rd. G62: Miln 5G 27
    G77: Newt M 5E 137
SHAWSBURN 3G 171
Shawsgate ML9: Shaw 4G 171
Shaws Rd. ML9: Lark 6D 170
Shaw St. G51: Glas 3G 85
    ML9: Lark 5D 170
Shawwood Cres.
    G77: Newt M 6E 137
Shearer Dr. ML3: Ham 4G 161
Shearers La. PA4: Renf 6F 61
                     (off Fauldshead Rd.)
Sheddens Pl. G32: Glas 6G 89
Sheepburn Rd. G71: Udd 6C 112
Sheila St. G33: Glas 5G 67
Sheiling Hill ML3: Ham 5A 146
Sheildrake Pl. PA5: John 6D 98
Shelley Ct. G12: Glas 4G 63
Shelley Dr. G71: Both 4F 129
    G81: Clyd 3C 44
Shelley Rd. G12: Glas 4F 63
Shells Rd. G66: Kirk 4E 33
Shepford Pl. ML5: Coat 4H 93
Sherbrooke Av. G41: Glas 2A 106
Sherbrooke Dr. G41: Glas 1A 106
Sherbrooke Gdns.
    G41: Glas 2A 106
Sherbrooke Pl. G75: E Kil 2E 157
Sherburn Gdns. G69: Bail 2F 111
Sherdale Av. ML6: Chap 3D 116
Sheriff Pk. Av. G73: Ruth 6C 108
Sherry Av. ML1: Holy 2H 131
Sherry Dr. ML3: Ham 2E 161
Sherry Hgts. G72: Camb 1A 126
Sherwood Av. G71: Udd 2E 129
    PA1: Pais 5C 82
Sherwood Dr. G46: T'bnk 4G 121
Sherwood Pl. G15: Glas 4B 46
Shetland Dr. G44: Glas 3F 123
SHETTLESTON 6B 90
Shettleston Rd. G31: Glas 5E 89
    G32: Glas 5E 89
Shettleston Station (Rail) 6B 90
Shiel Av. G74: E Kil 6H 141
Shielbridge Gdns.
    G23: Glas 6C 48
Shiel Ct. G78: Barr 2D 118
Shieldaig Dr. G73: Ruth 3D 124
Shieldaig Rd. G22: Glas 1F 65
Shieldhall Gdns.
    G51: Glas 4C 84
Shieldhall Rd. G51: Glas 3B 84
Shieldhill G75: E Kil 4H 157
Shieldhill Rd. ML8: Carl 5C 174
Shieldmuir Station (Rail) 5C 148
Shieldmuir St. ML2: Wis 5C 148
Shiel Dr. ML9: Lark 6H 163
Shields Ct. ML1: Moth 6B 148
Shields Dr. ML1: Moth 6B 148
Shields Rd. G41: Glas 3C 106
    G75: E Kil 2A 168
    ML1: Moth 5A 148
Shields Road Station (Und.) 6D 86
Shields Twr. ML1: Moth 6B 148
Shiel Pl. G74: E Kil 6H 141
    ML5: Coat 6F 95
Shiel Rd. G64: B'rig 6D 50
Shiel Ter. ML2: Newm 3D 150
Shilford Av. G13: Glas 2A 62

Shillay St. G22: Glas 1A 66
Shillingworth Pl. PA11: Bri W 5F 77
Shilton Dr. G53: Glas 2C 120
Shilton La. PA7: B'ton 3C 42
Shinwell Av. G81: Clyd 6F 45
Shipbank La. G1: Glas 5G 87
                         (off Clyde St.)
Shira Ter. G74: E Kil 2B 158
Shirley Quad. ML1: Moth 6F 147
SHIRREL 6C 114
Shirrel Av. ML4: Bell 6C 114
Shirrel Rd. ML1: Holy 3A 132
Shirva Lea G65: Twe 1D 34
Shiskine Dr. G20: Glas 2A 64
Shiskine Pl. G20: Glas 1A 64
Shiskine St. G20: Glas 1A 64
Sholto Cres. ML4: Bell 6H 113
Shore St. G40: Glas 3B 108
Shortridge St. G20: Glas 4C 64
SHORTROODS 4A 82
Shortroods Rd. PA3: Pais 4H 81
Shotts St. G33: Glas 3D 90
Showcase Cinema
    Glasgow 1F 113
    Paisley 6C 80
Shuna Cres. G20: Glas 4C 64
Shuna Gdns. G20: Glas 4C 64
Shuna Pl. G20: Glas 4C 64
    G77: Newt M 3B 136
Shuna St. G20: Glas 3C 64
Shuttle St. G1: Glas 6F 7 (4H 87)
    G65: Kils 3H 13
    PA1: Pais 1A 102
    PA10: Kilb 1A 98
Sidland Rd. G21: Glas 4E 67
Sidlaw Av. G78: Barr 6E 119
    ML3: Ham 1D 160
Sidlaw Ct. ML5: Coat 2E 115
Sidlaw Dr. ML2: Wis 6F 149
Sidlaw Rd. G61: Bear 1B 46
Sidlaw Way ML6: Chap 4F 117
    ML9: Lark 6H 163
Sielga Pl. G34: Glas 3G 91
Siemens Pl. G21: Glas 1D 88
Siemens St. G21: Glas 1D 88
Sievewright St. G73: Ruth 4E 109
SIGHTHILL 1A 88
Sighthill Loan ML9: Lark 1D 170
                     (off Muirshot Rd.)
SIKESIDE 6F 95
Sikeside Pl. ML5: Coat 6F 95
Sikeside St. ML5: Coat 6F 95
Silkin Av. G81: Clyd 6F 45
Silk St. PA1: Pais 6B 82
Silvan Pl. G76: Busby 4E 139
SILVERBANK 1G 125
Silverbanks Ct. G72: Camb 6G 109
Silverbanks Gait
    G72: Camb 1G 125
Silverbanks Rd. G72: Camb 1G 125
Silver Birch Dr. G51: Glas 4D 84
Silver Birch Gdns.
    G51: Glas 4D 84
Silverburn Cen. G53: Glas 6C 104
Silverburn Cres.
    ML1: N'hill 4D 132
Silverburn St. G33: Glas 3G 89
Silverdale G74: E Kil 6E 141
Silverdale St. G31: Glas 1E 109
Silverdale Ter. ML6: Plain 6F 75
Silverfir Ct. G5: Glas 1H 107
Silver Firs ML1: N'hill 4C 132
Silverfir St. G5: Glas 2H 107
Silver Glade G52: Glas 1B 104
Silvergrove St. G40: Glas 1A 108
SILVERTON 4H 19
Silverton Av. G82: Dumb 4H 19

SILVERTONHILL 1B 162
Silvertonhill Av. ML3: Ham 3A 162
Silvertonhill La.
   G82: Dumb 4H 19
Silvertonhill Pl. ML3: Ham 4H 161
SILVERWELLS 6E 129
Silverwells G71: Both 6F 129
Silverwells Ct. G71: Both 6E 129
Silverwells Cres. G71: Both 6E 129
Silverwells Dr. G71: Both 6E 129
Silverwood Ct. G71: Both 6F 129
Simons Cres. PA4: Renf 4F 61
Simpson Ct. G71: Udd 1D 128
   G81: Clyd 5C 44
Simpson Dr. G75: E Kil 4F 157
Simpson Gdns. G78: Barr 5D 118
Simpson Hgts. G4: Glas 6H 7
Simpson Pl. G75: E Kil 4F 157
Simpson Pl. G20: Glas 6D 64
Simpson Way ML4: Bell 6E 115
Simshill Rd. G44: Glas 4F 123
Sinclair Av. G61: Bear 1E 47
Sinclair Dr. G42: Glas 6D 106
   ML5: Coat 4H 93
Sinclair Gdns. G73: B'rig 1D 66
Sinclair Gro. ML4: Bell 5B 130
Sinclair Pk. G75: E Kil 3H 157
Sinclair Pl. G75: E Kil 3H 157
Sinclair St. G62: Miln 3G 27
   G81: Clyd 1F 61
Singer Rd. G75: E Kil 5H 157
   G81: Clyd 4B 44
Singer Station (Rail) 5D 44
Singer St. G81: Clyd 4D 44
Sir Matt Busby Sports Complex
   . . . . .2B 130
Sir Michael Pl. PA1: Pais 1H 101
Siskin Way ML5: Coat 2F 115
Sixth Av. PA4: Renf 2E 83
Sixth St. G71: Tann 4C 112
Skaethorn Rd. G20: Glas 2H 63
Skara Wlk. ML2: Newm 2D 150
   (off Kildonan Ct.)
Skaterigg Dr. G13: Glas 4F 63
Skaterigg Gdns.
   G13: Glas 4F 63
Skaterigg La. G13: Glas 4E 63
   (off Chamberlain Rd.)
Skelbo Path G34: Glas 2B 92
Skelbo Pl. G34: Glas 2B 92
Skellyton Cres. ML9: Lark 3D 170
Skene Rd. G51: Glas 6H 85
Skerne Gro. G75: E Kil 5B 156
Skerray Quad. G22: Glas 1G 65
Skerray St. G22: Glas 1G 65
Skerryvore Pl. G33: Glas 3B 90
Skerryvore Rd. G33: Glas 3B 90
Skibo La. G46: T'bnk 4E 121
Skimmers Hill G66: Milt C 1B 32
Skipness Av. ML8: Carl 5E 175
Skipness Dr. G51: Glas 4D 84
Skirsa Ct. G23: Glas 1E 65
Skirsa Pl. G23: Glas 2D 64
Skirsa Sq. G23: Glas 2E 65
Skirsa St. G23: Glas 1D 64
Skirving St. G41: Glas 5C 106
Skovlunde Way G75: E Kil 5G 157
Skye G74: E Kil 2C 158
Skye Av. PA4: Renf 2E 83
Skye Ct. G67: Cumb 5F 37
Skye Cres. G60: Old K 2G 43
   PA2: Pais 6H 101
Skye Dr. G60: Old K 2G 43
   G67: Cumb 5F 37
Skye Gdns. G61: Bear 1B 46
Skye Pl. G67: Cumb 5F 37
   ML6: Air 5D 96

Skye Quad. ML2: Wis 4C 150
Skye Rd. G67: Cumb 5F 37
   G73: Ruth 4F 125
Skye Wynd ML3: Ham 2D 160
Skylands Dr. ML3: Ham 3E 161
Skylands Pl. ML3: Ham 4E 161
Skylands Ri. ML3: Ham 3E 161
Slakiewood Av. G69: G'csh 2C 70
Slatefield G66: Len 3F 9
Slatefield Ct. G31: Glas 5C 88
   (off Slatefield St.)
Slatefield St. G31: Glas 5C 88
Sleaford Av. ML1: Moth 5F 147
Slenavon Av. G73: Ruth 4F 125
Slessor Dr. G75: E Kil 4G 157
Slioch Sq. ML1: N'hill 3C 132
Sloy St. G22: Glas 5H 65
   ML2: Wis 2G 165
Small Cres. G72: Blan 2B 144
Sma'Shot Cottages 1A 102
Smeaton Av. G64: Torr 5D 30
Smeaton Dr. G64: B'rig 3C 50
Smeaton Gro. G20: Glas 3D 64
Smeaton St. G20: Glas 3D 64
Smith Av. ML2: Wis 4G 165
Smith Cl. G64: B'rig 1F 67
Smith Cres. G81: Hard 2D 44
Smith Gdns. G64: B'rig 1F 67
Smith Gro. G64: B'rig 1F 67
Smithhills St. PA1: Pais 6A 82
Smith Quad. ML5: Coat 4E 95
Smith's La. PA3: Pais 5A 82
SMITHSTONE 3B 36
Smithstone Cres.
   G65: Croy 6A 14
Smithstone Rd. G68: Cumb 3B 36
Smith St. G14: Glas 1E 85
   (not continuous)
Smith Ter. G73: Ruth 4D 108
Smithview ML2: Over 4H 165
Smith Way G64: B'rig 1F 67
Smithycroft ML3: Ham 1C 162
Smithycroft Rd. G33: Glas 3F 89
Smithyends G67: Cumb 6B 16
Smollett Rd. G82: Dumb 4H 19
Snaefell Av. G73: Ruth 3E 125
Snaefell Cres. G73: Ruth 3E 125
Snead Vw. ML1: Cle 6E 133
Sneddon Av. ML2: Wis 2A 166
Sneddon St. ML3: Ham 3D 144
Sneddon Ter. ML3: Ham 3D 144
Snowdon Pl. G5: Glas 1H 107
Snowdon St. G5: Glas 1H 107
Snuff Mill Rd. G44: Glas 2E 123
Society St. G31: Glas 6D 88
Solar Ct. ML9: Lark 5D 170
Sollas Pl. G13: Glas 1G 61
Solsgirth Gdns. G66: Kirk 4H 33
Solway Ct. ML3: Ham 3F 161
Solway Pl. G69: Chry 6B 54
Solway Rd. G64: B'rig 5F 51
Solway St. G40: Glas 3B 108
Somerford Rd. G61: Bear 6F 47
Somerled Av. PA3: Pais 2B 82
Somervell St. ML3: Ham 5F 145
Somerset Pl.
   G3: Glas 2F 5 (2D 86)
Somerset Pl. M. G3: Glas 2F 5
Somervell St. G72: Camb 1H 125
Somerville Dr. G42: Glas 5F 107
   G75: E Kil 4G 157
Somerville La. G75: E Kil 4H 157
Somerville Ter. G75: E Kil 4G 157
Sorby St. G31: Glas 6F 89
Sorley St. G11: Glas 1F 85
Sorn St. G40: Glas 2D 108
Souterhouse Path ML5: Coat 6B 94

Souterhouse Rd. ML5: Coat 6B 94
Southampton Dr. G12: Glas 3H 63
Southampton La. G12: Glas 3H 63
   (off Burlington Av.)
Sth. Annandale St.
   G42: Glas 3F 107
South Av. G72: Blan 4B 144
   G81: Clyd 5C 44
   ML8: Carl 4C 174
   PA2: Pais 5B 102
   PA4: Renf 6F 61
Southbank Bus. Pk.
   G66: Kirk 6C 32
Southbank Dr. G66: Kirk 5C 32
Southbank Rd. G66: Kirk 6B 32
Sth. Bank St. G81: Clyd 2E 61
Southbank St. G31: Glas 6F 89
SOUTHBAR 1E 59
Southbar Av. G13: Glas 2A 62
Southbar Rd. PA4: Inch 3E 59
SOUTH BARRWOOD 4A 14
Sth. Barrwood Rd. G65: Kils 4A 14
Sth. Biggar Rd. ML6: Air 4B 96
South Brae G66: Len 5E 9
Southbrae Av. PA11: Bri W 4D 76
Southbrae Dr. G13: Glas 4C 62
Southbrae Gdns. G13: Glas 4D 62
Southbrae La. G13: Glas 4E 63
   (off Selborne Rd.)
South Bri. St. ML6: Air 3A 96
Sth. Burn Rd. ML6: Air 4F 95
Sth. Caldeen Rd. ML5: Coat 6D 94
South Calder ML1: Moth 1H 147
Sth. Campbell St. PA2: Pais 2A 102
Sth. Carbrain Rd. G67: Cumb 5H 37
SOUTH CARDONALD 1C 104
Sth. Cathkin Cotts. G73: Ruth 1E 141
Sth. Chester St. G32: Glas 6A 90
Sth. Circular Rd. ML5: Coat 4C 94
Sth. Claremont La.
   G62: Miln 4G 27
Sth. Commonhead Av.
   ML6: Air 2H 95
Southcroft Rd. G73: Ruth 4A 108
Southcroft St. G51: Glas 4H 85
Sth. Crosshill Rd. G64: B'rig 6C 50
Sth. Dean Pk. Av. G71: Both 5E 129
Southdeen Av. G15: Glas 4A 46
Southdeen Gro. G15: Glas 4B 46
Southdeen Rd. G15: Glas 4A 46
Sth. Douglas St. G81: Clyd 1E 61
South Dr. PA3: Lin 5H 79
Sth. Dumbreck Rd. G65: Kils 3F 13
Sth. Elgin Pl. G81: Clyd 2E 61
Sth. Elgin St. G81: Clyd 2E 61
Southend Pl. ML4: Bell 3B 130
Southend Rd. G81: Hard 2D 44
Southern Av. G73: Ruth 2D 124
Southerness Dr. G68: Cumb 6A 16
Sth. Erskine Pk. G61: Bear 2D 46
Southesk Av. G64: B'rig 4B 50
Southesk Gdns. G64: B'rig 4B 50
Sth. Exchange Ct. G1: Glas 6D 6
Southfield Av. PA2: Pais 5A 102
Southfield Cres. G53: Glas 5C 104
   ML5: Coat 6E 95
Southfield Ho. G77: Newt M 2E 153
Southfield Rd. G68: Cumb 4D 36
Sth. Frederick St.
   G1: Glas 5E 7 (4G 87)
Southgate G62: Miln 4G 27
   G74: E Kil 2G 157
   (off Olympia Ct.)
Sth. Glassford St. G62: Miln 4H 27
Sth. Hallhill Rd. G32: Glas 6B 90
Southhill Av. G73: Ruth 1E 125
Southinch Av. G14: Glas 3G 61

South Lanarkshire Lifestyle 6G 109
Southlea Av. G46: T'bnk 4G 121
Sth. Line Vw. ML2: Wis 1E 165
South Loan G69: Chry 1B 70
Southloch Gdns. G21: Glas 6B 66
Southloch St. G21: Glas 6B 66
Sth. Mains Rd. G62: Miln 4F 27
Sth. Medrox St. ML5: Glenb 2G 71
Sth. Moraine La. G15: Glas 5C 46
South Mound PA6: Hous 1A 78
Sth. Muirhead Ct. G67: Cumb 3A 38
Sth. Muirhead Rd. G67: Cumb . . .3A 38
Southmuir Pl. G20: Glas 4B 64
Sth. Nimmo St. ML6: Air 4B 96
SOUTH NITSHILL 3A 120
South Pk. Av. G78: Barr 4D 118
Southpark Av. G12: Glas 1B 86
South Pk. Dr. PA2: Pais 3A 102
South Pk. Gro. ML3: Ham 6H 145
South Pk. La. G12: Glas 1C 86
South Pk. Rd. ML3: Ham 1H 161
Southpark Ter. G12: Glas 1C 86
South Pl. ML4: Bell 3B 130
Sth. Portland St. G5: Glas 6F 87
(not continuous)
South Rd. G76: Busby 4E 139
Sth. Robertson Pl. ML6: Air 4G 95
Sth. Scott St. G69: Bail 1H 111
Southside Cres. G5: Glas 1G 107
Sth. Speirs Wharf G4: Glas 1F 87
South St. G11: Glas 5A 62
G14: Glas 5A 62
PA4: Inch 5F 59
PA6: Hous 1A 78
Sth. Vesalius St. G32: Glas 6A 90
South Vw. G72: Blan 6A 128
G81: Clyd 4B 44
ML4: Bell 3A 130
Southview Av. G76: Busby 4D 138
Southview Ct. G64: B'rig 2B 66
Southview Cres.
PA11: Bri W 2F 77
Southview Dr. G61: Bear 2C 46
Southview Gro. G61: Bear 2C 46
Southview Pl. G69: G'csh 3C 70
Southview Ter. G64: B'rig 2B 66
Sth. William St. PA5: John 3F 99
Southwold Rd. PA1: Pais 6G 83
Southwood Ct.
G77: Newt M 1C 152
Southwood Dr. G44: Glas 2G 123
Southwood Pl. G77: Newt M 1D 152
Sth. Woodside Rd. G4: Glas 1C 86
G20: Glas 6D 64
Soutra Pl. G33: Glas 3B 90
Spalehall Dr. ML1: N'hill 4F 133
SPATESTON 6C 98
Spateston Rd. PA5: John 6C 98
Spean Av. G74: E Kil 2B 158
Spean St. G44: Glas 6E 107
Spectrum Ho. G81: Clyd 5D 44
Speirsfield Ct. PA1: Pais 2H 101
Speirsfield Gdns. PA2: Pais 2A 102
Speirshall Cl. G14: Glas 4H 61
Speirshall Ter. G14: Glas 3G 61
Speirs Rd. G61: Bear 4G 47
PA5: John 2H 99
Speirs Wharf G4: Glas 1C 6 (1F 87)
Spencer Cl. PA2: Pais 5C 100
Spencer Dr. PA2: Pais 5B 100
Spencerfield Gdns. ML3: Ham . . .6B 146
Spencer Pl. PA2: Pais 5C 100
Spencer St. G13: Glas 2F 63
G81: Clyd 4C 44
Spencer Vennel PA2: Pais 5C 100
Spence St. G20: Glas 1A 64
Spey Av. PA2: Pais 5C 100

Speyburn Pl. G33: Step 3E 69
ML6: Air 6A 74
Spey Ct. ML2: Newm 3D 150
ML6: Air 6C 96
Spey Dr. ML5: Coat 1A 114
PA4: Renf 1G 83
Spey Gdns. ML3: Ham 3F 161
Spey Gro. G75: E Kil 4A 156
Spey Pl. PA5: John 5C 98
Spey Rd. G61: Bear 5C 46
Spey St. G33: Glas 3H 89
Spey Ter. G75: E Kil 4B 156
Spey Wlk. G67: Cumb 4H 37
(in The Cumbernauld Shop. Cen.)
ML1: Holy 1C 132
Spey Wynd ML9: Lark 5C 170
Spierbridge Bus. Pk.
G46: T'bnk 4F 121
Spierbridge Way
G46: T'bnk 4F 121
Spiersbridge Av. G46: T'bnk 5E 121
(Nitshill Rd.)
G46: T'bnk 4F 121
(Spiersbridge Rd.)
Spiersbridge Bus. Pk.
G46: T'bnk 4E 121
Spiersbridge La. G46: T'bnk 4E 121
Spiersbridge Rd. G46: T'bnk 5F 121
Spiersbridge Ter.
G46: T'bnk 4E 121
Spiers Gro. G46: T'bnk 4F 121
Spiers Pl. PA3: Lin 4A 80
Spiers Rd. G61: Bear 4H 47
PA6: Hous 1B 78
Spindlehowe Rd. G71: Tann 1E 129
G71: Udd 2D 128
Spinners Ct. G81: Hard 6D 24
Spinners Gdns. PA2: Pais 2F 101
Spinners La. G81: Hard 6D 24
SPITTAL 2B 124
Spittal Rd. G73: Ruth 3B 124
Spittal Ter. G72: Flem 5H 127
Spoolers Rd. PA1: Pais 2F 101
Spoutmouth G1: Glas 5H 87
Springbank Cres. ML1: Carf 5A 132
ML3: Ham 4E 161
Springbank Rd. PA3: Pais 4H 81
Springbank St. G20: Glas 5D 64
Springbank Ter. ML6: Plain 6F 75
PA3: Pais 4H 81
Springbank Vw. ML6: Plain 6F 75
SPRINGBOIG 5C 90
Springboig Av. G32: Glas 5C 90
Springboig Rd. G32: Glas 4C 90
SPRINGBURN 5B 66
Springburn Leisure Cen. 5B 66
Springburn Pl. G74: E Kil 6C 140
Springburn Rd.
G21: Glas 1H 7 (2A 88)
G64: B'rig 4A 66
Springburn Shop. Cen.
G21: Glas 5B 66
Springburn Station (Rail) 5B 66
Springburn Way G21: Glas 5A 66
(not continuous)
Springcroft Av. G69: Bail 5H 91
Springcroft Cres. G69: Bail 5H 91
Springcroft Dr. G69: Bail 5G 91
Springcroft Gdns. G69: Bail 5A 92
Springcroft Gro. G69: Bail 5H 91
Springcroft Rd. G69: Bail 5H 91
Springcroft Wynd G69: Bail 5H 91
Springfield Av. G64: B'rig 1C 66
G71: Udd 2D 128
PA1: Pais 1D 102
Springfield Ct. G1: Glas . . .6D 6 (4G 87)
G64: B'rig 6D 50

Springfield Cres. G64: B'rig 1C 66
G71: Udd 2D 128
G72: Blan 2A 144
ML8: Carl 5D 174
Springfield Dr. G78: Barr 6G 119
Springfield Gro. G78: Barr 6F 119
Springfield Pk. PA5: John 3G 99
Springfield Pk. Rd.
G73: Ruth 1E 125
Springfield Quay G5: Glas 5D 86
Springfield Rd. G31: Glas 1E 109
G40: Glas 2C 108
G64: B'rig 6C 50
G67: Cumb 1A 38
G78: Neil, Barr . . . .2F 135 & 6F 119
ML6: Air 3E 97
Springfield Sq. G64: B'rig 1C 66
Springfield Woods PA5: John 3G 99
SPRINGHALL 3F 125
Springhall Ct. G73: Ruth 4F 125
(off Slenavon Av.)
SPRINGHILL 1H 135
Springhill Av. ML5: Coat 1G 113
ML6: Air 3B 96
Springhill Dr. Sth. G69: Bail 5G 91
Springhill Farm Gro.
G69: Bail 5G 91
Springhill Farm Pl. G69: Bail 5G 91
Springhill Farm Rd. G69: Bail 5G 91
Springhill Farm Way
G69: Bail 5G 91
Springhill Gdns. G41: Glas 4C 106
Springhill Parkway G69: Bail 5G 91
Springhill Pl. ML5: Coat 1G 113
Springhill Rd. G69: Bail 6F 91
G76: Busby 2D 138
G78: Barr 5D 118
G78: Barr, Neil 4G 135
Springholm Dr. ML6: Air 1H 95
Springkell Av. G41: Glas 2H 105
Springkell Dr. G41: Glas 3H 105
Springkell Gdns. G41: Glas 3A 106
Springkell Ga. G41: Glas 3B 106
Springside Gdns. G15: Glas 3A 46
Springside Pl. G15: Glas 3A 46
Springvale Dr. PA2: Pais 3D 100
Springvale Ter. G21: Glas 5A 66
SPRINGWELL 4D 126
Springwell Cres. G72: Blan 2D 144
SPRINGWELLS 3D 144
Springwells Av. ML6: Air 3C 96
Springwells Cres. ML6: Air 3C 96
Spring Wynd G5: Glas 1G 107
Spruce Av. G72: Blan 1A 144
ML3: Ham 1A 162
PA5: John 4G 99
Spruce Ct. ML3: Ham 3A 162
Spruce Dr. G66: Lenz 2A 52
G72: Flem 3F 127
Spruce Rd. G67: Cumb 1D 38
G71: View 4G 113
Spruce St. G22: Glas 4H 65
Spruce Way G72: Flem 3F 127
ML1: Holy 3B 132
Spynie Pl. G64: B'rig 5F 51
Spynie Way ML2: Newm 3D 150
(off Iona Rd.)
Squire St. G14: Glas 1D 84
Sraehouse Wynd ML8: Carl 4F 175
Stable Gro. PA1: Pais 2F 101
Stable Pl. G62: Miln 2F 27
Stable Rd. G62: Miln 2F 27
Staffa G74: E Kil 3C 158
Staffa Av. PA4: Renf 2E 83
Staffa Dr. G66: Kirk 5H 33
ML6: Air 4F 97
PA2: Pais 6A 102

Staffa Rd. G72: Camb 4H 125
Staffa St. G31: Glas 3D 88
Staffin Dr. G23: Glas 6B 48
Staffin Path G23: Glas 6C 48
(off Staffin St.)
Staffin St. G23: Glas 6C 48
Stafford St. G4: Glas 2F 7 (2G 87)
ML4: Bell 3B 130
Stag Ct. G71: View 1G 129
Stag St. G51: Glas 4H 85
Staig Wynd ML1: Moth 5A 148
Staineybraes Pl. ML6: Air 1H 95
Stalker St. ML2: Wis 5C 148
Stamford Ga. G31: Glas 6D 88
Stamford Pl. G31: Glas 6D 88
Stamford Rd. G31: Glas 6D 88
Stamford St. G31: Glas 6D 88
G40: Glas 6D 88
STAMPERLAND 6D 122
Stamperland Av. G76: Clar 2D 138
Stamperland Cres.
G76: Clar 1C 138
Stamperland Dr. G76: Clar 2D 138
Stamperland Gdns.
G76: Clar 6D 122
Stamperland Hill G76: Clar 1C 138
Stanalane St. G46: T'bnk 3F 121
Standburn Rd. G21: Glas 2F 67
Stand Comedy Club, The 1C 86
Standford Hall G72: Camb 1A 126
(off Main St.)
Staneacre Pk. ML3: Ham 6B 146
Stanecraigs Pl.
ML2: Newm 3D 150
Stanefield Dr. ML1: N'hill 3E 133
STANELY 5F 101
Stanely Av. PA2: Pais 5F 101
Stanely Cres. PA2: Pais 5F 101
Stanely Dr. PA2: Pais 4G 101
Stanely Gro. PA2: Pais 5F 101
Stanely Rd. PA2: Pais 4G 101
Stanford St. G81: Clyd 6E 45
Stanhope Dr. G73: Ruth 2F 125
Stanhope Pl. ML2: Wis 1E 165
Stanistone Rd. ML8: Carl 3E 175
Stanley Blvd. G72: Blan 5B 144
Stanley Dr. G64: B'rig 5D 50
ML4: Bell 1C 130
PA5: Brkfld 6C 78
Stanley Grange PA2: Pais 6F 101
Stanley La. PA5: Brkfld 6C 78
Stanley Pk. ML6: Air 3B 96
Stanley Pl. G72: Blan 6B 128
Stanley Rd. PA2: Pais 3H 101
Stanley St. G41: Glas 6C 86
ML3: Ham 5D 144
Stanley St. La. G41: Glas 6C 86
Stanmore Rd. G42: Glas 5F 107
Stanrigg St. ML6: Plain 1G 97
Stark Av. G81: Dun 1A 44
Starling Way ML4: Bell 5A 114
Startpoint St. G33: Glas 3A 90
Station Brae G78: Neil 1C 134
Station Bldgs.
G67: Cumb 5A 38
Station Ct. G66: Len 3F 9
ML4: Bell 2B 130
Station Cres. PA4: Renf 5G 61
Station Ga. G72: Blan 1C 144
Station Pk. G69: Bail 1A 112
Station Pl. ML8: Law 5E 167
Station Rd. G20: Glas 1A 64
G33: Mille 4A 68
G33: Step 4D 68
G46: Giff 4A 122
G60: Old K 1F 43
G61: Bear 3C 46

Station Rd. G62: Bard 6E 29
G62: Miln 3G 27
(not continuous)
G65: Kils 2H 13
G66: Len 3F 9
G66: Lenz 3C 52
G69: Bail 1A 112
G69: Muirh 2A 70
G71: Both 5E 129
G71: Udd 1C 128
G72: Blan 1C 144
G76: Busby 4E 139
G78: Neil 2D 134
G82: Dumb 3E 19
ML1: Cle 6H 133
ML1: New S 4B 132
ML2: Wis 1G 165
ML6: Air 3E 97
ML6: Plain 1H 97
ML8: Carl 5B 174
ML8: Law 6D 166
ML9: Lark 1D 170
PA1: Pais 2E 101
PA4: Renf 5F 61
PA7: B'ton 5H 41
PA10: Kilb 3A 98
PA11: Bri W 4G 77
Station Row ML8: Law 5E 167
Station Way G71: Udd 1D 128
Station Wynd PA10: Kilb 3B 98
Staybrae Dr. G53: Glas 4H 103
Staybrae Gro. G53: Glas 4H 103
Steading, The ML2: Wis 4H 149
Steel Pl. ML2: Wis 1F 165
Steel St. G1: Glas 5H 87
ML2: Wis 1H 165
Steeple Sq. PA10: Kilb 2A 98
Steeple St. PA10: Kilb 2A 98
Stemac La. ML6: Plain 1G 97
Stenhouse Av. G69: Muirh 2A 70
Stenton Cres. ML2: Wis 2D 164
Stenton Pl. ML2: Wis 2D 164
Stenzel Pl. G33: Step 4F 69
Stepends Rd. ML6: Air, Plain 5H 97
Stepford Path G33: Glas 4G 91
Stepford Pl. G33: Glas 4F 91
Stepford Rd. G33: Glas 4F 91
Stepford Sports Pk. 5G 91
Stephen Cres. G69: Bail 6F 91
Stephenson Pl. G75: E Kil 3F 157
Stephenson Sq. G75: E Kil 3F 157
Stephenson St. G52: Hill 3G 83
Stephenson Ter. G75: E Kil 3F 157
STEPPS 4C 68
Steppshill Ter. G33: Step 4C 68
Stepps Rd. G33: Glas 2C 90
G66: Auch 5E 53
STEPPS ROAD INTERCHANGE 2C 90
Stepps Station (Rail) 4E 69
Stevens La. ML1: New S 4A 132
Stevenson Pl. ML4: Bell 6D 114
Stevenson St. G40: Glas 5A 88
(not continuous)
G81: Clyd 3B 44
ML8: Carl 3C 174
PA2: Pais 2A 102
Stevenston Ct. ML1: New S 3A 132
Stevenston St. ML1: New S 3A 132
Stewart Av. G72: Blan 2A 144
G77: Newt M 3E 137
ML3: Ham 3D 160
PA4: Renf 2D 82
Stewart Ct. G73: Ruth 6E 109
G78: Barr 3E 119
ML5: Coat 5E 95
(off Clifton Pl.)

Stewart Cres. G78: Barr 3F 119
ML2: Newm 3E 151
Stewart Dr. G69: Barg 5F 93
G76: Clar 1B 138
G81: Hard 1D 44
STEWARTFIELD 5E 141
Stewartfield Cres. G74: E Kil 5E 141
Stewartfield Dr. G74: E Kil 5F 141
Stewartfield Rd. G74: E Kil 6E 141
Stewartfield Way G74: E Kil 6A 140
Stewartgill Pl. ML9: Ashg 4H 171
Stewarton Dr. G72: Camb 2G 125
Stewarton Ho. ML2: Wis 1H 165
(off Stewarton St.)
Stewarton Rd. G46: T'bnk 6D 120
G77: Newt M 4A 136
Stewarton St. ML2: Wis 1H 165
Stewarton Ter. ML2: Wis 1H 165
Stewart Pl. G78: Barr 3F 119
ML8: Carl 3D 174
Stewart Quad. ML1: Holy 1B 132
Stewart Rd. PA2: Pais 5B 102
Stewarts La. ML2: Wis 6A 150
Stewart St. G4: Glas 1C 6 (2F 87)
G62: Miln 4G 27
G78: Barr 3F 119
G81: Clyd 4A 44
ML3: Ham 4E 145
(not continuous)
ML4: Moss 2E 131
ML5: Coat 3C 94
ML8: Carl 2C 174
Stewartville St. G11: Glas 1H 85
Stirling Av. G61: Bear 5E 47
Stirling Dr. G61: Bear 1D 46
G64: B'rig 4A 50
G73: Ruth 2D 124
G74: E Kil 6A 142
ML3: Ham 5C 144
PA3: Lin 6F 79
PA5: John 3D 98
Stirlingfauld Pl. G5: Glas 6F 87
Stirling Gdns. G64: B'rig 4A 50
Stirling Ga. PA3: Lin 5G 79
Stirling Ho. G81: Clyd 5D 44
Stirling Pl. G66: Len 3G 9
Stirling Rd. G4: Glas 4G 7 (3H 87)
G65: Kils 2A 14
G82: Dumb, Milt 1G 19
ML6: Chap 1D 116
ML6: Cumb, Rigg 2B 74
ML8: Carl 1C 174
Stirling Rd. Ind. Est.
ML6: Air 1B 96
Stirling St. G67: Cumb 1B 38
ML1: Moth 5B 148
ML5: Coat 1H 113
ML6: Air 4H 95
Stirling Way G69: Bail 1G 111
PA4: Renf 2F 83
Stirrat St. G20: Glas 3A 64
PA3: Pais 4F 81
Stobcross Bus. Pk.
G3: Glas 4D 4
Stobcross Rd. G3: Glas 4A 4 (3A 86)
Stobcross St. G3: Glas 5F 5 (4C 86)
ML5: Coat 5C 94
Stobcross Wynd
G3: Glas 4A 4 (4B 86)
Stobhill Cotts. G21: Glas 2C 66
Stobhill Rd. G21: Glas 2B 66
Stobo G74: E Kil 5C 142
Stobo Ct. G74: E Kil 5C 142
Stobo St. ML2: Wis 4A 150
Stobs Dr. G78: Barr 2D 118
Stobs Pl. G34: Glas 2A 92
Stock Av. PA2: Pais 2A 102

Stockholm Cres. PA2: Pais 2A 102
Stockiemuir Av. G61: Bear 6D 26
Stockiemuir Ct. G61: Bear 6E 27
Stockiemuir Rd. G61: Bear 1D 46
  G62: Miln 4C 26
Stocks Rd. ML1: Cle 1D 150
Stock St. PA2: Pais 3A 102
Stockwell Pl. G1: Glas 5G 87
Stockwell St. G1: Glas 6E 7 (5G 87)
Stoddard Sq. PA5: Eld 2B 100
Stonebank Gro. G45: Glas 4H 123
Stonebyres Ct. ML3: Ham 6E 145
Stonecraig Rd. ML2: Wis 1H 165
Stonedyke Cres. ML8: Carl 2E 175
Stonedyke Gro. G15: Glas 5B 46
Stonedyke Rd. ML8: Carl 2E 175
STONEFIELD 1C 144
Stonefield Av. G12: Glas 3A 64
  PA2: Pais 4B 102
Stonefield Cres. G72: Blan 3A 144
  G76: Clar 1A 138
  PA2: Pais 4B 102
Stonefield Dr. PA2: Pais 4B 102
Stonefield Gdns. ML8: Carl 2D 174
  PA2: Pais 4B 102
Stonefield Grn. PA2: Pais 4A 102
Stonefield Gro. PA2: Pais 4A 102
Stonefield Pk. PA2: Pais 5A 102
Stonefield Pk. Gdns.
  G72: Blan 1C 144
Stonefield Pl. G72: Blan 3H 143
Stonefield Rd. G72: Blan 2A 144
Stonefield St. ML6: Air 2A 96
Stonehall Av. ML3: Ham 1F 161
Stonehaven Cres. ML6: Air 6G 95
Stonelaw Community Sports Cen.
  . . . . .1E 125
Stonelaw Ct. G73: Ruth 6D 108
Stonelaw Dr. G73: Ruth 6D 108
Stonelaw Rd. G73: Ruth 5D 108
Stonelaw Towers G73: Ruth 1E 125
Stoneside Dr. G43: Glas 1G 121
Stoneside Sq. G43: Glas 1G 121
Stoney Brae PA2: Pais 5A 102
  (not continuous)
Stoneyetts Rd. G69: Mood 4D 54
Stoneyflatt Av. G82: Dumb 2H 19
Stoneyflatt Rd. G82: Dumb 2H 19
Stoneymeadow Rd.
  G72: Blan 5B 142
  G74: E Kil 5B 142
Stony Brae PA1: Pais 6A 82
  PA3: Pais 6A 82
Stonyhurst St. G22: Glas 5F 65
  (not continuous)
Stonylee Rd. G67: Cumb 4A 38
Storie St. PA1: Pais 1A 102
  (not continuous)
Stormyland Way G78: Barr 5E 119
Stornoway Cres. ML2: Wis 4C 150
Stornoway St. G22: Glas 1G 65
Stow Brae PA1: Pais 1A 102
Stow St. PA1: Pais 1A 102
Strachan Pl. G72: Blan 6B 144
Strachan St. ML4: Bell 3C 130
Strachur Cres. G22: Glas 2E 65
Strachur Gdns. G22: Glas 2E 65
Strachur Gro. G22: Glas 2E 65
Strachur Pl. G22: Glas 2E 65
Strachur St. G22: Glas 2E 65
Strain Cres. ML6: Air 5B 96
Straiton Dr. ML3: Ham 1B 160
Straiton Pl. G72: Blan 1B 144
Straiton St. G32: Glas 4G 89
Stranka Av. PA2: Pais 2G 101
Stranraer Dr. G15: Glas 5C 46
Stratford G74: E Kil 4D 142

Stratford St. G20: Glas 4B 64
Strathallan Av. G75: E Kil 2B 156
Strathallan Cres. ML6: Air 6A 74
Strathallan Gdns.
  G66: Kirk 5D 32
  (off Willowbank Gdns.)
Strathallan Ga. G75: E Kil 2B 156
Strathallan Wynd G75: E Kil 2B 156
Strathallon Pl. G73: Ruth 4F 125
  (off St Stephen's Av.)
Strathaven Rd. G75: E Kil 3A 158
  ML3: Ham 6G 161
Strathavon Cres. ML6: Air 1A 96
Strathblane Cres. ML6: Air 6A 74
Strathblane Dr. G75: E Kil 3A 156
Strathblane Gdns.
  G13: Glas 1E 63
Strathblane Rd. G62: Miln 3H 27
  G66: Cam G 1A 8
Strathbran St. G31: Glas 1F 109
STRATHBUNGO 3D 106
Strathcairn Cres. ML6: Air 6A 74
Strath Carron ML8: Law 5E 167
Strathcarron Cres. PA2: Pais 5D 102
Strathcarron Dr. PA2: Pais 4D 102
Strathcarron Grn. PA2: Pais 4D 102
Strathcarron Pl. G20: Glas 3B 64
  PA2: Pais 5D 102
Strathcarron Rd. PA2: Pais 5D 102
Strathcarron Way PA2: Pais 4D 102
Strathcarron Wynd PA2: Pais 4D 102
Strathclyde Area Geneology Cen.
  . . . . .1E 5 (2C 86)
Strathclyde Arts Cen. 6H 5
Strathclyde Bus. Cen.
  G72: Flem 4E 127
Strathclyde Bus. Pk.
  ML4: Bell 5A 114
Strathclyde Country Pk. 6A 130
Strathclyde Country Pk. Vis. Cen.
  . . . . .6H 129
Strathclyde Dr. G73: Ruth 6C 108
Strathclyde Gdns.
  G72: Flem 4E 127
Strathclyde Homes Stadium 5G 19
Strathclyde Loch Water Sports Cen.
  . . . . .3C 146
Strathclyde Path G71: Udd 1C 128
Strathclyde Rd. G82: Dumb 2G 19
  ML1: Moth 3D 146
Strathclyde St. G40: Glas 3C 108
Strathclyde Vw. G71: Both 6F 129
Strathclyde Way ML4: Bell 6E 115
Strathcona Dr. G13: Glas 2F 63
Strathcona Gdns. G13: Glas 2G 63
Strathcona La. G75: E Kil 4G 157
Strathcona Pl. G73: Ruth 3F 125
  G75: E Kil 4G 157
Strathcona St. G13: Glas 3F 63
Strathconon Gdns.
  G75: E Kil 2A 156
  (off Strathnairn Dr.)
Strath Dearn ML8: Law 6E 167
Strathdearn Gro.
  G75: E Kil 3A 156
Strathdee Av. G81: Hard 2D 44
Strathdee Rd. G44: Neth 5C 122
Strathdon Av. G44: Neth 5C 122
  PA2: Pais 3G 101
Strathdon Dr. G44: Neth 5D 122
Strathdon Pl. G75: E Kil 3A 156
  (off Strathnairn Dr.)
Strathearn Gro. G66: Kirk 4H 33
Strathearn Rd. G76: Clar 3C 138
Strath Elgin ML8: Law 6D 166
Strathendrick Dr. G44: Glas 3C 122
Strathfillan Rd. G74: E Kil 1F 157

Strathgoil Cres. ML6: Air 6A 74
Strath Halladale ML8: Law 6E 167
Strathhalladale Ct.
  G75: E Kil 3A 156
  (off Strathmore Gro.)
Strathisla Way ML1: Carf 5B 132
Strathkelvin Av. G64: B'rig 2B 66
Strathkelvin La. G75: E Kil 3A 156
Strathkelvin Pl. G66: Kirk 6C 32
Strathkelvin Retail Pk.
  G64: B'rig 2E 51
Strathlachlan Av. ML8: Carl 4E 175
Strathleven Pl. G82: Dumb 4F 19
Strathmiglo Ct. G75: E Kil 3A 156
  (off Strathspey Av.)
Strathmore Av. G72: Blan 6A 128
  PA1: Pais 1F 103
Strathmore Cres. ML6: Air 1A 96
Strathmore Gdns. G73: Ruth 3F 125
Strathmore Gro. G75: E Kil 3A 156
Strathmore Ho. G74: E Kil 2G 157
  (off Princess Sq.)
Strathmore Pl. ML5: Coat 6F 95
Strathmore Rd. G22: Glas 2F 65
  ML3: Ham 6A 146
Strathmore Wlk. ML5: Coat 6F 95
Strathmungo Cres. ML6: Air 1H 95
Strath Nairn ML8: Law 6E 167
Strathnairn Av. G75: E Kil 3A 156
Strathnairn Ct. G75: E Kil 3A 156
Strathnairn Dr. G75: E Kil 3A 156
Strathnairn Way G75: E Kil 3A 156
Strath Naver ML8: Law 6E 167
Strathnaver Cres. ML6: Air 6A 74
Strathnaver Gdns.
  G75: E Kil 3A 156
Strathord Pl. G69: Mood 3E 55
Strathord St. G32: Glas 2A 110
Strath Peffer ML8: Law 6D 166
Strathpeffer Cres. ML6: Air 1A 96
Strathpeffer Dr. G75: E Kil 3A 156
  (off Strathnairn Dr.)
Strathrannoch Way
  G75: E Kil 3A 156
Strathspey Av. G75: E Kil 3A 156
Strathspey Cres. ML6: Air 6A 74
Strathtay Av. G44: Neth 5C 122
  G75: E Kil 2B 156
  (not continuous)
Strathtummel Cres.
  ML6: Air 6A 74
Strathview Gro. G44: Neth 5C 122
Strathview Pk. G44: Neth 5C 122
Strathview Rd. ML4: Bell 4A 130
Strathvithie Gro.
  G75: E Kil 3A 156
Strathy Pl. G20: Glas 3B 64
Strathyre Ct. G75: E Kil 3A 156
Strathyre Gdns. G61: Bear 2H 47
  G69: Mood 4E 55
  G75: E Kil 3A 156
  ML6: Glenm 4H 73
Strathyre Rd. G72: Blan 3D 144
Strathyre St. G41: Glas 5C 106
Stratton Dr. G46: Giff 5H 121
Strauss Av. G81: Clyd 6G 45
Stravaig Path PA2: Pais 6E 101
Stravaig Wlk. PA2: Pais 6E 101
Stravanan Ct. G45: Glas 5A 124
Stravanan Gdns. G45: Glas 5H 123
Stravanan Pl. G45: Glas 5H 123
Stravanan Rd. G45: Glas 6H 123
Stravanan St. G45: Glas 5H 123
Stravanan Ter. G45: Glas 5H 123
Stravenhouse Rd. ML8: Law 1E 173
Strawberry Fld. Rd.
  PA6: C'lee 2B 78

Strawhill Ct. G76: Busby 2D 138
Strawhill Rd. G76: Clar 2C 138
Strayhgryffe Cres.
  PA11: Bri W 2E 77
Streamfield Gdns. G33: Glas . . .2G 67
Streamfield Ga. G33: Glas 2F 67
Streamfield Lea G33: Glas 1G 67
Streamfield Pl. G33: Glas 2G 67
Strenabey Av. G73: Ruth 3F 125
Striven Ct. ML5: Coat 2D 114
Striven Cres. ML2: Wis 2G 165
Striven Gdns. G20: Glas 6D 64
Striven Ter. ML3: Ham 2E 161
Stroma St. G21: Glas 1D 88
Stromness St. G5: Glas 1E 107
Strone Gdns. G65: Kils 3F 13
Stronend St. G22: Glas 4F 65
Strone Path ML5: Glenb 3G 71
Strone Pl. ML6: Air 6C 96
                  (off Coll Pl.)
Strone Rd. G33: Glas 4B 90
Stronsay Pl. G64: B'rig 5F 51
Stronsay St. G21: Glas 1D 88
Stronvar Dr. G14: Glas 5B 62
Stronvar La. G14: Glas 5B 62
Stroud Rd. G75: E Kil 6E 157
Strowan Cres. G32: Glas 1B 110
Strowan's Rd. G82: Dumb 2C 20
Strowan St. G32: Glas 1B 110
Strowan's Well Rd.
  G82: Dumb 2C 20
Struan Av. G46: Giff 4A 122
Struan Gdns. G44: Glas 2E 123
Struan Rd. G44: Glas 2E 123
Struie St. G34: Glas 3G 91
Struma Dr. G76: Clar 1A 138
Struther & Swinhill Rd.
  ML9: Ashg, Lark, Shaw 6E 171
STRUTHERHILL 5D 170
Strutherhill ML9: Lark 4D 170
Strutherhill Ind. Est.
  ML9: Lark 5E 171
Struthers Cres. G74: E Kil 5B 142
Struther St. ML9: Lark 5D 170
Stuart Av. G60: Old K 2F 43
  G73: Ruth 2D 124
Stuart Dr. G64: B'rig 1A 66
  ML9: Lark 4E 171
Stuart Ho. G67: Cumb 2B 38
Stuarton Pk. G74: E Kil 1G 157
Stuart Quad. ML2: Wis 2E 165
Stuart Rd. G76: Crmck 1H 139
  G82: Dumb 1C 20
  PA7: B'ton 3H 41
Stuart St. G60: Old K 2F 43
  G74: E Kil 1H 157
Stuartville ML5: Coat 4D 94
STV Studios 3C 6 (3F 87)
Succoth St. G13: Glas 2F 63
Sudbury Cres. G75: E Kil 2D 156
Suffolk St. G40: Glas 5H 87
Sugworth Av. G69: Bail 6H 91
Suisnish PA8: Ersk 2G 59
Sumburgh St. G33: Glas 4H 89
Summerfield Cotts. G14: Glas . . .1E 85
Summerfield Rd. G67: Cumb 1C 56
Summerfield St. G40: Glas 2D 108
Summerhill & Garngibbock Rd.
  G67: Cumb 5E 57
Summerhill Av. ML9: Lark 3C 170
Summerhill Dr. G15: Glas 3B 46
Summerhill Gdns. G15: Glas 3B 46
Summerhill Pl. G15: Glas 3B 46
Summerhill Rd. G15: Glas 3A 46
  G76: Busby 2D 138
Summerhill Way ML4: Bell 3B 130
Summerlea Rd. G46: T'bnk 3F 121

SUMMERLEE 3B 94
Summerlee Cotts. ML5: Coat 4B 94
Summerlee Heritage Trust 3B 94
Summerlee Raceway Larkhall
  . . . . .5A 164
Summerlee Rd. ML2: Wis 5C 148
  ML9: Lark 6H 163
Summerlee St. G33: Glas 3C 90
  ML5: Coat 4B 94
SUMMERSTON 6B 48
Summerston Station (Rail) 1D 64
Summer St. G40: Glas 6B 88
Summertown Path G51: Glas 4H 85
Summertown Rd. G51: Glas 4H 85
Sunart Av. PA4: Renf 5D 60
Sunart Ct. ML3: Ham 2E 161
Sunart Gdns. G64: B'rig 6E 51
Sunart Rd. G52: Glas 6E 85
  G64: B'rig 6E 51
Sunart St. ML2: Wis 2G 165
Sundale Av. G76: Clar 3B 138
Sunderland Av. G82: Dumb 3C 18
Sunflower Gdns. ML1: Moth 1F 147
Sunningdale Av.
  G77: Newt M 4F 137
Sunningdale Dr. PA11: Bri W 5E 77
Sunningdale Rd. G23: Glas 1B 64
Sunningdale Wynd
  G71: Both 4C 128
Sunnybank Dr. G76: Clar 3B 138
Sunnybank Gro. G76: Clar 3B 138
Sunnybank St. G40: Glas 2D 108
Sunnyhill G65: Twe 2D 34
Sunnylaw Dr. PA2: Pais 3F 101
Sunnylaw Pl. G22: Glas 4F 65
Sunnylaw St. G22: Glas 5F 65
SUNNYSIDE 3C 94
Sunnyside Av. G71: Udd 2D 128
  ML1: Holy 2B 132
Sunnyside Cres. ML1: Holy 2A 132
Sunnyside Dr. G15: Glas 6A 46
  G69: Barg 6D 92
  G76: Clar 1B 138
Sunnyside Ga. ML1: Holy 2A 132
Sunnyside Oval PA2: Pais 4A 102
Sunnyside Pl. G15: Glas 6A 46
  G78: Barr 5D 118
  ML1: Holy 2A 132
Sunnyside Rd. ML1: Cle 1H 149
  ML5: Coat 4C 94
  ML9: Lark 3A 170
  PA2: Pais 4H 101
Sunnyside St. ML9: Lark 1B 170
Sunnyside Ter. ML1: Holy 2A 132
Surrey La. G5: Glas 1F 107
Surrey St. G5: Glas 1F 107
Sussex St. G41: Glas 6C 86
Sutcliffe Ct. G13: Glas 2E 63
Sutcliffe Rd. G13: Glas 2E 63
Sutherland Av. G41: Glas 2H 105
  G61: Bear 6E 27
Sutherland Ct. G41: Glas 1C 106
Sutherland Cres.
  ML3: Ham 5E 145
Sutherland Dr. G46: Giff 6B 122
  G82: Dumb 2C 20
  ML6: Air 6G 95
Sutherland La. G12: Glas 1B 86
Sutherland Pl. ML4: Bell 5B 130
Sutherland Rd. G81: Clyd 5D 44
Sutherland St. G72: Blan 4A 144
  PA1: Pais 6H 81
Sutherland Way G74: E Kil 6C 142
Sutherness Dr. G33: Glas 4A 90
Swaledale G74: E Kil 6E 141
Swallow Dr. PA5: John 6C 98

Swallow Gdns. G13: Glas 2H 61
Swallow Rd. G81: Faif 6F 25
              (not continuous)
  ML2: Wis 5H 149
Swan Pl. PA5: John 6C 98
Swanston St. G40: Glas 3C 108
Swan St. G4: Glas 1E 7 (2G 87)
  G81: Clyd 4B 44
Swan Way ML8: Law 1F 173
Sween Av. G44: Glas 3E 123
Sween Dr. ML3: Ham 2E 161
Sween Path ML4: Bell 4E 131
            (off Millbank Av.)
Sweethill Ter. ML5: Coat 2F 115
Sweethill Wlk. ML4: Bell 6E 115
Sweethope Gdns.
  G71: Both 5F 129
Sweethope Pl.
  G71: Both 4E 129
Swift Bank ML3: Ham 2C 160
Swift Cl. ML2: Wis 6H 149
Swift Cres. G13: Glas 1H 61
Swift Pl. G75: E Kil 5A 156
  PA5: John 6D 98
Swinburne Av. G72: Blan 2H 143
Swindon St. G81: Clyd 4A 44
SWINHILL 6E 171
Swinstie Rd. ML1: Cle 1A 150
SWINTON 5G 91
Swinton Av. G69: Bail 6A 92
Swinton Cres. G69: Bail 6A 92
  ML5: Coat 1F 113
Swinton Dr. G52: Glas 6B 84
Swinton Gdns. G69: Bail 6B 92
Swinton Path G69: Bail 6B 92
Swinton Pl. G52: Glas 6B 84
  ML5: Coat 1F 113
            (off Swinton Cres.)
Swinton Rd. G69: Bail 6A 92
Swinton Vw. G69: Bail 6B 92
Swisscot Av. ML3: Ham 3F 161
Swisscot Wlk. ML3: Ham 3F 161
Switchback Rd. G61: Bear 5F 47
Swordale Path G34: Glas 3G 91
         (off Kildermorie Rd.)
Swordale Pl. G34: Glas 3G 91
Sword St. G31: Glas 5B 88
  ML6: Air 4H 95
Sycamore Av. G66: Lenz 2D 52
  G71: View 6G 113
  PA5: John 4G 99
Sycamore Ct. G75: E Kil 5F 157
Sycamore Cres. G75: E Kil 5E 157
  ML6: Air 5D 96
Sycamore Dr. G81: Clyd 3C 44
  ML3: Ham 1B 162
  ML6: Air 5D 96
Sycamore Gro.
  G72: Blan 1A 144
Sycamore Pl. G75: E Kil 5F 157
  ML1: N'hill 4C 132
Sycamore Way G66: Milt C 6C 10
  G72: Flem 3F 127
  G76: Crmck 2H 139
Sydenham Ct. G12: Glas 5H 63
      (off Westbourne Gdns. La.)
Sydenham La. G12: Glas 6A 64
Sydenham Rd. G12: Glas 6A 64
Sydes Brae G72: Blan 5H 143
Sydney Dr. G75: E Kil 4E 157
Sydney Pl. G75: E Kil 3E 157
Sydney St. G31: Glas 5A 88
  G81: Clyd 3H 43
Sykehead Av. ML4: Bell 2D 130
Sykeside Rd. ML6: Air 1G 115
Sykes Ter. G78: Neil 2F 135
Sylvania Way G81: Clyd 5D 44

Sylvania Way Sth.
G81: Clyd 6D 44
Symington Dr. G81: Clyd 5C 44
Symington Sq. G75: E Kil 3H 157
Syriam Pl. G21: Glas 5B 66
Syriam St. G21: Glas 4B 66

T

Tabard Pl. G13: Glas 1C 62
Tabard Rd. G13: Glas 1C 62
Tabernacle La. G72: Camb 2A 126
Tabernacle St. G72: Camb 2A 126
Taggart Rd. G65: Croy 2B 36
Taig Rd. G66: Kirk 6H 33
Tain Ter. G72: Blan 6A 144
Tait Av. G78: Barr 3F 119
Tak-ma-doon Rd. G65: Kils 2A 14
Talbot G74: E Kil 5C 142
Talbot Ct. G13: Glas 4B 62
Talbot Cres. ML5: Coat 1A 114
Talbot Dr. G13: Glas 4B 62
Talbot Pl. G13: Glas 4B 62
Talbot Ter. G13: Glas 4B 62
G71: Tann 5C 112
Talisman G81: Clyd 6F 45
Talisman Av. G82: Dumb 3C 18
Talisman Cres. ML1: Moth 5F 131
Talisman Rd. G13: Glas 3C 62
PA2: Pais 6C 100
Tallant Rd. G15: Glas 4B 46
Tallant Ter. G15: Glas 4C 46
Talla Rd. G52: Glas 5A 84
Tall Ship at Glasgow Harbour, The
. . . . .4A 4 (3A 86)
Tamarack Cres. G71: View 4G 113
Tamar Dr. G75: E Kil 5B 156
Tambowie Av. G62: Miln 3F 27
Tambowie Cres. G62: Miln 3F 27
Tambowie St. G13: Glas 1E 63
Tamshill St. G20: Glas 3D 64
Tanar Av. PA4: Renf 2G 83
Tanar Way PA4: Renf 1G 83
TANDLEHILL 3C 98
Tandlehill Rd. PA10: Kilb 4A 98
Tanera Av. G44: Glas 2G 123
Tanfield Pl. G32: Glas 4C 90
Tanfield St. G32: Glas 4C 90
Tankerland Rd. G44: Glas 1E 123
Tannadice Av. G52: Glas 2C 104
Tannadice Path G52: Glas 1C 104
(off Tannadice Av.)
Tanna Dr. G52: Glas 2F 105
Tannahill Cen. PA3: Pais 5E 81
Tannahill Cres. PA5: John 4E 99
(not continuous)
Tannahill Dr. G74: E Kil 6C 142
Tannahill Rd. G43: Glas 1D 122
PA3: Pais 5F 81
Tannahill's Cottage 1G 101
Tannahill Ter. PA3: Pais 5F 81
Tannoch Dr. G62: Miln 2G 27
G67: Cumb 6H 37
Tannoch Pl. G67: Cumb 6H 37
TANNOCHSIDE 4F 113
Tannochside Dr. G71: Tann 4E 113
Tannochside Pk. G71: Tann 4F 113
Tannock St. G22: Glas 5F 65
Tantallon Ct. ML8: Carl 2C 174
Tantallon Dr. ML5: Coat 2G 93
PA2: Pais 4E 101
Tantallon Pk. G74: E Kil 1F 157
Tantallon Rd. G41: Glas 5C 106
G69: Bail 2G 111
G71: Both 4F 129
Tanzieknowe Av. G72: Camb 4B 126

Tanzieknowe Dr. G72: Camb 4B 126
Tanzieknowe Pl. G72: Camb 4A 126
Tanzieknowe Rd.
G72: Camb 4A 126
Taransay St. G51: Glas 3G 85
Tarbert Av. G72: Blan 5A 128
ML2: Wis 2G 165
Tarbert Ct. ML3: Ham 2E 161
Tarbert Pl. ML8: Carl 4E 175
Tarbert Way ML5: Coat 1A 114
Tarbolton G74: E Kil 6D 142
Tarbolton Cres. ML6: Chap 4D 116
Tarbolton Dr. G81: Clyd 4E 45
Tarbolton Path ML9: Lark 2B 170
Tarbolton Rd. G43: Glas 1B 122
G67: Cumb 3B 38
Tarbolton Sq. G81: Clyd 4F 45
Tarff Av. G76: Eag 6C 154
Tarfside Av. G52: Glas 1C 104
Tarfside Gdns. G52: Glas 1D 104
Tarfside Oval G52: Glas 1D 104
Target Rd. ML6: Air 5B 96
Tarland St. G51: Glas 5F 85
Tarn Gro. G33: Glas 1G 67
Tarquin Pl. ML1: Moth 1E 147
Tarras Dr. PA4: Renf 2G 83
Tarras Pl. G72: Camb 2D 126
Tasman Dr. G75: E Kil 4D 156
Tasmania Quad.
ML2: Wis 6C 150
Tassie Pl. G74: E Kil 1A 158
Tassie St. G41: Glas 5B 106
Tattershall Rd. G33: Glas 1C 90
Tavistock Dr. G43: Glas 2B 122
Tay Av. PA4: Renf 6G 61
Tay Ct. G75: E Kil 4A 156
Taycourt G69: Mood 5D 54
(off Beechgrove)
Tay Cres. G33: Glas 2G 89
G78: B'rig 6D 50
Tay Gdns. ML3: Ham 3F 161
Tay Gro. G75: E Kil 4A 156
Tayinloan Dr. ML8: Carl 5F 175
Tay La. ML2: Newm 4E 151
Tay Loan ML1: Holy 2A 132
(off Windsor Rd.)
Taylor Av. ML1: Carf 5D 132
PA10: Kilb 2A 98
Taylor Pl. G4: Glas 3G 7 (3H 87)
Taylor St. G4: Glas 4G 7 (3H 87)
G81: Clyd 1E 61
Taymouth St. G32: Glas 2B 110
Taynish Dr. G44: Glas 3F 123
Tay Pl. G75: E Kil 4A 156
G82: Dumb 1H 19
ML9: Lark 5C 170
PA5: John 5C 98
Tay Rd. G61: Bear 5D 46
G64: B'rig 6D 50
Tayside ML6: Air 2H 95
Tay St. ML5: Coat 2G 93
Tay Ter. G75: E Kil 3A 156
Tay Wlk. G67: Cumb 4H 37
(in The Cumbernauld Shop. Cen.)
Teak Pl. G71: View 4H 113
Teal Ct. ML4: Bell 5A 114
Teal Cres. G75: E Kil 6B 156
Teal Dr. G13: Glas 2A 62
Tealing Av. G52: Glas 1C 104
Tealing Cres. G52: Glas 1C 104
Teasel Av. G53: Glas 4B 120
Teawell Rd.
G77: Newt M 4D 136
Technology Av. G72: Blan 5H 143
Teesdale G74: E Kil 6E 141
Teign Gro. G75: E Kil 5B 156

Teith Av. PA4: Renf 1H 83
Teith Dr. G61: Bear 4D 46
Teith Pl. G72: Camb 2D 126
Teith St. G33: Glas 2G 89
Telephone La. G12: Glas 1A 86
(off Highburgh Rd.)
Telford Av. ML9: Lark 5E 171
Telford Ct. G81: Clyd 5C 44
Telford Pl. G67: Cumb 5A 38
Telford Rd. G67: Cumb 5A 38
G75: E Kil 3F 157
Telford St. ML4: Bell 1C 130
Telford Ter. G75: E Kil 3H 157
(off Telford Rd.)
Teme Pl. G75: E Kil 4B 156
Templar Av. G13: Glas 6D 46
TEMPLE .2F 63
Temple Cotts. G67: Cumb 6D 36
(off Baird Cres.)
Temple Gdns. G13: Glas 2F 63
Templeland Gdns. G53: Glas 3C 104
Templeland Rd. G53: Glas 3C 104
Temple Locks Ct.
G13: Glas 2F 63
Temple Locks Pl.
G13: Glas 2F 63
Temple Rd. G13: Glas 2G 63
Templeton Bus. Cen.
G40: Glas 6A 88
Templeton Ct. G40: Glas 6A 88
Templeton St. G40: Glas 6A 88
Tenement House 2H 5 (2E 87)
Tennant Av. G74: E Kil 1C 156
Tennant Complex, The
G74: E Kil 1C 156
Tennant St. PA4: Renf 5F 61
Tennant Wynd ML4: Bell 5C 114
Tennent St. ML5: Coat 6D 94
Tennyson Dr. G31: Glas 1G 109
Tennyson Gdns. G72: Blan 2A 144
Tennyson Way PA2: Pais 2F 101
Tern Pl. PA5: John 6D 98
Tern Way ML5: Coat 2G 115
Terregles Av. G41: Glas 3H 105
Terregles Cres. G41: Glas 3A 106
Terregles Dr. G41: Glas 3A 106
Teviot Av. G64: B'rig 4C 50
PA2: Pais 5C 100
Teviot Cres. G61: Bear 5D 46
Teviotdale G74: E Kil 1F 157
(off Strathfillan Rd.)
G77: Newt M 4H 137
Teviot Dr. PA7: B'ton 5A 42
Teviot Pl. G72: Camb 2E 127
Teviot Sq. G67: Cumb 4H 37
(in The Cumbernauld Shop. Cen.)
Teviot St. G3: Glas 3A 4 (3A 86)
ML5: Coat 1H 93
Teviot Ter. PA5: John 5C 98
Teviot Wlk. G67: Cumb 4H 37
(in The Cumbernauld Shop. Cen.)
Teviot Way G67: Cumb 4H 37
(in The Cumbernauld Shop. Cen.)
G72: Blan 2A 144
Tewkesbury Rd.
G74: E Kil 4D 142
Thane Rd. G13: Glas 3C 62
Thanes Ga. G71: Both 2C 128
Thankerton Av. ML1: Holy 2H 131
Thankerton Rd. ML9: Lark 4D 170
Tharsis St. G21: Glas 2B 88
The . . . . . .
Names prefixed with 'The'
for example 'The Acres' are indexed
under the main name such as
'Acres, The'
Theatre Royal 3C 6 (3F 87)

Third Av. G33: Mille 4B **68**
　G44: Glas 6F **107**
　G66: Auch 5D **52**
　G82: Dumb 3C **20**
　PA4: Renf 1E **83**
Third Av. La. G44: Glas 6F **107**
Third Gdns. G41: Glas 1G **105**
Thirdpart Cres. G13: Glas 2G **61**
Third Rd. G72: Blan 4C **144**
Third St. G71: Tann 5D **112**
Thirlmere G75: E Kil 6B **156**
Thistle Bank G66: Lenz 3D **52**
Thistlebank PA11: Bri W 2E **77**
Thistlebank Gdns.
　ML5: Coat 2A **114**
Thistle Cres. ML9: Lark 3D **170**
Thistle Gdns. ML1: Holy 2A **132**
Thistleneuk G60: Old K 6E **23**
Thistle Pl. G74: E Kil 6G **141**
Thistle Quad. ML6: Air 2B **96**
Thistle Rd. ML1: New S 3A **132**
Thistle St. G5: Glas 6G **87**
　G66: Kirk 5D **32**
　ML1: Cle 6H **133**
　ML6: Air 2B **96**
　PA2: Pais 3G **101**
Thistle Ter. G5: Glas 1G **107**
Thomas Campbell Ct.
　G4: Glas 5G **7**
Thomas Muir Av. G64: B'rig 1C **66**
Thomas Muir Mus. 6C **50**
Thomas St. PA1: Pais 1F **101**
Thompson Av. G66: Kirk 5E **33**
Thompson Brae PA1: Pais 2A **102**
Thompson Pl. G81: Hard 1E **45**
Thomson Av. ML2: Wis 2D **164**
　PA5: John 2E **99**
Thomson Dr. G61: Bear 1F **47**
　ML1: Moth 4F **147**
　ML4: Bell 2H **129**
　ML6: Air 5H **95**
Thomson Gro. G72: Camb 6A **110**
Thomson St. G31: Glas 5C **88**
　ML8: Carl 3D **174**
　PA4: Renf 1E **83**
　PA5: John 3E **99**
Thorn Av. G74: T'hall 6G **139**
Thornbank St. G3: Glas . . .3A **4** (3A **86**)
Thorn Brae PA5: John 2G **99**
Thornbridge Av. G12: Glas 4A **64**
　G69: Bail 6H **91**
Thornbridge Gdns.
　G69: Bail 6G **91**
Thornbridge Rd. G69: Bail 6G **91**
Thorncliffe Gdns. G41: Glas 3C **106**
Thorn Ct. *PA5: John* *3H 99*
　　　　　　　　　　　(off Thornhill)
Thorncroft Dr. G44: Glas 3H **123**
Thorndale Gdns. FK4: Alla 1H **17**
Thorndean Av. ML4: Bell 3D **130**
Thorndean Cres. ML4: Bell 3D **130**
Thorndene PA5: Eld 2H **99**
Thorndene Av. ML1: Carf 5C **132**
Thornden La. G14: Glas 5A **62**
Thorn Dr. G61: Bear 1D **46**
　G73: Ruth 3E **125**
Thorndyke G74: E Kil 4C **142**
Thorn Hgts. G61: Bear 3C **46**
Thornhill PA5: John 3H **99**
Thornhill Av. G72: Blan 1B **144**
　PA5: Eld 3H **99**
Thornhill Dr. PA5: Eld 3H **99**
Thornhill Gdns.
　G77: Newt M 1D **152**
　PA5: John 2G **99**
Thornhill La. G71: Both 4F **129**

Thornhill Path G31: Glas 6F **89**
Thornhill Rd. ML3: Ham 5C **144**
Thornhill Way ML5: Coat 2F **115**
Thorniecroft Dr. G67: Cumb 1E **57**
Thorniecroft Pl. G67: Cumb 1E **57**
Thornielee G74: E Kil 1B **158**
Thorniewood Gdns.
　G71: Tann 6E **113**
Thorniewood Rd. G71: Tann 5D **112**
Thornkip Pl. ML5: Coat 6F **95**
Thornlea Dr. G46: Giff 3B **122**
Thornlea St. ML8: Carl 5E **175**
Thornley Av. G13: Glas 3B **62**
THORNLIEBANK 4F **121**
Thornliebank Ind. Est.
　G46: T'bnk 4E **121**
Thornliebank Rd. G43: Glas 1H **121**
　G46: T'bnk 3G **121**
Thornliebank Station (Rail) .3G **121**
Thornlie Gill ML2: Wis 1H **165**
THORNLY PARK 5B **102**
Thornly Pk. Av. PA2: Pais 5B **102**
Thornly Pk. Dr. PA2: Pais 5B **102**
Thornly Pk. Gdns. PA2: Pais 4B **102**
Thornly Pk. Rd. PA2: Pais 4A **102**
Thorn Rd. G61: Bear 2C **46**
　ML4: Bell 2D **130**
Thornside Rd. PA5: John 2G **99**
THORNTONHALL 6G **139**
Thorntonhall Station (Rail) 6F **139**
Thornton La. G20: Glas 2C **64**
Thornton Pl. ML3: Ham 5H **161**
Thornton Rd.
　G74: E Kil, T'hall 3H **155**
Thornton St. G20: Glas 2B **64**
　ML5: Coat 6A **94**
Thorntree Av. ML3: Ham 4D **144**
Thorntree Dr. ML5: Coat 6A **94**
Thorntree Way G71: Both 4F **129**
Thornwood Av. G11: Glas 1G **85**
　G66: Lenz 2A **52**
Thornwood Cres. G11: Glas 6F **63**
Thornwood Dr. G11: Glas 1F **85**
　　　　　　　　　　(not continuous)
　PA2: Pais 3F **101**
　PA11: Bri W 4D **76**
Thornwood Gdns. G11: Glas 1F **85**
Thornwood Pl. G11: Glas 6F **63**
　　　　　　　　　　(not continuous)
Thornwood Quad. G11: Glas 6F **63**
Thornwood Rd. G11: Glas 1F **85**
Thornwood Ter. G11: Glas 1F **85**
Thornyburn Dr. G69: Bail 1B **112**
Thornyburn Pl. G69: Bail 1A **112**
Thorny Pk. Ct. PA2: Pais 5A **102**
Thorp Ct. PA5: John 3G **99**
THRASHBUSH 1A **96**
Thrashbush Av. ML2: Wis 5B **150**
Thrashbush Cres. ML2: Wis 5B **150**
Thrashbush Rd. ML2: Wis 6B **150**
Thread PA1: Pais 2B **102**
Threave Ct. ML8: Carl 2C **174**
Threave Pl. G69: G'csh 5C **70**
　G77: Newt M 4B **136**
Three Queens Sq. G81: Clyd 6D **44**
Three Rivers Wlk. G75: E Kil 3D **156**
Threestonehill Av. G32: Glas 5B **90**
Threshold G74: E Kil 1A **158**
Threshold Pk. G74: E Kil 1A **158**
Thriplee Rd. PA11: Bri W 3E **77**
Thrums G74: E Kil 4D **142**
Thrums Av. G64: B'rig 6E **51**
Thrums Gdns. G64: B'rig 6E **51**
Thrushbush La. ML6: Air 1B **96**
Thrushbush Quad. ML6: Air 1A **96**
Thrushbush Rd. ML6: Air 1A **96**
Thrushcraig Cres. PA2: Pais 3B **102**

Thrush Pl. PA5: John 6D **98**
Thurso St. G11: Glas 1A **4** (2A **86**)
Thurston Rd. G52: Glas 6A **84**
Thyme Sq. ML1: Moth 1G **147**
Tianavaig PA8: Ersk 2G **59**
Tibbermore Rd. G11: Glas 6G **63**
Tiber Av. ML1: Moth 6E **131**
Tighnasheen Way
　G72: Blan 1B **144**
Tillanburn Rd. ML1: N'hill 4F **133**
Tillet Oval PA3: Pais 4H **81**
Tillie St. G20: Glas 6D **64**
Till St. ML2: Wis 3H **149**
Tillycairn Av. G33: Glas 1D **90**
Tillycairn Dr. G33: Glas 1D **90**
Tillycairn Pl. G33: Glas 1E **91**
Tillycairn Rd. G33: Glas 1D **90**
Tillycairn St. G33: Glas 1E **91**
Tilt Rd. ML2: Newm 3D **150**
Tilt St. G33: Glas 1G **89**
Time Capsule, The 5B **94**
Timmons Gro. ML4: Moss 2F **131**
Timmons Ter. ML6: Chap 4D **116**
Tinker's La. ML1: Moth 3E **147**
Tintagel Gdns. G69: Mood 4D **54**
TINTOCK 3A **34**
Tintock Dr. G66: Kirk 4F **33**
Tintock Pl. G68: Dull 5F **15**
Tintock Rd. G66: Kirk 3H **33**
Tinto Ct. ML5: Coat 2E **115**
Tinto Cres. ML2: Wis 1A **166**
Tinto Dr. G68: Cumb 3F **37**
　G78: Barr 6E **119**
Tinto Gro. G69: Barg 5F **93**
Tinto Rd. G43: Glas 2A **122**
　G61: Bear 1B **46**
　G64: B'rig 6F **51**
　ML6: Air 5B **96**
Tinto Sq. PA4: Renf 2D **82**
Tinto St. ML2: Wis 1A **166**
Tinto Vw. ML3: Ham 3A **162**
Tinto Vw. Rd. ML9: Shaw 6F **171**
Tinto Way G75: E Kil 6D **156**
Tinwald Path G52: Glas 6A **84**
Tiree G74: E Kil 4C **158**
Tiree Av. PA2: Pais 6H **101**
　PA4: Renf 3E **83**
Tiree Ct. G67: Cumb 5F **37**
Tiree Cres. ML2: Newm 2D **150**
Tiree Dr. G67: Cumb 5F **37**
Tiree Gdns. G60: Old K 1G **43**
　G61: Bear 1B **46**
　ML6: Glenm 4H **73**
Tiree Grange ML3: Ham 2D **160**
Tiree Pl. G60: Old K 1G **43**
　G77: Newt M 4B **136**
　ML5: Coat 1H **113**
Tiree Rd. G67: Cumb 5F **37**
Tiree St. G21: Glas 1E **89**
Tirry Av. PA4: Renf 1H **83**
Tirry Way PA4: Renf 1H **83**
Titwood Rd. G41: Glas 3A **106**
　　　　　　　　　　(not continuous)
　G77: Newt M 2D **152**
Tiverton Av. G32: Glas 2D **110**
Tivoli Ct. G75: E Kil 5G **157**
Tobago Pl. G40: Glas 6B **88**
　G75: E Kil 2C **156**
Tobago St. G40: Glas 6A **88**
Tobermory Gdns.
　ML6: Air 6A **74**
Tobermory Rd. G73: Ruth 4F **125**
Todburn Dr. PA2: Pais 6B **102**
Todd Pl. G31: Glas 4E **89**
Todd St. G31: Glas 4E **89**
Todhills *G75: E Kil* *3H 157*
　　　　　　　　　　(off Todhills Nth.)

Todhills Nth. G75: E Kil 3H **157**
Todhills Sth. G75: E Kil 3H **157**
Todholm Cres. PA2: Pais 3D **102**
Todholm Rd. PA2: Pais 3D **102**
Todholm Ter. PA2: Pais 3D **102**
Tofthill Av. G64: B'rig 5B **50**
Tofthill Gdns. G64: B'rig 5B **50**
Tolbooth Steeple *5H 87*
(off Saltmarket)
Toll, The G76: Clar 1C **138**
Tollbrae Av. ML6: Air 4B **96**
TOLLCROSS 2A **110**
Tollcross Pk. Gdns.
G32: Glas 2G **109**
Tollcross Pk. Gro.
G32: Glas 2H **109**
Tollcross Pk. Leisure Cen. 2H **109**
Tollcross Pk. Vw. G32: Glas . .2G **109**
Tollcross Rd. G31: Glas 6F **89**
G32: Glas 6F **89**
Tollhouse Gdns. ML4: Bell 4E **131**
Toll La. G51: Glas 5C **86**
Tollpark Cres. ML2: Newm 4E **151**
Tollpark Pl. G68: Cumb 3E **17**
Tollpark Rd. G68: Cumb 3D **16**
Toll St. ML1: Moth 4H **147**
Toll Wynd ML3: Ham 4G **161**
Tolsta St. G23: Glas 6C **48**
Tomtain Brae G68: Cumb 6B **36**
Tomtain Ct. G68: Cumb 6B **36**
Toner Gdns. ML2: Over 4H **165**
Tontine La. G1: Glas 5H **87**
Tontine Pl. G73: Ruth 3G **125**
Topaz Ter. ML4: Bell 4C **130**
Toppersfield PA10: Kilb 3C **98**
Torbeg Gdns. G75: E Kil 1B **168**
Torbreck St. G52: Glas 6F **85**
Torbrex Rd. G67: Cumb 4A **38**
Torburn Av. G46: Giff 3H **121**
TORBUSH 5F **151**
Tordene Path G68: Cumb 2F **37**
Torgyle St. G23: Glas 6B **48**
Tormeadow Rd.
G77: Newt M 4D **136**
Tormore Ct. G33: Step 3E **69**
Tormore St. G51: Glas 5D **84**
Tormusk Dr. G45: Glas 3C **124**
Tormusk Gdns. G45: Glas 3C **124**
Tormusk Gro. G45: Glas 3C **124**
Tormusk Rd. G45: Glas 3B **124**
Torness St. G11: Glas 1A **4** (1A **86**)
Torogay Pl. G22: Glas 1A **66**
Torogay St. G22: Glas 2G **65**
Torogay Ter. G22: Glas 1G **65**
Toronto Wlk. G32: Carm 5C **110**
Torphin Cres. G32: Glas 5A **90**
Torphin Wlk. G32: Glas 5B **90**
TORRANCE 5D **30**
Torrance Av. G75: E Kil 6B **158**
ML6: Air 4D **96**
Torrance Ct. G75: E Kil 1H **169**
Torrance Gait G75: E Kil 1H **169**
Torrance La. G75: E Kil 1H **169**
Torrance Rd.
G64: B'rig, Torr 5D **30**
G74: E Kil 1G **157**
Torrance Rdbt. G75: E Kil 6B **158**
Torrance Wynd G75: E Kil 1H **169**
Torran Dr. PA8: Ersk 2A **60**
Torran Rd. G33: Glas 4F **91**
Torranyard Ter.
ML3: Ham 2C **160**
Tor Av. PA11: Q'riers 1A **76**
Torr Gdns. G22: Glas 5H **65**
Torriden Ct. *ML5: Coat* *6A 94*
(off Torriden St.)
Torriden Pl. ML5: Coat 6A **94**

Torrion St. ML5: Coat 6A **94**
Torridon Av. G41: Glas 2G **105**
ML1: N'hill 4D **132**
Torridon Ct. *G20: Glas* *1E 87*
(off Cedar St.)
Torridon Dr. PA4: Renf 1G **83**
Torridon Gdns.
G77: Newt M 5H **137**
Torridon Path *G41: Glas* *2G 105*
(off Dumbreck Pl.)
Torrindon Gdns. G61: Bear 6D **26**
Torrington Av. G46: Giff 1G **137**
Torrington Cres. G32: Glas 2D **110**
Torrin Rd. G23: Glas 6B **48**
Torrisdale Pl. ML5: Coat 4A **94**
Torrisdale St. G42: Glas 3D **106**
ML5: Coat 4A **94**
Torr La. PA11: Q'riers 1A **76**
Torr Pl. G22: Glas 5H **65**
Torr Rd. G64: B'rig 6F **51**
PA11: Bri W 2C **76**
Torr St. G22: Glas 5H **65**
Torryburn Rd. G21: Glas 5E **67**
Torwood Brae ML3: Ham 1D **160**
Torwood La. G69: Mood 5E **55**
TORYGLEN 5A **108**
Toryglen Rd. G73: Ruth 5B **108**
Toryglen St. G5: Glas 3H **107**
Tourist Info. Cen.
Glasgow 5D **6** (4G **87**)
Glasgow Airport 2H **81**
Hamilton Area 3A **146**
Paisley 6A **82**
Tourmaline Ter. ML4: Bell 4D **130**
Tournai Path G72: Blan 2B **144**
Toward Ct. G72: Blan 6C **128**
Toward Rd. G33: Glas 4C **90**
Toward Way PA2: Pais 6H **101**
Tower Av. G78: Barr 3F **119**
Towerhill Rd. G13: Glas 6C **46**
Tower Pl. G20: Glas 3B **64**
G62: Miln 3H **27**
PA5: John 4G **99**
Tower Rd. G64: Balm, Torr 2G **29**
G67: Cumb 1H **57**
PA5: John 4F **99**
Towerside Cres. G53: Glas 3A **104**
Towerside Rd. G53: Glas 3A **104**
Towers Pl. ML6: Air 4F **97**
Towers Rd. ML6: Air 3E **97**
Tower St. G41: Glas 6C **86**
Tower Ter. PA1: Pais 1H **101**
Tower Vw. G53: Glas 3H **103**
Town Cen. G67: Cumb 4H **37**
TOWNEND 2F **19**
Townend Rd. G82: Dumb 3F **19**
TOWNHEAD
G1 . . . . .6E **7** (4G **87**)
G66 . . . . .5D **32**
ML5 . . . . .2H **93**
Townhead Av. ML1: Holy 5G **115**
Townhead Dr. ML1: N'hill 4F **133**
TOWNHEAD INTERCHANGE 3H **7**
Townhead Pl. G71: Tann 5E **113**
Townhead Rd.
G77: Newt M 5C **136**
ML5: Coat 1E **93**
Townhead St. G65: Kils 3H **13**
ML3: Ham 6B **146**
Townhead Ter. PA1: Pais 1H **101**
Townhill Rd. ML3: Ham 6B **144**
Townhill Ter. ML3: Ham 6C **144**
Townmill Rd. G31: Glas 3B **88**
Townsend St.
G4: Glas 1D **6** (1G **87**)

Traction Bus. Pk.
ML1: Moth 4E **147**
Trades Hall 6E **7**
TRADESTON 6E **87**
Tradeston Ind. Est.
G5: Glas 1D **106**
Tradeston St. G5: Glas 6E **87**
Trafalgar Ct. G68: Dull 5F **15**
Trafalgar St. G40: Glas 2B **108**
G81: Clyd 4B **44**
Trainard Av. G32: Glas 1H **109**
Tramway .2E **107**
Tranent Pl. G33: Glas 3G **89**
ML1: Cle 5H **133**
Traquair Av. ML2: Wis 4A **150**
PA2: Pais 5C **100**
Traquair Dr. G52: Glas 1B **104**
Traquair Wynd *G72: Blan* *2A 144*
(off Winton Cres.)
Treeburn Av. G46: Giff 4H **121**
Treemain Rd. G46: Giff 1G **137**
Trees Pk. Av. G78: Barr 3D **118**
Trefoil Av. G41: Glas 5B **106**
Trefoil Pl. PA6: Hous 1B **78**
Trent Pl. G75: E Kil 5A **156**
Trent St. ML5: Coat 1H **93**
Trequair Ct. *G20: Glas* *6D 64*
(off Wilton St.)
Tresta Rd. G23: Glas 1C **64**
Triangle, The G64: B'rig 6C **50**
Triangle Shop. Cen., The
G64: B'rig 6C **50**
Tribboch St. ML9: Lark 2B **170**
Trident Ho. *PA3: Pais* *3C 82*
(off Renfrew Rd.)
Trident Way PA4: Renf 2E **83**
Trinidad Grn. G75: E Kil 2C **156**
Trinidad Way G75: E Kil 2C **156**
Trinity Av. G52: Glas 1C **104**
Trinity Dr. G72: Camb 4C **126**
Trinity Way ML9: Lark 4E **171**
Trinley Rd. G13: Glas 6D **46**
Triton Pl. ML4: Moss 2H **131**
Trondra Path G34: Glas 3F **91**
Trondra Pl. G34: Glas 4F **91**
Trongate G1: Glas 6E **7** (5G **87**)
Tron Theatre 6F **7**
Troon Av. G75: E Kil 5C **156**
Troon Ct. G75: E Kil 5D **156**
Troon Dr. PA11: Bri W 4E **77**
Troon Gdns. G68: Cumb 5H **15**
Troon Pl. G77: Newt M 5G **137**
Troon St. G40: Glas 2D **108**
Trossachs Av. ML1: Holy 2A **132**
Trossachs Ct. G20: Glas 6E **65**
Trossachs Rd. G73: Ruth 5F **125**
Trossachs St. G20: Glas 6E **65**
Troubridge Av. PA10: Kilb 4B **98**
Troubridge Cres.
PA10: Kilb 3B **98**
Trovaig PA8: Ersk 2G **59**
Trows Rd. ML2: Over 5H **165**
Truce Rd. G13: Glas 1B **62**
Truro Av. G69: Mood 4D **54**
Tryst Rd. G67: Cumb 4H **37**
Tryst Sports Cen. 3A **38**
Tryst Wlk. G67: Cumb 4H **37**
G67: Cumb 3H **37**
(off Central Way)
Tudor La. Sth. G14: Glas 6E **63**
Tudor Rd. G14: Glas 6E **63**
Tudor St. G69: Bail 2F **111**
Tulley Wynd ML1: Moth 5F **131**
Tulliallan Pl. G74: E Kil 3A **158**
Tullis Ct. G40: Glas 1A **108**
Tullis Gdns. G40: Glas 1B **108**
Tullis St. G40: Glas 1A **108**

Tulloch-Ard Pl.
  G73: Ruth 4F **125**
Tulloch Gdns. ML1: Moth 5B **148**
Tulloch St. G44: Glas 1E **123**
Tullymet Rd. ML3: Ham 3H **161**
Tummel Dr. ML6: Air 1H **95**
Tummel Grn. G74: E Kil 6G **141**
Tummell Way PA2: Pais 4D **100**
Tummel St. G33: Glas 1G **89**
Tummel Wlk. *G67: Cumb* *4H 37*
  (in The Cumbernauld Shop. Cen.)
Tummel Way *G67: Cumb* *3H 37*
  (in The Cumbernauld Shop. Cen.)
Tunnel St. G3: Glas 6D **4** (4C **86**)
Tuphall Rd. ML3: Ham 1H **161**
Tureen St. *G40: Glas* *5A 88*
  (off Millroad Dr.)
Turnberry Av. G11: Glas 6H **63**
Turnberry Cres. ML5: Coat 1A **114**
  ML6: Chap 4E **117**
Turnberry Dr. G73: Ruth 2B **124**
  G77: Newt M 5G **137**
  ML3: Ham 1B **160**
  PA11: Bri W 5E **77**
Turnberry Gdns. G68: Cumb 6H **15**
Turnberry Pl. G73: Ruth 2B **124**
  G75: E Kil 5D **156**
  G82: Dumb 3C **18**
Turnberry Rd. G11: Glas 6G **63**
Turnberry Wynd
  G71: Both 4C **128**
Turnbull St. G1: Glas 5H **87**
Turner Rd. G21: Glas 1B **88**
  PA3: Pais 3B **82**
Turners Av. PA1: Pais 2F **101**
Turner St. ML5: Coat 5B **94**
Turnhill Av. PA8: Ersk 2F **59**
Turnhill Cres. PA8: Ersk 2F **59**
Turnhill Dr. PA8: Ersk 1F **59**
Turnhill Gdns. PA8: Ersk 2F **59**
Turnlaw G75: E Kil 6F **157**
Turnlaw Farm G72: Camb 6A **126**
Turnlaw Rd. G72: Camb 6A **126**
Turnlaw St. G5: Glas 1H **107**
Turnyland Mdws.
  PA8: Ersk 2F **59**
Turnyland Way PA8: Ersk 2F **59**
Turquoise Ter. ML4: Bell 4D **130**
Turret Cres. G13: Glas 1C **62**
Turret Rd. G13: Glas 6C **46**
Turriff St. G5: Glas 1F **107**
TWECHAR 2D **34**
Twechar Recreation Cen. 2D **34**
Tweed Av. PA2: Pais 3D **100**
Tweed Ct. ML6: Air 6C **96**
Tweed Cres. G33: Glas 2F **89**
  ML2: Wis 4A **150**
  PA4: Renf 6G **61**
Tweed Dr. G61: Bear 4D **46**
Tweed La. ML1: Holy 2B **132**
Tweedmuir Pl. ML5: Coat 2F **115**
Tweed Pl. PA5: John 5C **98**
Tweedsmuir G64: B'rig 5E **51**
Tweedsmuir Cres.
  G61: Bear 6E **27**
Tweedsmuir Pk.
  ML3: Ham 3G **161**
Tweedsmuir Rd. G52: Glas 1B **104**
Tweed St. G75: E Kil 4B **156**
  ML5: Coat 2D **114**
  ML9: Lark 4C **170**
Tweedvale Av. G14: Glas 3G **61**
Tweedvale Pl. G14: Glas 3G **61**
Tweed Wlk. *G67: Cumb* *4H 37*
  (in The Cumbernauld Shop. Cen.)
Twinlaw St. G34: Glas 2B **92**
Tylney Rd. PA1: Pais 6F **83**

Tyndrum Rd. G61: Bear 2H **47**
Tyndrum St. G4: Glas 1D **6** (2G **87**)
Tynecastle Cres.
  G32: Glas 4B **90**
Tynecastle Path G32: Glas 4B **90**
Tynecastle Pl. G32: Glas 4B **90**
Tynecastle St. G32: Glas 4B **90**
Tyne Pl. G75: E Kil 5A **156**
Tynron Ct. ML3: Ham 2C **160**
Tynwald Av. G73: Ruth 3F **125**

U

UDDINGSTON 2D **128**
Uddingston Rd. G71: Both 4D **128**
Uddingston Station (Rail) 1C **128**
UDSTON 5D **144**
Udston Rd. ML3: Ham 5C **144**
Udston Ter. ML3: Ham 4D **144**
Uig Pl. G33: Glas 6E **91**
Uist Cres. G33: Step 5E **69**
Uist Dr. G66: Kirk 5G **33**
Uist Pl. ML6: Air 5D **96**
Uist St. G51: Glas 4F **85**
Uist Way ML2: Wis 4C **150**
Ullswater G75: E Kil 6B **156**
Ulundi Rd. PA5: John 3D **98**
Ulva St. G52: Glas 6F **85**
Ulverston Ter. ML3: Ham 5H **161**
Umachan PA8: Ersk 2G **59**
Underwood Ct. PA3: Pais 6H **81**
Underwood Dr.
  ML2: Newm 2E **151**
Underwood La. PA1: Pais 6H **81**
Underwood Rd.
  G73: Ruth 1E **125**
  PA3: Pais 6G **81**
Underwood St. G41: Glas 5C **106**
Union Ct. PA2: Pais 3A **102**
Union Pl. G1: Glas 5C **6** (4F **87**)
Union St. G1: Glas 5C **6** (4F **87**)
  G66: Kirk 5C **32**
  ML1: New S 3A **132**
  ML3: Ham 5G **145**
  ML8: Carl 4D **174**
  ML9: Lark 2C **170**
  PA2: Pais 3A **102**
Unitas Cres. ML8: Carl 4C **174**
Unitas Rd. ML4: Moss 2E **131**
Unity Pl. G4: Glas 1E **87**
University Av. G12: Glas 1B **86**
University Gdns. G12: Glas 1B **86**
University of Glasgow
  Kelvin Campus 6G **47**
  University Veterinary Hospital
  . . . . .1G **63**
  Veterinary Medicine 6F **47**
  Wolfson Building 1B **4** (1B **86**)
University of Glasgow Vis. Cen.
  . . . . .1B **86**
University of Strathclyde
  John Anderson Campus
  . . . . .5F **7** (4H **87**)
  Jordanhill Campus 4D **62**
University Pl. G12: Glas 1A **86**
Unsted Pl. PA1: Pais 1C **102**
Unst La. G72: Camb 5G **125**
Unthank Rd. ML4: Moss 2E **131**
Uphall Pl. G33: Glas 4G **89**
Upland La. *G14: Glas* *5C 62*
  (off Danes La. Nth.)
Upland Rd. G14: Glas 5C **62**
UP La. G65: Kils 3H **13**
Uplawmoor Rd. G78: Neil 4A **134**
Up. Bourtree Ct.
  G73: Ruth 3E **125**

Up. Bourtree Dr. G73: Ruth 3D **124**
Up. Glenburn Rd.
  G61: Bear 2C **46**
Up. Mill St. ML6: Air 3A **96**
UP Rd. G65: Kils 3H **13**
Urquhart Cres. PA4: Renf 1E **83**
Urquhart Dr. G74: E Kil 6A **142**
Urquhart Pl. G69: G'csh 5C **70**
Urrdale Rd. G41: Glas 6H **85**
Usmore Pl. G33: Glas 6E **91**

V

Vaila La. G72: Camb 4H **125**
Vaila Pl. G23: Glas 2E **65**
Vaila St. G23: Glas 1D **64**
Valence Twr. G71: Both 3B **128**
Valerio Ct. G72: Blan 1B **144**
Valetta Pl. G81: Clyd 4H **43**
Valeview Ter. G42: Glas 5E **107**
  G82: Dumb 1G **19**
Vale Wlk. G64: B'rig 1E **67**
Vallantine Cres. G71: Tann 5E **113**
Vallay St. G22: Glas 1H **65**
Valleybank G65: Bant 1F **15**
Valley Ct. ML3: Ham 1G **161**
Valleyfield G66: Milt C 5A **10**
  G75: E Kil 2F **157**
Valleyfield Av. ML3: Fern 2E **163**
Valleyfield Dr.
  G68: Cumb 4A **36**
Valleyfield St. G21: Glas 6A **66**
Valley Vw. ML1: Moth 6B **148**
Vancouver Ct. G75: E Kil 2D **156**
Vancouver Dr. G75: E Kil 2D **156**
Vancouver La. *G14: Glas* *5D 62*
  (off Norse La. Nth., not continuous)
  G14: Glas *5C 62*
  (off Norse La. Sth.)
Vancouver Pl. G81: Clyd 4H **43**
Vancouver Rd.
  G14: Glas 5C **62**
Vanguard St. G81: Clyd 5E **45**
Vanguard Way PA4: Renf 2E **83**
Vardar Av. G76: Clar 1A **138**
Vardon Lea ML1: Cle 6E **133**
Varna La. G14: Glas 6E **63**
Varna Rd. G14: Glas 5E **63**
Varnsdorf Way ML6: Air 5D **96**
Vasart Pl. G20: Glas 5D **64**
Veir Ter. G82: Dumb 4E **19**
Veitches Ct. G81: Dun 1C **44**
Veitch Pl. G66: Len 3F **9**
Vennacher Rd. PA4: Renf 5C **60**
Vennard Gdns.
  G41: Glas 3C **106**
Vermont Av. G73: Ruth 6C **108**
Vermont St. G41: Glas 6B **86**
Vernon Bank G74: E Kil 6G **141**
Vernon Dr. PA3: Lin 5G **79**
Verona Av. G14: Glas 5C **62**
Verona Gdns. G14: Glas 5C **62**
Verona La. G14: Glas 5C **62**
Vesalius St. G32: Glas 6A **90**
Viaduct Rd. G76: Busby 2D **138**
Vicarfield Pl. G51: Glas 4H **85**
Vicarfield St. G51: Glas 4H **85**
VICARLAND 2A **126**
Vicarland Pl.
  G72: Camb 3A **126**
Vicarland Rd.
  G72: Camb 2A **126**
Vicars Wlk. G72: Camb 2B **126**
Vickers St. ML1: Moth 1D **146**
Victoria Av. G78: Barr 3D **118**
  ML8: Carl 4C **174**

Victoria Bri. G5: Glas 5G **87**
Victoria Cir. G12: Glas 6A **64**
Victoria Ct. G77: Newt M 1D **152**
  ML9: Lark 1C **170**
Victoria Cres. G65: Kils 3F **13**
  G76: Busby 2D **138**
  G78: Barr 3D **118**
  ML2: Wis 5D **148**
  ML6: Air 5G **95**
Victoria Cres. La.
  G12: Glas 6A **64**
Victoria Cres. Pl. G12: Glas . . .6A **64**
Victoria Cres. Rd.
  G12: Glas 6A **64**
Victoria Cross G42: Glas 3E **107**
Victoria Dr. G78: Barr 3D **118**
Victoria Dr. E. PA4: Renf 1E **83**
Victoria Dr. W. PA4: Renf 6D **60**
Victoria Gdns. G78: Barr 3D **118**
  ML6: Air 4H **95**
  PA2: Pais 3G **101**
Victoria Glade G68: Dull 5F **15**
Victoria Gro. G78: Barr 3D **118**
Victoria La. G77: Newt M 1D **152**
Victoria Pk. G65: Kils 3F **13**
Victoria Pk. Cnr.
  G14: Glas 6D **62**
Victoria Pk. Dr. Nth.
  G14: Glas 5D **62**
Victoria Pk. Dr. Sth.
  G14: Glas 6D **62**
     (not continuous)
Victoria Pk. Gdns. Nth.
  G11: Glas 6F **63**
Victoria Pk. Gdns. Sth.
  G11: Glas 6F **63**
Victoria Pk. La. Nth.
  G14: Glas 6D **62**
Victoria Pk. La. Sth.
  G14: Glas 6D 62
     (off Westland Dr.)
Victoria Pk. St. G14: Glas 6D **62**
Victoria Pl. G62: Miln 4H **27**
  G65: Kils 3G **13**
  G73: Ruth 5C 108
     (off King St.)
  G78: Barr 3E **119**
  G81: Hard 1D **44**
  ML4: Bell 3B **130**
  ML6: Air 5G **95**
Victoria Quad. ML1: Holy 2H **131**
Victoria Rd. G33: Step 4C **68**
  G42: Glas 4E **107**
  G66: Lenz 3C **52**
  G68: Dull 5F **15**
  G73: Ruth 1D **124**
  G78: Barr 3D **118**
  PA2: Pais 3G **101**
  PA5: Brkfld 6D **78**
Victoria Sq. G77: Newt M 1D **152**
Victoria St. G66: Kirk 5C **32**
  G72: Blan 3B **144**
  G73: Ruth 5C **108**
  G82: Dumb 5G **19**
  ML2: Newm 5E **151**
  ML3: Ham 3F **145**
  ML9: Lark 2C **170**
Victoria Ter. G68: Dull 5F **15**
Victor St. ML6: Plain 1G **97**
Victory Baths 5F **61**
Victory Dr. PA10: Kilb 1A **98**
VICTORY GARDENS 1E **83**
Victory Way G69: Bail 1H **111**
Viewbank G46: T'bnk 4G **121**
Viewbank Av. ML6: C'bnk 3B **116**
Viewbank St. ML5: Glenb 4B **72**
VIEWFIELD 4B **130**

Viewfield G69: Mood 3C **54**
  ML6: Air 5G **95**
Viewfield Av. G64: B'rig 1A **66**
  G66: Lenz 2C **52**
  G66: Milt C 6B **10**
  G69: Bail 6F **91**
  G72: Blan 6C **128**
Viewfield Dr. G64: B'rig 1A **66**
  G69: Bail 6F **91**
Viewfield La. G12: Glas 1C **86**
Viewfield Rd. FK4: Bank 1D **16**
  G64: B'rig 1A **66**
  ML4: Bell 4B **130**
  ML5: Coat 1F **113**
Viewglen Ct. G45: Glas 6H **123**
Viewmount Dr.
  G20: Glas 2B **64**
VIEWPARK 6G **113**
Viewpark G62: Miln 4H **27**
Viewpark Av. G31: Glas 3D **88**
Viewpark Ct. G73: Ruth 1E **125**
Viewpark Dr. G73: Ruth 1D **124**
Viewpark Gdns. 1F **129**
Viewpark Gdns.
  PA4: Renf 1D **82**
Viewpark Pl. ML1: Moth 3E **147**
Viewpark Rd. ML1: Moth 3E **147**
Viewpark Shop. Cen.
  G71: View 1H **129**
Viewpoint Ga. G21: Glas 3B **66**
Viewpoint Pl. G21: Glas 3B **66**
Viewpoint Rd. G21: Glas 3B **66**
Vigilant Ho. PA3: Pais 4A **82**
Viking Cres. PA6: C'lee 3D **78**
Viking Rd. ML6: Air 6B **96**
Viking Ter. G75: E Kil 5G **157**
Viking Way G46: T'bnk 2F **121**
  PA4: Renf 2E **83**
Villafield Av. G64: B'rig 4C **50**
Villafield Dr. G64: B'rig 4C **50**
Villafield Loan
  G64: B'rig 4C **50**
Village Gdns. G72: Blan 6C **128**
Village Rd. G72: Flem 2E **127**
Vincent Ct. *ML4: Bell 3C 130*
     (off Gardenside)
Vine St. G11: Glas 1H **85**
Vinicombe La. *G12: Glas 6B 64*
     (off Vinicombe St.)
Vinicombe St.
  G12: Glas 6B **64**
Vintner St. G4: Glas 1G **87**
Viola Pl. G64: Torr 5E **31**
Violet Gdns. ML8: Carl 5C **174**
Violet Pl. ML1: Holy 1B **132**
Violet St. PA1: Pais 1C **102**
Virginia Ct. G1: Glas 6D **6** (4G **87**)
Virginia Gdns.
  G62: Miln 5A **28**
Virginia Gro. ML3: Ham 3D **160**
Virginia Pl. G1: Glas 6E **7** (4G **87**)
Virginia St. G1: Glas 6E **7** (4G **87**)
Virtue Well Vw.
  ML6: Glenm 6G **73**
Viscount Av. PA4: Renf 2E **83**
Viscount Ga.
  G71: Both 2C **128**
Vivian Av. G62: Miln 4F **27**
Voil Dr. G44: Glas 3E **123**
Vorlich Ct. G78: Barr 6E **119**
Vorlich Gdns. G61: Bear 6C **26**
Vorlich Wynd
  ML1: N'hill 3C **132**
Vryburg Cl. G75: E Kil 1A **168**
Vryburg Cres. G75: E Kil 1A **168**
Vue Cinema
  Hamilton 5B **146**

Vulcan St. G21: Glas 5A **66**
     (not continuous)
  ML1: Moth 1G **147**

W

Waddell Av. ML6: Glenm 5F **73**
Waddell Ct. G5: Glas 6H **87**
Waddell St. G5: Glas 1H **107**
  ML6: Air 2A **96**
Waid Av. G77: Newt M 3C **136**
Waldemar Rd. G13: Glas 2C **62**
Waldo St. G13: Glas 2F **63**
Walkerburn Dr. ML2: Wis 3A **150**
Walkerburn Rd. G52: Glas 1B **104**
Walker Ct. G11: Glas 2H **85**
Walker Dr. PA5: Eld 3H **99**
Walker Path G71: Tann 5E **113**
Walker St. G11: Glas 2H **85**
  PA1: Pais 1H **101**
Walkinshaw Rd.
  PA4: Inch 6F **59**
Walkinshaw St. G40: Glas 1C **108**
  PA5: John 2F **99**
     (Collier St.)
  PA5: John 2F **99**
     (High St.)
Wallace Av. PA5: Eld 2A **100**
  PA7: B'ton 4H **41**
Wallace Dr. G33: Glas 1F **67**
  ML9: Lark 3E **171**
Wallace Ga. G33: Glas 1F **67**
Wallace Ho. G67: Cumb 3G **37**
Wallace Pl. G33: Glas 1F **67**
  G72: Blan 6C **128**
  ML3: Ham 1C **162**
Wallace Rd. ML1: New S 5B **132**
  PA4: Renf 2C **82**
Wallace St. G5: Glas 5E **87**
  G73: Ruth 6C **108**
  G81: Clyd 1D **60**
  G82: Dumb 5G **19**
  ML1: Moth 2F **147**
  ML5: Coat 6C **94**
  ML6: Plain 1G **97**
  PA3: Pais 5A **82**
Wallacewell Cres. G21: Glas 4D **66**
Wallacewell Pl. G21: Glas 4D **66**
Wallacewell Quad.
  G21: Glas 3E **67**
Wallacewell Rd. G21: Glas 4C **66**
Wallace Wynd G72: Camb 4A **126**
  ML8: Law 5E **167**
Wallbrae Rd. G67: Cumb 5A **38**
Wallneuk PA3: Pais 6B **82**
Wallneuk Rd. PA3: Pais 6B **82**
Walls St. G1: Glas 6F **7** (4H **87**)
Walmer Cres. G51: Glas 5A **86**
Walnut Cl. G75: E Kil 5E **157**
Walnut Ct. G66: Milt C 6B **10**
Walnut Cres. G22: Glas 4H **65**
  PA5: John 4H **99**
Walnut Dr. G66: Lenz 1B **52**
Walnut Ga. G72: Flem 3F **127**
Walnut Gro. G75: E Kil 5E **157**
Walnut Pl. G22: Glas 4G **65**
  G71: View 4G **113**
Walnut Rd. G22: Glas 4G **65**
Walpole Pl. PA5: John 6D **98**
Walter St. G31: Glas 4D **88**
  ML2: Wis 6B **150**
Walton Av. G77: Newt M 3C **136**
Walton Ct. G46: Giff 5A **122**
Walton St. G41: Glas 5C **106**
  G78: Barr 4E **119**

Wamba Av. G13: Glas 1E **63**
Wamba Pl. G13: Glas 1E **63**
Wamphray Pl. G75: E Kil 4H **155**
Wandilla Av. G81: Clyd 5F **45**
Wanlock St. G51: Glas 3G **85**
Wardend Rd. G64: Torr 4D **30**
Warden Rd. G13: Glas 2D **62**
Wardhill Rd. G21: Glas 4D **66**
Wardhouse Rd. PA2: Pais 6G **101**
Wardie Path G33: Glas 4F **91**
Wardie Pl. G33: Glas 4F **91**
Wardie Rd. G33: Glas 4F **91**
  G34: Glas 4F **91**
Wardlaw Av. G73: Ruth 6D **108**
Wardlaw Cres. G75: E Kil 4H **155**
Wardlaw Dr. G73: Ruth 5D **108**
Wardlaw Rd. G61: Bear 6F **47**
WARDPARK 4C **16**
Wardpark Ct. G67: Cumb 5D **16**
Wardpark E. Ind. Est.
  G68: Cumb 3E **17**
Wardpark Nth. Ind. Est.
  G68: Cumb 4C **16**
Wardpark Pl. G67: Cumb 5D **16**
Wardpark Rd. G67: Cumb 5C **16**
Wardpark Rdbt. G68: Cumb 4C **16**
Wardpark Sth. Ind. Est.
  G67: Cumb 5C **16**
Wardrop Pl. G74: E Kil 6H **141**
Wardrop St. G51: Glas 3G **85**
  PA1: Pais 1A **102**
Wards Cres. ML5: Coat 6A **94**
Ware Rd. G34: Glas 4F **91**
Warilda Av. G81: Clyd 5E **45**
Warlock Dr. PA11: Bri W 2F **77**
Warlock Rd. PA11: Bri W 2F **77**
Warnock Cres. ML4: Bell 3D **130**
Warnock Rd.
  G77: Newt M 3C **136**
Warnock St.
  G31: Glas 4H **7** (3A **88**)
Warren Rd. ML3: Ham 3H **161**
Warren St. G42: Glas 4F **107**
Warren Wlk. G66: Len 4G **9**
Warrington Ct. G33: Glas 3H **89**
Warriston Cres. G33: Glas 3F **89**
Warriston Pl. G32: Glas 4B **90**
Warriston St. G33: Glas 3F **89**
Warriston Way G73: Ruth 3F **125**
  (off Kilbride Rd.)
Warroch St. G3: Glas 6G **5** (4D **86**)
Warwick G74: E Kil 5C **142**
Warwick Gro. ML3: Ham 4C **144**
Warwick Vs. G81: Clyd 2G **61**
  (off Edward St.)
Washington Rd. G66: Kirk 5B **32**
  PA3: Pais 3B **82**
Washington St. G3: Glas . . .6H **5** (4E **87**)
Watchmeal Cres.
  G81: Faif 6E **25**
Waterbank Rd.
  G76: Crmck 3H **139**
WATERFOOT 6B **138**
Waterfoot Av. G53: Glas 5C **104**
Waterfoot Bank G74: T'hall 1C **154**
Waterfoot Rd. G74: T'hall 6C **138**
  G76: Water 6F **137**
  G77: Newt M 6F **137**
Waterfoot Row G74: T'hall 6B **138**
  G76: Water 6B **138**
Waterfoot Ter. G53: Glas 5C **104**
  (off Waterfoot Av.)
Waterford Ct. G46: Giff 5H **121**
  (off Waterford Rd.)
Waterford Rd. G46: Giff 4H **121**
Waterhaughs Gdns.
  G33: Glas 2F **67**

Waterhaughs Gro. G33: Glas 2F **67**
Waterhaughs Pl. G33: Glas 2F **67**
Waterlands Gdns.
  ML8: Carl 2E **175**
Waterlands Pl. ML8: Law 1G **173**
Waterlands Rd. ML8: Law 5F **167**
WATERLOO 2B **166**
Waterloo Cl. G66: Kirk 4D **32**
Waterloo Gdns. G66: Kirk 4D **32**
  (off John St.)
Waterloo La. G2: Glas 5B **6** (4F **87**)
Waterloo St. G2: Glas 5A **6** (4E **87**)
  PA5: Eld 4D **32**
Watermill Av. G66: Lenz 3D **52**
Water Rd. G78: Barr 4E **119**
Water Row G51: Glas 3G **85**
Watersaugh Dr. ML1: Cle 5H **133**
WATERSIDE
  G53 .2G **119**
  G66 .6H **33**
Waterside Av.
  G77: Newt M 5C **136**
Waterside Cotts. G66: Kirk 6H **33**
Waterside Ct. G76: Crmck 2H **139**
Waterside Dr. G77: Newt M 5C **136**
Waterside Gdns. G72: Flem 4E **127**
  G76: Crmck 2H **139**
  ML3: Ham 2A **162**
Waterside La. PA10: Kilb 3C **98**
Waterside Pl. G5: Glas 1H **107**
Waterside Rd. G66: Kirk 5D **32**
  (not continuous)
  G76: Crmck 4H **139**
Waterside St. G5: Glas 1H **107**
Waterside Ter. PA10: Kilb 3C **98**
  (off Kilbarchan Rd.)
Waterside Way PA10: Kilb 3C **98**
Watling Pl. G75: E Kil 2C **156**
Watling St. G71: Tann 4C **112**
  ML1: Moth 6D **130**
Watson Av. G73: Ruth 6B **108**
  PA3: Lin 5H **79**
Watson Cres. G65: Kils 3A **14**
Watson Pl. G72: Blan 2H **143**
Watson St. G1: Glas 6G **7** (5H **87**)
  G71: Udd 2D **128**
  G72: Blan 2H **143**
  ML1: Moth 4G **147**
  ML9: Lark 2B **170**
Watsonville Pk.
  ML1: Moth 3G **147**
Watt Av. G33: Step 4F **69**
Watt Cres. ML4: Bell 6D **114**
Watt La. PA11: Bri W 4G **77**
Watt Low Av. G73: Ruth 1B **124**
Watt Pl. G62: Miln 2F **27**
  G72: Blan 5A **144**
Watt Rd. G52: Hill 4H **83**
  PA11: Bri W 4F **77**
WATTSTON 1D **74**
Watt St. G5: Glas 5D **86**
  ML6: Air 2C **96**
Waukglen Av. G53: Glas 5B **120**
Waukglen Cres. G53: Glas 4C **120**
Waukglen Dr. G53: Glas 4B **120**
Waukglen Gdns.
  G53: Glas 5B **120**
Waukglen Path G53: Glas 4B **120**
Waukglen Pl. G53: Glas 4B **120**
Waulkglen Rd. G53: Glas 4B **120**
Waulking Mill Rd.
  G81: Faif, Hard 6E **25**
Waukglen Av. G78: Barr 3F **119**
Waulkmill La. G81: Dun 1D **44**
Waulkmill St. G46: T'bnk 3E **121**
Waulkmill Way
  G78: Barr 3F **119**

Waverley G74: E Kil 5D **142**
  G81: Clyd 5E **45**
Waverley Ct. G71: Both 5E **129**
Waverley Cres. G66: Kirk 5E **33**
  G67: Cumb 6F **37**
  ML3: Ham 5D **144**
Waverley Dr. G73: Ruth 6E **109**
  ML2: Wis 5H **149**
  ML6: Air 2B **96**
Waverley Gdns. G41: Glas 4C **106**
  PA5: Eld 3B **100**
WAVERLEY PARK 4B **106**
Waverley Pk. G66: Kirk 5D **32**
Waverley Rd.
  PA2: Pais 6D **100**
Waverley St. G41: Glas 4C **106**
  ML3: Ham 5D **144**
  ML5: Coat 2D **94**
  ML9: Lark 5C **170**
Waverley Ter. G72: Blan 4A **144**
  G82: Dumb 3B **18**
Waverley Way PA2: Pais 6D **100**
Weardale La. G33: Glas 3C **90**
Weardale St. G33: Glas 3C **90**
Weaver Av. G77: Newt M 2C **136**
Weaver Cres. ML6: Air 6A **96**
Weaver La. PA10: Kilb 1A **98**
Weaver Pl. G75: E Kil 4A **156**
Weavers Av. PA2: Pais 2F **101**
Weaver's Cottage 2A **98**
Weaver's Cottage Mus., The . . .3A **96**
Weavers Ct. G74: E Kil 1H **157**
  (off Parkhall St.)
  PA1: Pais 1D **102**
  PA10: Kilb 2A **98**
Weaver's Ga. PA1: Pais 2E **101**
Weavers Rd. PA2: Pais 2F **101**
Weaver St. G4: Glas 5G **7** (4H **87**)
Weaver Ter. PA2: Pais 2C **102**
Webster Groves ML2: Wis 4B **150**
Webster St. G40: Glas 2C **108**
  G81: Clyd 1G **61**
Wedderlea Dr. G52: Glas 6A **84**
Wedsley Ct. G41: Glas 1C **106**
Weensmoor Rd. G53: Glas 3H **119**
Weeple Dr. PA3: Lin 5G **79**
Weighhouse Cl. PA1: Pais 1A **102**
Weigh Ho. Rd. ML8: Carl 2C **174**
Weir Av. G78: Barr 5E **119**
Weir Pl. ML8: Law 1F **173**
Weir's La. ML8: Carl 3D **174**
Weir St. ML5: Coat 4C **94**
  PA3: Pais 6B **82**
Weirwood Av. G69: Bail 1F **111**
Weirwood Gdns.
  G69: Bail 1F **111**
Welbeck Rd. G53: Glas 2B **120**
Weldon Pl. G65: Croy 2B **36**
Welfare Av. G72: Camb 3D **126**
Welland Pl. G75: E Kil 4A **156**
Wellbank Pl. G71: Udd 2D **128**
Wellbeck Ho. G74: E Kil 1H **157**
  (off Stuart St.)
Wellbrae Hill ML9: Lark 3C **170**
Wellbrae Rd. ML3: Ham 2F **161**
Wellbrae Ter. G69: Mood 5D **54**
Wellcroft Pl. G5: Glas 1F **107**
  (not continuous)
Wellcroft Rd. ML3: Ham 6C **144**
Wellcroft Ter. ML3: Ham 6C **144**
Wellesley Cres.
  G68: Cumb 4A **36**
  G75: E Kil 4B **156**
Wellesley Dr. G68: Cumb 4H **35**
  G75: E Kil 3B **156**
Wellesley Pl. G68: Cumb 4H **35**
Wellfield Av. G46: Giff 4H **121**

Wellfield St. G21: Glas 5B **66**
Wellgate Ct. ML9: Lark 1C **170**
Wellgate St. ML9: Lark 1C **170**
Well Grn. G43: Glas 5A **106**
Well Grn. Ct. *G43: Glas* *5A* **106**
(off Well Grn.)
Wellhall Ct. ML3: Ham 5F **145**
Wellhall Rd. ML3: Ham 1D **160**
Wellhouse Cres. G33: Glas 4E **91**
Wellhouse Gdns.
G33: Glas 4F **91**
Wellhouse Gro. G33: Glas 4F **91**
Wellhouse Path G34: Glas 4F **91**
Wellhouse Rd. G33: Glas 3F **91**
Wellington G75: E Kil 4D **156**
Wellington La. G2: Glas . . .5A **6** (4E **87**)
(not continuous)
Wellington Path G69: Barg 1H **111**
Wellington Pl. G81: Clyd 4H **43**
ML2: Wis 2B **166**
ML5: Coat 6G **93**
Wellington Rd. G64: B'rig 3D **50**
Wellington St. G2: Glas . . .6B **6** (4F **87**)
ML2: Wis 4C **148**
ML6: Air 2A **96**
PA3: Pais 5H **81**
Wellington Way PA4: Renf 2E **83**
Wellknowe Av. G74: T'hall 6G **139**
Wellknowe Pl. G74: T'hall 6F **139**
Wellknowe Rd. G74: T'hall 6G **139**
Well La. G66: Len 3F **9**
Wellmeadow Cl.
G77: Newt M 4D **136**
Wellmeadow Grn.
G77: Newt M 3D **136**
Wellmeadow Rd. G43: Glas 1H **121**
Wellmeadows Ct. ML3: Ham 1E **161**
Wellmeadows La.
ML3: Ham 1E **161**
Wellmeadow St. PA1: Pais 1H **101**
Wellmeadow Way
G77: Newt M 4D **136**
Wellpark La. G78: Neil 3D **134**
Wellpark Rd. FK4: Bank 1D **16**
ML1: Moth 3E **147**
Wellpark St. G31: Glas 4A **88**
Wellpark Ter. G78: Neil 3D **134**
Well Rd. PA10: Kilb 2A **98**
Wellshot Cotts. G65: Kils 4H **13**
Wellshot Dr. G72: Camb 2H **125**
Wellshot Rd. G32: Glas 2H **109**
WELLSIDE 3D **126**
Wellside Av. ML6: Air 2A **96**
Wellside Dr. G72: Camb 3C **126**
Wellside La. ML6: Air 2B **96**
Wellside Quad. ML6: Air 1A **96**
Wellsquarry Rd.
G76: Crmck 5E **141**
Wells St. G81: Clyd 4B **44**
Well St. PA1: Pais 6G **81**
PA3: Pais 6G **81**
Wellview Dr. ML1: Moth 3F **147**
Wellwynd ML6: Air 3H **95**
Wellwynd Gdns. ML6: Air 3H **95**
Welsh Dr. G72: Blan 3B **144**
ML3: Ham 4G **161**
Welsh Row ML6: C'bnk 2C **116**
Wemyss Av. G77: Newt M 2C **136**
Wemyss Dr. G68: Cumb 4A **36**
Wemyss Gdns. G69: Bail 2G **111**
Wendur Way PA3: Pais 3A **82**
Wenlock Rd. PA2: Pais 3B **102**
Wensleydale G74: E Kil 6E **141**
Wentworth Dr. G23: Glas 6C **48**
Wesley St. ML6: Air 4H **95**
Westacres Rd.
G77: Newt M 5A **136**

WEST ARTHURLIE 6C **118**
West Av. G33: Step 4D **68**
G71: View 1F **129**
G72: Blan 4C **144**
ML6: Plain 6G **75**
ML8: Carl 4B **174**
PA3: Lin 1B **100**
PA4: Renf 6F **61**
WEST BALGROCHAN 3D **30**
W. Balgrochan Rd.
G64: Torr 4D **30**
Westbank Ct. *G12: Glas* *1C* **86**
(off Westbank Quad.)
Westbank La. *G12: Glas* *1C* **86**
(off Gibson St.)
Westbank Quad. G12: Glas 1C **86**
Westbourne Cres. G61: Bear 2C **46**
Westbourne Dr. G61: Bear 2C **46**
Westbourne Gdns. La.
G12: Glas 5A **64**
Westbourne Gdns. Nth.
G12: Glas 5A **64**
Westbourne Gdns. Sth.
G12: Glas 5A **64**
Westbourne Gdns. W.
G12: Glas 5H **63**
Westbourne Rd. G12: Glas 5H **63**
Westbourne Ter. La. Nth.
G12: Glas 5H **63**
Westbourne Ter. La. Sth.
G12: Glas 5H **63**
West Brae PA1: Pais 1H **101**
Westbrae Dr. G14: Glas 5E **63**
Westbrae Rd. G77: Newt M 3F **137**
West Bridgend G82: Dumb 3E **19**
W. Buchanan Pl. PA1: Pais 1H **101**
WESTBURN 1D **126**
Westburn Av. G72: Camb 1D **126**
PA3: Pais 6E **81**
Westburn Cres. G73: Ruth 6B **108**
G81: Hard 6D **24**
Westburn Dr. G72: Camb 6B **110**
Westburn Farm Rd.
G72: Camb 1B **126**
Westburn Rd.
G72: Camb, Newt 2B **126**
(not continuous)
W. Burnside St. G65: Kils 3H **13**
W. Campbell St.
G2: Glas 6A **6** (4E **87**)
PA1: Pais 1F **101**
W. Canal St. ML5: Coat 5B **94**
Westcastle Ct. G45: Glas 4H **123**
Westcastle Cres. G45: Glas 4H **123**
Westcastle Gdns.
G45: Glas 4H **123**
Westcastle Gro. G45: Glas 4H **123**
W. Chapelton Av. G61: Bear 3F **47**
W. Chapelton Cres.
G61: Bear 3F **47**
W. Chapelton Dr. G61: Bear 3F **47**
W. Chapelton La. G61: Bear 3F **47**
Westcliff G82: Dumb 3B **18**
W. Clyde St. ML9: Lark 3D **170**
Westclyffe St. G41: Glas 4C **106**
W. Coats Rd. G72: Camb 3H **125**
West Ct. G81: Clyd 3A **44**
PA1: Pais 1E **101**
WEST CRAIGEND 6E **43**
WEST CRINDLEDYKE 3D **150**
West Cross ML2: Wis 6G **149**
Westdale Dr. G69: Mood 4E **55**
West Dr. ML6: Air 5E **97**
WEST DRUMOYNE 4D **84**
Westend G61: Bear 5G **47**
Westend Ct. ML8: Law 1F **173**
West End Dr. ML4: Bell 3A **130**

Westend Pk. St.
G3: Glas 1F **5** (1D **86**)
West End Pl. ML4: Bell 3B **130**
WESTER AUCHINLOCH 6D **52**
Westerburn St. G32: Glas 5H **89**
Wester Carriagehill
PA2: Pais 3H **101**
Wester Cleddens Rd.
G64: B'rig 5C **50**
Wester Cochno Holdings
G81: Hard 5C **24**
Wester Comn. Dr. G22: Glas 5E **65**
Wester Comn. Rd. G22: Glas 5E **65**
Westercraigs G31: Glas 4B **88**
Westercraigs Ct. G31: Glas 4B **88**
Westerdale G74: E Kil 6E **141**
Westerfield Rd. G76: Crmck 5H **139**
Westergate Shop. Cen.
G2: Glas 6B **6**
Westergill Av. ML6: Air 5E **97**
Westergreens Av. G66: Kirk 1B **52**
Westerhill Rd. G64: B'rig 3D **50**
WESTER HOLYTOWN 2G **131**
Westerhouse Ct. ML8: Carl 3B **174**
Westerhouse Path *G34: Glas* *3G* **91**
(off Arnisdale Rd.)
Westerhouse Rd. G34: Glas 3F **91**
WESTERHOUSE ROAD INTERCHANGE
. . . . .3F **91**
Westerkirk Dr. G23: Glas 6C **48**
Westerlands G12: Glas 3G **63**
Westerlands Dr.
G77: Newt M 5B **136**
Westerlands Gdns.
G77: Newt M 5B **136**
Westerlands Gro.
G77: Newt M 5B **136**
Westerlands Pl. G77: Newt M 4B **136**
Westermains Av. G66: Kirk 6B **32**
Wester Mavisbank Av.
ML6: Air 3G **95**
Wester Moffat Av. ML6: Air 3E **97**
Wester Moffat Cres. ML6: Air 4E **97**
Wester Myvot Rd. G67: Cumb 3C **56**
Western Av. G73: Ruth 5B **108**
Western Baths Club 6B **64**
Western Isles Rd.
G60: Old K 1G **43**
Western Rd. G72: Camb 3G **125**
Westerpark Av. G72: Blan 6A **144**
Wester Rd. G32: Glas 1D **110**
Westerton Av. G61: Bear 1F **63**
G76: Busby 4E **139**
ML9: Lark 4C **170**
Westerton Ct. G76: Busby 4E **139**
Westerton La. G76: Busby 4E **139**
Westerton Rd. G68: Dull 5F **15**
Westerton Station (Rail) 6E **47**
WESTERWOOD 6A **16**
W. Fairholm St. ML9: Lark 6H **163**
Westfarm Cres. G72: Camb 6D **110**
Westfarm Gro. G72: Camb 6D **110**
Westfarm Wynd G72: Camb 1D **126**
WEST FERRY INTERCHANGE 1A **40**
WESTFIELD
G65 . . . . .2F **13**
G68 . . . . .6B **36**
Westfield G82: Dumb 3C **18**
Westfield Av. G73: Ruth 6B **108**
Westfield Cres. G61: Bear 5E **47**
Westfield Dr. G52: Glas 6A **84**
G61: Bear 6A **46**
G68: Cumb 6A **36**
Westfield Ind. Area
G68: Cumb 1H **55**
Westfield Ind. Est. G68: Cumb 2A **56**

Westfield Pl. G68: Cumb 1H **55**
Westfield Rd. G46: T'bnk 5G **121**
   G65: Kils 2F **13**
   G68: Cumb 1H **55**
   ML1: N'hse 6C **116**
Westfields G64: B'rig 4A **50**
W. Fulton Cotts. PA6: C'lee 4E **79**
Westgarth Pl. G74: E Kil 6C **140**
West Ga. ML2: Wis 6B **150**
Westgate Way ML4: Bell 3B **130**
W. George La.
   G2: Glas 4H **5** (3E **87**)
W. George St. G2: Glas 4H **5** (3E **87**)
   (not continuous)
   ML5: Coat 3C **94**
West Glebe G76: Eag 6D **154**
W. Glebe Ter. ML3: Ham 1G **161**
W. Glen Rd. PA6: Hous 6A **40**
W. Graham St.
   G4: Glas 1A **6** (2E **87**)
W. Greenhill Pl.
   G3: Glas 4D **4** (3C **86**)
W. Hamilton St. ML1: Moth 3G **147**
W. High St. G66: Kirk 4C **32**
Westhorn Dr. G32: Glas 4A **110**
Westhouse Av. G73: Ruth 6A **108**
Westhouse Gdns. G73: Ruth 6A **108**
W. Kirk St. ML6: Air 4H **95**
Westknowe Gdns. G73: Ruth . . .2D **124**
Westland Dr. G14: Glas 6D **62**
Westland Dr. La. *G14: Glas 6D 62*
   (off Westland Dr.)
Westlands Gdns. PA2: Pais 3H **101**
West La. PA1: Pais 1F **101**
Westlea Pl. ML6: Air 5B **96**
W. Lodge Rd. PA4: Renf 5D **60**
WEST MAINS 1D **156**
W. Mains Rd. G74: E Kil 1D **156**
W. March Rd. PA3: Pais 4F **81**
WEST MARYSTON 4B **92**
Westminster Ter.
   G3: Glas 3D **4** (3C **86**)
Westmoreland St. G42: Glas 3E **107**
Westmuir Pl. G73: Ruth 5B **108**
Westmuir St. G31: Glas 6F **89**
W. Nile St. G1: Glas 5C **6** (4F **87**)
   G2: Glas 5C **6** (4F **87**)
West of Scotland Indoor Bowling Club
   . . . . .3A **108**
West of Scotland RUFC 5H **27**
Westpark Dr. PA3: Pais 6F **81**
West Pl. ML2: Newm 4E **151**
Westport G75: E Kil 2C **156**
WEST PORTON 3H **41**
W. Porton Pl. PA7: B'ton 3F **41**
Westport St. G65: Kils 3H **13**
W. Prince's La. G4: Glas 1C **86**
W. Prince's St.
   G4: Glas 1G **5** (1D **86**)
Westray Av. G77: Newt M 2C **136**
Westray Cir. G22: Glas 3G **65**
Westray Ct. G67: Cumb 5G **37**
Westray Pl. G22: Glas 2H **65**
   G64: B'rig 5F **51**
Westray Rd. G67: Cumb 5G **37**
Westray Sq. G22: Glas 2G **65**
Westray St. G22: Glas 2G **65**
Westray Wynd ML2: Newm 3D **150**
W. Regent La.
   G2: Glas 4B **6** (3F **87**)
W. Regent St. G2: Glas 3A **6** (3E **87**)
   (not continuous)
West Rd. G64: Torr 4D **30**
   PA10: Kilb 1A **98**
W. Scott Ter. ML3: Ham 2H **161**
Westside Gdns. G11: Glas 1H **85**
W. Stewart St. ML3: Ham 5G **145**

West St. G5: Glas 1E **107**
   G81: Clyd 1G **61**
   PA1: Pais 1G **101**
   (not continuous)
WEST STREET INTERCHANGE 5D **86**
West Street Station (Und.) 6E **87**
W. Thomson St. G81: Clyd 4C **44**
W. Thornlie St. ML2: Wis 1G **165**
W. Wellbrae Cres.
   ML3: Ham 2F **161**
W. Whitby St. G31: Glas 1E **109**
WESTWOOD 3D **156**
Westwood Av. G46: Giff 4H **121**
Westwood Cres. ML3: Ham 1F **161**
Westwood Gdns. PA3: Pais 6F **81**
Westwood Hill G75: E Kil 3D **156**
Westwood Quad. G81: Clyd 6F **45**
Westwood Rd. G43: Glas 1H **121**
   G75: E Kil 2D **156**
   ML2: Newm 2D **150**
Westwood Sq. G75: E Kil 3D **156**
Weymouth Dr. G12: Glas 3G **63**
Weymouth La. *G12: Glas 4H 63*
   (off Chelmsford Dr.)
Whamflet Av. G69: Bail 4A **92**
Whamond Ter. ML1: Moth 4G **147**
Wheatfield Rd. G61: Bear 4D **46**
Wheatholm Cres. ML6: Air 2B **96**
Wheatholm St. ML6: Air 2B **96**
Wheatland Av. G72: Blan 1A **144**
Wheatlandhead Ct.
   G72: Blan 1A **144**
WHEATLANDS 1A **144**
Wheatlands Dr. PA10: Kilb 1A **98**
Wheatlands Farm Rd.
   PA10: Kilb 1A **98**
Wheatley Ct. G32: Glas 6A **90**
Wheatley Cres. G65: Kils 4H **13**
Wheatley Dr. G32: Glas 6A **90**
Wheatley Loan G64: B'rig 1E **67**
Wheatley Pl. G32: Glas 6A **90**
WHIFFLET 6D **94**
Whifflet Ct. *ML5: Coat 6D 94*
   (off Whifflet St.)
Whifflet Station (Rail) 6D **94**
Whifflet St. ML5: Coat 2C **114**
Whimbrel Way PA4: Renf 4G **61**
Whimbrel Wynd PA4: Renf 4G **61**
Whin Av. G78: Barr 3D **118**
Whinfell Dr. G75: E Kil 5C **156**
Whinfell Gdns. G75: E Kil 5C **156**
Whinfield Av. G72: Camb 6G **109**
Whinfield Rd. G53: Glas 3A **120**
WHINHALL 2G **95**
Whinhall Av. ML6: Air 2G **95**
Whinhall Rd. ML6: Air 2G **95**
Whinhill Gdns. G53: Glas 2A **104**
Whinhill Pl. G53: Glas 2A **104**
Whinhill Rd. G53: Glas 2A **104**
   PA2: Pais 3D **102**
WHINKNOWE 5A **172**
Whinknowe ML9: Ashg 5H **171**
Whin Loan G65: Queen 2A **12**
Whinney Gro. ML2: Wis 5C **150**
Whinnie Knowe ML9: Lark 4B **170**
Whinny Burn Ct. ML1: Moth 6B **148**
Whinpark Av. ML4: Bell 4B **130**
Whin Pl. G74: E Kil 4B **142**
Whins Rd. G41: Glas 4A **106**
Whin St. G81: Clyd 3C **44**
Whirlie Ct. PA6: C'lee 2C **78**
Whirlie Dr. PA6: C'lee 3B **78**
Whirlie Rd. PA6: C'lee 3B **78**
   (not continuous)
Whirlies Rdbt., The
   G74: E Kil 5A **142**

Whirlie Way PA6: C'lee 3C **78**
Whirlow Gdns. G69: Bail 6G **91**
Whirlow Rd. G69: Bail 6G **91**
Whistleberry Cres.
   ML3: Ham 2F **145**
Whistleberry Dr. ML3: Ham 2E **145**
Whistleberry Ind. Pk.
   ML3: Ham 2E **145**
Whistleberry La. ML3: Ham 3F **145**
Whistleberry Pk. ML3: Ham 2E **145**
Whistleberry Retail Pk.
   G72: Blan 2D **144**
Whistleberry Rd. G72: Blan 2D **144**
   ML3: Ham 2D **144**
Whistlefield Ct. G61: Bear 4E **47**
Whitacres Path G53: Glas 3A **120**
Whitacres Rd. G53: Glas 3H **119**
Whitburn St. G32: Glas 4H **89**
Whiteadder Pl. G75: E Kil 4H **155**
White Cart Ct. G43: Glas 6B **106**
White Cart Rd. PA3: Glas A 2A **82**
White-Cart Twr. G74: E Kil 4B **158**
WHITECRAIGS 2G **137**
Whitecraigs Ct. G46: Giff 1G **137**
Whitecraigs Pl. G23: Glas 1C **64**
Whitecraigs Station (Rail) 1G **137**
WHITECROOK 6E **45**
Whitecrook St. G81: Clyd 1D **60**
Whitefield G66: Len 2E **9**
Whitefield Av. G72: Camb 3A **126**
Whitefield Rd. G51: Glas 6A **86**
Whitefield Ter. G66: Len 2E **9**
   G72: Camb 2B **126**
Whiteford Av. G82: Dumb 1H **19**
Whiteford Ct. ML3: Ham 5G **161**
Whiteford Cres. G82: Dumb 2H **19**
Whiteford Pl. G82: Dumb 2H **19**
Whiteford Rd. G33: Step 4F **69**
   PA2: Pais 3C **102**
Whitehall St. G3: Glas 6G **5** (4D **86**)
WHITEHAUGH 6C **82**
Whitehaugh Av. PA1: Pais 6D **82**
Whitehaugh Cres.
   G53: Glas 3A **120**
   (not continuous)
Whitehaugh Dr. PA1: Pais 6D **82**
Whitehaugh Rd. G53: Glas 3A **120**
   (not continuous)
WHITEHILL 3F **145**
Whitehill Av. G33: Step 3D **68**
   G66: Kirk 4F **33**
   G68: Cumb 3F **37**
   ML6: Air 2A **96**
Whitehill Ct. G31: Glas 4C **88**
   G66: Kirk 4F **33**
Whitehill Cres. G66: Kirk 4F **33**
   G81: Faif 6G **25**
   ML8: Carl 2D **174**
Whitehill Farm Rd.
   G33: Step 4D **68**
Whitehill Gdns. G31: Glas 4C **88**
Whitehill Gro. G77: Newt M 1F **153**
Whitehill La. G61: Bear 3D **46**
Whitehill Pl. G31: Glas 4C **88**
Whitehill Pool 4C **88**
Whitehill Rd. G61: Bear 2D **46**
   ML3: Ham 4F **145**
WHITEHILLS 5G **157**
Whitehills PA8: Ersk 5E **43**
Whitehills Dr. G75: E Kil 4G **157**
Whitehills Pl. G75: E Kil 4G **157**
Whitehills Ter. G75: E Kil 5G **157**
Whitehill St. G31: Glas 4C **88**
   (not continuous)
Whitehill St. La. G31: Glas 4C **88**
Whitehill Ter. G69: G'csh 5D **70**

Whitehorse Wlk. G75: E Kil 3D **156**
Whitehurst G61: Bear 1C **46**
Whitehurst Pk. G61: Bear 1C **46**
WHITEINCH 6C **62**
Whiteinch Bus. Pk.
 G14: Glas 1D **84**
Whiteinch Homes *G14: Glas* 6D *62*
 (off Westland Dr.)
Whitekirk Pl. G15: Glas 5A **46**
Whitelaw Av. ML5: Glenb 4B **72**
Whitelawburn G72: Camb 3G **125**
Whitelaw Cres. ML4: Bell 3F **131**
Whitelaw Gdns. G64: B'rig 4C **50**
Whitelaw St. G20: Glas 2A **64**
Whitelaw Ter. G65: Twe 1D **34**
Whitelee G75: E Kil 6F **157**
Whitelee Cres.
 G77: Newt M 3B **136**
Whitelee Ga. G77: Newt M 3B **136**
Whitelees Rd. G67: Cumb 5E **17**
Whitelees Rdbt. G67: Cumb 6F **17**
Whiteloans G71: Both 4F **129**
Whitemoss Av. G44: Glas 3D **122**
 G74: E Kil 2H **157**
Whitemoss Gro. G74: E Kil 1A **158**
Whitemoss Rd. G74: E Kil 2H **157**
Whitemoss Rdbt. G74: E Kil 2A **158**
Whitepond Av. ML4: Bell 4B **130**
Whiterigg Ct. *ML6: Air* *3F* **95**
 (off Monkscourt Av.)
Whitesbridge Av. PA3: Pais 1D **100**
Whitesbridge Cl. PA3: Pais 1D **100**
Whiteshaw Av. ML8: Carl 3B **174**
Whiteshaw Dr. ML8: Carl 3B **174**
Whiteshaw Rd. ML8: Law 2H **173**
Whitestone Av. G68: Cumb 3D **36**
White St. G11: Glas 1H **85**
 G81: Clyd 2F **61**
WHITESTRIPE 3F **151**
Whitevale St. G31: Glas 5C **88**
 (not continuous)
Whithope Rd. G53: Glas 3H **119**
Whithope Ter. G53: Glas 3H **119**
Whithorn Cres. G69: Mood 4D **54**
WHITLAWBURN 4H **125**
Whitlawburn Av. G72: Camb 3G **125**
Whitlawburn Rd. G72: Camb 3G **125**
Whitlawburn Shop. Cen.
 G72: Camb *4G* **125**
 (off Western Rd.)
Whitlawburn Ter. G72: Camb 3G **125**
Whitriggs Rd. G53: Glas 2H **119**
Whitslade Pl. G34: Glas 2F **91**
Whitslade St. G34: Glas 2G **91**
Whitsun Dale G74: E Kil 6E **141**
WHITTAGREEN 4D **132**
Whittagreen Av. ML1: N'hill 4D **132**
Whittagreen Ct. ML1: N'hill 4D **132**
Whittagreen Cres.
 ML1: N'hill 4D **132**
Whittingehame Ct.
 G12: Glas 4G **63**
Whittingehame Dr. G12: Glas 4F **63**
 G13: Glas 4F **63**
Whittingehame Gdns.
 G12: Glas 4G **63**
Whittingehame Pk. G12: Glas 4F **63**
Whittinghame La. G13: Glas 4F **63**
Whittington St. ML5: Coat 5C **94**
Whittlemuir Av. G44: Glas 3D **122**
Whitton Dr. G46: Giff 3B **122**
Whitton St. G20: Glas 1A **64**
Whitworth Dr. G20: Glas 3E **65**
 G81: Clyd 5C **44**
Whitworth Gdns. G20: Glas 3E **65**
Whitworth Ga. G20: Glas 4E **65**
Whitworth Av. G72: Camb 1G **125**

Whyte Cnr. G82: Milt 4F **21**
Wick Av. ML6: Air 1G **115**
Wickets, The PA1: Pais 2C **102**
Wickham Av. G77: Newt M 3D **136**
Wigton Av. G77: Newt M 2C **136**
Wigtoun Pl. G67: Cumb 1B **38**
WILDMANBRIDGE 4F **167**
Wildman Rd. ML8: Law 5F **167**
Wilfred Av. G13: Glas 2D **62**
Wilkie Cres. ML9: Lark 3D **170**
Wilkie Loan ML4: Bell 1D **130**
Wilkie Rd. G71: Udd 2E **129**
William Dr. ML3: Ham 4H **161**
William Mann Dr.
 G77: Newt M 5B **136**
WILLIAMSBURGH 1C **102**
Williamsburgh Ct.
 PA1: Pais 1C *102*
 (off Ladyburn St.)
Williamsburgh Ter.
 PA1: Pais 6C **82**
Williamson Av. G82: Dumb 3G **19**
Williamson Pl. PA5: John 3H **99**
Williamson St. G31: Glas 1E **109**
 G81: Clyd 3D **44**
William Spiers Pl.
 ML9: Lark 4D **170**
William St. G3: Glas 4G **5** (3D **86**)
 G65: Kils 3H **13**
 G81: Dun, Hard 1C **44**
 ML3: Ham 4F **145**
 ML5: Coat 1D **114**
 PA1: Pais 1G **101**
 PA5: John 2F **99**
William Ure Pl. G64: B'rig 2D **50**
William Wilson Ct. G65: Kils 2H **13**
WILLIAMWOOD 1B **138**
Williamwood Dr. G44: Neth 5C **122**
Williamwood Pk. G44: Neth 5D **122**
Williamwood Pk. W.
 G44: Neth 5D **122**
Williamwood Station (Rail) 6B **122**
Willock Pl. G20: Glas 2C **64**
Willoughby Dr. G13: Glas 3F **63**
Willoughby La. G13: Glas 3F **63**
Willow Av. G64: B'rig 1C **66**
 G66: Lenz 2C **52**
 ML1: New S 5A **132**
 PA5: Eld 3A **100**
 Willowbank ML9: Lark 6A **164**
Willowbank Cres.
 G3: Glas 1F **5** (1D **86**)
Willowbank Gdns. G66: Kirk 5D **32**
Willowbank St.
 G3: Glas 1F **5** (1D **86**)
Willow Ct. G75: E Kil 5D **156**
 G81: Clyd 3B **44**
Willow Cres. ML5: Coat 1C **114**
Willowdale Cres. G69: Bail 1G **111**
Willowdale Gdns. G69: Bail 1G **111**
Willow Dr. FK4: Bank 1E **17**
 G66: Milt C 6C **10**
 G72: Blan 1A **144**
 ML6: Air 4C **96**
 PA5: John 4F **99**
Willowford Rd. G53: Glas 3H **119**
Willow Gro. ML1: Holy 2B **132**
Willow La. G32: Glas 3B **110**
Willowpark Ct. ML6: Air 3H **95**
Willow Pl. G71: View 5H **113**
 PA5: John 3G **99**
Willows, The G76: Crmck 1H **139**
Willow St. G13: Glas 2F **63**
 Willow Tea Rooms 3B **6**
Willow Way ML3: Ham 4A **162**
Willox Pk. G82: Dumb 2G **19**
Willwood Rd. ML2: Wis 2A **150**

Wilmot Rd. G13: Glas 3D **62**
Wilsgait St. ML1: Cle 5H **133**
Wilson Av. PA3: Lin 5G **79**
Wilson Ct. ML4: Bell 2B **130**
Wilson Pl. G74: E Kil 3A **142**
 G77: Newt M 5C **136**
Wilson St. G1: Glas 6E **7** (4G **87**)
 ML1: Moth 2H **147**
 ML3: Ham 4E **145**
 ML5: Coat 4E **95**
 ML6: Air 2H **95**
 ML9: Lark 4D **170**
 PA1: Pais 1G **101**
 PA4: Renf 5F **61**
Wiltonburn Path G53: Glas 3A **120**
Wiltonburn Rd. G53: Glas 3A **120**
Wilton Ct. *G20: Glas* *6C* **64**
 (off Wilton St.)
Wilton Cres. La. G20: Glas 6D **64**
Wilton Dr. G20: Glas 6D **64**
Wilton Rd. ML8: Carl 5E **175**
Wilton St. G20: Glas 5C **64**
 ML5: Coat 1H **93**
Wilverton Rd. G13: Glas 1E **63**
Winburne Cres. ML3: Ham 5F **145**
Winchester Dr. G12: Glas 3H **63**
Windermere G75: E Kil 6B **156**
Windermere Gdns.
 ML3: Ham 5G **161**
Windermere St. ML4: Bell 3B **130**
Windhill Cres. G43: Glas 2H **121**
Windhill Pk. G76: Water 1C **154**
Windhill Pl. G43: Glas 2A **122**
Windhill Rd. G43: Glas 2H **121**
Windlaw Ct. G45: Glas 5H **123**
Windlaw Gdns. G44: Neth 3D **122**
Windlaw Pk. Gdns. G44: Neth 3D **122**
Windlaw Rd. G76: Crmck 6H **123**
Windmill Ct. ML1: Moth 4H **147**
Windmillcroft Quay G5: Glas 5E **87**
Windmill Gdns. ML8: Carl 3D **174**
Windmillhill St. ML1: Moth 3H **147**
Windmill Rd. ML3: Ham 5H **145**
Windrow Ter. ML2: Wis 2A **150**
Windsor Av. G77: Newt M 4F **137**
Windsor Ct. ML8: Carl 3D **174**
Windsor Cres. G81: Clyd 4C **44**
 PA1: Pais 5C **82**
 PA5: Eld 4H **99**
Windsor Cres. La. G81: Clyd 4C **44**
Windsor Dr. ML6: Glenm 5H **73**
Windsor Gdns. ML3: Ham 4E **145**
Windsor Path *G69: Barg* 5D *92*
 (off Park Rd.)
 ML9: Lark 3E *171*
 (off Carrick St.)
Windsor Pl. *PA11: Bri W* 3F *77*
 (off Main Rd.)
Windsor Quad. ML8: Carl 3D **174**
Windsor Rd. ML1: Holy 2A **132**
 PA4: Renf 1E **83**
Windsor St. G20: Glas 1E **87**
 G32: Glas 5C **90**
 ML5: Coat 2A **114**
Windsor Ter. G20: Glas 1E **87**
Windsor Wlk. G71: View 6F **113**
Windward Rd. G75: E Kil 2C **156**
Windyedge & Hareshaw Rd.
 ML1: Cle 4H **133**
Windyedge Cres. G13: Glas 4C **62**
Windyedge Pl. G13: Glas 4C **62**
Windyridge ML3: Ham 2A **162**
Windyridge Pl. G72: Blan 2A **144**
Windy Yetts G65: Twe 2D **34**
Wingate Cres. G74: E Kil 5C **142**
Wingate Dr. G74: E Kil 5C **142**
Wingate Pk. G74: E Kil 5C **142**

Wingate St. ML2: Wis 5D **148**
Wingfield Gdns. G71: Both 6F **129**
Winifred St. G33: Glas 5F **67**
Winning Ct. G72: Blan 6C **128**
Winning Quad. ML2: Wis 6D **148**
Winning Row G31: Glas 6F **89**
Winnipeg Dr. G75: E Kil 3D **156**
Winston Cres. G66: Len 3F **9**
Winter Gdns. 6B **64**
Wintergreen Ct. G74: E Kil 5F **141**
Wintergreen Dr. G74: E Kil 5F **141**
Winton Av. G46: Giff 5A **122**
Winton Cres. G72: Blan 2A **144**
Winton Dr. G12: Glas 4A **64**
Winton Gdns. G71: Tann 6D **112**
Winton La. G12: Glas 4A **64**
Winton Pk. G75: E Kil 2C **156**
Wirran Pl. G13: Glas 1G **61**
Wishart La. ML8: Law 6E **167**
Wishart St. G31: Glas 5H **7** (4A **88**)
WISHAW 6G **149**
Wishaw High Rd. ML1: Cle 1H **149**
WISHAWHILL 5F **149**
Wishawhill St. ML2: Wis 6F **149**
Wishaw Low Rd. ML1: Cle 3G **149**
Wishaw Rd.
   ML2: Newm, Wis 2B **166**
Wishaw Sports Cen. 1F **165**
Wishaw Station (Rail) 1G **165**
Wisner Ct. G46: T'bnk 3F **121**
Wisteria La. ML8: Carl 5D **174**
Wiston St. G72: Camb 2E **127**
Witchwood Ct. ML5: Coat 1H **93**
Witcutt Way ML2: Wis 2E **165**
Woddrop St. G40: Glas 3D **108**
Wolcott Dr. G72: Blan 1B **144**
Wolfe Av. G77: Newt M 2C **136**
Wolfson Hall G20: Glas 6H **47**
Wolseley St. G5: Glas 2H **107**
Women's Library 6E **7**
   (off Trongate)
Wood Aven Dr. G74: E Kil 5F **141**
Woodbank Cres. G76: Clar 3C **138**
   PA5: John 3F **99**
Woodburn Av. G72: Blan 1C **144**
   G76: Clar 3C **138**
   ML6: Air 5H **95**
Woodburn Ct. G73: Ruth 1D **124**
Woodburn Gro. ML3: Ham 6H **145**
Woodburn Pk. ML3: Ham 6A **146**
Woodburn Pl. PA6: C'lee 4E **79**
Woodburn Rd. G43: Glas 2B **122**
   ML1: N'hse 6D **116**
Woodburn St. ML1: Moth 1G **147**
Woodburn Ter. ML9: Lark 3E **171**
Woodburn Way G62: Miln 4G **27**
   G68: Cumb 3E **37**
Wood Cres. ML1: Moth 6G **131**
Woodcroft Av. G11: Glas 6F **63**
Wooddale ML1: Moth 5F **147**
Woodend G72: Blan 3B **144**
Woodend Ct. G32: Glas 3E **111**
Woodend Dr. G13: Glas 4E **63**
   ML6: Air 2C **96**
   PA1: Pais 1F **103**
Woodend Gdns. G32: Glas 3D **110**
Woodend La. G13: Glas 4E **63**
   ML9: Lark 4E **171**
   (off Keir Hardie Rd.)
Woodend Pl. PA5: Eld 3H **99**
Woodend Rd. G32: Glas 3D **110**
   G73: Ruth 3C **124**
   ML8: Carl 3B **175**
Wood Farm Rd. G46: T'bnk 5G **121**
Woodfield G71: View 1G **129**
Woodfield Av. G64: B'rig 6D **50**
Woodfoot Path G53: Glas 3B **120**

Woodfoot Pl. G53: Glas 3A **120**
Woodfoot Quad.
   G53: Glas 3B **120**
Woodfoot Rd. G53: Glas 3A **120**
   ML3: Ham 1E **161**
Woodford Pl. PA3: Lin 5G **79**
Woodford St. G41: Glas 6C **106**
Woodgreen Av. G44: Glas 1F **123**
Woodgreen Ct. ML2: Wis 3G **165**
Woodhall ML1: Holy 5A **116**
Woodhall Av. ML1: Holy 2H **131**
   ML3: Ham 5F **145**
   ML5: Coat 2A **114**
   ML6: C'bnk 3B **116**
Woodhall Cott. Rd.
   ML6: C'bnk 4C **116**
Woodhall Mill Rd.
   ML6: C'bnk, Chap 4B **116**
Woodhall Pl. ML5: Coat 2B **114**
Woodhall Rd.
   ML2: Newm, Wis 5D **150**
   ML6: C'bnk 3B **116**
Woodhall St. G40: Glas 3D **108**
   ML6: Chap 4D **116**
Woodhead Av. G66: Kirk 6D **32**
   G68: Cumb 6B **36**
   G71: Both 6F **129**
Woodhead Ct. G68: Cumb 6B **36**
Woodhead Cres. G71: Tann 6D **112**
   ML3: Ham 3E **161**
   ML6: Glenm 6G **73**
Woodhead Gdns. G71: Both 1F **145**
Woodhead Gro. G68: Cumb 6B **36**
Woodhead Ind. Est.
   G69: Chry 3H **69**
Woodhead La. ML3: Ham 3F **161**
Woodhead Path G53: Glas 2A **120**
Woodhead Pl. G68: Cumb 6B **36**
Woodhead Rd. G53: Glas 2H **119**
   G68: Cumb 6B **36**
   G69: Chry 3H **69**
Woodhead Ter. G69: Chry 2H **69**
Woodhead Vw. G68: Cumb 6B **36**
Woodhill Rd. G21: Glas 3D **66**
   G64: B'rig 6E **51**
Woodholm Av. G44: Glas 1G **123**
Woodhouse Ct. G76: Busby 4E **139**
Woodhouse St. G13: Glas 2E **63**
Woodilee Cotts. G66: Lenz 1E **53**
Woodilee Ind. Est. G66: Lenz 1E **53**
Woodilee Rd. G66: Kirk, Lenz 6E **33**
   ML1: N'hill 3E **133**
Woodland Av. G66: Kirk 5B **32**
   ML6: Air 1C **116**
   PA2: Pais 5A **102**
Woodland Cres. G72: Camb 3B **126**
   G76: Eag 6B **154**
Woodland Gdns. G76: Crmck 2H **139**
   ML3: Ham 1B **162**
Woodlands, The ML4: Bell 4F **131**
Woodlands Av. G69: G'csh 2C **70**
   G71: Both 4E **129**
   ML8: Law 5D **166**
Woodlands Ct. G46: T'bnk 5F **121**
   G60: Old K 2F **43**
Woodlands Cres. G46: T'bnk 4F **121**
   G71: Both 4E **129**
   PA5: John 4D **98**
Woodlands Dr. G4: Glas 1D **86**
   ML1: Holy 2H **131**
   ML5: Coat 4H **93**
Woodlands Gdns. G71: Both 3D **128**
Woodlands Ga. G3: Glas . . .1F **5** (2D **86**)
   G46: T'bnk 4F **121**
Woodlands Gro. G62: Miln 2G **27**
Woodlands Pk. G46: T'bnk 5F **121**
Woodlands Pl. ML5: Coat 4H **93**

Woodlands Rd. G3: Glas . . .1F **5** (1D **86**)
   G46: T'bnk 5F **121**
   ML1: Moth 6H **147**
   ML1: N'hse 6D **116**
Woodlands St. G62: Miln 3G **27**
   ML1: Moth 5H **147**
Woodlands Ter. G3: Glas . . .1E **5** (2C **86**)
   G71: Both 4E **129**
Woodland Ter. ML9: Lark 4E **171**
Woodland Way G67: Cumb 2B **38**
Woodlea Av. ML6: Air 1C **116**
Woodlea Dr. G46: Giff 3B **122**
   ML3: Ham 3H **161**
Woodlea Pl. ML6: Air 2C **96**
Woodlinn Av. G44: Glas 2F **123**
Woodmill Dr. G64: Torr 4E **31**
Woodmill Gdns. G67: Cumb 1B **56**
Woodneuk Av. G69: G'csh 3D **70**
Woodneuk Ct. PA1: Pais 1E **101**
Woodneuk La. G69: G'csh 4D **70**
Woodneuk Rd. G53: Glas 3B **120**
   G69: G'csh 4D **70**
Woodneuk St. ML6: Chap 4D **116**
Woodneuk Ter. G69: G'csh 4D **70**
Wood Quad. G81: Clyd 1G **61**
Woodrow ML1: Holy 5B **116**
Woodrow Av. ML1: Carf 5B **132**
Woodrow Cir. G41: Glas 1B **106**
Woodrow Pl. G41: Glas 1A **106**
Woodrow Rd. G41: Glas 1B **106**
Woodside ML1: Holy 5G **115**
   PA6: Hous 2D **78**
Woodside Av. G46: T'bnk 4G **121**
   G65: Kils 3B **14**
   G66: Lenz 1D **52**
   G73: Ruth 6E **109**
   ML3: Ham 1A **162**
   PA11: Bri W 2F **77**
Woodside Ct. ML3: Ham 1A **162**
   ML5: Coat 6H **93**
   (off Woodside St.)
Woodside Crematorium
   PA1: Pais 6F **81**
Woodside Cres.
   G3: Glas 2G **5** (2D **86**)
   G78: Barr 5F **119**
   ML2: Newm 3F **151**
   PA1: Pais 1G **101**
Woodside Dr. G76: Water 1B **154**
   ML6: C'bnk 3A **116**
Woodside Gdns. G76: Clar 2B **138**
   G76: Crmck 2H **139**
   ML5: Coat 1H **113**
Woodside Gro. G73: Ruth 6E **109**
Woodside La. PA5: Brkfld 5D **78**
Woodside Pl. G3: Glas 2F **5** (2D **86**)
   G71: View 5G **113**
Woodside Pl. La.
   G3: Glas 2F **5** (2D **86**)
Woodside Rd. G76: Crmck 2H **139**
   PA5: Brkfld 5C **78**
Woodside St. ML1: Moth 5B **148**
   ML1: New S 4A **132**
   ML5: Coat 2H **113**
   (not continuous)
   ML6: Chap 3D **116**
Woodside Ter. G3: Glas 2F **5** (2D **86**)
Woodside Ter. La.
   G3: Glas 2F **5**
Woodside Twr. ML1: Moth 5B **148**
Woodside Wlk. ML3: Ham 6A **146**
Woodstock Av. G41: Glas 4B **106**
   G66: Kirk 5F **33**
   PA2: Pais 5C **100**
Woodstock Dr. ML2: Wis 5A **150**
Woodstock Way PA2: Pais 5C **100**

Wood St. G31: Glas 3D **88**
  ML1: Moth 1H **147**
  ML5: Coat 4A **94**
  ML6: Air 2B **96**
  PA2: Pais 2D **102**
Woodvale Av. G46: Giff 1H **137**
  G61: Bear 5H **47**
  ML6: Air 1D **116**
Woodvale Dr. PA3: Pais 6E **81**
Wood Vw. ML1: Holy 2B **132**
Woodview G71: View 5H **113**
Woodview Dr. ML4: Bell 6E **115**
  ML6: Air 6A **96**
Woodview La. ML6: Air 6A **96**
Woodview Rd. ML9: Lark 5C **170**
Woodview Ter. ML3: Ham 5F **145**
Woodville Pk. G51: Glas 5H **85**
Woodville Pk. Ind. Est.
  G51: Glas *5H **85***
    (off Woodville Pk.)
Woodville St. G51: Glas 5H **85**
Woodyard Rd. G82: Dumb 4E **19**
Woodyett Pk. G76: Busby 4D **138**
Woodyett Rd. G76: Busby 4D **138**
Wordsworth Way G71: Both 4F **129**
World of Golf 4F **45**
Worrall Gdns. ML3: Fern 1D **162**
Worsley Cres. G77: Newt M 3C **136**
Wraes Av. G78: Barr 3F **119**
Wraes Vw. G78: Barr 6B **118**
Wraisland Cres. PA7: B'ton 3F **41**
Wrangholm Cres.
  ML1: New S 4B **132**
Wrangholm Dr. ML1: New S 4A **132**
Wren Ct. ML4: Bell 5A **114**
Wren Pl. ML2: Wis 6H **149**
  PA5: John 6D **98**
Wright Av. G78: Barr 5C **118**
Wrightlands Cres. PA8: Ersk 1A **60**
Wright St. PA4: Renf 1B **82**
Wright Way ML1: New S 4A **132**
Wye Cres. ML5: Coat 2H **93**
Wykeham Pl. G13: Glas 3C **62**
Wykeham Rd. G13: Glas 3C **62**
Wyler Twr. ML3: Ham 6A **146**
Wylie G74: E Kil 4D **142**
Wylie Av. G77: Newt M 2D **136**
Wylie St. ML3: Ham 1H **161**

Wynd, The G67: Cumb 6B **16**
Wyndford Dr. G20: Glas 4B **64**
Wyndford Pl. G20: Glas 4B **64**
Wyndford Recreation Cen. 4B **64**
Wyndford Rd. G20: Glas 4A **64**
  G68: Cumb 3D **16**
Wyndford Ter. G71: View 6F **113**
Wyndham Ct. *G12: Glas* *5B **64***
    (off Wyndham St.)
Wyndham St. G12: Glas 5B **64**
Wynyard Grn. G75: E Kil 3D **156**
Wyper Pl. G31: Glas 5C **88**
Wyvil Av. G13: Glas 6E **47**
Wyvis Av. G13: Glas 1H **61**
  G61: Bear 6C **26**
Wyvis Ct. G77: Newt M 1D **152**
Wyvis Pl. G13: Glas 1H **61**
  G77: Newt M 1C **152**
Wyvis Quad. G13: Glas 1H **61**
Wyvis Way ML1: Moth 6D **148**

X

Xscape 5H **61**
XS Superbowl 5B **82**

Y

Yair Dr. G52: Glas 5A **84**
Yarrow Ct. G72: Camb 2D **126**
Yarrow Cres. ML2: Wis 5H **149**
  PA7: B'ton 5A **42**
Yarrow Gdns. G20: Glas 6D **64**
Yarrow Gdns. La. *G20: Glas* *6D **64***
    (off Yarrow Gdns.)
Yarrow Pk. G74: E Kil 2A **158**
Yarrow Rd. G64: B'rig 3C **50**
Yarrow Way G72: Blan 1B **144**
Yate Gro. G31: Glas 6D **88**
Yate Rd. G31: Glas 6D **88**
Yate St. G31: Glas 6D **88**
Yetholm Gdns. G74: E Kil 5H **141**
Yetholm St. G14: Glas 3G **61**
Yetholm Ter. ML3: Ham 6C **144**
YETT 4C **132**

Yett Rd. ML1: N'hill 4D **132**
Yetts Cres. G66: Kirk 5F **33**
Yetts Hole Rd. ML6: Glenm 6D **56**
Yew Dr. G21: Glas 6C **66**
Yew Pl. PA5: John 4F **99**
Yews Cres. ML3: Ham 4F **145**
YIELDSHIELDS 4H **175**
Yieldshields Rd. ML8: Carl 5H **175**
Yoker Burn Pl. G13: Glas 2G **61**
Yokerburn Ter. G81: Clyd 2F **61**
Yoker Ferry Rd. G14: Glas 3G **61**
Yoker Mill Gdns. G13: Glas 2G **61**
Yoker Mill Rd. G13: Glas 2G **61**
Yoker Sports Cen. 3H **61**
Yoker Station (Rail) 2F **61**
York Dr. G73: Ruth 2F **125**
YORKER 3G **61**
Yorkhill Pde. G3: Glas 2A **4** (2A **86**)
Yorkhill St. G3: Glas 3B **4** (3B **86**)
York Pl. *ML4: Bell* *2C **130***
    (off Neilson St.)
York Rd. ML1: N'hse 5D **116**
  ML6: Chap 5D **116**
York St. G2: Glas 6A **6** (4E **87**)
  G81: Clyd 5F **45**
  ML2: Wis 1H **165**
York Way PA4: Renf 2E **83**
Younger Quad. G64: B'rig 6C **50**
Young Pl. G71: Tann 5E **113**
  G75: E Kil 6A **158**
  ML2: Newm 4F **151**
Young St. G81: Clyd 3D **44**
  ML2: Wis 6H **149**
Young Ter. G21: Glas 5C **66**
Young Wynd ML4: Bell 5C **114**
Yukon Ter. G75: E Kil 3D **156**
Yvetot Ct. ML8: Carl 2C **174**

Z

Zambesi Dr. G72: Blan 6A **128**
Zena Cres. G33: Glas 5E **67**
Zena Pl. G33: Glas 5F **67**
Zena St. G33: Glas 5E **67**
Zetland Rd. G52: Hill 3H **83**
Zoology Mus. 1B **86**

HOSPITALS and HOSPICES
covered by this atlas.

N.B. Where Hospitals and Hospices are not named on the map, the reference
given is for the road in which they are situated.

ACCORD HOSPICE 3E **103**
Hawkhead Road
PAISLEY
PA2 7BL
Tel: 0141 581 2000

AIRBLES ROAD CENTRE 4H **147**
49 Airbles Road
MOTHERWELL
ML1 2TP
Tel: 01698 269336

ALEXANDER HOSPITAL 3A **94**
Blair Road
COATBRIDGE
ML5 2EW
Tel: 01236 422661

BEATSON ONCOLOGY CENTRE, THE
.........................5G **63**
1053 Great Western Road
GLASGOW
G12 0YN
Tel: 0141 211 3000

BLAWARTHILL HOSPITAL 3A **62**
129 Holehouse Drive
GLASGOW
G13 0LH
Tel: 0141 211 9000

COATHILL HOSPITAL 1C **114**
Hospital Street
COATBRIDGE
ML5 4DN
Tel: 01698 245000

DRUMCHAPEL HOSPITAL 5B **46**
129 Drumchapel Road
GLASGOW
G15 6PX
Tel: 0141 211 6000

DUMBARTON JOINT HOSPITAL 3C **18**
Cardross Road
DUMBARTON
G82 5JA
Tel: 01389 762317

DYKEBAR HOSPITAL 6D **102**
Grahamston Road
PAISLEY
PA2 7DE
Tel: 0141 8845122

ERSKINE 2C **42**
Ferry Rd.
BISHOPTON
PA7 5PU
Tel: 0141 812 1100

GARTNAVEL GENERAL HOSPITAL
.........................5G **63**
1053 Great Western Road
GLASGOW
G12 0YN
Tel: 0141 211 3000

GARTNAVEL ROYAL HOSPITAL 5G **63**
1055 Great Western Road
GLASGOW
G12 0XH
Tel: 0141 211 3600

GLASGOW DENTAL HOSPITAL
.................3A **6** (3E **87**)
378 Sauchiehall Street
GLASGOW
G2 3JZ
Tel: 0141 211 9600

GLASGOW HOMOEOPATHIC HOSPITAL
.........................5G **63**
1053 Great Western Road
GLASGOW
G12 0XQ
Tel: 0141 211 1600

GLASGOW NUFFIELD HOSPITAL, THE
.........................4H **63**
25 Beaconsfield Road
GLASGOW
G12 0PJ
Tel: 0141 334 9441

GLASGOW ROYAL INFIRMARY
..................4H **7** (3A **88**)
84 Castle Street
GLASGOW
G4 0SF
Tel: 0141 211 4000

GOLDEN JUBILEE NATIONAL HOSPITAL
.........................5A **44**
Beardmore Street
CLYDEBANK
G81 4HX
Tel: 0141 9515000

HAIRMYRES HOSPITAL 2B **156**
Eaglesham Road
East Kilbride
GLASGOW
G75 8RG
Tel: 01355 585000

JOHNSTONE HOSPITAL 1G **99**
Bridge of Weir Road
JOHNSTONE
PA5 8YX
Tel: 01505 331471

KILSYTH VICTORIA COTTAGE HOSPITAL
.........................3F **13**
19 Glasgow Road
Kilsyth
GLASGOW
G65 9AG
Tel: 01236 822172

KIRKLANDS HOSPITAL 3F **129**
Fallside Road
Bothwell
GLASGOW
G71 8BB
Tel: 01698 855 622

LEVERNDALE HOSPITAL 3H **103**
510 Crookston Road
GLASGOW
G53 7TU
Tel: 0141 211 6400

LIGHTBURN HOSPITAL 4B **90**
966 Carntyne Road
GLASGOW
G32 6ND
Tel: 0141 211 1500

MANSIONHOUSE UNIT, THE 5D **106**
Mansionhouse Road
GLASGOW
G41 3DX
Tel: 0141 201 6161

MARIE CURIE HOSPICE, GLASGOW
.........................3B **66**
1 Belmont Road
GLASGOW
G21 3AY
Tel: 0141 531 1300

MONKLANDS DISTRICT
GENERAL HOSPITAL 4F **95**
Monkscourt Avenue
AIRDRIE
ML6 0JS
Tel: 01236 748748

PARKHEAD HOSPITAL 6F **89**
81 Salamanca Street
GLASGOW
G31 5ES
Tel: 0141 211 8300

PRINCE & PRINCESS OF WALES HOSPICE
.........................5F **87**
71 Carlton Place
GLASGOW
G5 9TD
Tel: 0141 429 5599

PRINCESS ROYAL MATERNITY HOSPITAL
. . . . .3A **88**
16 Alexandra Parade
GLASGOW
G31 2ER
Tel: 0141 211 5400

PRIORY HOSPITAL, GLASGOW, THE
. . . . .5D **106**
38-40 Mansionhouse Road
GLASGOW
G41 3DW
Tel: 0141 636 6116

QUEEN MOTHER'S HOSPITAL, THE
. . . . .2A **4** (2A **86**)
Dalnair Street
Yorkhill
GLASGOW
G3 8SJ
Tel: 0141 201 0550

RED DEER DAY HOSPITAL 3E **157**
Alberta Avenue
East Kilbride
GLASGOW
G75 8NH
Tel: 01355 593450

ROADMEETINGS HOSPITAL 5G **175**
Goremire Road
CARLUKE
ML8 4PS
Tel: 01555 772 271

ROSS HALL BMI HOSPITAL 2A **104**
221 Crookston Road
GLASGOW
G52 3NQ
Tel: 0141 810 3151

ROYAL ALEXANDRA HOSPITAL 3H **101**
Corsebar Road
PAISLEY
PA2 9PN
Tel: 0141 887 9111

ROYAL HOSPITAL FOR SICK CHILDREN
. . . . .2A **4** (2A **86**)
Dalnair Street
Yorkhill
GLASGOW
G3 8SJ
Tel: 0141 201 0000

ST ANDREW'S HOSPICE 3A **96**
Henderson Street
AIRDRIE
ML6 6DJ
Tel: 01236 766951

ST MARGARET OF SCOTLAND HOSPICE
. . . . .2F **61**
East Barns Street
CLYDEBANK
G81 1EG
Tel: 0141 9521141

ST VINCENT'S HOSPICE 6B **98**
Midton Road
Howwood
JOHNSTONE
PA9 1AF
Tel: 01505 705635

SHETTLESTON DAY HOSPITAL 1H **109**
152 Wellshot Road
GLASGOW
G32 7AX
Tel: 0141 303 8820

SOUTHERN GENERAL HOSPITAL . . .3D **84**
1345 Govan Road
GLASGOW
G51 4TF
Tel: 0141 201 1100

STOBHILL GENERAL HOSPITAL 3C **66**
133 Balornock Road
GLASGOW
G21 3UW
Tel: 0141 201 3000

STRATHCLYDE HOSPITAL 4F **147**
Airbles Road
MOTHERWELL
ML1 3BW
Tel: 01698 245000

UDSTON HOSPITAL 5D **144**
Farm Road
HAMILTON
ML3 9LA
Tel: 01698 723200

VICTORIA INFIRMARY 5E **107**
Langside Road
GLASGOW
G42 9TY
Tel: 0141 201 6000

WESTER MOFFAT HOSPITAL 3F **97**
Towers Road
AIRDRIE
ML6 8LW
Tel: 01236 763377

WESTERN INFIRMARY 1B **86**
Dumbarton Road
GLASGOW
G11 6NT
Tel: 0141 211 2000

WISHAW GENERAL HOSPITAL . . .6E **149**
50 Netherton Street
WISHAW
ML2 0DP
Tel: 01698 361100